KRAFT
ZUM LOSLASSEN



10.11.00

Gekauft in einer
sehr schlechten Phase. Vermisse
Herausforderung, Liebe und
Geborgenheit.

B. Vogtlender

HAZELDEN MEDITATIONSBÜCHER

MELODY BEATTIE

# *Kraft zum Loslassen*

Tägliche Meditationen
für die innere Heilung

WILHELM HEYNE VERLAG
MÜNCHEN

Titel der amerikanischen Originalausgabe:
THE LANGUAGE OF LETTING GO:
DAILY MEDITATIONS FOR CODEPENDENTS
Ins Deutsche übertragen von Traudi Perlinger

29. Auflage

Die Originalausgabe erschien im Verlag
der Hazelden Foundation, Center City, Minnesota, USA

Umschlaggestaltung: Martina Eisele, München,
Umschlagfoto: David Crosier / Tony Stone Images
Satz: Schaber, Wels
Druck und Bindung: RMO-Druck, München
Printed in Germany

ISBN 3-453-04765-6

# WIDMUNG

Ich danke meiner Lektorin Rebecca Post von Hazelden für ihre Hilfe und Unterstützung bei der Entstehung dieses Buches.
Ich widme es

Gott,
den Lesern von *Die Sucht, gebraucht zu werden,*
und *Unabhängig sein — Jenseits der Sucht,*
*gebraucht zu werden*
sowie meinem Freund Louie.

# EINFÜHRUNG

Dies ist ein Meditationsbuch. Es soll Ihnen helfen, sich jeden Tag eine Zeitlang auf jene Gedanken zu besinnen, die Ihnen bereits vertraut sind.

Ich beziehe mich auf einige Grundsätze aus *Die Sucht, gebraucht zu werden* und *Unabhängig sein*, füge aber auch neue Ideen und Überlegungen hinzu.

Das Buch soll Ihr Wohlbefinden steigern und dazu beitragen, daß Sie sorgsam mit sich selbst umgehen und mit Ihrem inneren Wachstum beginnen.

Ich bedanke mich für den Rückhalt, die Ermutigung und den Erfolg, den meine Leser mir beschieden haben, und hoffe, mit diesem Buch ein wenig zur Bereicherung Ihres Lebens beizutragen.

*Melody Beattie*

# *Januar*

## Das neue Jahr

**1. Januar**

Setzen Sie sich Ziele für das neue Jahr. Erforschen Sie Ihr Inneres, und machen Sie sich klar, was in diesem Jahr geschehen soll. Damit leisten Sie Ihren persönlichen Beitrag und bekräftigen die Absicht, im kommenden Jahr ein erfülltes Leben zu verbringen.

Ziele geben uns die Richtung vor. Sie setzen große Kräfte frei, die auf universaler, bewußter und unbewußter Ebene wirksam werden.

Ziele geben unserem Leben eine Orientierung.

Was soll sich dieses Jahr in Ihrem Leben ereignen? Was würden Sie gerne tun, was möchten Sie vollbringen? Welche guten Dinge würden Sie gerne in Ihr Leben einbringen? In welchen Bereichen möchten Sie menschlich wachsen? Welche inneren Blockaden oder Charakterfehler möchten Sie beseitigen?

Was wollen Sie erreichen? Nebensächliches und Bedeutendes? Wohin würden Sie gerne gehen? Was wünschen Sie sich von Freundschaft und Liebe? Was soll in Ihrem Familienleben geschehen?

Vergessen wir nicht, daß wir mit unseren Zielen keine Kontrolle über andere ausüben wollen — wir bemühen uns vielmehr, *unserem* Leben eine Richtung zu geben.

Welche Probleme möchten Sie lösen? Welche Entscheidungen möchten Sie treffen? Was soll sich in Ihrem Beruf ereignen?

Was soll in Ihrer Innen- und in Ihrer Außenwelt passieren?

Schreiben Sie alles auf. Nehmen Sie sich ein Blatt Papier, ein paar Stunden Zeit, und notieren Sie alles — zur positiven Bestätigung Ihrer Person, Ihres Lebens und Ihrer Fähigkeit, Entscheidungen zu treffen. Dann legen Sie das Blatt beiseite.

Zweifellos werden Dinge geschehen, die außerhalb Ihrer Einflußmöglichkeiten liegen. Manchmal entpuppen sie sich als angenehme Überraschungen; manchmal aber auch nicht. Doch alle Ereignisse sind Teil jenes Kapitels, das dieses Lebensjahr umfassen und unsere eigene Geschichte fortsetzen wird.

Das neue Jahr liegt vor uns wie die leeren Seiten eines Buches, die darauf warten, beschrieben zu werden. Wir können zur Aufzeichnung dieser Geschichte beitragen, indem wir uns Ziele setzen.

■ *Heute will ich mich darauf besinnen, daß im Niederschreiben von Zielen eine große Kraft liegt. Ich schreibe jetzt meine Ziele für das kommende Jahr auf und ergänze und verändere die Liste im Bedarfsfall. Ich mache das nicht, um andere zu kontrollieren, sondern um meinen Beitrag für mein Leben zu leisten.*

## Gesunde Grenzen — 2. Januar

Abgrenzungen sind für unsere innere Heilung lebenswichtig. Gesunde Grenzen setzen und einhalten ist Bestandteil einer jeden Heilungsphase. Sie dienen der Steigerung unseres Selbstwerts und dem richtigen Umgang mit Gefühlen: Wir lernen dadurch, uns wirklich zu lieben und zu achten.

Grenzen entstehen in den Tiefen unserer Seele. Sie haben mit dem Loslassen von Schuld- und Schamgefühlen zu tun sowie mit unseren veränderten Überzeugungen hinsichtlich dessen, was wir verdient haben. In dem Maße, wie unsere Gedanken hier klarer werden, treten auch unsere Grenzen deutlicher hervor.

Grenzen unterliegen einem höheren Zeitplan, als wir ihn kennen. Wir setzen dann Grenzen, wenn wir dazu bereit sind, und keinen Augenblick früher. Das gilt für alle Menschen.

Etwas Magisches geschieht, wenn wir den Punkt erreichen, an dem wir bereit sind, eine Grenze zu setzen. Wir wissen, daß wir meinen, was wir sagen; und auch die anderen nehmen uns ernst. Veränderungen treten ein, nicht weil wir andere kontrollieren, sondern weil wir uns verändert haben.

■ *Heute will ich darauf vertrauen, daß ich in dem mir eigenen Tempo lerne, wachse und jene Grenzen setze, die ich in meinem Leben brauche. Diese zeitliche Abstimmung braucht nur für mich richtig zu sein.*

## Sorge tragen für sich selbst 3. Januar

*... es gibt kein Handbuch, um Grenzen zu setzen. Jeder von uns ist sein eigener Ratgeber. Wenn wir konstant an unserer inneren Heilung arbeiten, werden unsere Grenzen sich entwickeln. Sie werden gesund und feinfühlig sein. Unser Selbst wird uns zu verstehen geben, was wir wissen müssen, und unsere Eigenliebe wird stark genug sein, damit wir auf die innere Stimme hören.*

— Unabhängig sein

Was müssen wir tun, um sorgsam mit uns selbst umzugehen?

Hören Sie auf Ihre innere Stimme. Was bringt Sie in Wut? Was haben Sie satt? Was macht Sie argwöhnisch? Was empfinden Sie als falsch? Was können Sie nicht ausstehen? Wodurch fühlen Sie sich unwohl? Was wünschen Sie? Was brauchen Sie? Was wünschen und brauchen Sie nicht? Was haben Sie gern? Wobei fühlen Sie sich wohl?

Im Heilungsprozeß lernen wir, daß wir durch den sorgsamen Umgang mit uns selbst hingeführt werden zu Gottes Willen und dem Plan, den Er für unser Leben entworfen hat. Diese Fürsorge für uns selbst entfernt uns nicht von unserem höchsten Gut; sie bringt uns ihm näher.

Lernen Sie, auf Ihre innere Stimme zu hören. Wir können Vertrauen zu uns haben. Wir können auf uns selbst achten. Wir sind klüger, als wir glauben. Unser Ratgeber ist in uns, allgegenwärtig. Vertrauen Sie diesem Ratgeber, und behandeln Sie ihn pfleglich.

■ *Heute will ich mir versichern, daß ich ein Geschenk für mich und für das Universum bin. Ich werde daran denken, daß der pflegliche Umgang mit mir selbst diesem Geschenk höchsten Ausdruck verleiht.*

## Sich von Familienproblemen lösen 4. Januar

Wir können zwischen uns und unserer Kernfamilie eine gesunde Grenze ziehen. Wir können uns von ihren Problemen lösen.

Manche von uns haben Familienangehörige, die abhängig von Alkohol und anderen Drogen sind und nichts tun, um von ihrer Sucht geheilt zu werden.

Einige haben Familienangehörige mit ungelösten Co-Abhängigkeitsproblemen. Diese sind süchtig nach Unglück, Schmerz, Leiden; sind abhängig von ihrer Opferrolle und ihrer Bereitschaft, sich schikanieren zu lassen.

Wieder andere haben Familienangehörige, die mißhandelt wurden oder mit anderen, ebenso ungelösten Problemen in ihrer familiären Vergangenheit konfrontiert sind.

Einige unserer Familienangehörigen sind möglicherweise süchtig nach Arbeit, Essen oder Sex. Vielleicht sind die Menschen in unserer Familie zu sehr miteinander verstrickt oder sich fremd geworden und haben kaum Kontakt zueinander.

Wir sind der Spiegel unserer Familienstrukturen. Wir lieben unsere Familie. Dennoch sind wir eigenständige Menschen mit eigenen Rechten und Pflichten. Eines unserer Grundrechte besteht darin, für unser Wohlbefinden zu sorgen und unsere innere Heilung zu verfolgen, ob andere Familienmitglieder sich entschließen, das gleiche zu tun, oder nicht.

Wir brauchen keine Schuldgefühle zu haben, weil wir nach Glück und einem harmonischen Leben streben. Ebensowenig müssen wir uns die Probleme unserer Familie zu eigen machen, um zu zeigen, daß wir sie lieben und zu ihr stehen.

Wenn wir beginnen, sorgsam mit uns selbst umzugehen, reagieren die Familienmitglieder häufig mit offenen oder versteckten Versuchen, uns in alte Strukturen und Rollen zurückzuholen. Darauf müssen wir uns nicht einlassen. Diese Rückholversuche sind ihr Problem. Wenn wir auf uns selbst achtgeben und uns bemühen, gesund und glücklich zu sein, bedeutet das nicht, daß wir unsere Familie nicht lieben, sondern lediglich, daß wir uns um die eigenen Belange kümmern.

Wir müssen die anderen nicht verurteilen, weil sie Probleme haben; ebensowenig dürfen wir zulassen, daß sie uns benutzen, nur weil wir zur Familie gehören.

Es steht uns frei, unsere Interessen innerhalb der Familie wahrzunehmen. Unsere Freiheit beginnt, wenn wir die Probleme anderer nicht länger verleugnen und verdrängen, sondern höflich, aber bestimmt das zurückgeben, was zu ihnen gehört, und uns um unsere eigenen Angelegenheiten kümmern.

■ *Heute will ich mich emotional von Familienmitgliedern lösen. Ich bin ein eigenständiger Mensch, obwohl ich einer Gemeinschaft angehöre, die sich Familie nennt. Ich habe das Recht auf meine eigenen Belange und mein inneres Wachstum; die Mitglieder meiner Familie haben das Recht auf ihre Belange und die Freiheit zu entscheiden, wie und wann sie mit diesen Belangen umgehen. Ich kann lernen, mich in Liebe von meinen Familienmitgliedern und ihren Problemen zu lösen. Um das zu erreichen, bin ich bereit, alle dafür erforderlichen Gefühle zu untersuchen.*

## Hilfe annehmen — 5. Januar

Manche von uns haben sich schon so entfremdet gefühlt, daß wir eines ganz vergessen: Wir sind nicht allein. Wir leben in der Überzeugung, alles alleine machen zu müssen. Manche von uns sind verlassen worden. Manche mußten ohne Liebe zurechtkommen. Manche von uns haben sich daran gewöhnt, daß nie jemand für sie da ist. Manche von uns haben hart gekämpft, um ihre Lektionen zu lernen.

Gott ist immer für uns da und stets zur Hilfe bereit. Es gibt auch eine Vielzahl von Menschen, die sich um uns kümmern. Wir erhalten Liebe und Rückhalt, Trost und Fürsorge, wenn wir es wünschen. Wenn wir das Wagnis eingehen, Hilfe zu erbitten, wird sie uns zuteil. Wir können auf die Unterstützung unserer Selbsthilfegruppe zurückgreifen und zulassen, daß unsere Höhere Macht uns hilft und Rückhalt gibt. Freunde werden kommen, und es werden gute Freunde sein.

Wir sind nicht allein. *Und wir müssen nicht alles alleine schaffen.* Wir *schaffen es nicht allein.* Es herrscht kein Mangel an Liebe. Jetzt nicht mehr.

■ *Hilf mir heute, Gott, das Bedürfnis loszulassen, allein zurechtkommen zu wollen. Hilf mir, mich von meiner Überzeugung zu lösen, ich sei allein. Hilf mir, daß ich mich Deiner Göttlichen Macht öffne und mir Deine Gegenwart und Deine Quellen der Liebe, des Rückhalts und der Freundschaft bewußt mache. Öffne mir Augen und Herz, da-*

*mit ich Liebe, Hilfe und Unterstützung sehe, die für mich da sind. Hilf mir zu erkennen, daß ich geliebt werde.*

## Beziehungen — 6. Januar

> *Wenn wir ohne Beziehung unglücklich sind, sind wir es vermutlich auch mit einer Beziehung. Eine Beziehung ist nicht der Beginn unseres Lebens; eine Beziehung wird nicht zu unserem Leben. Eine Beziehung ist die Fortführung unseres Lebens.*
>
> — Unabhängig sein

Beziehungen sind gleichermaßen Segen und Verderben für unseren inneren Heilungsprozeß.

Jeden Tag sind wir damit konfrontiert, in unterschiedlichen Beziehungen unsere Aufgaben zu erfüllen. Manche dieser Beziehungen suchen wir uns aus, andere wiederum nicht. Meist entscheiden wir selbst darüber, wie wir uns in diesen Beziehungen verhalten. Um von unserer Co-Abhängigkeit geheilt zu werden, setzen wir uns eine Verhaltensweise zum Ziel, die unsere Selbstverantwortung zum Ausdruck bringt.

Wir lernen, daß wir die Kraft besitzen, auch in unseren Beziehungen auf uns selbst achtzugeben. Wir lernen den vertrauten Umgang mit anderen Menschen, wo immer dies möglich ist.

Ist es notwendig, uns von einem Menschen zu trennen, den wir bislang zu kontrollieren versuchten? Gibt es jemanden, mit dem wir uns aussprechen müssen, selbst wenn das, was wir ihm zu sagen haben, unangenehm ist? Gibt es jemanden, den wir meiden, aus Angst, in seiner oder ihrer Gegenwart auf uns selbst aufpassen zu müssen? Ist es notwendig, daß wir eine bestimmte Verhaltensweise korrigieren? Gibt es jemanden, auf den wir zugehen oder dem wir Liebe zeigen müssen?

Die innere Heilung vollzieht sich nicht getrennt von unseren Beziehungen, sondern zusammen mit dem Lernprozeß, durch den wir unserer eigenen Kraft gewahr werden und dann auch in unseren Beziehungen sorgsam mit uns selbst umgehen.

■ *Heute nehme ich aktiv an meinen Beziehungen teil, so gut ich es vermag. Ich bin bereit, anderen Menschen, denen ich vertraue, nah zu sein und Gedanken mit ihnen auszutauschen. Ich erhebe Anspruch auf das, was ich brauche, und gebe, was ich für richtig halte.*

## Umgang mit schmerzlichen Gefühlen 7. Januar

Der Umgang mit verletzten oder zornigen Gefühlen ist besonders schwierig. Wenn diese Empfindungen auftauchen, fühlen wir uns verwundbar, ängstlich und machtlos. Außerdem lösen sie Erinnerungen an andere, ähnlich schmerzvolle Vorfälle aus, in denen wir uns hilflos fühlten.

Um wieder die Kontrolle über uns selbst zu erlangen, bestrafen wir vielleicht die Menschen unserer Umgebung; entweder geben wir ihnen die Schuld an unseren Gefühlen oder machen einen unschuldigen Unbeteiligten dafür verantwortlich. Wir versuchen, mit jemandem abzurechnen, oder wir manipulieren hinter dem Rücken anderer, um eine bestimmte Situation zu beherrschen.

Solche Handlungsweisen geben uns ein vorübergehendes Gefühl der Befriedigung, schieben aber die Auseinandersetzung mit dem eigenen Schmerz nur hinaus.

Das Gefühl, verletzt worden zu sein, muß uns nicht beängstigen. Wir brauchen uns nicht krampfhaft darum zu bemühen, es zu vermeiden. Verletzte Gefühle sind zwar nicht angenehm — aber letztlich sind sie eben nichts anderes als Gefühle, die wir zulassen und spüren können, um dann weiter unseren Weg zu gehen.

Das bedeutet nicht, daß wir geradezu auf Kränkungen erpicht sind oder uns unnötig lange damit beschäftigen. Emotionaler Schmerz muß uns nicht zerschmettern. Wir können innehalten, den Schmerz spüren, darüber nachdenken, ob wir etwas für etwas tun müssen, um uns selbst sorgsam zu behandeln — und dann setzen wir unser Leben wie gewohnt fort.

Wir müssen keine übereilten Schritte tun; wir müssen andere nicht bestrafen, um unsere Gefühle in den Griff zu bekommen. Wir können unsere verletzten Gefühle anderen mitteilen. Das bringt Erleichterung und wirkt heilsam auf alle Betroffenen.

Schließlich lernen wir die Lektion, daß wahre Stärke sich zeigt, wenn wir gefühlsmäßige Verletzungen überhaupt zulassen — dann nämlich, wenn wir erkennen, sogar im tiefen Leid auf uns selbst achtgeben zu können. Diese innere Kraft stellt sich ein, sobald wir aufhören, andere für unseren Schmerz verantwortlich zu machen, und statt dessen für all unsere Gefühle selbst die Verantwortung tragen.

■ *Heute will ich mich meinen Gefühlen hingeben, auch den schmerzvollen. Statt übereilte Schritte zu tun oder andere strafen zu wollen, bin ich bereit und empfänglich dafür, meine Gefühle zu spüren.*

## Verletzlichkeit — 8. Januar

Manche von uns haben den festen Vorsatz gefaßt, sich nie wieder von irgendeinem Menschen verletzen zu lassen. Wir schalten automatisch auf »Einfrieren der Gefühle«, wenn wir mit emotionalem Schmerz konfrontiert sind. Oder wir beenden eine Beziehung auf der Stelle, wenn wir uns in ihr verletzt fühlen.

Verletzte Gefühle gehören zum Leben, zu Beziehungen und zur inneren Heilung.

Verständlich ist aber auch, daß wir es leid sind, weiterhin Schmerz ertragen zu müssen. Viele von uns haben mehr als genug davon abbekommen. Es mag in unserem Leben eine Zeit gegeben haben, in der wir von der Gewalt des Schmerzes übermannt und niedergeworfen oder ganz untätig wurden. Wir mögen damals keine Möglichkeiten gehabt haben, unseren Schmerz zu bewältigen oder sorgsam mit uns selbst umzugehen.

Das war gestern. Heute müssen wir vor dem Schmerz keine solche Angst haben. Er muß uns nicht überwältigen. Wir sind stark genug, mit verletzten Gefühlen umzugehen. Und wir müssen uns nicht zu Märtyrern machen, die behaupten, das Leben bestehe ausschließlich aus Schmerz und Leid.

Wir müssen nur zulassen, daß wir empfindsam genug reagieren, um uns verletzt zu fühlen, wenn diese Gefühle angebracht sind. Zudem müssen wir die Verantwortung für unsere Gefühle und Verhaltensweisen übernehmen; auch müssen wir uns selbst gut behandeln. Wir brauchen unsere Gefühle nicht zu analysieren oder zu rechtfertigen. Wir müssen sie spüren und uns bemühen, unser Verhalten nicht von ihnen bestimmen zu lassen.

Vielleicht zeigt uns der Schmerz, daß wir eine Grenze ziehen müssen; vielleicht deutet er an, daß wir in eine falsche Richtung gehen; vielleicht löst er einen tiefgreifenden Heilungsprozeß aus.

Es ist in Ordnung, sich verletzt zu fühlen; es ist in Ordnung, zu weinen; es ist in Ordnung, gesund zu werden; es ist in Ordnung, zum nächsten Gefühl überzugehen, wenn die Zeit dafür gekommen ist. Unsere Bereitschaft und Fähigkeit, eine Verletzung zu empfinden, wird schließlich von der Bereitschaft und Fähigkeit begleitet sein, Freude zu empfinden.

Der Prozeß der inneren Heilung macht uns nicht immun gegen Schmerz; er ist vielmehr ein Lernprozeß, in dem wir uns selbst eine liebevolle Sorgfalt zukommen lassen, sobald wir Schmerz empfinden.

■ *Heute werde ich keine Vergeltung üben an denen, die mir Schmerz zufügen. Ich spüre meine Emotionen und übernehme für sie die Verantwortung. Ich akzeptiere verletzte Gefühle, weil sie zu meinen Beziehungen dazugehören. Ich bin bereit, mich dem Schmerz im gleichen Maße hinzugeben wie der Lebensfreude.*

## Verantwortung für uns selbst — 9. Januar

*Wir haben das Falsche aus den richtigen Gründen getan.*

— Unabhängig sein

Bevormundung ist jener Akt, durch den wir Verantwortung für andere Menschen übernehmen und Verantwortung für uns selbst vernachlässigen. Wenn wir uns instinktiv für die Gefühle, Gedanken,

Entscheidungen, Probleme, das Wohlbefinden und das Schicksal anderer verantwortlich fühlen, sind wir Bevormunder. Auf einer unbewußten Ebene glauben wir, andere seien für unser Glück verantwortlich, so wie wir uns für ihres verantwortlich fühlen.

Es ist erstrebenswert, ein aufmerksamer, liebevoller, fürsorglicher Mensch zu sein. Andere zu bevormunden bedeutet jedoch, sich selbst bis zu einem Punkt zu vernachlässigen, an dem man sich als Opfer fühlt. Zudem schließt diese Bevormundung Formen der Fürsorge mit ein, durch die andere daran gehindert werden, Eigenverantwortung zu übernehmen. Das funktioniert nicht; verletzt die anderen; verletzt uns; erzeugt Wut. Die Menschen fühlen sich gekränkt, benutzt und schikaniert.

Wenn wir Verantwortung für uns selbst übernehmen — für das, was wir denken, fühlen, wünschen und brauchen —, so entscheiden wir uns damit für ein Verhalten, das liebenswürdig und großzügig ist. Wir wollen ehrlich zu uns selbst sein und anderen die Verantwortung für ihr eigenes Leben überlassen.

■ *Heute will ich darauf achten, in welchen Bereichen ich tatsächlich für mich selbst verantwortlich bin. Ich überlasse es anderen, das gleiche für sich zu tun. Wenn ich in Zweifel bin, wo meine wirklichen Verantwortungen liegen, mache ich eine innere Inventur.*

## Angst — 10. Januar

*Sei nicht zu schüchtern und zaghaft in deinen Handlungen. Das ganze Leben ist ein Experiment. Je mehr Experimente du anstellst, desto besser. Und was ist, wenn es etwas rauh zugeht und du dir dabei die Kleider schmutzig machst oder zerreißt? Was, wenn du stolperst und gelegentlich in den Dreck fällst? Raffe dich wieder hoch; hab nie Angst davor, zu stürzen.*

— Ralph Waldo Emerson

Angst kann für viele von uns ein gewaltiger Hemmschuh sein: die Angst zusammenzubrechen; die Angst vor dem Versagen; die Angst, einen Fehler zu machen; die Angst vor dem, was andere denken; *die Angst vor dem Erfolg.* Wir hinterfragen unsere nächste Aktion, unseren nächsten Satz so lange, bis wir schließlich dem Leben teilnahmslos gegenüberstehen.

»Aber ich habe schon einmal versagt!«; »Ich kann es nicht gut genug!«; »Schau doch, was letztes Mal passiert ist!«; »Was ist, wenn ...?« Hinter solchen Aussagen verbirgt sich Angst. Und manchmal verbirgt sich hinter der Angst noch Scham.

Nachdem ich die ersten beiden Kapitel eines Buches geschrieben hatte, las ich sie durch und dachte entsetzt: »Es ist nicht gut. Das schaff' ich nie.« Ich war drauf und dran, die Kapitel aus dem Fenster zu werfen und meine Karriere als Schriftstellerin aufzugeben. Ich erzählte einer befreundeten Autorin von meinem Problem. Sie hörte zu, las die Kapitel und meinte: »Die beiden Kapitel sind gut. Hör auf, Angst zu haben. Hör auf mit deiner Selbstkritik. Und schreib weiter.«

Ich befolgte ihren Rat. Das Buch, das ich beinahe weggeworfen hätte, sollte bald die Bestsellerliste der *New York Times* anführen.

Entspannen Sie sich. Unser Bestes ist gut genug. Vielleicht ist es sogar besser, als wir glauben. Selbst unser Versagen kann sich als bedeutsame Lernerfahrung erweisen, die für den Erfolg wichtig ist, ja ihn sogar herbeiführt.

Spüren Sie Ihre Angst, und dann lassen Sie sie los. Geben Sie sich einen Ruck, und tun Sie, was immer auch zu tun ist. Wenn unsere Intuition und unser Weg uns an einen bestimmten Punkt führen, so sind wir schon an der richtigen Stelle.

■ *Heute nehme ich am Leben teil, so gut ich es vermag. Egal, wie das Ergebnis auch ausfällt: Ich gehe als Gewinner hervor.*

## Schuldgefühle loslassen — 11. Januar

»Menschen in gestörten Beziehungen wenden einen guten Trick an«, sagte eine Frau, die sich auf dem Weg der Heilung befindet. »Der andere tut etwas Unangemessenes oder Falsches, dann macht er ein beleidigtes Gesicht, bis du dich schuldig fühlst und dich schließlich bei ihm entschuldigst.«

Wir müssen unbedingt aufhören, uns schuldig zu fühlen.

Häufig fühlen wir uns wegen solcher Dinge schuldig, die gar nicht unser Problem sind. Der andere verhält sich in unangemessener Weise oder verletzt in irgendeiner Form unsere Grenzen. Wir greifen dieses Verhalten an; der andere reagiert verärgert und geht in Verteidigungsstellung. Prompt fühlen *wir* uns schuldig.

Schuldgefühle hindern uns daran, Grenzen zu setzen, die in unserem und im Interesse anderer notwendig wären. Sie können uns davon abhalten, auf gesunde und sorgsame Art mit uns selbst umzugehen.

Wir müssen andere nicht glauben lassen, wir hätten ständig Schuldgefühle. Wir müssen uns nicht von Schuldgefühlen beherrschen lassen — seien sie gerechtfertigt oder nicht! Wir können die inneren Blockaden der Schuld durchbrechen, die verhindern, daß wir für uns selbst Sorge tragen. Strengen Sie sich an. Noch mehr! Wir tragen keine Schuld, und wir sind weder verrückt noch im Unrecht. Wir haben das Recht, unsere Grenzen zu ziehen und darauf zu bestehen, daß man uns angemessen behandelt. Wir können die Belange anderer von unseren eigenen trennen und zulassen, daß sie die Folgen ihres Verhaltens, auch die der Schuld, selber tragen. Wir können darauf vertrauen, daß wir wissen, wann unsere Grenzen verletzt werden.

■ *Heute werde ich meine großen und kleinen Schuldgefühle loslassen. Licht und Liebe stehen mir zur Seite.*

## Inneres Gleichgewicht finden — 12. Januar

Das Ziel unserer Heilung besteht darin, unser inneres Gleichgewicht — die goldene Mitte — zu finden.

Viele von uns sind von einem Extrem ins andere gefallen: Jahrelang kümmerten wir uns um alle anderen, nur nicht um uns selbst; dann folgte eine Zeit, in der wir ausschließlich unsere eigenen Bedürfnisse im Auge hatten.

Jahrelang weigerten wir uns strikt, unsere Gefühle zu erkennen, wirklich zu spüren und damit umzugehen; dann folgte eine Zeit, da wir absolut zwanghaft jedem Anflug von Gefühl in unserem Inneren nachspürten.

Oder wir finden uns mit unserer Machtlosigkeit, Hilflosigkeit und unserer Opferrolle ab — ehe wir dann ins andere Extrem umschwenken und aggressiv Macht ausüben auf unsere Umgebung.

Wir können aber auch lernen, anderen etwas zu geben und dabei dennoch Verantwortung für uns selbst zu tragen. Wir können lernen, uns um unsere Gefühle ebenso zu kümmern wie um unsere körperlichen, intellektuellen und spirituellen Bedürfnisse. Wir können ruhig darauf vertrauen, daß wir in unseren Beziehungen gleichwertige Partner sind.

Das Ziel des Heilungsprozesses ist inneres Gleichgewicht, das wir manchmal allerdings erst erreichen, wenn wir durch Extreme gegangen sind.

■ *Heute will ich gütig mit mir sein; ich begreife, daß ich Höhen und Tiefen erforschen muß, um die Mitte und innere Ausgeglichenheit zu finden. Um aus einem Tal emporzusteigen, muß ich gelegentlich einen Gipfel erklimmen, um dann langsam die Ebene zu erreichen.*

## Gute Gefühle — 13. Januar

Wenn wir über Gefühle sprechen, halten wir uns meist an das unangenehme Dreigestirn — Schmerz, Angst und Wut. Im Reich der Emotionen gibt es aber noch andere Gefühle — Glück, Freude, Friede, Zufriedenheit, Liebe, Nähe, Begeisterung.

Wir dürfen angenehme Gefühle zulassen.

Wir müssen uns keine Sorgen machen, wenn wir gute Gefühle erleben; wir müssen sie nicht durch unsere Angst vertreiben; wir brauchen unser Glücksgefühl nicht zu sabotieren. Gelegentlich tun wir das dennoch, um uns wieder auf vertrautes, wenn auch weniger angenehmes Terrain zu begeben.

Wir dürfen uns wohl fühlen. Wir müssen nicht unsere Gefühle analysieren, beurteilen oder rechtfertigen. Wir brauchen unser Wohlgefühl weder durch eigene noch durch fremde negative Gedanken verderben zu lassen.

■ *Heute werde ich mir vor Augen halten, daß ich das Recht habe, mich so gut wie möglich zu fühlen. Es gibt viele Augenblicke, in denen ich mich wohl fühlen kann; ich kann einen Ort der Ruhe finden, wo ich mich zufrieden, harmonisch und wohl fühle.*

## Wut akzeptieren 14. Januar

*Die Wut ist eine der tiefgreifenden Wirkungen, die das Leben in uns erzeugt. Sie gehört in den Bereich unserer Emotionen. Und wir spüren sie heftig, wenn sie uns begegnet — oder unterdrücken sie.*

— Die Sucht, gebraucht zu werden

»Wenn ich gut an meinem Programm arbeiten könnte, würde ich nicht in Zorn geraten ...«; »Wenn ich ein guter Christ wäre, würde ich nicht wütend werden ...«; »Wenn ich meine positiven Bestätigungen erfolgreich anwenden würde, müßte ich mich nicht ärgern ...« Das sind die alten Botschaften, die uns daran hindern, wirklich zu fühlen. Aber die Wut gehört zum Leben. Wir müssen nicht verharren im Zustand der Wut oder ihn suchen, dürfen aber auch nicht den Fehler begehen, ihn zu ignorieren.

Im Heilungsprozeß lernen wir, daß wir all unsere Gefühle — auch die Wut — haben können, ohne uns zu schämen, daß wir aber dennoch Verantwortung für unser Verhalten tragen, wenn wir wütend sind. Wir brauchen uns nicht von der Wut beherrschen zu lassen: Das geschieht nur, wenn wir uns weigern, sie zuzulassen.

Wenn wir eine dankbare, positive, gesunde Lebenseinstellung haben, bedeutet das nicht, daß wir frei von Wutgefühlen sind. Es bedeutet, daß wir Wut empfinden, wenn sie angebracht ist.

■ *Heute will ich meine Wut zulassen, wenn sie angebracht ist. Ich kann meine Emotionen — auch die Wut — als konstruktiv empfinden und loslassen. Ich will dankbar sein für meine Wut und die Zusammenhänge, die sie mir klarzumachen versucht. Ich kann all meine Emotionen ohne Scham empfinden und akzeptieren und Verantwortung für meine Handlungen tragen.*

*Wir erkennen, daß manche Verhaltensweisen selbstzerstörerische Folgen haben, während andere nützlich sind. Wir erkennen, daß wir uns entscheiden können.*

— Die Sucht, gebraucht zu werden

Es fällt uns leicht, andere zu verteidigen. Der Fall liegt klar, wenn andere benutzt, kontrolliert, manipuliert oder mißbraucht werden. Es ist einfach, den Streit für andere auszufechten, sich rechtschaffen zu entrüsten, anderen zu Hilfe zu eilen und sie zum Sieg anzuspornen.

»Du bist im Recht«, sagen wir anderen. »Und dieses Recht wurde verletzt. Verteidige deine Sache ohne Schuldgefühle.«

Warum ist es dann aber so schwer, unsere eigene Sache zu verteidigen? Warum erkennen wir nicht, wenn wir ausgenutzt, zum Opfer gemacht, belogen, manipuliert oder in anderer Weise gekränkt werden? Warum fällt es uns so schwer, für uns selbst einzutreten?

Es gibt Zeiten im Leben, die uns keinerlei Mühe machen und viele liebenswerte Dinge bescheren. Es gibt aber auch Zeiten, in denen wir für uns selbst eintreten müssen — dann nämlich, wenn der einfache, sanfte Weg uns weiterhin der Willkür derer überließe, die uns mißbrauchen.

An manchen Tagen besteht die zu lernende und umzusetzende Lektion darin, Grenzen zu ziehen. An anderen Tagen besteht sie darin, für uns selbst und unsere Rechte zu kämpfen.

■ *Heute werde ich meine eigene Sache verteidigen. Ich will mir vor Augen halten, daß ich das Recht habe, für mich selbst einzutreten, wenn dies angebracht ist. Hilf mir, Gott, daß ich mein Bedürfnis ablege, mich zum Opfer machen zu lassen. Hilf mir, daß ich in angemessener Form und mit Selbstvertrauen für mich selbst eintrete.*

*Tatsächlich ist das Gebet im wahrsten Sinne des Wortes die einzig* wirkliche Aktion, *da allein das Gebet den Charakter verändert. Eine Veränderung des Charakters oder der Seele ist eine wirkliche Veränderung.*

— Emmet Fox

Erica Jong sagte einmal, wir seien geistige Wesen, die auch Menschen sind. Mit Hilfe des Gebets und der Meditation wenden wir uns unserem Geist zu. Gebet und Meditation sind Prinzipien, mit denen sich der Elfte Schritt der Zwölf-Schritte-Programme etwa von Al-Anon*, CoDa** und ACOA*** befaßt.

Gebet und Meditation müssen nicht zwangsläufig an eine Glaubensgemeinschaft gebunden sein. Sie bieten eine Möglichkeit, unsere Beziehung zu einer Höheren Macht zu vertiefen, wodurch wir Nutzen für uns, unser Leben und unser inneres Wachstum ziehen. Durch das Gebet nehmen wir Verbindung mit Gott auf. Wir beten nicht unter Zwang, sondern weil uns das Gebet ein Bedürfnis ist. Damit verschaffen wir unserer Seele Zugang zu unserem Ursprung.

Wir lernen, uns um unsere Emotionen, unseren Verstand und unsere körperlichen Bedürfnisse zu kümmern. Wir lernen, unsere Verhaltensweisen zu verändern. Wir lernen aber auch, Sorge zu tragen für unseren Geist, *unsere Seele,* denn mit ihnen beginnt jede wahre Veränderung.

In jeder Zwiesprache mit Gott verwandeln wir uns. Mit jeder Hinwendung zu unserer Höheren Macht werden wir erhört, berührt und zum Guten verändert.

■ *Heute will ich mich üben in Gebet und Meditation. Ob ich mich nun verzweifelt, nervös oder innerlich ruhig fühle: Ich bemühe mich*

---

* Die Zwölf Schritte von Al-Anon sind nachfolgend im Anhang abgedruckt.

** CoDa (Codependents Anonymous): Selbsthilfegruppe für Alkoholiker, die nach dem Modell der Anonymen Alkoholiker (AA) und wie deren ›Schwester‹-Gruppe, Al-Anon, ebenfalls nach dem Zwölf-Schritte-Programm arbeitet.

*** ACOA (Adult Children of Alcoholics): Selbsthilfegruppe von Menschen, deren familiäre Beziehungen in der Kindheit durch Alkoholismus schwer gestört waren.

*heute, wenigstens für einen kurzen Moment, Verbindung zu meiner Höheren Macht aufzunehmen.*

## »Handeln, als ob« 17. Januar

Das Verhalten, das wir »Handeln, als ob« nennen, kann eine große Hilfe sein. »Handeln, als ob« ist eine Methode, das Positive in die Praxis umzusetzen. Es ist eine positive Form der Vortäuschung; ein Hilfsmittel, das uns von inneren Blockaden befreit; eines, zu dem wir bewußt greifen.

»Handeln, als ob« kann nützlich sein, wenn ein Gefühl anfängt, uns zu beherrschen. Wir treffen die bewußte Entscheidung, so zu handeln, als fühlten wir uns wohl, als würden die Dinge sich zum Guten wenden.

Wenn uns ein Problem bedrückt, kann »Handeln, als ob« den Druck von uns nehmen. Wir handeln, als werde oder sei das Problem *schon* gelöst, so daß wir weiterleben können.

»Handeln, als ob« schafft in vielen Fällen die Voraussetzung, eine notwendige Trennung in die Wege zu leiten.

Es gibt viele Bereiche, in denen »Handeln, als ob« — in Verbindung mit anderen Prinzipien der inneren Heilung — die Grundlage schafft für die gewünschte Realität. Wir können handeln, als liebten wir uns selbst, bis wir tatsächlich beginnen, sorgsam mit uns selbst umzugehen. Wir können handeln, als hätten wir das Recht, nein zu sagen, bis wir wirklich davon überzeugt sind.

Es wäre natürlich unsinnig, wenn wir vorgeben würden, genug Geld zu besitzen, um einen Scheck in beliebiger Höhe auszustellen. Genauso unsinnig wäre es, sich einzureden, ein Alkoholiker würde nicht trinken. Wir benutzen »Handeln, als ob« gleichsam als Krücke in unserem Heilungsprozeß, um die Voraussetzungen für neue Verhaltensweisen zu schaffen. Ungeachtet unserer Zweifel und Ängste zwingen wir uns so lange zu einem positiven Verhalten, bis unsere guten Gefühle allmählich ganz real werden.

»Handeln, als ob« ist eine positive Form, Ängste, Zweifel und eine geringe Selbstachtung zu überwinden. Wir müssen nicht lügen; wir brauchen nicht unehrlich gegenüber uns selbst zu sein. Wir öffnen uns einfach den positiven Möglichkeiten, die die Zukunft bietet, anstatt diese durch gegenwärtige Gefühle und Gegebenheiten einzuengen.

»Handeln, als ob« hilft uns, unsicheres Gebiet hinter uns zu lassen und festen Boden unter die Füße zu bekommen.

■ *Zeig mir die Bereiche, Gott, in denen die Methode des »Handeln, als ob« die Voraussetzungen für jene Realität schafft, die ich mir wünsche. Führe mich, wenn ich auf dieses starke Mittel zur Heilung zurückgreife, um mein Leben zu verbessern und gesündere Beziehungen aufzubauen.*

## Dankbarkeit — 18. Januar

Manche Dinge im Leben geschehen zu schnell. Kaum lösen wir ein Problem, schon tauchen zwei neue auf. Am Morgen fühlen wir uns wunderbar, und abends sind wir zu Tode betrübt.

Jeden Tag erleben wir Unterbrechungen, Verzögerungen, Veränderungen und Herausforderungen, liegen mit uns selbst in Widerstreit und sind enttäuscht. Häufig fühlen wir uns überfordert und erkennen die Lehren aus all diesen Erfahrungen nicht mehr.

Ein einfaches Prinzip kann uns helfen, die stärksten Belastungen zu überwinden. Es heißt *Dankbarkeit*. Wir lernen, für alle Probleme und Gefühle *danke* zu sagen: *danke* dafür, wie die Dinge sind. Eine bestimmte Situation oder Erfahrung behagt mir nicht; dennoch *bedanke* ich mich dafür.

Zwingen Sie sich zur Dankbarkeit bis sie Ihnen zur Gewohnheit wird. Dankbarkeit trägt dazu bei, daß wir aufhören, Ergebnisse kontrollieren zu wollen. Sie ist der Schlüssel, mit dem wir die positive Energie unseres Lebens erschließen. Sie ist jener geheimnisvolle Vorgang, durch den sich Probleme in Segnungen und unerwartete Ereignisse in Geschenke verwandeln.

■ *Heute will ich dankbar sein. Ich werde damit beginnen, den Schmerz von heute in die Freude von morgen umzuwandeln.*

Im Rahmen der Heilung müssen wir einem Punkt besondere Beachtung schenken: unserer Opferhaltung. Wir brauchen uns mit dieser Opferrolle nicht abzufinden.

Was empfinden wir, wenn wir zum Opfer gemacht werden? Hilflosigkeit. Zorn. Ohnmacht. Frustration.

Es ist gefährlich, die Opferrolle zu übernehmen. Oft geraten wir dadurch in Abhängigkeit oder verhalten uns auf andere Weise zwanghaft.

Allmählich lernen wir, die Situationen zu erkennen, in denen wir uns als Opfer fühlen und auch tatsächlich zum Opfer gemacht werden. Wir lernen weiterhin, unserer eigenen Stärke innezuwerden, um sorgsam mit uns umzugehen und die Opferrolle zu verweigern.

Manchmal müssen wir aber auch erkennen, daß wir uns selbst zum Opfer machen — daß andere gar nichts getan haben, um uns zu verletzen. Sie leben ihr Leben, wie es ihr gutes Recht ist; doch wir fühlen uns zum Opfer gemacht, weil wir versuchen, ihr Leben zu kontrollieren, oder zu Unrecht von ihnen erwarten, daß sie sich um unsere Angelegenheiten kümmern. Wir sehen uns auch als Opfer, wenn wir in Co-Abhängigkeitskategorien verharren und denken: *»Andere Leute geben mir das Gefühl ...«; »Andere besitzen den Schlüssel zu meinem Glück und bestimmen über mein Schicksal ...«* oder: *»Ich kann erst glücklich sein, wenn ein anderer sich in einer bestimmten Weise verhält oder ein bestimmtes Ereignis eintritt ...«*

Wir müssen aber auch dadurch unserer eigenen Stärke innewerden, daß wir erkennen, warum wir tatsächlich durch das Verhalten eines anderen zum Opfer gemacht, wann unsere Grenzen überschritten werden. In diesem Fall müssen wir überlegen, was wir tun können, um uns selbst pfleglich zu behandeln und so nicht länger zum Opfer gemacht zu werden; wir müssen Grenzen festlegen.

Manchmal ist lediglich eine Änderung unserer Einstellung erforderlich. *Wir sind keine Opfer.*

Wenn wir uns bemühen, Verständnis für die Person aufzubringen, die uns zum Opfer macht, erkennen wir, daß dies häufig erst möglich ist, nachdem wir uns davon befreit haben, in körperlicher, geistiger oder in seelischer Hinsicht zum Opfer gemacht zu werden. Wir begreifen auch, daß ein zu hohes Maß an Verständnis uns wieder in die Opferposition zurückwirft. Zuviel Mitgefühl mit dem Täter beschwört eine Situation herauf, in der wir durch ihn erneut zum Opfer gemacht werden können.

Wir versuchen, dem anderen nicht die Konsequenzen unseres Verhaltens aufzudrängen, bewahren ihn aber auch nicht vor den logischen Folgen seines Verhaltens. Wenn es in unserer Verantwortung liegt, dem anderen solche Konsequenzen mitzuteilen, so tun wir das — nicht um ihn zu kontrollieren oder zu bestrafen, sondern um verantwortlich mit uns selbst umzugehen.

Wir versuchen die Gründe aufzudecken, warum wir das Gefühl haben, ausgenutzt und zu Opfern gemacht zu werden und welche Rolle wir in diesem ganzen System spielen; dann lassen wir auch davon ab. Wir haben zwar keine Macht über andere und deren Verhalten, können uns aber der eigenen inneren Stärke bewußt werden, um nicht mehr Opfer zu sein.

■ *Heute will ich für mich selbst Verantwortung übernehmen und sie den anderen dadurch zeigen, daß ich mich nicht zum Opfer machen lasse. Ich kann nicht über Ergebnisse bestimmen, aber über meine Einstellung, die mich zum Opfer macht. Ich bin kein Opfer; ich verdiene es nicht, zum Opfer gemacht zu werden.*

## Neuanfänge — 20. Januar

Ressentiments sind innere Blockaden, die verhindern, daß wir uns und andere lieben. Sie betreffen nicht den anderen Menschen, sondern uns selbst. Ressentiments werden zu Barrieren gegen Wohlbefinden und Lebensfreude; sie hindern uns daran, im Einklang mit der Welt zu sein. Ressentiments sind verhärtete Klumpen aufgestauter Wut. Durch Verzeihen und Loslassen lösen sie sich auf und verschwinden.

Wenn wir unsere Ressentiments hinter uns lassen, heißt das aber nicht, daß wir uns von anderen alles gefallen lassen. Es heißt vielmehr, daß wir Vorfälle aus der Vergangenheit akzeptieren und uns für die Zukunft Grenzen setzen. Wir können Ressentiments abbauen und Grenzen aufbauen!

Wir wollen das Gute in einem Menschen sehen: das Gute, das sich schließlich aus einem bestimmten Vorfall ergibt, über den wir uns geärgert haben. Wir wollen versuchen herauszufinden, welche Rolle wir dabei spielten.

Dann legen wir den Vorfall zu den Akten.

Es ist eine Hilfe, wenn wir jene Menschen, über die wir verärgert sind, in unser Gebet mit einschließen.

Gott zu bitten, uns von unserer Bitterkeit zu befreien, ist eine weitere Hilfe.

Die Schiefertafel der Vergangenheit zu Beginn eines neuen Jahres zu löschen und es ohne Bitterkeit und Ressentiments zu beginnen, ist von wahrhaft großem Nutzen.

■ *Höhere Macht, schenke mir die Bereitschaft, meine Ressentiments zurückzulassen. Laß den ganzen Groll, der in mir verborgen ist und mich blockiert, an die Oberfläche kommen. Zeig mir, was ich, wenn ich mich von meinem Ärger befreie, tun muß, um mich selbst sorgsam zu behandeln, und hilf mir, daß ich es schaffe.*

## Wünsche und Bedürfnisse — 21. Januar

Selbstverantwortung bedeutet unter anderem, daß wir Verantwortung für unsere Wünsche und Bedürfnisse übernehmen und uns wohl fühlen dabei.

Es ist eine Kunst, uns in Einklang mit uns selbst zu bringen und auf uns zu hören. Dazu bedarf es der Übung. Wir wollen unsere Fähigkeit, die Wünsche und Bedürfnisse anderer zu erahnen, auch auf uns anwenden.

Wie hören sich unsere Wünsche und Bedürfnisse an? Was würde uns zu einem größeren Wohlgefühl verhelfen? Was sagen unsere Gefühle? Unser Körper? Unser Geist? Unsere Intuition?

Wir stellen diese Fragen und lauschen; dann hören wir die Antwort.

Wir wissen mehr, als wir glauben; und man kann uns vertrauen. Unsere Wünsche und Bedürfnisse fallen ins Gewicht. Sie sind wichtig. Es ist in Ordnung, wenn wir uns darum bemühen, unsere eigenen Bedürfnisse zu befriedigen.

Wir können lernen, unsere Wünsche und Bedürfnisse zu erkennen und Geduld mit uns zu haben.

■ *Heute will ich darauf achten, was ich wünsche und brauche. Ich vernachlässige mich nicht.*

## Die eigene Vergangenheit annehmen 22. Januar

Wie leicht nehmen wir gegenüber den Fehlern und dem Unglück in der Vergangenheit eine negative Haltung ein. Sehr viel heilsamer ist es allerdings, uns selbst und unsere Vergangenheit unter den Aspekten der Erfahrung, des Akzeptierens und des inneren Wachstums zu sehen. Unsere Vergangenheit besteht aus einer Reihe von Lektionen, die uns zu höheren Stufen des Bewußtseins und der Liebe führen.

Die Beziehungen, die wir eingingen, die wir aufrechterhielten oder die wir beendeten, haben uns notwendige Lehren erteilt. Manche von uns gewannen aus leidvollen Erfahrungen tiefe Einsichten darüber, wer sie sind und was sie wünschen.

Und unsere Fehler? Sie sind notwendig. Und unsere Enttäuschungen, unser Versagen und all die fehlgeschlagenen Bemühungen um Wachstum und Fortschritte? Sie sind gleichermaßen notwendig.

Bei jedem Schritt auf unserem Weg haben wir etwas dazugelernt. Wir machten genau die Erfahrungen, die wir machen mußten, um der Mensch zu werden, der wir heute sind. Jeder Schritt auf dem Weg war ein Fortschritt.

Ist unsere Vergangenheit ein Fehler? Nein. Der einzige Fehler, den wir machen könnten, bestünde darin, diese Frage mit Ja zu beantworten.

■ *Hilf mir heute, Gott, mich von negativen Gedanken zu lösen, die sich hinsichtlich meiner vergangenen Lebensumstände und Beziehun-*

*gen angesammelt haben. Ich kann dankbar all das hinnehmen, was mich an den Punkt geführt hat, an dem ich heute stehe.*

## Neue Kraft schöpfen — 23. Januar

> *Spaß wird zu mehr Spaß, Liebe zu mehr Liebe. Das Leben wird lebenswert. Und wir werden dankbar.*
>
> — Unabhängig sein

Eine neue Kraft, ein neues Gefühl kommt in unser Leben. *Wir können unsere Erwartungen, wie wir uns morgen oder auch nur in wenigen Stunden fühlen, nicht auf unsere momentanen Gefühle gründen.*

Es gibt keine zwei identischen Augenblicke. Wir sind auf dem Weg der Heilung. Wir verändern uns. Unser Leben verändert sich. Manchmal haben die Dinge nicht so geklappt, wie wir es uns wünschten. *Wir mußten unsere Lektionen lernen.* Die Zukunft wird anders sein als die Vergangenheit.

Die wirklich schwierigen Zeiten liegen beinahe hinter uns. Die Verwirrungen, die schwierigen Lernerfahrungen, die heiklen Gefühle sind im Begriff zu verschwinden.

Engen Sie die Zukunft nicht durch die Vergangenheit ein!

Denken Sie an die Zeit, als Sie mit Ihrem Heilungsprozeß begannen. Gab es seither nicht eine Menge Veränderungen, die Sie dahin gebracht haben, wo Sie heute sind? Gehen Sie in Gedanken ein Jahr zurück. Haben Sie sich, haben sich Ihre Lebensumstände seither nicht verändert?

Manche Probleme und negativen Gefühle begleiten uns noch eine Weile. Doch diese Zeiten gehen vorbei. Zeiten der Verwirrung und Unsicherheit, Zeiten, in denen wir mit ungelösten Konflikten leben, dauern nicht ewig.

Wir machen uns diese Zeit doppelt schwer, wenn wir sie mit der Vergangenheit vergleichen. Jede Situation und jeder Umstand hat einen prägenden Einfluß auf unsere Person. Wir müssen uns nicht in Angst und Schrecken versetzen, indem wir unsere Gegenwart und Zukunft mit einer leidvollen Vergangenheit vergleichen — zumal mit einer Vergangenheit, die vor dem Beginn unserer inneren Heilung oder vor einer bestimmten Lernerfahrung liegt.

Machen Sie sich klar, daß kein Leiden von Dauer ist. Überlegen Sie nicht, wie Sie sich fühlen sollten oder wann Sie sich anders fühlen müßten. Haben Sie statt dessen Vertrauen. Akzeptieren Sie das Heute, ohne sich davon einengen zu lassen.

Eine neue innere Kraft stellt sich ein. Ein neues Lebensgefühl macht sich bemerkbar. Wir können nicht vorhersagen, was die Zukunft bringt, wenn wir uns mit Vergangenheit oder Gegenwart beschäftigen, da die Zukunft davon völlig verschieden sein wird. Wir haben nicht vergeblich gearbeitet und gekämpft. Wir haben für eine gute Sache gearbeitet.

Die Zeiten ändern sich zum Guten. Gehen Sie auf dem Weg des Vertrauens und Ihrer Bestimmung weiter. Seien Sie aufgeschlossen für das Neue.

■ *Hilf mir heute, Gott, meine Zukunft nicht aufgrund meiner Vergangenheit zu beurteilen oder einzuengen. Hilf mir, daß ich für all die aufregenden Möglichkeiten der inneren und äußeren Veränderung offen bin.*

## Die Tafel löschen — 24. Januar

Eine unserer besten Eigenschaften ist unsere liebevolle Herzlichkeit. Und das Festhalten an negativen Gefühlen, die wir aus vergangenen Beziehungen mitbringen, ist unser größtes Hemmnis gegen diesen Vorzug.

Die meisten von uns haben beendete Beziehungen hinter sich. Bevor wir diese Beziehungen beurteilen, müssen wir unsere emotionale Schiefertafel säubern. Halten wir an Zorn und Bitterkeit fest? Fühlen wir uns immer noch als Opfer? Leben wir mit selbstzerstörerischen Überzeugungen, die mit diesen Beziehungen verknüpft sind und etwa so lauten: *Frauen sind nicht vertrauenswürdig ... Chefs nützen ihre Mitarbeiter aus ... So etwas wie gute Beziehungen gibt es nicht ...?*

Lösen Sie sich von solchen und ähnlichen Denkweisen, die Ihre gegenwärtigen Beziehungen blockieren. Wir können mit Gewißheit davon ausgehen, daß alte Gefühle und selbstzerstörerische Überzeugungen uns daran hindern, heute Liebe zu geben und zu empfangen. Wir können die Schiefertafel der Vergangenheit löschen. Das beginnt damit, daß wir uns bewußt machen, was geschehen ist, und genauso ehrlich wie offen sind. Dieser Prozeß findet dann seinen Abschluß, wenn wir alle Aspekte aus der Vergangenheit annehmen können und versöhnlich mit ihnen umgehen.

■ *Heute will ich damit anfangen, mich von allen negativen Gefühlen und Überzeugungen zu lösen, die mit vergangenen Beziehungen zu tun haben. Ich will meine emotionale Schiefertafel löschen, um lieben zu können und geliebt zu werden.*

## Erster Schritt — 25. Januar

*Wir gaben zu, daß wir dem Alkohol gegenüber machtlos sind — und unser Leben nicht mehr meistern konnten.*

— Erster Schritt von Al-Anon

Es gibt verschiedene Versionen des Ersten Schritts für genesende Co-Abhängige. Manche von uns gestehen ihre Machtlosigkeit gegenüber dem Alkohol oder dem Alkoholismus eines anderen ein. Manche gestehen ihre Machtlosigkeit gegenüber anderen Menschen ein; manche gegenüber dem gewaltigen inneren Druck, der daher kommt, daß sie in einer Alkoholikerfamilie aufgewachsen sind.

Eines der bedeutsamsten Wörter im Ersten Schritt ist das Wort *wir.* Wir treffen uns zur Gruppenarbeit, weil wir ein gemeinsames Problem haben; in diesen Zusammenkünften finden wir gemeinsame Lösungen.

Durch die geistige Verbundenheit, die im Rahmen der Zwölf-Schritte-Programme entsteht, entdecken viele von uns, daß wir uns zwar in unserem Schmerz allein gefühlt, andere aber ähnlich leidvolle Erfahrungen gemacht haben. Und nun reichen wir einander die Hände in einem Heilungsprozeß, der viele Gemeinsamkeiten aufweist.

*Wir.* Das ist ein bedeutsamer Faktor; eine gemeinsame Erfahrung; eine gemeinsame Kraft, die durch die Zugehörigkeit zur Gruppe noch weiter wächst; eine gemeinsame Hoffnung — auf ein besseres Leben und bessere Beziehungen.

■ *Heute will ich dankbar sein für die vielen Menschen in der Welt, die sich »genesende Co-Abhängige« nennen. Ich will erkennen, daß jeder von uns, der einen Schritt vorwärts tut, die ganze Gruppe mitzieht.*

---

**Fallen vermeiden** **26. Januar**

---

Wir können lernen, uns keine ungesunden, selbstzerstörerischen Verhaltensweisen in Beziehungen anzugewöhnen. Dazu gehören die übermäßige Fürsorge für andere Menschen, die Kontrolle, die wir ihnen gegenüber ausüben, die Herabwürdigung unserer eigenen Person und die Neigung, den Lügen zu vertrauen.

Wir können lernen, auf Fallen zu achten, sie zu erkennen und ihnen auszuweichen.

Menschen tun entweder bewußt oder unbewußt Dinge, die uns zu dem selbstzerstörerischen Verhalten veranlassen, das wir Co-Abhängigkeit nennen. Solche Fallen sind allerdings häufig zu durchschauen und ihre Folgen vorhersehbar.

Jemand macht Andeutungen oder klagt über ein Problem, *wissend* oder *hoffend*, daß wir dadurch in die Falle gelockt werden und uns seiner annehmen. Das ist *Manipulation.*

Wenn Menschen auf uns zukommen, sich in Andeutungen ergehen oder seufzen und dann scheinbar schüchtern abwinken: »Ach, laß nur; es wird schon gehen. Mach dir bloß keine Sorgen«, so ist das ein *Spiel*, das es zu durchschauen gilt. Wir sind drauf und dran, in das Problem hineingezogen zu werden, wenn wir das zulassen.

Wir können lernen, von anderen zu verlangen, daß sie uns direkt um das bitten, was sie wünschen und brauchen.

Wie lauten die Worte, was sind die Zeichen, Blicke, Andeutungen, Anhaltspunkte, die uns in ein vorhersehbares und häufig selbstzerstörerisches Verhaltensmuster hineinziehen?

Was erweckt unser Mitgefühl? Unser Schuldgefühl? Unser Verantwortungsgefühl gegenüber anderen?

Unsere Stärke ist unsere Fürsorge für andere. Unsere Schwäche besteht darin, daß wir die Menschen, mit denen wir zu tun haben, oft unterschätzen. Sie wissen, was sie tun. Es ist Zeit, daß wir unsere naive Meinung über die Hilflosigkeit anderer revidieren: Menschen verfolgen ihre Pläne in *ihrem*, nicht in erster Linie in unserem Interesse.

Und wir wollen unser eigenes Gewissen prüfen. Stellen *wir* Fallen auf, versuchen *wir* durch Blicke und Andeutungen andere in die Falle zu locken? Wir müssen unbedingt darauf achten, daß wir mit anderen in direkter und ehrlicher Form umgehen, statt von ihnen unsere Rettung zu erwarten.

Wenn jemand etwas von uns will, müssen wir dafür sorgen, daß dieser Mensch uns direkt darum bittet. Das gleiche müssen wir von uns verlangen. Wenn jemand einen Köder auswirft, müssen wir noch lange nicht danach schnappen.

■ *Heute will ich mir die Köder bewußt machen, die mich zu übermäßiger Fürsorge verleiten und mich in der Opferrolle zurücklassen. Ich wehre mich gegen Andeutungen, Blicke und Worte, die mich in die Falle locken, und fordere die Direktheit und Ehrlichkeit, die ich genauso verdiene wie andere Menschen.*

## Menschen brauchen — 27. Januar

Es gilt, eine gesunde Mitte zu finden zwischen der zu großen Abhängigkeit von anderen Menschen und der Weigerung, überhaupt irgend jemand in Anspruch zu nehmen.

Viele von uns haben unbefriedigende Abhängigkeitsbedürfnisse aus der Vergangenheit. Einerseits wollen wir, daß andere unser Verlangen nach bedingungsloser Liebe stillen, andererseits aber suchen wir uns Menschen aus, die für uns nicht da sein wollen oder können. Manche von uns leiden unter so starkem Liebesentzug, daß wir Menschen abstoßen, weil wir uns zu sehr an sie klammern.

Manche von uns verfallen ins andere Extrem. Wir haben uns so sehr daran gewöhnt, daß Menschen nicht für uns da sind, daß wir sie von uns weisen. Im Kampf gegen unsere Gefühle der Bedürftigkeit werden wir zu unabhängig und lassen nicht zu, daß wir irgend jemand brauchen. Manche von uns *lassen einfach nicht zu, daß andere für sie da sind.*

In all diesen Fällen bleiben die meisten unserer inneren Anliegen unerfüllt. Wir haben Besseres verdient. Wenn wir uns ändern, ändern sich auch unsere Umstände.

Wenn wir zu bedürftig sind, reagieren wir darauf, indem wir die bedürftige Seite in uns akzeptieren. Wir lassen zu, daß wir vom Schmerz vergangener, unbefriedigter Bedürfnisse geheilt werden. Wir hören auf, uns einzureden, wir seien nicht liebenswert, denn wir wurden nicht so geliebt, wie wir es wünschten und brauchten.

Wenn wir den Teil in uns ausgegrenzt haben, der Menschen braucht, so öffnen wir uns nun, werden empfänglich für andere und lassen Liebe zu. Wir erkennen unsere Bedürfnisse an.

Wenn wir allmählich zu der Überzeugung kommen, daß wir liebenswert sind, werden wir die Liebe, die wir brauchen, bekommen — vorausgesetzt, wir lassen sie zu.

■ *Heute will ich nach Ausgleich streben zwischen übertriebener Bedürftigkeit und meiner inneren Sperre, die mich davon abhält, Menschen überhaupt in Anspruch zu nehmen. Ich lasse zu, daß ich die Liebe empfange, die für mich vorgesehen ist.*

## Leben in der Gegenwart — 28. Januar

Immer wieder drängt sich uns die Frage auf: »Was wird die Zukunft bringen?« Diese Frage stellen wir uns im Hinblick auf unsere Beziehungen, unseren Beruf, unsere innere Heilung, unser Leben. Und schon hängen wir sorgenvollen Gedanken nach.

Die Sorge um das, was geschehen wird, hindert uns daran, unsere heutigen Aufgaben effektiv zu bewältigen. Sie hindert uns daran, jetzt unser Bestes zu geben. Sie blockiert uns, wenn wir die gegenwärtigen Lektionen lernen und meistern wollen. Wenn wir im Heute leben, unser Bestes tun und vollen Anteil am gegenwärtigen Geschehen nehmen, verfügen wir über die nötigen Voraussetzungen, um sicherzustellen, daß das, was morgen geschehen wird, zu unserem Wohl sein wird.

Die Sorge darüber, was als nächstes geschieht, ist ein negativer Beitrag für die Zukunft. Im Hier und Jetzt zu leben ist ganz gewiß das Beste, was wir tun können — nicht nur für heute, sondern auch für morgen. Diese Einstellung wirkt sich positiv auf unsere Beziehungen, unseren Beruf, unseren Heilungsprozeß und unser Leben aus.

Die Dinge funktionieren, wenn wir sie geschehen lassen. Wir sollten nicht unentwegt unsere Zukunft planen; es genügt, wenn wir uns selbst noch einmal klarmachen, daß alles gut wird.

■ *Ich bitte um den Glauben, daß meine Zukunft gut sein wird, wenn ich heute gut und in Frieden lebe. Ich besinne mich darauf, daß mein Leben in der Gegenwart das Beste ist, was ich für meine Zukunft tun kann. Ich beschäftige mich damit, was jetzt geschieht, und nicht damit, was morgen eventuell geschehen könnte.*

## Selbsthilfegruppen besuchen — 29. Januar

*Auch nach Jahren der Genesung staune ich immer noch darüber, wie rasch ich Ausreden finde, um ein Gruppentreffen nicht besuchen zu müssen. Ich bin allerdings auch immer wieder erstaunt, wie gut ich mich fühle, wenn ich hingehe.*

— Anonym

Wir müssen nicht in unserem Unglück und Elend festsitzen. Es steht uns eine Sofortmaßnahme zur Verfügung, die unser Wohlbefinden hebt: der Besuch eines Treffens, einer Gruppe, die mit den Zwölf Schritten arbeitet.

Warum sollten wir uns gegen eine Einrichtung wehren, die gut für uns ist? Warum sollten wir in unserem zwanghaften Verhalten oder in unserer Depression verharren, wenn der Besuch eines Gruppentreffens unsere Stimmung hebt?

Keine Zeit?

Die Woche hat 168 Stunden. Ein bis zwei Stunden davon für ein

Treffen aufzubringen, kann das Potential der übrigen 166 Stunden maximieren. Wenn wir in unsere »Co-Abhängigkeitszwänge« verfallen, verbringen wir häufig einen Großteil unserer Wachstunden damit, obsessiven Gedanken nachzujagen oder untätig herumzusitzen. Wir verkriechen uns mit Depressionen ins Bett oder bemühen uns krampfhaft, die Bedürfnisse anderer zu befriedigen. Wenn wir zwei Stunden für eine Gruppensitzung nicht erübrigen, führt das oft dazu, daß all die anderen verbleibenden Stunden vergeudet sind.

Zu müde?

Eine Gruppensitzung kann so belebend wirken, daß wir wieder auf den richtigen Weg kommen.

■ *Heute denke ich daran, daß mir geholfen wird, wenn ich eines unserer Treffen besuche.*

## Religiöse Freiheit — 30. Januar

»... eine Macht, größer als wir selbst ...«; *»Gott, wie wir ihn verstehen«*. Diese Worte bringen den spirituellen Aspekt in die Zwölf Schritte. Sie sind die ersten beiden Hinweise auf Gott, und der Wortlaut wurde aus gutem Grund gewählt.

Jedem von uns bleibt es überlassen, unsere Höhere Macht — Gott — zu definieren und zu verstehen, wie wir es wünschen.

Das bedeutet, daß wir unsere Religionszugehörigkeit nicht in unsere Heilungsgruppen einbringen. Wir versuchen nicht, unsere religiösen Überzeugungen oder unser Verständnis von Gott irgend jemandem aufzuzwingen. Wir benutzen unsere Gruppen oder Zusammenkünfte nicht als Podium, um Mitglieder für eine Religionsgemeinschaft anzuwerben. Wir versuchen nicht, anderen die Besonderheiten unserer religiösen Überzeugung aufzudrängen.

Wir geben uns selbst und jedem anderen das Recht, auf jeweils eigene Weise die Höhere Macht zu begreifen.

■ *Heute will ich das Gottesverständnis anderer Leute ebenso respektieren wie mein eigenes. Ich werde nicht zulassen, daß das Urteil anderer über meine Glaubensrichtung mir Angst und Leid verursacht. Ich trachte danach, im Heilungsprozeß spirituell zu wachsen, mit oder ohne Unterstützung einer bestimmten Religionsgemeinschaft oder Sekte.*

## Bedürfnisse anmelden 31. Januar

Eines Abends fühlte ich mich einsam, bedrückt und erschöpft. Ich befand mich auf ausgedehnten Reisen, war getrennt von Freunden und Familie. Ich hatte für abends einen Flug nach Hause gebucht, was allerdings niemand wahrzunehmen schien. Alle glaubten mich in der Fremde.

Spätabends begann ich mit Gott zu hadern.

»Die ganze Woche arbeite ich hart. Ich fühle mich einsam. Ich möchte, daß jemand für mich da ist. Du hast mir zu verstehen gegeben, ich soll mich an Dich wenden, wenn ich etwas brauche, und heute brauche ich die Gegenwart männlicher Energie. Ich brauche einen Freund, jemanden, dem ich vertrauen kann, der sich in nichtsexueller, nicht ausbeuterischer Form um mich kümmert. Ich will in die Arme genommen werden.«

Ich legte mich auf die Couch und schloß die Augen. Ich war zu müde, um irgend etwas anderes zu tun, als einfach loszulassen.

Wenige Minuten später klingelte das Telefon. Ein ehemaliger Kollege rief an, der inzwischen zum Freund geworden war. »Hallo, Kleines«, sagte er. »Du klingst wirklich müde und erschöpft. Was hältst du davon, wenn ich vorbeikomme und dir die Füße massiere? Ich glaube, das wäre genau das Richtige für dich.«

Eine halbe Stunde später stand er mit einer Flasche Massageöl vor meiner Tür. Er massierte mir sanft die Füße, nahm mich in die Arme, sagte mir, wie sehr er mich mochte, und ging wieder.

Ich lächelte. Ich hatte genau das bekommen, wonach ich verlangt hatte.

Es tut gut, Gottvertrauen zu haben.

■ *Heute will ich mich darauf besinnen, daß Gott sich um das kümmert, was ich brauche, vor allem dann, wenn ich mich darum kümmere.*

# *Februar*

*Wir kamen zu dem Glauben, daß eine Macht, größer als wir selbst, uns unsere geistige Gesundheit wiedergeben kann.*

— Zweiter Schritt von Al-Anon

Wir kommen zu dem Glauben an ein besseres Leben durch das große Geschenk, das andere Menschen uns dadurch machen, daß wir sie hören, sie sehen und verfolgen können, wie der Heilungsprozeß ihr Leben verändert.

Es gibt eine Macht, die größer ist als wir selbst. Es gibt die wahre Hoffnung, daß unsere jeweiligen Umstände und unser Leben insgesamt besser werden.

Wir befinden uns nicht in einem »Do-it-yourself-Programm«. Wir müssen keine Kraftakte vollbringen, um uns zu verändern. Wir müssen unsere innere Heilung nicht erzwingen. Wir müssen uns nicht selbst an den Haaren aus dem Sumpf ziehen. Der Glaube an die Existenz einer Höheren Macht genügt — einer Macht, die sich um unser Leben kümmert. Sie vollbringt Dinge für uns, die wir unter größten und gewissenhaftesten Anstrengungen nicht erreichen könnten.

Unsere Höhere Macht wird bewirken, daß wir wieder ein gesundes und zuträgliches Leben führen. Wir müssen nur daran glauben.

Öffnen Sie die Augen. Beobachten Sie. Sehen Sie sich die Menschen Ihrer Umgebung an. Achten Sie auf die Gesundheit, die sie wiedergefunden haben. Damit finden Sie Ihr Vertrauen, Ihren Glauben, Ihre Gesundheit.

■ *Heute will ich — ungeachtet meiner Umstände — mit meiner ganzen Kraft glauben, daß eine Macht, größer als ich selbst, mir zu einer friedlichen, gesunden Lebensweise verhilft. Sodann entspanne ich mich und überlasse alles weitere dieser Höheren Macht.*

*Wir faßten den Entschluß, unseren Willen und unser Leben der Sorge Gottes — wie wir Ihn verstanden — anzuvertrauen.*

— Dritter Schritt von Al-Anon

So viele Worte über eine Höhere Macht, über Gott, wie wir ihn verstehen. So viel Freude, wenn wir ihn verstehen lernen.

Spiritualität und spirituelles Wachstum sind die Grundvoraussetzungen für Veränderungen. Die Genesung von der Co-Abhängigkeit ist keine Aufgabe nach dem Do-it-yourself-Verfahren.

Ist Gott ein gnadenloser Zuchtmeister? Ein hartherziger Magier, der alle möglichen Tricks auf Lager hat? Ist Gott taub? Lieblos? Willkürlich? Unversöhnlich?

Nein.

Er ist ein liebender Gott, ein fürsorglicher Gott. Er ist der Gott unserer inneren Heilung. Er bereitet uns nicht mehr Schmerzen, als zu unserer Gesundung und Läuterung notwendig sind. Er spendet so viel Güte und Freude, wie unser Herz fassen kann, sobald es geheilt, offen und bereit ist zu empfangen. Gott ist Zustimmung, Akzeptieren, unmittelbares Verzeihen.

Gott hat kleine Geschenke für uns vorgesehen, die uns den Tag verschönen, und manchmal große, wunderbare Überraschungen — die genau zur rechten Zeit kommen und genau auf uns abgestimmt sind.

Gott ist ein großer Meister, der aus unseren Freuden, unserer Trauer, unserem Glück und der Gesamtheit unserer Erfahrung ein Bildnis unseres Lebens schafft, das Schönheit, Sensibilität, Farbe, Humor und Gefühl ausstrahlt.

Gott, wie wir ihn verstehen, ist ein liebevoller Gott: der Gott unserer Heilung.

■ *Heute will ich mich der Fürsorge eines liebenden Gottes zugänglich machen. Ich will zulassen, daß Gott mir seine Liebe schenkt.*

Scham kann eine starke Kraft in unserem Leben darstellen. Sie ist das Kennzeichen nicht funktionierender Familienbeziehungen.

Echte, berechtigte *Schuld* ist das Gefühl oder der Gedanke, daß wir etwas falsch gemacht haben. Schuldgefühle geben einen Hinweis darauf, daß unser Verhalten korrigiert, beziehungsweise verändert, oder daß ein zugefügter Schaden wiedergutgemacht werden muß.

*Scham* ist die überwältigende negative Empfindung, daß wir so, wie wir sind, nicht richtig sind. Scham erzeugt Situationen, aus denen wir immer als Verlierer hervorgehen. Wir können unser Verhalten verändern, aber wir können nicht ändern, wer wir sind. Scham kann uns tiefer in sinnlose und selbstzerstörerische Verhaltensweisen verstricken.

Welche Faktoren können Scham erzeugen? Wir schämen uns, weil wir ein Problem haben oder weil jemand, den wir lieben, ein Problem hat. Wir schämen uns, Fehler zu machen oder Erfolg zu haben. Wir schämen uns bestimmter Gefühle oder Gedanken. Wir schämen uns, wenn wir Spaß haben, uns wohl fühlen oder unsere Verwundbarkeit zeigen. Manche von uns schämen sich ihrer Existenz.

Scham ist ein Fluch, den andere über uns verhängen, um uns zu kontrollieren, uns dazu zu bringen, unsere Rolle in gestörten Beziehungssystemen weiterzuspielen. Sie ist ein Fluch, den viele von uns über sich selbst verhängt haben.

Wenn wir lernen, Scham abzulehnen, können wir unsere Lebensqualität verbessern. Wir dürfen so sein, wie wir sind. Wir sind ganz tüchtig. Unsere Gefühle sind in Ordnung. Unsere Vergangenheit ist in Ordnung. Es ist nicht schlimm, wenn wir Probleme haben, Fehler machen und kämpfen müssen, um unseren Weg zu finden. Wir dürfen menschliche Schwächen zeigen, ohne uns ihrer zu schämen.

Uns selbst zu akzeptieren ist der erste Schritt zur inneren Heilung. Uns ohne Scham so zu nehmen, wie wir sind, ist der zweite Schritt.

■ *Heute will ich auf Zeichen achten, ob ich in die Falle der Scham getappt bin. Wenn ich in Scham gefangen bin, will ich mich von ihr dadurch befreien, daß ich mich selbst akzeptiere und mir versichere, daß es gut ist, der zu sein, der ich bin.*

## Freude an der inneren Heilung — 4. Februar

Was für eine Reise!

Der Weg zu innerem Wachstum und Veränderung führt uns durch eine wechselvolle Landschaft. Manchmal ist er beschwerlich und steinig. Manchmal erklimmen wir Berge. Manchmal gleiten wir auf der anderen Seite sanft zu Tal.

Manchmal ruhen wir uns aus.

Manchmal tasten wir uns durch die Dunkelheit. Manchmal werden wir vom Sonnenlicht geblendet.

Manchmal begleiten uns viele Menschen auf unserem Weg; manchmal fühlen wir uns einsam und allein.

Ständig gibt es Veränderungen, ständig passieren aufregende Dinge, und immer wieder gelangen wir an einen besseren, an einen wohltuenden Ort.

Was für eine Reise!

■ *Hilf mir heute, Gott, zu entspannen und die Landschaft zu genießen. Hilf mir zu erkennen, daß ich auf meiner Reise immer am richtigen Ort bin.*

## Finanzielle Verantwortung — 5. Februar

Wir sind verantwortlich für unsere finanziellen Angelegenheiten. Für viele von uns ist das ein beängstigender Gedanke: Verantwortung zu übernehmen für die eigene Finanzlage. Viele von uns haben ihre finanzielle Verantwortung aus der Hand gegeben und sie in ihren coabhängigen Beziehungen eingetauscht.

Unsere emotionale Abhängigkeit, dieses Festklammern des anderen — nicht aus Liebe, sondern aufgrund unserer Bedürftigkeit und Verzweiflung —, steht in direktem Zusammenhang mit finanzieller Abhängigkeit. Unsere Ängste und unsere Scheu, Verantwortung für unsere Geldangelegenheiten zu übernehmen, sind ein großes Hindernis auf dem Weg zu jener Freiheit, die wir im Heilungsprozeß suchen.

Finanzielle Verantwortung ist eine innere Einstellung. Geld wird ausgegeben für Dinge, die zum Leben notwendig sind und für Luxusgüter. Geld muß hereinkommen, damit es ausgegeben werden kann. Wie hoch also müssen die Einnahmen sein, um die verschiedenen Ausgaben zu decken?

Steuern ... Sparpläne ... Eine vernünftige Art, Geld auszugeben, beweist, daß unsere Einstellung von finanzieller Verantwortung geprägt ist ... Der richtige Umgang mit Geld ist Bestandteil unseres Lebens. Selbst wenn wir ein klares Abkommen mit jemandem geschlossen haben, das uns gestattet, ihm oder ihr in Geldangelegenheiten zu vertrauen, müssen wir dennoch finanzielle Eigenverantwortung übernehmen. Selbst wenn wir eine Vereinbarung mit jemandem getroffen haben, der uns finanziell versorgt, müssen wir die Zusammenhänge von Einnahmen und Ausgaben in unserem Leben begreifen.

Unsere Selbstachtung steigt mit unserer finanziellen Eigenverantwortung. Wir können da beginnen, wo wir sind, und mit dem, was wir heute haben.

■ *Hilf mir, Gott, meine Ängste und Widerstände abzubauen, damit ich die notwendigen Geldangelegenheiten in meinem Leben verantwortungsvoll regeln kann. Zeige mir, was ich in Sachen Geld lernen muß.*

## Schluß mit der Opferrolle — 6. Februar

Vor dem Heilungsprozeß fehlte vielen von uns ein Bezugsrahmen, mit Hilfe dessen sie genau hätten bestimmen können, was Opfer sein und Mißbrauchtwerden eigentlich ist. Wir hielten es für normal, daß Menschen uns schlecht behandelten. Vielleicht glaubten wir, schlechte Behandlung verdient zu haben; wir fühlten uns sogar zu Menschen hingezogen, die so mit uns umgingen.

Tief in unserem Inneren müssen wir unser Verlangen, Opfer zu sein, loslassen. Wir müssen uns trennen von unserem Wunsch, in der Liebe, in der Familie, mit Freunden nicht funktionierende Beziehungen einzugehen und unharmonische Strukturen zu erhalten. Wir haben Besseres verdient, sehr viel Besseres. Wenn wir daran glauben, daß wir das Recht haben, glücklich zu sein, so werden wir auch unser Glück finden.

Wir kämpfen für dieses Recht, und die Kraft dazu wird aus unserem Inneren emporsteigen. Befreien Sie sich von der Unterdrückung und der Opferrolle.

■ *Heute will ich das Bedürfnis, Opfer zu sein, loslassen und meine so gewonnene Freiheit nutzen, um mich selbst sorgsam zu behandeln. Dieser Schritt entfernt mich nicht von den Menschen, die ich liebe. Vielmehr bringt er mich ihnen näher und bewirkt, daß ich mehr im Einklang bin mit jenem Lebensentwurf, den Gott für mich vorgesehen hat.*

## Die eigene Stärke geltend machen — 7. Februar

Wir müssen unterscheiden zwischen unserer Machtlosigkeit einerseits und unserer inneren Stärke andererseits.

Der erste Schritt unserer inneren Heilung besteht darin, daß wir unsere Machtlosigkeit akzeptieren. Es gibt bestimmte Faktoren, die wir nicht beeinflussen können, egal wie lang und wie sehr wir uns darum bemühen. Dazu gehört: Die Veränderung anderer Menschen, die Lösung ihrer Probleme und die Kontrolle über ihr Verhalten.

Manchmal fühlen wir uns machtlos uns selbst gegenüber — unseren Gefühlen oder Überzeugungen gegenüber oder der Wirkung einer bestimmten Situation oder Person auf uns.

Es ist wichtig, in unsere Machtlosigkeit einzuwilligen, ebenso wichtig ist es aber auch, unsere eigene Stärke geltend zu machen. Wir sitzen nicht in der Falle. Wir sind nicht hilflos. Auch wenn wir uns manchmal so fühlen — es stimmt nicht. Wir alle verfügen über die von Gott gegebene Stärke und das Recht, jederzeit und egal, mit wem wir zusammen sind, uns selbst sorgsam zu behandeln. Dieser pflegliche Umgang mit der eigenen Person bildet die Mitte zwischen zwei Extremen: dem Wunsch, andere zu kontrollieren, und der Einwilligung, uns von ihnen kontrollieren zu lassen. Wir können diese Balance behutsam oder auch nachdrücklich einhalten — in jedem Fall aber mit der Gewißheit, daß wir das Recht und die Verantwortung dazu haben.

Machen Sie die eigene Stärke zu Ihrem Wegbegleiter.

■ *Heute präge ich mir ein, daß ich für mich selbst sorgen kann. Ich habe die Wahl und kann die Dinge, für die ich mich entscheide, ohne Schuldgefühle ausprobieren.*

## Schuldgefühle loslassen — 8. Februar

Sich mit der eigenen Person wohl zu fühlen, ist eine freie Entscheidung. Ebenso verhält es sich mit den Schuldgefühlen. Wenn sie gerechtfertigt sind, ist das ein Warnzeichen, das uns signalisiert, daß wir vom Weg abgekommen sind. Damit ist ihr Zweck erfüllt.

Wenn wir uns in Schuldgefühlen ergehen, haben andere die Gelegenheit, uns zu kontrollieren. Wir bekommen das Gefühl, nicht gut genug zu sein. Wir werden daran gehindert, eigene Grenzen zu setzen und andere gesunde Maßnahmen zu ergreifen, um auf uns achtzugeben.

Wir mögen uns Schuldgefühle schon instinktiv zur Gewohnheit gemacht haben. Heute wissen wir, daß Schuldgefühle überflüssig sind. Selbst wenn wir einen größeren Schaden angerichtet haben, wird das Problem nicht durch ständige Schuldgefühle gelöst; im Gegenteil, das Problem dauert nur weiter an.

Führen Sie also eine Änderung herbei. Ändern Sie eine bestimmte Verhaltensweise. Dann lassen Sie Ihr Schuldgefühl los.

■ *Hilf mir heute, Gott, wirklich bereit zu sein, mich von Schuldgefühlen zu lösen. Nimm sie von mir, und ersetze sie durch Selbstliebe.*

## In Liebe loslassen — 9. Februar

*Wenn Menschen mit einer zwanghaften Störung etwas tun, wozu sie sich gezwungen fühlen, bringen sie damit nicht zum Ausdruck, daß Sie den anderen nicht lieben — sondern daß sie sich selbst nicht lieben.*

— Die Sucht, gebraucht zu werden

Gütige Menschen, sanfte Seelen gehen ihren Weg in Liebe.

Zu gegebener Zeit müssen wir standhaft sein und uns selbst behaupten: Wenn wir uns verändern, wenn wir eine neue Verhaltensweise annehmen, wenn wir uns und andere davon überzeugen müssen, daß wir Rechte haben.

Diese Zeiten dauern nicht ewig. Es mag nötig sein, in Wut zu geraten, um eine Entscheidung zu treffen oder eine Grenze zu setzen, aber wir dürfen auf Dauer keinen Groll mit uns herumtragen. Es fällt uns schwer, Verständnis für jemand aufzubringen, der uns zum Opfer macht; aber sobald wir die Opferrolle aufgeben, können wir Mitgefühl aufbringen.

Wir gehen einen sanften Weg, den Weg der Liebe — Liebe zu uns selbst, Liebe zu anderen. Wir setzen Grenzen. Wir lösen uns; achten auf uns. Und wir tun diese Dinge so schnell wie möglich und in Liebe.

■ *Gott, laß mich heute, und wann immer möglich, gütig zu mir und anderen sein. Hilf mir, die Balance zu finden zwischen der ausdrücklichen Wahrung meiner Interessen und der Liebe zu anderen. Hilf mir zu verstehen, daß diese beiden Haltungen zu einer verschmelzen können. Hilf mir, den für mich richtigen Weg zu finden.*

## Die Trauer loslassen — 10. Februar

Die in der Vergangenheit nicht bewältigte Trauer kann verhindern, daß wir Freude und Liebe empfinden.

Früher redeten wir uns manches ein, um den Schmerz zu verdrängen: »Es tut nicht besonders weh ...«; »Wenn ich einfach abwarte, werden sich die Dinge ändern ...«; »Es ist halb so schlimm. Ich schaff' das schon ...«; »Wenn ich versuche, den anderen zu ändern, brauche ich mich vielleicht nicht zu ändern.«

Wir verdrängten den Schmerz, um ihn nicht zu spüren.

Ungelöste Probleme der Vergangenheit verschwinden nicht. Sie wiederholen sich so lange, bis wir ihnen Aufmerksamkeit schenken, sie spüren, uns mit ihnen befassen und über sie hinwegkommen. Das ist eine Lektion, die wir lernen, wenn wir von Co-Abhängigkeit geheilt werden und unsere in der Kindheit wurzelnden Probleme gemeistert haben.

Viele von uns verfügen nicht über die Möglichkeit, den Rückhalt oder die Sicherheit, die nötig gewesen wäre, um den Schmerz in der Vergangenheit zuzugeben und zu akzeptieren. Das ist nicht schlimm. Jetzt aber sind wir sicher. Langsam, behutsam können wir beginnen, uns den eigenen Gefühlen zu öffnen. Wir können fühlen, was wir so lange verdrängt haben — nicht um uns die Schuld zu geben, nicht um uns zu beschämen, sondern um uns zu heilen und auf ein besseres Leben vorzubereiten.

Wir dürfen weinen, wenn uns danach zumute ist, und die Traurigkeit spüren, die viele von uns so lange in sich aufgestaut haben. Wir können fühlen und unsere Gefühle herauslassen.

Trauern ist ein Läuterungsprozeß. Ein Prozeß des Hinnehmens. Er führt uns aus der Vergangenheit ins Heute und in eine bessere Zukunft — eine Zukunft, frei von zerstörerischem Verhalten, eine Zukunft, die Besseres zu bieten hat als unsere Vergangenheit.

■ *Gott, laß mich im Verlauf dieses Tages offen sein für meine Gefühle. Hilf mir, damit ich weiß, daß ich den Heilungsprozeß weder erzwingen kann noch unterdrücken muß. Hilf mir, darauf zu vertrauen, daß die Heilung sich auf natürliche und mühelose Weise vollzieht, wenn ich offen und zugänglich dafür bin.*

*Gib mir richtige Gedanken, Worte und Handlungen ein. Zeige mir, welchen Schritt ich als nächstes tun muß. Sende mir in den Zeiten, da ich zweifle und unentschlossen bin, Deine Eingebung, und führe mich.*

— Anonyme Alkoholiker

Wenn wir uns und unser Leben einer Macht, größer als wir selbst, unterwerfen, lautet die gute Nachricht, daß wir in Einklang mit einem Großen Plan stehen, der großartiger ist, als wir es uns vorstellen können.

Es wird uns göttliche Führung versprochen, um die wir in der Arbeit an den Zwölf Schritten bitten. Kann es ein größeres Geschenk geben als das Wissen, daß unsere Gedanken, Worte und Handlungen gelenkt werden?

Wir sind kein Fehlgriff. Und wir müssen weder uns selbst noch andere kontrollieren oder unterdrücken, damit das Leben funktioniert. Selbst das Fremde, das Ungeplante, das Schmerzliche und das, was wir Fehler nennen, kann uns zu Harmonie führen.

Wir bekommen gezeigt, was wir tun müssen, um sorgsam mit uns selbst umzugehen. Wir beginnen, unseren Instinkten, unseren Gefühlen und unseren Gedanken zu vertrauen. Wir werden wissen, wann wir gehen, wann wir anhalten, wann wir warten müssen. Wir werden eine große Wahrheit erkennen: Der Plan erfüllt sich trotz, nicht wegen unserer Handlungen.

■ *Heute und jeden Tag bete ich, daß meine Gedanken, Worte und Handlungen von Gott bestimmt werden. Ich bete, daß ich mich vertrauensvoll auf den Weg machen kann, da meine Schritte gelenkt sind.*

## Menschen loslassen, die nicht im Heilungsprozeß sind — 12. Februar

Wir können mit unserem Leben und unserer Heilung fortfahren, auch wenn ein Mensch, den wir lieben, noch nicht im Heilungsprozeß ist.

Stellen Sie sich eine Brücke vor. Auf einer Seite der Brücke ist es kalt und dunkel. Dort standen wir gemeinsam mit anderen in Kälte und Finsternis, von Gram gebeugt. Manche entwickelten eine Eßstörung, um den Schmerz zu ertragen. Andere tranken oder griffen zu anderen Suchtmitteln. Wieder andere verloren die Kontrolle über ihr Sexualverhalten. Manche von uns fixierten sich zwanghaft auf die Leiden Abhängiger, um sich von ihrem eigenen Leid abzulenken. Manche von uns taten beides: Wir entwickelten ein Suchtverhalten, von dem wir uns ablenkten, indem wir uns anderen Süchtigen zuwandten. Wir wußten nicht, daß es eine Brücke gab. Wir glaubten, wir seien dazu verdammt, auf einer Klippe auszuharren.

Dann hatten einige von uns Glück. Durch die Gnade Gottes wurden uns die Augen geöffnet, weil die Zeit dafür reif war. Wir sahen die Brücke. Uns wurde gesagt, was sich auf der anderen Seite befindet: Wärme, Licht und Heilung unserer Leiden. Wir konnten das kaum fassen oder uns vorstellen; dennoch entschieden wir uns dafür, die Reise über die Brücke anzutreten.

Wir versuchten, die anderen Menschen auf der Klippe davon zu überzeugen, daß es eine Brücke zu einem besseren Ort gäbe, aber sie wollten nicht auf uns hören. Sie konnten die Brücke nicht sehen und konnten nicht daran glauben. Sie waren nicht bereit, die Reise anzutreten. Wir beschlossen, alleine zu gehen, da wir den Glauben besaßen und die Menschen auf der anderen Seite uns anspornten.

Je näher wir der anderen Seite kamen, desto mehr konnten wir sehen und spüren, daß die Verheißung Wirklichkeit war. Dort gab es Licht, Wärme, Heilung und Liebe. Die andere Seite war der bessere Ort.

Nun stehen wir auf der anderen Seite der Brücke. Manchmal sind wir versucht, zurückzugehen und die Menschen drüben mit uns zu ziehen, doch das ist nicht möglich. Niemand kann unter Zwang über diese Brücke gehen. Jeder Mensch muß selbst die Entscheidung treffen, wenn die Zeit dafür gekommen ist. Manche werden sich auf den Weg machen; manche werden auf der anderen Seite bleiben. Wir können darüber nicht befinden.

Wir können die Menschen auf der anderen Seite lieben. Wir können ihnen zuwinken. Wir können ihnen ermunternd zurufen, so wie andere uns zugerufen und ermuntert haben. Aber wir können sie nicht ans gegenüberliegende Ufer tragen.

Wenn für uns die Zeit gekommen ist, die Brücke zu überqueren, oder wenn wir sie bereits überquert haben und im Licht und in der Wärme stehen, brauchen wir keine Schuldgefühle zu haben. Es ist unsere Bestimmung, hier zu sein. Wir müssen nicht auf die dunkle Klippe zurückkehren, weil die Zeit eines anderen noch nicht reif ist.

Das Beste, was wir tun können, ist: im Licht bleiben, denn damit zeigen wir anderen, daß dies der bessere Platz ist. Und wenn sie sich dafür entscheiden, die Brücke zu überqueren, werden wir sie aufmuntern und vorantreiben.

■ *Heute will ich in meinem Leben vorwärtskommen, ungeachtet dessen, was andere tun oder nicht tun. Ich weiß, daß es mein Recht ist, die Brücke zu einem besseren Leben zu überqueren, selbst wenn ich andere zurücklassen muß. Ich werde keine Schuldgefühle haben, ich werde mich nicht schämen. Ich weiß, der Ort, an dem ich mich jetzt aufhalte, ist der bessere Ort: Hier soll ich sein.*

---

## Vertrauen in uns selbst — 13. Februar

---

Wir bekamen ein großes Geschenk überreicht — uns selbst. Wenn wir auf uns hören, unserem Instinkt und unserer Intuition vertrauen, würdigen wir dieses Geschenk.

Wir erweisen uns allerdings einen schlechten Dienst, wenn wir die Gedanken und Neigungen mißachten, die ganz natürlich aus unserem Inneren kommen. Wann werden wir begreifen, daß diese Gedanken und Neigungen uns Gottes großzügigem Plan, den Er für uns vorgesehen hat, näherbringen?

Wir werden es begreifen: indem wir zuhören, Vertrauen haben und unserem Weg folgen. Wofür ist die Zeit gekommen? ... Was muß ich tun, um auf mich selbst zu achten? ... Wohin werde ich geführt? ... Was weiß ich?

Wenn wir zuhören, wissen wir es. Hören Sie auf Ihre innere Stimme.

■ *Heute will ich zuhören und Vertrauen haben. Ich bekomme, wenn nötig, Hilfe, um weiter voranzuschreiten. Ich kann mir selbst und Gott vertrauen.*

## Valentinstag 14. Februar

Für Kinder in Amerika zum Beispiel bedeutet der Valentinstag Schokoladenherzen, bunte Karten und Festtagsstimmung.

Wie anders kann der Valentinstag für uns Erwachsene sein. Der Tag der Liebe kann ein Zeichen dafür sein, daß die Liebe, die wir ersehnen, uns noch nicht zuteil geworden ist.

Er kann aber auch ein Zeichen sein für etwas anderes, etwas Besseres. Wir haben innere Fortschritte gemacht. Wir haben den Heilungsprozeß begonnen. Wir haben gelernt, daß uns auch die schmerzlichsten Beziehungen auf der Reise zur Heilung etwas gegeben haben, selbst wenn es kaum mehr war, als uns auf unsere eigenen Anliegen hinzuweisen oder uns zu zeigen, was wir in unserem Leben nicht wollen.

Wir haben die Reise angetreten, die uns zur Selbstliebe führt. Wir haben den Prozeß begonnen, unser Herz der Liebe zu öffnen, der wahren Liebe, die aus uns zu anderen und wieder zu uns zurückfließt. Tun Sie sich etwas Gutes. Tun Sie etwas Liebevolles für Ihre Freunde, für Ihre Kinder oder für irgendeinen anderen Menschen.

Es ist der Tag der Liebe. Wo wir in unserem Heilungsprozeß auch stehen — wir können viel Freude haben, wenn wir sie wirklich wollen. Wie unsere Lebensumstände auch sein mögen — wir können dankbar sein, daß unser Herz sich der Liebe öffnet.

■ *Ich werde mich der Liebe öffnen, die mir heute von anderen Menschen, vom Universum und meiner Höheren Macht zuteil wird. Ich werde heute zulassen, Liebe zu geben und zu empfangen. Ich bin dankbar, daß mein Herz geheilt wird und daß ich lerne zu lieben.*

## Kontrolle 15. Februar

Graue Tage flößen uns Angst ein. Das sind die Tage, an denen die alten Gefühle wieder hochkommen. Wir fühlen uns bedürftig, angstvoll, beschämt, unfähig, uns um uns selbst zu kümmern.

Wenn das geschieht, fällt es uns schwer, Vertrauen in uns, in andere Menschen, in die Güte des Lebens und die guten Absichten unserer Höheren Macht zu haben. Die Probleme wachsen uns über den Kopf. Die Vergangenheit scheint sinnlos; die Zukunft schwarz. Wir sind überzeugt davon, daß sich unsere Wünsche nie erfüllen werden.

In solchen Momenten sind wir der Meinung, daß der Schlüssel zu unserem Glück bei anderen Menschen und äußeren Umständen liegt. Wir versuchen dann, Menschen und Situationen zu kontrollieren, um unseren Schmerz zu verbergen. Wenn diese »Co-Abhängigkeits-Verrücktheiten« zuschlagen, reagieren andere oft negativ auf unsere Kontrollversuche.

Wenn wir uns in diesem verrückten Zustand befinden und das Glück außerhalb von uns selbst suchen, uns an andere wenden, um durch sie Frieden und Stabilität zu finden, dürfen wir nicht vergessen: *Selbst wenn wir Dinge und Menschen kontrollieren könnten, selbst wenn all unsere Wünsche in Erfüllung gingen — wir wären immer noch dieselben. Unsere Seele wäre nach wie vor in Aufruhr.*

Menschen und Dinge beenden nicht unseren Schmerz und heilen uns auch nicht. Im Heilungsprozeß lernen wir, daß dies *unsere* Aufgabe ist. Wir bewältigen sie, wenn wir unsere Mittel einsetzen: uns selbst, unsere Höhere Macht, Menschen, die uns Rückhalt geben, und unser Heilungsprogramm.

Sobald wir die Dinge gelassen und zuversichtlich akzeptieren können, stellt sich das Gewünschte meist von selbst ein — mühelos und ganz natürlich. Die Sonne scheint wieder. Und wir erkennen die wunderbare Wahrheit, daß jede Veränderung nirgendwo anders als in uns beginnt.

■ *Ich kann heute sowohl Dinge und Menschen wie auch meine Kontrollbedürfnisse loslassen. Ich kann mit meinen Gefühlen umgehen. Ich kann Frieden finden. Ich kann ruhig werden. Ich kann wieder auf den rechten Weg zurückkehren und den wahren Schlüssel zum Glück entdecken — in mir selbst. Ich weiß, daß ein grauer Tag nichts weiter ist als — ein grauer Tag.*

---

## Abstand — 16. Februar

---

Der Gedanke, innerlich loszulassen, kann für viele von uns verwirrend sein. Wann tun wir zuviel oder bemühen uns zu angestrengt, um Menschen und Ergebnisse zu kontrollieren? Wann tun wir zuwenig? Wann ist das, was wir tun, ein angemessener Beitrag für einen guten Umgang mit uns selbst? Was liegt in unserer Verantwortung, und was nicht?

Diese Fragen beschäftigen uns, ob wir nun zehn Tage oder zehn Jahre an unserer inneren Heilung arbeiten. Zuweilen lassen wir so sehr los, daß wir die Verantwortung für uns selbst oder für andere vernachlässigen. Dann wieder kümmern wir uns zuwenig um uns selbst, um dadurch andere Menschen und Ergebnisse zu kontrollieren.

Es gibt kein Patentrezept. Wir dürfen uns nur nicht verrückt machen; wir brauchen keine Angst zu haben. Wir müssen im Heilungsprozeß nicht perfekt sein. Wenn wir etwas Bestimmtes tun wollen, können wir es tun. Wenn sich keines Ihrer Vorhaben zu verwirklichen scheint und Sie sich nicht inspiriert fühlen, dann unternehmen Sie auch nichts.

Gesunde Grenzen zu errichten und einzuhalten ist kein geordneter Prozeß. Wir dürfen experimentieren, Fehler machen, lernen und allmählich wachsen.

Wir können mit Menschen sprechen, ihnen und uns selbst Fragen stellen. Wenn wir etwas tun oder lernen müssen, werden wir es rechtzeitig erfahren. Sollten wir nicht genügend Sorge tragen für uns selbst, so werden wir auch das erfahren. Wenn wir zu sehr kontrollieren, werden wir es allmählich einsehen.

Die Dinge kommen ins reine. Der Weg wird sichtbar.

■ *Heute will ich handeln, wie es mir richtig erscheint. Alles andere lasse ich los. Ich werde nach Ausgleich streben zwischen Eigenverantwortung, Verantwortung für andere und Loslassen.*

## Akzeptieren — 17. Februar

Ein Grundprinzip unserer Heilung, das niemals seine Gültigkeit verliert, das oft Wunder bewirkt, heißt *Annehmen.*

Annehmen erreichen wir nicht im Handumdrehen. Wir müssen uns oft durch trügerische Gefühle arbeiten — manchmal durch Wut, Zorn, Scham, Selbstmitleid oder Trauer. Wenn wir uns das Annehmen zum Ziel stecken, werden wir es erreichen.

Was könnte befreiender sein, als über unsere Schwächen zu schmunzeln und für unsere Stärken dankbar zu sein? Das Wissen, daß die Gesamtheit, die unser »Ich« ausmacht — all unsere Gefühle, Gedanken, Neigungen und unsere Geschichte —, es wert ist, angenommen zu werden, vermittelt uns ein gutes Gefühl.

Wenn wir unsere Umstände akzeptieren, so ist das ein weiteres wunderbares Heilmittel. Um einen anderen Menschen oder eine bestimmte Gegebenheit zu ändern, müssen wir zunächst uns selbst, den Menschen und diese Gegebenheit akzeptieren, so wie sie sind. Dann müssen wir einen Schritt weitergehen. Wir müssen *dankbar* sein für uns und die Umstände, in denen wir uns befinden. Sodann fügen wir einen Hauch Glauben hinzu und sagen: »Ich weiß, genau so muß die Situation für mich im Augenblick sein.«

Egal, wie kompliziert die Umstände auch sein mögen, die grundsätzlichen Einsichten verlieren niemals ihre Gültigkeit, um unsere innere Gesundheit wiederherzustellen.

■ *Hilf mir heute, Gott, den Gedanken des Annehmens in meinem Leben in die Tat umzusetzen. Hilf mir, daß ich mich selbst, andere*

*Menschen und meine Lebensumstände annehme. Führe mich einen Schritt weiter, und hilf mir, dankbar zu sein.*

## Recht haben — 18. Februar

Es geht im Heilungsprozeß nicht darum, recht zu haben; es geht darum, uns die Freiheit zu nehmen, so zu sein, wie wir sind, und andere so zu akzeptieren, wie sie sind.

Dieser Gedanke ist für viele von uns besonders dann schwierig, wenn wir in Strukturen gelebt haben, die sich nach der Bewertungsskala von »richtig« und »falsch« orientieren. Ein Mensch, der recht hatte, war in Ordnung; einer, der Unrecht hatte, schämte sich. Urteil und Wert hingen davon ab, ob man recht hatte; Unrecht haben bedeutet Schädigung des Selbstbildes und der Selbstachtung.

Jetzt lernen wir, nach Liebe zu streben, und nicht danach, eine überlegene Position in unseren Beziehungen einzunehmen. Gewiß, von Zeit zu Zeit müssen wir zum Verhalten anderer Menschen Stellung beziehen. Wenn jemand uns verletzt, müssen wir uns verteidigen. Wir haben die Verantwortung, Grenzen zu ziehen und uns um die eigene Person zu kümmern. Wir brauchen jedoch diese Fürsorge für uns selbst nicht damit zu rechtfertigen, daß wir andere verdammen. Wir können die Falle vermeiden, uns auf andere statt auf uns selbst zu konzentrieren.

Wir lernen, daß unser Tun nur für uns *richtig* sein muß. Was andere tun, ist deren Angelegenheit und muß nur für sie stimmen. Es ist verlockend, der Überlegene sein zu wollen, recht zu haben und die Motive und Handlungen anderer zu analysieren; lohnender ist jedoch eine tiefere Einsicht.

■ *Heute will ich mir ins Gedächtnis rufen, daß ich mich nicht hinter Rechthaberei verstecken muß. Ich muß meine eigenen Wünsche und Bedürfnisse nicht dadurch rechtfertigen, daß ich sage, dieser hat »recht« und jener »unrecht«. Ich kann so sein, wie ich bin.*

*Soeben verbrachte ich einige Stunden mit jemand aus meiner Gruppe, und ich habe das Gefühl, den Verstand zu verlieren. Diese Frau behauptete steif und fest, der einzige Weg, durch den ich in meinem Programm Fortschritte machen könne, sei der, ihrer Kirchengemeinschaft beizutreten und mich ihren religiösen Grundsätzen zu unterwerfen. Sie bedrängte mich und redete unentwegt auf mich ein.Sie ist schon viel länger im Programm als ich. Ich dachte ständig, sie muß doch wissen, was sie da redet. Aber es schien mir nicht richtig zu sein. Und jetzt komme ich mir verrückt vor, fühle mich verunsichert, schuldig und beschämt.*

— Anonym

Der spirituelle Weg und das innere Wachstum, die uns durch die Zwölf Schritte in Aussicht gestellt werden, sind nicht an irgendeine religiöse Überzeugung gebunden. Sie sind nicht abhängig von einer Konfession oder Sekte. Sie sind nicht — wie es die Traditionen der Zwölf-Schritte-Programme deutlich zum Ausdruck bringen — mit der Zugehörigkeit zu irgendeiner Religionsgemeinschaft verknüpft.

Wir brauchen nicht zuzulassen, daß uns jemand im Heilungsprozeß mit seinen religiösen Überzeugungen bedrängt. Wir brauchen auch nicht zuzulassen, daß andere uns Gefühle von Scham, Angst oder Minderwertigkeit einflößen, weil wir nicht deren religiöse Auffassungen teilen.

Wir müssen nicht zulassen, daß sie uns im Namen Gottes, der Liebe oder der Heilung nötigen.

Die spirituellen Erfahrungen, die wir aufgrund unserer inneren Heilung und der Zwölf Schritte machen, werden unsere eigenen sein. Sie werden in der Beziehung zu Gott, wie wir ihn verstehen, einer Höheren Macht, zum Ausdruck kommen.

Jeder von uns muß seinen oder ihren eigenen spirituellen Weg finden. Jeder von uns muß seine eigene Beziehung mit Gott, so wie wir Gott verstehen, aufbauen. Jeder von uns braucht eine Macht, die größer ist als wir selbst. Diese Konzepte sind für die innere Heilung unerläßlich.

Ebenso unerläßlich ist die freie Entscheidung darüber, wie wir zu diesen Überzeugungen gelangen.

■ *Höhere Macht, steh mir bei im Wissen, daß ich nicht zulassen muß, von irgend jemandem beschämt oder wegen religiöser Überzeugungen genötigt zu werden. Wenn jemand das mit heilsamer Spiritualität verwechselt, dann hilf mir, dem Betreffenden begreiflich zu machen, er möge sich um seine eigenen Angelegenheiten kümmern. Hilf mir, meine eigene Spiritualität zu entdecken und einen Weg zu finden, der für mich richtig ist. Führe mich mit göttlicher Weisheit zu spirituellem Wachstum.*

## Kursbestimmung — 20. Februar

Wir haben keinen Einfluß darauf, welche Erwartungen andere Leute an uns haben. Wir können nicht darüber bestimmen, was andere wollen, was sie erwarten oder was wir ihrer Meinung nach tun und wie wir sein sollen.

Was wir bestimmen können, ist unsere Reaktion auf die Erwartungen anderer.

Jeden Tag stellen die Menschen Anforderungen an unsere Zeit, unsere Talente, unsere Energie, unser Geld und unsere Emotionen. Wir müssen nicht zu jeder Forderung ja sagen. Wir müssen keine Schuldgefühle haben, wenn wir nein sagen. Und wir müssen unseren Lebenskurs nicht von den auf uns einstürmenden Anforderungen bestimmen lassen.

Wir müssen unser Leben nicht damit verbringen, auf andere zu reagieren und einen Kurs anzusteuern, den sie uns vorschreiben möchten.

Wir können Grenzen ziehen, feste Regeln aufstellen, wie weit wir mit anderen gehen wollen. Wir können uns selbst vertrauen und auf uns hören. Wir können Ziele setzen und die Richtung für *unser* Leben bestimmen. Wir können uns achten und schätzen.

Wir können innerlich gefestigt sein, wenn wir mit anderen Menschen zusammen sind.

Nehmen Sie sich Zeit. Denken Sie darüber nach, was *Sie* wünschen. Überlegen Sie, wie die Reaktion auf die Bedürfnisse eines anderen Ihren Lebensweg beeinflußt. Wir leben unser eigenes Leben, indem wir nicht zulassen, daß andere Menschen mit ihren Erwartungen und Ansprüchen über unseren Weg bestimmen. Sie können ruhig ihre eigenen Ansprüche und Erwartungen haben und ihre Gefühle zum Ausdruck bringen. Wir können unser Recht beanspruchen, den Weg zu wählen, der für uns richtig ist.

■ *Hilf mir, Gott, daß ich innerlich gefestigt werde, indem ich Abstand nehme und gelassen die für mich richtige Handlungsweise wähle. Verhilf mir zur Erkenntnis, die mich dazu führt, von Erwartungen und Wünschen anderer Abstand zu nehmen. Hilf mir, daß ich aufhöre, anderen Leuten gefallen zu wollen und anfange, mir selber Gutes zu tun.*

## In der Gegenwart leben — 21. Februar

Der gegenwärtige Augenblick ist der einzige, über den wir bestimmen können. Natürlich haben wir Pläne und Ziele, eine Vorstellung von der Zukunft. Doch das Heute ist die einzige Zeit, die uns wirklich zur Verfügung steht. Und das genügt.

Wir können unseren Kopf von den Resten der Vergangenheit frei machen. Wir können unseren Kopf von den Zukunftsängsten frei machen. Wir können in der Gegenwart leben, hier sein. Wir können uns diesem Augenblick, diesem heutigen Tag öffnen. Durch die völlige Präsenz im Heute erreichen wir ein erfülltes Morgen.

Hab keine Angst, Kind, flüstert eine Stimme. Bedauere nichts. Lege deine Ressentiments ab. Gib mir deinen Schmerz. Alles, was du hast, ist der jetzige Augenblick. Sei still. Sei hier. Hab Vertrauen.

Alles, was du hast, ist das Jetzt. Das genügt.

■ *Heute will ich mir versichern, daß alles um mich gut ist, wenn alles in mir gut ist.*

*Ich bitte Dich, hilf mir, all meine Probleme durchzuarbeiten zu Deiner Herrlichkeit und Ehre.*

— Anonyme Alkoholiker

Viele von uns lebten in einer Umgebung, in der es verboten war, Probleme zu haben, zu erkennen oder darüber zu sprechen. Verdrängung wurde zur Lebensart — zu der Form, wie wir mit Problemen umgingen.

Im Heilungsprozeß haben viele von uns noch immer Angst vor Problemen. Wir verbringen mehr Zeit damit, auf ein Problem zu reagieren, anstatt es zu lösen. Wir haben das Wesentliche nicht begriffen; wir verstehen die Lektion nicht; wir übersehen das Geschenk: Probleme gehören ebenso zum Leben wie ihre Lösungen.

Wenn wir ein Problem haben, bedeutet das nicht, daß das Leben negativ oder schrecklich ist. Es bedeutet nicht, daß wir unzulänglich sind. Alle Menschen haben Probleme, die sie durcharbeiten müssen.

Im Heilungsprozeß lernen wir, uns auf die Lösung der Probleme zu konzentrieren. Zunächst vergewissern wir uns, ob ein Problem wirklich unser Problem ist. Ist das nicht der Fall, stehen wir vor dem Problem, Grenzen setzen zu müssen. Dann suchen wir die beste Lösung. Dazu ist es vielleicht erforderlich, ein Ziel zu setzen, um Hilfe zu bitten, weitere Informationen einzuholen, etwas zu unternehmen oder loszulassen.

Wir werden im Heilungsprozeß nicht immun gegen Probleme oder von ihnen befreit. Wir lernen vielmehr, wie man Problemen begegnet und sie löst, wissen aber auch, daß sie regelmäßig auftauchen. Wir können unserer Fähigkeit vertrauen, Probleme zu lösen, und wissen, daß wir nicht allein sind. Probleme zu haben bedeutet nicht, daß unsere Höhere Macht uns bestrafen will. Manche Probleme sind Bestandteil des Lebens; andere müssen direkt von uns gelöst werden; wir wachsen mit den Problemen in dem Maße, wie es für uns notwendig ist.

Stellen Sie sich den heutigen Problemen, und lösen Sie sie. Machen Sie sich nicht unnötig Sorgen um die Probleme von morgen; wenn sie auftauchen, stehen uns die nötigen Mittel zur Verfügung, um sie zu lösen.

Probleme anpacken und lösen — sie mit Hilfe einer Höheren Macht aufarbeiten — bedeutet, daß wir leben und wachsen und die Ernte einbringen.

■ *Hilf mir, Gott, meinen Problemen heute zu begegnen und sie zu lösen. Hilf mir, daß ich meinen Beitrag leiste und den Rest loslasse. Ich kann lernen, Probleme zu bewältigen.*

---

## **Stärke** — **23. Februar**

---

Wir müssen uns nicht immer stark *machen*, um stark zu *sein*. Manchmal zeigt sich unsere Stärke, wenn wir verletzlich sind. Manchmal ist ein Zusammenbruch nötig, um wieder zu uns zu finden und unseren Weg fortsetzen zu können.

Wir alle kennen Tage, an denen wir unsere Anstrengungen nicht vermehren, an denen wir unsere Selbstzweifel nicht unterdrücken können und uns ständig ängstlich vor Augen führen, wir seien nicht stark genug.

Es gibt Tage, an denen wir unsere Verantwortung nicht wahrnehmen können; Tage, an denen wir nicht aus dem Schlafanzug kommen. Wir brechen in Tränen aus, zeigen unsere Erschöpfung, Gereiztheit oder Wut.

Diese Tage sind in Ordnung. Sie gehören dazu.

Wir tragen auch dadurch Sorge für uns selbst, daß wir uns erlauben, »zusammenzubrechen«, wenn es sein muß. Wir müssen keine unbezwingbaren Festungen sein. Wir sind stark. Das haben wir bewiesen. Und wir werden weiterhin stark sein, wenn wir unsere Gefühle der Furcht, der Schwäche und der Verletzlichkeit zulassen, weil diese Gefühle zum Ausdruck gebracht werden müssen.

■ *Gott, verhilf mir heute zu der Erkenntnis, daß ich meine menschlichen Schwächen zulassen kann. Hilf mir, daß ich mich nicht schuldig fühle oder mich selbst bestrafe, wenn ein »innerer Zusammenbruch« einfach nötig ist.*

Die eigenen Gefühle zu erleben, kann problematisch werden, wenn wir früher keine Erfahrung damit gemacht haben oder sie nicht erleben durften. Unsere Gefühle zu identifizieren ist eine Aufgabe, die wir bewältigen können, allerdings nicht über Nacht. Es ist auch nicht nötig, daß wir perfekt mit unseren Gefühlen umgehen.

Im folgenden gebe ich Ihnen einige Gedankenhilfen, so daß Sie lernen können, Gefühle zu erkennen und damit umzugehen.

Nehmen Sie ein Blatt Papier zur Hand. Schreiben Sie oben die Frage hin: »Was würde ich fühlen, wenn meine Gefühle nicht als schlecht oder falsch gelten würden?« Dann schreiben Sie auf, was Ihnen dazu einfällt. Ein anderes bewährtes Hilfsmittel, zu dem viele Menschen greifen, die ihre Gefühle erforschen: das Tagebuch. Sie können auch Briefe schreiben, die Sie nicht abschicken, oder einfach Ihre Gedanken in einem Notizbuch festhalten.

Beobachten Sie sich, und hören Sie in sich hinein, wie es ein objektiver Beobachter tun würde. Hören Sie auf Ihre Stimmung und die Worte, die Sie benutzen. Was vernehmen Sie? Trauer, Angst, Wut, Glücksgefühle?

Was sagt Ihnen Ihr Körper? Ist er angespannt und verkrampft vor Zorn? Gebeugt von Kummer und Leid? Oder könnten Sie vor Freude tanzen?

Es ist auch hilfreich, im Rahmen des Heilungsprozesses Gespräche mit anderen zu führen oder die Treffen unserer Selbsthilfegruppen zu besuchen. Sobald wir uns sicher fühlen, stellen viele von uns fest, daß wir unsere Gefühle ganz natürlich und mühelos zulassen.

Unser innerer Prozeß ist wie eine beständige Schatzsuche. Die Welt unserer Emotionen ist Teil dieses Schatzes. Wir müssen dabei nicht perfekt, wir müssen nur ehrlich und offen sein und wirklich versuchen, ihn zu finden. Unsere Emotionen warten darauf, sich uns mitzuteilen.

■ *Im Verlauf des heutigen Tages werde ich mich beobachten und auf mich hören. Ich werde mich wegen meiner Gefühle nicht verurteilen, sondern mich so annehmen, wie ich bin.*

»Warum tue ich mir das an?« fragte eine Frau, die eine Fastenkur machte. »In meiner Selbsthilfegruppe fühlte ich mich schuldig und beschämt, weil ich ein Stück Schokolade gegessen hatte, das nicht auf meinem Diätplan stand. Ich stellte fest, daß *alle* ein bißchen schummeln, und manche schummeln sogar ganz schön. Bevor ich zur Gruppe kam, war ich tief beschämt, als sei ich die einzige, die ihre Diät nicht genau beachtet. Ich weiß jetzt, daß ich meine Diät so gut einhalte wie die meisten und besser als manche.«

Warum tun wir uns das an? Ich spreche nicht nur von Diät; ich spreche vom Leben. Warum bestrafen wir uns, indem wir uns für minderwertig und andere für vollkommen halten — ob in Beziehungen, im Heilungsprozeß oder bei einer speziellen Aufgabe?

Ob wir uns selbst oder andere beurteilen, hier wie dort ist das Thema das gleiche: der Wunsch nach Perfektion. Weder die eine noch die andere Erwartungshaltung ist stichhaltig.

Weit besser und nutzbringender ist es, uns zu sagen, daß wir, so wie wir sind, in Ordnung sind; was wir tun, ist gut genug. Das bedeutet nicht, daß wir keine Fehler machen, die korrekturbedürftig wären; es bedeutet nicht, daß wir von Zeit zu Zeit nicht vom Weg abkommen; es bedeutet nicht, daß wir uns nicht bessern können. Es bedeutet, daß wir trotz aller Fehler und Irrungen im Grunde genommen auf dem richtigen Weg sind. Indem wir uns aufmuntern und Mut zusprechen, helfen wir uns, den richtigen Kurs beizubehalten.

■ *Heute will ich mich lieben und mir Mut machen. Ich werde mir sagen, daß das, was ich tue, gut genug ist, und dieses Gefühl genießen.*

*Ich war wütend, als ich zum erstenmal an einem Al-Anon-Treffen teilnahm. Es war so unfair: er hatte das Problem, und ich mußte eine Selbsthilfegruppe aufsuchen. Doch damals war ich an einem Punkt angelangt, an dem ich vor Schmerz keinen Ausweg mehr wußte. Heute bin ich dankbar für Al-Anon und meine Genesung von Co-Abhängigkeit. Al-Anon weist mich in die richtige Richtung; im Heilungsprozeß habe ich ein neues Leben gefunden.*

— Anonym

Es gibt eine Vielzahl von Zwölf-Schritte-Programmen für Co-Abhängige: Al-Anon, ACOA, CoDa, Anonyme Familien, Nar-Anon und viele mehr. Wir können jeweils wählen, welche Gruppe für uns richtig ist und welche Themenstellung unseren Bedürfnissen entspricht. Zwölf-Schritte-Gruppen für Co-Abhängige sind beitragsfrei, anonym und in vielen Orten anzutreffen. Wenn es keine Gruppe in Ihrer Nähe gibt, können Sie überlegen, eine ins Leben zu rufen.

Zwölf-Schritte-Gruppen für Co-Abhängige befassen sich nicht damit, wie anderen Menschen zu helfen ist; es geht vielmehr darum, uns selbst zu innerem Wachstum und Veränderung zu verhelfen. Die Gruppen führen uns zu der Erkenntnis darüber, welchen Schaden Co-Abhängigkeit uns zugefügt hat. Sie tragen dazu bei, daß wir wieder auf den rechten Weg zurückfinden und auf ihm bleiben.

Zwölf-Schritte-Programme besitzen etwas Magisches. In den Zusammenkünften mit anderen genesenden Menschen offenbart sich eine heilsame Kraft. Wir verschaffen uns Zugang zu dieser Kraft, indem wir an den Schritten arbeiten und zulassen, daß die Schritte an uns arbeiten. Die Zwölf Schritte sind das Rezept zur Heilung.

Wie lange müssen wir Gruppentreffen besuchen? Wir besuchen sie so lange, bis wir »uns das Programm aneignen«. So lange, bis das Programm »sich uns aneignet«. Dann machen wir weiter — und wachsen innerlich.

Eine Gruppe auswählen und regelmäßig an ihr teilnehmen, ist eine wichtige Maßnahme, mit der wir beginnen, sorgsam mit uns selbst umzugehen. Damit fahren wir dann fort. Die aktive Teilnahme an unserem Heilungsprogramm, in dem wir die Schritte durcharbeiten, ist eine weitere wichtige Maßnahme.

■ *Ich öffne mich der Heilkraft, die mir durch die Zwölf Schritte und ihr Genesungsprogramm zur Verfügung steht.*

## Anklang finden wollen um jeden Preis — 27. Februar

Kennen Sie Menschen, die um jeden Preis Anklang finden wollen? Meistens erregen sie unser Mißfallen. Die Gesellschaft eines Menschen, der sich auf den Kopf stellt, um anderen zu gefallen, ist häufig irritierend und beängstigend.

Anderen gefallen zu wollen, ist ein Verhalten, das wir uns angeeignet haben, um in unserer Familie zu überleben. Wir waren vermutlich nicht in der Lage, die Liebe und Aufmerksamkeit zu erhalten, die uns zustanden. Es war uns vielleicht verwehrt, uns selbst zu gefallen, uns selbst zu vertrauen und mit unserem Handeln Selbstvertrauen zum Ausdruck zu bringen.

Die Neigung, anderen gefallen zu wollen, kann offenkundig oder verdeckt sein. Wir bemühen uns um andere, reden unaufhörlich und wollen im Grunde eigentlich nur sagen: »Hoffentlich gefalle ich dir.« Oder wir gehen heimlich vor, treffen wichtige Entscheidungen, die nur darauf abzielen, anderen zu gefallen.

Die Wünsche und Bedürfnisse anderer Menschen in Betracht zu ziehen, ist ein wichtiger Bestandteil unserer Beziehungen. Wir haben Verantwortung gegenüber Freunden, unserer Familie und unseren Arbeitgebern. Wir verspüren einen starken inneren Drang, liebevoll und fürsorglich zu sein. Wenn wir aber allen anderen um jeden Preis gefallen wollen, schneiden wir uns ins eigene Fleisch. Wir erregen damit das Mißfallen anderer und ärgern uns darüber, daß unsere Bemühungen nicht zum geplanten Ergebnis führen. Man fühlt sich am wohlsten mit Menschen, die rücksichtsvoll mit anderen umgehen, aber letztlich sich selbst gefallen.

■ *Hilf mir, Gott, meine Ängste aufzuarbeiten und allmählich mir selbst zu gefallen.*

*Es fällt schwer zu glauben, daß das, was wir glauben, unsere Gefühle verletzen kann.*

— Ovid

Die meisten von uns, die auf dem Weg zur inneren Heilung sind, haben immer wieder Dinge verdrängt. Manche von uns haben sich diese Methode zur festen Gewohnheit gemacht.

Wir mögen Begebenheiten oder Gefühle aus unserer Vergangenheit verdrängt haben. Oder wir haben die Probleme anderer Menschen verdrängt; wir haben unsere eigenen Probleme, Gefühle, Gedanken, Wünsche oder Bedürfnisse verdrängt.

Wir haben die Wahrheit verdrängt.

Verdrängung bedeutet, daß wir uns der Realität nicht stellen, weil diese Realität gewöhnlich Schmerzen bereitet. Mit der Auseinandersetzung wären Verluste verbunden: Verlust von Vertrauen, von Liebe, der Familie, möglicherweise einer Ehe, einer Freundschaft oder einer Traumvorstellung. Und es schmerzt bekanntlich, einen Menschen oder eine Sache zu verlieren.

Mit der Verdrängung steht uns ein Schutzmechanismus, ein »Stoßdämpfer« für unsere Seele, zur Verfügung, der bewirkt, daß wir die Realität so lange nicht wahrnehmen, bis wir imstande sind, mit ihr umzugehen. Selbst wenn andere uns die Wahrheit ins Gesicht schleudern, werden wir sie erst dann annehmen, wenn wir innerlich dazu bereit sind.

Wir sind gleichermaßen starke und schwache Geschöpfe. Wir brauchen manchmal Zeit, um uns zu sammeln, um uns auf Handlungen vorzubereiten. Wir legen unsere Neigung zur Verdrängung nicht ab, wenn wir uns *zwingen*, etwas hinzunehmen; wir legen diese Neigung erst dann ab, wenn wir bereit sind, genügend innere Sicherheit und Stärke aufzubauen, um mit der Wahrheit umzugehen.

Auch das tun wir erst, wenn die Zeit reif dafür ist.

Wir müssen uns nicht dafür bestrafen, daß wir die Realität verleugnet haben; wir müssen lediglich uns selbst vertrauensvoll und stark lieben, damit wir jeden Tag etwas besser gerüstet sind, um der Wahrheit zu begegnen und mit ihr umzugehen. Wir nehmen die Realität wahr und reagieren auf sie — nach unserem eigenen Zeitplan und dem unserer Höheren Macht, wenn wir dafür bereit sind. Wir brauchen uns wegen dieses Zeitplans von niemandem bestrafen zu lassen — auch nicht von uns selbst.

Wir werden wissen, was wir wissen müssen, wenn die Zeit reif dafür ist.

■ *Heute will ich mich darauf konzentrieren, mich selbst sicher und zuversichtlich zu fühlen. Ich mache mir heute meinen eigenen Zeitplan bewußt.*

---

## Sie sind liebenswert — 29. Februar

---

*Wir gehen zurück … und zurück … und zurück … durch die Schichten von Angst, Scham, Wut, Schmerz und all die negativen Botschaften, bis wir auf das ausgelassene, unbeschwerte, entzückende und liebenswerte Kind treffen, das in uns war und immer noch in uns ist.*

— Unabhängig sein

Sie sind liebenswert. Ja, *Sie.*

Nur weil die Menschen nicht für Sie da waren, nur weil bestimmte Leute unfähig waren, Ihnen Liebe in der richtigen Form zu geben, nur weil Beziehungen gescheitert oder festgefahren sind, ist nicht gesagt, daß Sie nicht liebenswert sind.

Sie mußten Lektionen lernen. Manchmal waren diese Lektionen schmerzlich.

Lassen Sie den Schmerz los. Öffnen Sie Ihr Herz der Liebe.

Sie sind liebenswert.

Sie werden geliebt.

■ *Heute will ich mir selbst sagen, daß ich liebenswert bin. Das sage ich mir so lange, bis ich davon überzeugt bin.*

# März

## Wut loslassen 1. März

Im Heilungsprozeß gibt es viele sachliche Diskussionen über den Begriff Wut. Ja, so argumentieren wir, Wut ist eine Emotion, zu der wir alle neigen. Ja, das Ziel der inneren Heilung besteht darin, sich von Ressentiment und Wut zu befreien. Ja, es ist in Ordnung, wütend zu sein, nicken wir zustimmend. Und dennoch ...

Die Wut ist ein machtvolles und zuweilen beängstigendes Gefühl. Zudem ist sie nützlich, wenn sie nicht in tiefen Groll umschlägt oder als Druckmittel eingesetzt wird, um Menschen zu strafen oder zu nötigen.

Die Wut ist ein Warnsignal. Sie weist auf Probleme hin. Gelegentlich signalisiert sie Probleme, die wir lösen müssen. Dann wieder macht sie auf Grenzen aufmerksam, die wir ziehen müssen. Manchmal auch ist sie ein letzter Gefühlsausbruch, ehe dann das Loslassen oder Akzeptieren beginnen kann.

Und manchmal ist Wut einfach da. Sie bedarf keiner Rechtfertigung. Sie ist meistens nicht fein säuberlich »abgepackt«. Und sie braucht weder uns noch unsere Kraft zu beeinträchtigen.

Wir brauchen keine Schuldgefühle zu haben, wenn wir wütend sind. Das ist völlig unnötig.

Atmen Sie tief durch. Wir können all unsere Gefühle, auch unsere Wut, ohne Scham zulassen und zugleich Verantwortung für unser Verhalten tragen.

■ *Heute will ich jegliches Wutgefühl spüren und aus mir herauslassen. Ich kann das auf angemessene und sichere Weise tun.*

## Gefühle am Arbeitsplatz 2. März

*Ich bin wütend. Ein Kollege bekam die Beförderung, die mir zugestanden hätte. Ich bin so außer mir, daß ich am liebsten kündigen würde. Nun sagt meine Frau, ich soll meine Gefühle aufarbeiten. Wozu? Tatsache ist, der andere wurde befördert, nicht ich.*

— Anonym

Unsere Gefühle bei der Arbeit sind ebenso wichtig wie unsere Gefühle in allen anderen Lebensbereichen. Gefühle sind Gefühle — und wo immer wir ihnen begegnen, fördert die Auseinandersetzung damit unseren inneren Fortschritt und unser Wachstum.

Wenn wir uns zu den eigenen Gefühlen nicht bekennen, sitzen wir fest und bekommen Magenschmerzen, Kopfschmerzen oder Herzstechen.

Gerade bei der Arbeit kann der Umgang mit Gefühlen erhebliche Anforderungen an uns stellen. Manchmal erscheint uns die Auseinandersetzung damit als sinnlos. Ein beliebter Trick, Gefühle abzublocken, ist dieser: Man redet sich ein, es sei überhaupt sinnlos, sich damit zu beschäftigen.

Wir sollten sorgfältig überlegen, wie wir mit unseren Gefühlen bei der Arbeit umgehen. Vielleicht ist es angebracht, starke Gefühle mit einem Außenstehenden zu besprechen, der nichts mit unserem Berufsleben zu tun hat, um sie auf diese Weise gefahrlos aufzuarbeiten.

Sobald wir die Intensität der Gefühle erlebt haben, können wir herausfinden, welche Schritte notwendig sind, um bei der Arbeit sorgsam mit uns selbst umzugehen.

Manchmal müssen die Gefühle hier — wie in vielen anderen Lebensbereichen auch — einfach gespürt und angenommen werden. Manchmal signalisieren sie ein Problem in uns oder ein Problem, das wir mit anderen lösen müssen.

Manchmal helfen die Gefühle, uns auf etwas hinzuweisen. Manchmal sind sie mit einer Botschaft oder mit Ängsten verbunden: »Ich werde nie Erfolg haben ...«; »Ich werde nie das bekommen, was ich will ...«; »Ich bin nicht gut genug ...«

Manchmal liegt die Lösung darin, den Gefühlen auf spirituelle Weise nahezukommen. Vergessen Sie nicht: Die spirituelle Betrachtungsweise, gleich in welchem Lebensbereich, ist für *uns* immer von großem Nutzen.

Wir werden unsere Lektion erst dann erkennen, wenn wir den Mut aufbringen, nachzudenken und uns mit unseren Gefühlen auseinanderzusetzen.

■ *Heute will ich meine Gefühle bei der Arbeit ebenso wichtig nehmen wie meine Gefühle zu Hause oder anderswo. Ich werde den richtigen Weg finden, mit ihnen umzugehen.*

»Mich selbst akzeptieren? Wie kann ich das?« fragte eine Frau. »Ich weiß ja nicht mal, wer ich bin!«

Manche von uns kommen ganz durcheinander, wenn sie aufgefordert werden, sie selbst zu sein. Wie können wir uns selbst kennen oder so sein, wie wir sind, wenn wir uns jahrelang nach den Bedürfnissen anderer gerichtet haben?

Wir haben ein Selbst. Mit jedem Tag entdecken wir einen Teil unseres Wesens. Wir lernen, daß wir es verdient haben, Liebe zu empfangen.

Wir lernen, uns selbst anzunehmen: so, wie wir im Augenblick sind — mit all unseren Gefühlen, Gedanken, Fehlern, Wünschen, Bedürfnissen und Begierden. Wenn unsere Gedanken oder Gefühle konfus sind, akzeptieren wir auch das.

Wenn wir so sind, wie wir sind, bedeutet das: Wir akzeptieren unsere Vergangenheit — unsere eigene Geschichte — genau so, wie sie ist.

Es bedeutet, daß wir das Recht auf eine eigene Meinung und Überzeugung haben — für den gegebenen Augenblick, vorbehaltlich jeglicher Änderung. Dabei akzeptieren wir unsere Schwächen und unsere Stärken.

Es bedeutet, daß wir unseren Körper in gleicher Weise wie unser geistiges, emotionales und spirituelles Ich akzeptieren — für den Augenblick.

Wenn wir eins sind mit uns selbst, uns lieben und annehmen, so ist das keine einengende Haltung. Indem wir uns selbst akzeptieren und lieben, schaffen wir die Möglichkeiten für inneres Wachstum und Veränderung.

■ *Heute will ich so sein, wie ich bin. Wenn mir noch nicht klar ist, wer ich bin, will ich mir versichern, daß ich das Recht habe, diese spannende Entdeckung zu machen.*

*Ich habe gelernt, daß ich mich um mich selbst kümmern kann, und was ich nicht tun kann, wird Gott für mich tun.*

— Al-Anon-Mitglied

Gott, wie wir Ihn verstehen, die Höhere Macht, ist jene Kraftquelle, durch die wir geführt werden und positive Veränderungen erreichen. Das bedeutet nicht, daß wir keine Eigenverantwortung zu tragen hätten. Das müssen wir sehr wohl. Aber wir werden dabei nicht allein gelassen.

Unser Heilungsprozeß ist kein Do-it-yourself-Projekt. Wir brauchen uns keine übermäßigen Sorgen über unsere innere Veränderung zu machen. Wir leisten unseren Beitrag, entspannen uns und können darauf vertrauen, daß die Veränderungen, die wir durchmachen, richtig für uns sein werden.

Innere Heilung bedeutet: Wir müssen uns nicht an andere Menschen wenden, um unsere Bedürfnisse zu befriedigen. Andere können uns zwar helfen, aber sie sind nicht unser Kraftquell.

Wenn wir lernen, uns dem Heilungsprozeß anzuvertrauen, beginnen wir zu verstehen, daß die Beziehungen zu anderen Menschen kein Ersatz sind für die Beziehung zu unserer Höheren Macht. Es wäre falsch, uns hinter Glaubensbekenntnissen zu verschanzen oder die Beziehung zu unserer Höheren Macht als Entschuldigung zu nehmen, um keine Eigenverantwortung tragen zu müssen und in unseren Beziehungen zu anderen achtlos mit uns selbst umzugehen. Wir können uns aber auf eine Macht beziehen, die größer ist als wir selbst, und uns darauf verlassen, von ihr Energie, Weisheit und Unterweisung zu erhalten.

■ *Heute betrachte ich meine Höhere Macht als Kraftquelle, die sich all meiner Bedürfnisse und auch der Veränderungen annimmt, die ich in meiner inneren Heilung vornehmen möchte.*

*Wenn ich Menschen begegne oder eine neue Beziehung eingehe, unterwerfe ich mich vielen repressiven Einschränkungen. Ich lasse meine Gefühle nicht zu. Ich unterdrücke meine Wünsche und Bedürfnisse. Ich wehre mich gegen meine eigene Geschichte. Ich erlaube mir nicht, die Dinge zu tun, die ich tun möchte, die Gefühle zu haben, die ich spüre, oder das zu sagen, was ich sagen muß. Ich verwandle mich in einen unterdrückten, perfektionistischen Roboter, anstatt der zu sein, der ich bin: ICH.*

— Anonym

Manchmal befiehlt unsere instinktive Reaktion in einer neuen Situation: Sei nicht so, wie du bist.

Wer sonst könnten wir sein? Wer sonst möchten wir sein? Wir brauchen nicht anders zu sein, als wir sind.

Das größte Geschenk, das wir in eine Beziehung einbringen, ist: der zu sein, der wir sind.

Wir denken vielleicht, andere fänden uns nicht sympathisch. Wir haben Angst, ein Mensch könne uns verlassen oder beschämen, sobald wir loslassen und wir selbst sind. Wir machen uns Sorgen darüber, was andere von uns denken.

Die Menschen schätzen unsere Gesellschaft, wenn wir uns selbst akzeptieren und entspannt sind, nicht aber, wenn wir steif und gehemmt sind.

Wollen wir wirklich mit Menschen zusammensein, die keinen Gefallen an uns finden? Müssen wir uns und unser Verhalten von der Meinung anderer abhängig machen?

Wenn wir uns die Freiheit nehmen zu sein, wer wir sind, üben wir damit eine heilsame Wirkung auf unsere Beziehungen aus. Der Umgangston wird entspannter. Wir entspannen uns. Der andere entspannt sich. Alle fühlen sich weniger gehemmt oder beschämt, da alle aufrichtig sind. Wir können nicht anders sein, als wir sind. So ist es uns zugedacht. So ist es gut.

Unsere Meinung über uns selbst ist wirklich das einzige, was zählt. Und wir können uns die Anerkennung zollen, die wir wünschen und brauchen.

■ *Heute entspanne ich mich und bin in meinen Beziehungen so, wie ich bin. Ich tue das nicht in unangemessener oder herabsetzender Wei-*

*se, sondern in einer Weise, die zum Ausdruck bringt, daß ich mich selbst annehme und mich als die Person schätze, die ich bin. Hilf mir, Gott, daß ich keine Angst mehr habe, ich selbst zu sein.*

## Innerer Frieden — 6. März

Unsere erste Reaktion auf Konflikte, Probleme oder auch auf unsere eigenen Ängste ist zumeist Verunsicherung. In solchen Augenblicken loszulassen und innerlich ruhig zu werden, erscheint uns zunächst als treulos oder gleichgültig. Wir denken: »Wenn es mir wirklich etwas bedeutet, mache ich mir Sorgen; wenn es mir wirklich wichtig ist, rege ich mich darüber auf.« Wir reden uns ein, daß Ergebnisse durch den Zeitaufwand, den wir in unsere Besorgnis investieren, positiv beeinflußt werden.

Der beste Ansatz zur Problemlösung liegt in einer Haltung des Friedens. Daraus erwachsen Lösungen oft auf natürliche und mühelose Weise. Durch Angst und Verunsicherung werden sie nur blokkiert. Die Besorgnis hilft dem Problem, nicht aber der Lösung. Es nützt nichts, in Aufruhr zu geraten. *Es nützt absolut nichts.*

Wir können inneren Frieden finden, wenn wir es wollen. Trotz Chaos und unerledigter Probleme in unserer Umgebung ist alles gut. Die Dinge werden ins reine kommen. Wir können aus den Quellen des Universums schöpfen: Wasser, Erde, ein Sonnenuntergang, ein Spaziergang, ein Gebet, ein Freund. Wir können uns entspannen und die Ruhe auf uns wirken lassen.

■ *Heute will ich mich von meinem Bedürfnis lösen, ständig in Aufregung zu sein. Ich werde Frieden finden und darauf vertrauen, daß die Lösungen und das Gute zur rechten Zeit und auf natürliche und harmonische Weise aus der Quelle des Friedens fließen. Ich werde bewußt loslassen und Gott alles weitere überlassen.*

## Erfüllung 7. März

»Alles, was ich brauche, wird mir heute zuteil. Alles.« Sprechen Sie diesen Satz so lange, bis Sie davon überzeugt sind. Fangen Sie Ihren Tag damit an. Wiederholen Sie die Worte den ganzen Tag.

Es ist nützlich zu wissen, was wir wünschen und brauchen. Wenn wir es nicht wissen, können wir darauf vertrauen, daß Gott es weiß.

Wenn wir darum bitten, darauf vertrauen und daran glauben, daß unsere Bedürfnisse gestillt werden, so wird es geschehen. Gott nimmt sich der geringsten Nebensächlichkeiten an, wenn wir es tun.

■ *Heute versichere ich mir, daß meine Bedürfnisse gestillt werden. Ich versichere mir, daß Gott sich um mich kümmert und die Quelle ist, die mich versorgt. Dann lasse ich los und werde erkennen, daß mein Glaube Wahrheit ist.*

## Sich ausliefern 8. März

> *Wir faßten den Entschluß, unseren Willen und unser Leben der Sorge Gottes — wie wir Ihn verstanden — anzuvertrauen.*
>
> — Dritter Schritt von Al-Anon

Indem wir uns einer Macht, die größer ist als wir selbst, ausliefern, wird uns eine große Kraft zuteil.

Wir bekommen Kraft in einer neuen, besseren, wirksameren Form, als wir es je für möglich gehalten hätten.

Türen öffnen sich. Möglichkeiten tun sich auf. Unsere Energie wird endlich in Bahnen gelenkt, in denen sie uns nützt. Wir kommen in Einklang mit unserem Lebensplan und unserem Platz im Universum.

Es gibt einen großen Entwurf, einen Ort für uns. Wir werden ihn erkennen. Das Universum wird sich auftun und uns einen besonderen Platz einräumen, und alles, was wir brauchen, wird vorhanden sein.

Alles wird gut sein. Erkennen Sie, daß alles gut ist, jetzt.

Wir lernen, über unsere Kraft zu verfügen, wenn wir offen für sie sind. Wir brauchen nicht aus Machtlosigkeit und Hilflosigkeit zu kapitulieren. Dies sind vorübergehende Zustände, in denen wir neu bewerten, ob wir Macht haben wollten, wo wir keine hatten.

Sobald wir uns Gott hingeben, ist die Zeit reif, um Kraft zu bekommen.

Lassen Sie die Kraft auf natürliche Weise kommen. Sie gehört uns.

■ *Heute will ich offen sein, um zu verstehen, was es bedeutet, über die eigene Kraft zu verfügen. Ich will meine Machtlosigkeit da akzeptieren, wo ich keine Macht habe; und ich werde die Macht annehmen, die ich erhalte.*

---

## Sorge tragen für sich selbst — 9. März

---

Wir können nicht gleichzeitig für uns eine Grenze setzen und auf die Gefühle anderer eingehen. Das ist unmöglich; die zwei Prinzipien widersprechen einander.

Das Mitgefühl für andere Menschen ist eine wunderbare Eigenschaft. Wie sehr steht sie uns aber im Wege, wenn wir Grenzen setzen wollen!

Es ist gut, sich um andere Menschen und ihre Gefühle zu kümmern; es ist aber auch wichtig, daß wir auf uns selbst achten. Manchmal müssen wir eine Entscheidung treffen, um Sorge zu tragen für uns selbst.

Manche von uns leben mit der tiefverwurzelten Botschaft aus der Familie oder der Kirche, wonach Gefühle anderer *niemals* verletzt werden dürfen. Diese Botschaft können wir durch eine neue ersetzen: Es ist nicht richtig, sich selbst zu verletzen. Wenn wir behutsam mit uns selbst umgehen, reagieren andere gelegentlich mit verletzten Gefühlen.

Das ist nicht schlimm. Wir werden lernen, innerlich wachsen und aus der Erfahrung Nutzen ziehen; auch andere werden das tun. Wir erzielen eine wichtige und positive Wirkung auf andere, wenn wir

Selbstverantwortung übernehmen und zulassen, daß andere für sich selbst verantwortlich sind.

Fürsorge ist gut. Übertriebene Fürsorge ist Bevormundung und schlecht. Wir können lernen, zwischen beidem zu unterscheiden.

■ *Heute will ich die Grenzen ziehen, die ich ziehen muß. Ich löse mich von meinem Bedürfnis, mich um die Gefühle anderer zu kümmern, und achte statt dessen auf meine eigenen. Ich nehme mir die Freiheit, sorgsam mit mir selbst umzugehen, da ich weiß, daß ich damit in meinem Sinne und im Sinne der anderen handle.*

---

## Familie — 10. März

---

> *Ich war schon sechsundvierzig Jahre alt, bis ich mir und jemand anderem schließlich eingestand, daß meine Großmutter es immer wieder schaffte, mir Gefühle der Schuld, der Wut und des Kontrolliertwerdens zu geben.*
>
> — Anonym

Wir mögen unsere Familie sehr lieben und uns um sie sorgen. Familienmitglieder lieben und sorgen sich um uns. Die Interaktion mit bestimmten Familienmitgliedern kann dennoch ein echter Auslöser für unsere Co-Abhängigkeit sein — wodurch sich mitunter ein tiefer Abgrund von Scham, Empörung, Wut, Schuldgefühlen und Hilflosigkeit auftut.

Es kann schwierig sein, sich auf emotionaler Ebene von gewissen Familienmitgliedern zu lösen. Es kann schwierig sein, ihre Belange von unseren zu trennen. Es kann schwierig sein, unsere Rechte in Anspruch zu nehmen.

Schwierig, aber nicht unmöglich.

Der erste Schritt ist: sich bewußt werden und annehmen; frei von emotionalen und gedanklichen Schuldzuweisungen erkennen wir an, was geschehen ist. Wir brauchen unseren Familienmitgliedern keine Schuld zu geben. Ebensowenig brauchen wir uns selbst Schuld zu geben oder uns zu beschämen. Annehmen ist das Ziel — annehmen und die freie Entscheidung darüber, was wir wünschen und brauchen, um von jemand loszukommen. Wir können uns von den Denkmustern der Vergangenheit befreien. Wir befinden uns im Prozeß innerer Heilung, der Fortschritt ist unser Ziel.

■ *Höhere Macht, bitte hilf mir heute, Geduld mit mir zu haben, wenn ich lerne, die im Heilungsprozeß praktizierten Verhaltensweisen bei Familienmitgliedern anzuwenden. Hilf mir, daß ich mich heute darum bemühe, mir die Dinge bewußt zu machen und zu akzeptieren.*

## Verwirrung ablegen — 11. März

Manchmal ist der Weg nicht deutlich sichtbar.

Unser Verstand ist vernebelt, verwirrt. Wir wissen nicht, wie unser nächster Schritt aussehen soll, in welche Richtung wir steuern.

Das ist der Zeitpunkt, um innezuhalten, Unterweisung zu erbitten und eine Ruhepause einzulegen. Es ist Zeit, sich von der Angst zu lösen. Warten Sie ab. Spüren Sie die Verwirrung und das Chaos, dann lassen Sie los. Der Weg wird sich von selbst offenbaren. Der nächste Schritt wird Ihnen angekündigt werden. Wir müssen ihn *jetzt* nicht kennen. Wir werden ihn rechtzeitig erfahren.

Vertrauen Sie darauf. Lassen Sie los, und haben Sie Vertrauen.

■ *Heute werde ich abwarten, wenn der Weg nicht deutlich zu sehen ist. Ich vertraue darauf, daß aus dem Chaos Klarheit entsteht.*

## Richtiges Timing — 12. März

> *Wenn wir alle Rätsel des Lebens entschlüsseln und alle Kräfte entwirren, die die Welt durchströmen, wenn wir den Sinn aller Geschehnisse deuten könnten, wenn wir alle Kämpfe, Zwangslagen und Sehnsüchte der Menschheit ermessen könnten, würden wir feststellen, daß nichts außerhalb seiner Zeit zustande kommt. Alles geschieht zu einem vorbestimmten Augenblick.*
>
> — Joseph R. Sizoo

Die zeitliche Abstimmung kann frustrierend sein. Wir warten und warten, daß etwas geschieht, und es scheint eine Ewigkeit zu dauern, bis es eintritt. Dann plötzlich überfällt uns ein Ereignis oder ein Umstand, trifft uns völlig unerwartet. Wenn wir glauben, Dinge würden zu langsam oder zu schnell geschehen, erliegen wir einem Trugschluß. *Das Timing ist perfekt.*

■ *Heute will ich der göttlichen Ordnung vertrauen und mit ihr zusammenwirken. Ich werde die Zeiteinteilung in meinem Leben heute und in meiner Vergangenheit als perfekt annehmen.*

## Klarheit und Richtung 13. März

Trotz unserer besten Bemühungen, an unseren Programmen zu arbeiten und uns auf Gottes Führung zu verlassen, begreifen wir manchmal nicht, was in unserem Leben vorgeht. Wir haben Vertrauen, warten, beten, hören auf andere Menschen, hören auf uns selbst — und erhalten einfach keine Antwort.

In solchen Zeiten müssen wir begreifen, daß wir genau da sind, wo wir sein müssen, auch wenn uns dieser Ort nicht gefällt und wir uns nicht wohl fühlen. Unser Leben hat einen Sinn und eine Richtung.

In den tiefen Schichten, zu denen unsere Vorstellungskraft keinen Zugang hat, werden wir geheilt und verwandelt. Gute Dinge, die unser Vorstellungsvermögen übersteigen, sind in Vorbereitung und kommen auf uns zu. Wir werden geführt und gelenkt.

Wir können zur Ruhe kommen. Wir müssen nicht übereilt oder gehetzt vorgehen, nur um unser Unbehagen zu erleichtern, nur um eine Antwort zu erhalten. Wir können warten, bis unser Geist Frieden gefunden hat. Wir können warten, bis wir die Richtung klar erkennen. Die Klarheit wird sich einstellen.

Die Antwort wird kommen, und sie wird gut für uns und die Menschen unserer Umgebung sein.

■ *Gott, hilf mir heute zu erkennen, daß ich zum Guten im Leben hingeführt werde, besonders wenn ich mich verwirrt und ohne innere Richtung fühle. Hilf mir, genügend Selbstvertrauen zu haben, um war-*

*ten zu können, bis mein Geist und mein Blick klar und unbeirrbar sind. Hilf mir zu erkennen, daß Klarheit über mich kommt.*

## Vertrauen in uns selbst — 14. März

»Vertrauen« kann im Rahmen des Heilungsprozesses ein sehr verwirrender Begriff sein. Wem vertrauen wir? Weshalb?

Die wichtigste Komponente, die wir in Betracht ziehen müssen, ist das Vertrauen in uns selbst. Wir haben uns großen Schaden dadurch zugefügt, daß wir glaubten, uns selbst nicht vertrauen zu können.

Manche sagen uns, wir könnten kein Vertrauen zu uns haben, wir seien auf dem falschen Weg, mit uns sei etwas nicht in Ordnung. Es gibt Leute, die Nutzen daraus ziehen, wenn wir kein Vertrauen zu uns haben.

Angst und Zweifel sind unsere Widersacher. Panik ist unser Feind. Verwirrung ist unser Gegner.

Selbstvertrauen ist ein heilsames Geschenk, das wir uns selbst machen können. Wie stellen wir das an? Wir lernen es. Was tun wir gegen unsere Fehler, was gegen jene Zeiten, da wir glaubten, uns vertrauen zu können und uns irrten? Wir akzeptieren unsere Fehler und schenken uns weiterhin Vertrauen.

Wir wissen, was am besten für uns ist. Wir wissen, was richtig für uns ist. Wenn wir uns irren, wenn wir unsere Ansichten ändern müssen, so werden wir die dazu nötige Unterweisung erhalten — allerdings nur, wenn wir Vertrauen haben in den Ort, an dem wir uns heute befinden.

Wir können uns um Unterstützung und Bestätigung an andere wenden, wichtig aber ist das Vertrauen zu uns selbst.

Haben Sie jedoch kein Vertrauen zu Ihrer Angst. Haben Sie kein Vertrauen zu Panik. Wir können darauf vertrauen, daß wir in unserer eigenen Wahrheit, in unserem eigenen Licht stehen. Es umstrahlt uns bereits. Wir haben alles Licht, das wir heute brauchen. Und das Licht für morgen wird uns morgen zuteil werden.

Wenn wir uns selbst vertrauen, wissen wir, wem wir vertrauen. Wenn wir uns selbst vertrauen, wissen wir, was wir zu tun haben.

Sollten wir der Meinung sein, keinerlei Vertrauen zu uns fassen zu können, so vertrauen wir Gott, daß er uns der Wahrheit zuführt.

■ *Hilf mir, Gott, mich von Angst, Zweifel und Verwirrung — den Feinden des Selbstvertrauens — zu lösen. Hilf mir, meinen Weg in Frieden und Zuversicht zu gehen. Hilf mir, daß mein Vertrauen in mich selbst und in Dich größer wird, einen Tag nach dem anderen und mit jeder Erfahrung, die ich mache.*

## Die Opferhaltung aufgeben — 15. März

»Sehen andere denn nicht, wie sehr ich leide?«; »Begreifen sie nicht, daß ich Hilfe brauche?«; »Macht es ihnen nichts aus?«

Es geht nicht darum, ob *andere* etwas sehen oder sich um uns kümmern. Es geht darum, ob *wir* sehen und uns um uns selbst kümmern. Wenn wir unseren Finger auf andere richten und von ihnen Mitgefühl erwarten, dann deshalb, weil wir unseren Schmerz noch nicht völlig angenommen haben. Wir haben den Punkt noch nicht erreicht, an dem wir sorgsam mit uns selbst umgehen. Wir erhoffen uns einen Grad von Bewußtheit bei anderen, den wir selbst noch nicht erlangt haben.

Es ist unsere Aufgabe, Mitgefühl für uns selbst zu haben. Wenn wir das schaffen, haben wir den ersten Schritt getan, um unsere Opferhaltung aufzugeben. Wir sind auf dem Weg zur Eigenverantwortung, zur Sorgfalt, die wir uns selbst entgegenbringen, und zur Veränderung.

■ *Heute werde ich nicht darauf warten, daß andere aufmerksam sind und sich um mich kümmern; ich werde die Verantwortung tragen, mir meinen Schmerz und meine Probleme bewußt zu machen; ich werde Sorge für mich selbst tragen.*

## Positive Energie 16. März

Es ist nicht schwer, sich umzusehen und festzustellen, was alles falsch ist.

Es bedarf der Übung, um das zu sehen, was richtig ist.

Viele von uns haben jahrelang in Negativität gelebt. Wir haben uns ein großes Geschick angeeignet, das zu benennen, was bei anderen Menschen, in unserem Leben, unserer Arbeit, unserem Tag, unseren Beziehungen, mit uns selbst, unserem Verhalten, unserem inneren Wachstum nicht stimmt.

Wir wollen realistisch sein und haben uns das Ziel gesteckt, die Realität zu erkennen und zu akzeptieren. Wenn wir uns jedoch in negativen Gedanken und Einstellungen ergehen, wollen wir das gar nicht mehr. Der Zweck dieser Negativität besteht generell in der Zerstörung.

Negatives Denken verstärkt unsere Probleme. Es beraubt uns der Harmonie. Negative Energie unterminiert und zerstört. Sie führt ein machtvolles Eigenleben.

Die positive Energie ebenfalls. Jeden Tag fragen wir, was richtig, was gut ist — an anderen Menschen, unserem Leben, unserer Arbeit, unserem Tag, unseren Beziehungen, an uns selbst, unserem Verhalten, unserem Heilungsvorgang.

Positive Energie heilt, fördert die Liebe und verwandelt. Entscheiden Sie sich für positive Energie.

■ *Hilf mir heute, Gott, mich von Negativität zu befreien. Verwandle meine Überzeugungen und mein Denken grundsätzlich vom Negativen ins Positive. Bringe mich in Einklang mit dem Guten.*

## Bestärken 17. März

*Du kannst denken. Du kannst fühlen. Du kannst deine Probleme lösen. Du kannst dich um dich selbst kümmern.*

Diese Worte haben mir in vielen Fällen mehr geholfen als alle wohlgemeinten und durchdachten Ratschläge.

Wie leicht tappen wir in die Falle, uns und andere in Zweifel zu ziehen.

Wie reagieren wir, wenn jemand uns ein Problem anvertraut? Glauben wir, das Problem für den anderen lösen zu müssen? Glauben wir, seine Zukunft hinge von unserem Rat ab? Solche Überzeugungen sind äußerst unsicher — jedenfalls nicht der Stoff, aus dem die Heilung resultiert.

Wie reagieren wir, wenn jemand sich durch ein Gefühl oder ein ganzes Chaos von Gefühlen kämpft? Glauben wir, daß dieser Mensch die Erfahrung nicht übersteht? Daß es nicht gut ist, wenn jemand solche Gefühle hat? Daß er oder sie nicht ohne Schaden daraus hervorgehen wird?

Wie reagieren wir, wenn ein Mensch vor die Aufgabe gestellt wird, Verantwortung für sein Leben und sein Verhalten zu übernehmen? Daß der Betroffene es nicht schafft? Daß ich etwas tun muß, um sie oder ihn vor der völligen Auflösung zu bewahren? Muß ich andere vor dem Versagen schützen?

Wie reagieren wir auf uns selbst, wenn wir einem Problem, einem Gefühl begegnen oder vor der Tatsache stehen, Verantwortung für uns selbst zu tragen?

Glauben wir an uns selbst und an andere? Bestärken wir andere — und uns — in ihren Fähigkeiten? Oder verstärken wir das Problem, das Gefühl, die Verantwortungslosigkeit?

Wir können lernen, uns selbst zu prüfen. Wir können lernen, nachzudenken und uns die Antwort zu überlegen, bevor wir etwas unternehmen. »Es tut mir leid, daß du dieses Problem hast. Ich weiß, daß du eine Lösung finden wirst. Du hast wohl eine Menge Gefühle zu verarbeiten. Ich weiß, daß du das schaffst und heil aus der Sache herauskommst.«

Jeder von uns ist verantwortlich für *sich selbst*. Das bedeutet nicht, daß wir gleichgültig gegen andere sind. Das bedeutet nicht, daß wir kalt und berechnend unsere Unterstützung verweigern. Es bedeutet, daß wir lernen, andere in richtiger Weise zu lieben und zu stärken. Es bedeutet, daß wir lernen, uns selbst in richtiger Weise zu lieben und zu stärken. Es bedeutet, daß wir mit Menschen Freundschaft schließen, die uns in richtiger Weise lieben und auch unterstützen.

Der Glaube an die Menschen, an die jedem Menschen innewohnenden Fähigkeiten, zu denken, zu fühlen, Probleme zu lösen und sich seiner Belange anzunehmen, ist ein großes Geschenk.

■ *Heute will ich mich darum bemühen, echte Unterstützung zu geben und zu erhalten. Ich arbeite daran, an mich selbst und an andere zu glauben — an unsere Fähigkeiten, qualifiziert mit Gefühlen und Problemlösungen umzugehen und Verantwortung für uns selbst zu übernehmen.*

---

## Sicherheit — 18. März

---

Daß wir uns unsicher fühlen, ist eine der tiefen und langanhaltenden Wirkungen jener Zeit, da wir — als Kind oder als Erwachsener — in einer nicht intakten Familie lebten.

Viele Komponenten unserer sogenannten Co-Abhängigkeit sind darauf zurückzuführen, daß wir uns in Beziehungen unsicher fühlen. Das führt dazu, daß wir den anderen kontrollieren, uns zwanghaft verhalten oder uns auf ihn fixieren, während wir uns selbst vernachlässigen oder uns gegen unsere Gefühle verschließen.

Wir können lernen, uns sicher und wohl zu fühlen; das ist ein Bestandteil der fürsorglichen, liebevollen Haltung uns selbst gegenüber.

Häufig erlangen wir ein Gefühl der Sicherheit und des Wohlbefindens, wenn wir Zwölf-Schritte-Treffen oder andere Selbsthilfegruppen besuchen. Auch das Zusammensein mit Freunden oder der fürsorgliche Umgang mit uns selbst trägt dazu bei, daß wir uns geborgen und geliebt fühlen. Manchmal bekommen wir ein Gefühl der Sicherheit, wenn wir auf einen anderen Menschen einfach zugehen. Gebet und Meditation bestärken uns darin, daß unsere Höhere Macht für uns sorgt.

Wir sind geborgen. Wir können uns entspannen. Vielleicht waren unsere Bezugspersonen nicht zuverlässig und nicht immer für uns da; deshalb lernen wir nun, für uns selbst da zu sein.

■ *Heute will ich mich darauf konzentrieren, mir selbst ein Gefühl der Sicherheit und des Wohlbefindens zu geben.*

## Sich nicht einmischen 19. März

Der Ausspruch: »Ich will da nicht hineingezogen werden, aber …« ist ein Zeichen, daß wir vielleicht bereits mittendrin sind.

Wir müssen uns nicht völlig in die Angelegenheiten, Probleme oder Gespräche anderer einmischen. Wir können zulassen, daß andere in ihren Beziehungen für sich selbst verantwortlich sind. Wir können zulassen, daß sie ihre Probleme untereinander bereinigen.

Wenn wir versuchen, Frieden zu stiften, müssen wir uns nicht in die Mitte des Geschehens begeben. Wir vermitteln Frieden, wenn wir selbst ruhig bleiben und keinen Aufruhr heraufbeschwören. Wir stiften Frieden, wenn wir nicht noch mehr Chaos dadurch anrichten, daß wir uns in die Angelegenheiten und Beziehungen anderer einmischen.

Halten Sie sich aus Konflikten anderer heraus, es sei denn, Sie werden ausdrücklich um Intervention gebeten.

■ *Heute weigere ich mich, in die Angelegenheiten, Probleme und Beziehungen anderer hineingezogen zu werden. Ich vertraue darauf, daß andere ihre eigenen Angelegenheiten regeln und auch ihre Vorstellungen und Gefühle, die sie einander mitteilen wollen, selbst bereinigen können.*

## Loslassen 20. März

Lassen Sie Ihre Ängste los.

Lassen Sie alle negativen, einengenden oder selbstzerstörerischen Überzeugungen los, die in Ihrem Unterbewußtsein schlummern – ob sie das Leben allgemein, die Liebe oder Ihre Person betreffen. Überzeugungen erschaffen Realität.

Lassen Sie los. Lassen Sie tief im Inneren los, dort, wo Ihre Ängste, Ihre Ressentiments, Ihre negativen Überzeugungen lagern, lassen Sie alles frei. Bringen Sie eine negative Meinung oder ein ungutes Gefühl an die Oberfläche. Nehmen Sie sie an; geben Sie sich ihnen hin. Spüren Sie das damit verbundene Unbehagen, die Unruhe. Dann lassen Sie los. Lassen Sie zu, daß neue Überzeugungen an die Stelle der alten treten. Statt Angst werden Frieden, Freude und Liebe in Ihrem Inneren einkehren.

Gestatten Sie sich, Ängste, Ressentiments und negative Überzeugungen abzulegen. Lösen Sie sich von Dingen, die nutzlos sind. Haben Sie Vertrauen, daß Sie geheilt und darauf vorbereitet werden, Gutes zu empfangen.

■ *Hilf mir heute, Gott, die innere Bereitschaft zu erlangen, mich von alten Überzeugungen und Gefühlen zu trennen, die mich verletzen könnten. Befreie mich behutsam davon, und ersetze sie durch neue Überzeugungen und Gefühle. Mir steht das Beste zu, was das Leben und die Liebe zu bieten haben. Hilf mir, daran zu glauben.*

## Verpflichtungen abwägen — 21. März

Seien Sie aufmerksam gegenüber Ihren Verpflichtungen.

Viele von uns fürchten sich davor, Verpflichtungen einzugehen; es empfiehlt sich, den Preis jeder Verpflichtung, die wir eingehen wollen, abzuwägen. Wir müssen uns darüber klar werden, ob eine bestimmte Verpflichtung für uns auf Dauer richtig ist.

Viele von uns haben sich in der Vergangenheit ständig Verpflichtungen aufgebürdet, ohne darüber nachzudenken, ohne den Preis und die möglichen Folgen in Betracht zu ziehen. Sobald wir uns zu einer Sache verpflichtet haben, stellen wir oft fest, daß wir das eigentlich gar nicht wollten, und fühlen uns in der Falle.

Manche von uns fürchten, eine Chance zu verpassen, wenn sie sich nicht verpflichten. Natürlich lassen wir bestimmte Gelegenheiten aus, wenn wir uns nicht verpflichten wollen. Dennoch müssen wir unseren Einsatz abwägen. Wir müssen uns klar darüber werden, ob diese Verpflichtung uns richtig erscheint. Wenn nicht, müssen wir mit anderen und natürlich auch mit uns selbst direkt und aufrichtig umgehen.

Haben Sie Geduld. Erforschen Sie Ihre Seele. Warten Sie auf eine klare Antwort. Wir müssen Verpflichtungen nicht übereilt oder in Panik eingehen, sondern in wohlüberlegtem Vertrauen darauf, daß sich der Einsatz für uns lohnt.

Wenn eine innere Stimme nein sagt, sollten wir den Mut finden, ihr Vertrauen zu schenken.

Es ist nicht unsere letzte Chance. Es ist nicht die einzige Gelegenheit, die sich uns je bietet. Geraten Sie nicht in Panik. Wir müssen uns nicht für etwas einsetzen, das nicht gut für uns ist, selbst wenn wir uns einreden, es *sollte* gut sein und wir *müßten* uns verpflichten.

Oft können wir dabei unserer Intuition mehr Vertrauen schenken als unserem Intellekt.

Wenn wir uns für etwas einsetzen, übersehen wir in der anfänglichen Begeisterung oft die Realität des Ganzen. Genau darüber gilt es nachzudenken.

Wir müssen uns weder unter Druck noch impulsiv noch aus Angst für eine Sache verpflichten. Wir haben das Recht, uns die Frage zu stellen: Ist das gut für mich?

■ *Zeige mir, Gott, welche Verpflichtungen ich heute eingehen soll. Hilf mir, ja zu sagen zu Dingen, die zu meinem Besten sind, und nein zu Dingen, die nicht dazugehören. Ich werde gründlich überlegen, bevor ich mich für eine bestimmte Aktivität oder Person einsetze. Ich werde mir die Zeit nehmen zu überlegen, ob die Verpflichtung genau dem entspricht, was ich wünsche.*

## Die Opferhaltung aufgeben — 22. März

Es ist wirklich in Ordnung, einen guten Tag zu haben.

Es ist in Ordnung, sich wohl zu fühlen in der Zuversicht, daß wir unser Leben im Griff haben.

Um zu überleben, haben viele von uns etwa gelernt, daß wir nur in der Opferrolle die Aufmerksamkeit und Zuwendung erhalten, die wir uns wünschen. Wenn unser Leben leidvoll, beschwerlich, ungerecht und nicht zu bewältigen ist, dann akzeptieren uns die anderen und erkennen uns an — meinen wir.

Diese Einstellung haben wir in unseren Beziehungen zu Menschen erworben, die ihrerseits gelernt haben, als Opfer das Leben zu fristen.

Wir sind keine Opfer. Wir müssen uns nicht zu Opfern machen lassen. Wir müssen nicht hilflos sein und außer Kontrolle geraten, um die erwünschte Aufmerksamkeit und Liebe zu erhalten. Die Liebe, die wir suchen, werden wir auf diese Weise nicht bekommen.

Die Liebe, die wir wirklich wollen und brauchen, bekommen wir nur dann, wenn wir uns der eigenen Stärke versichern. Wir lernen, auf eigenen Beinen zu stehen, auch wenn wir uns mitunter nach einer starken Schulter zum Anlehnen sehnen. Wir begreifen, daß die Menschen, an die wir uns anlehnen, uns nicht stützen. Sie stehen lediglich neben uns.

Wir alle haben schlechte Tage — Tage, an denen die Dinge nicht so laufen, wie wir es wünschen, Tage, an denen wir uns traurig und ängstlich fühlen. Dennoch können wir mit unseren schlechten Tagen und düsteren Gefühlen so umgehen, daß dadurch unsere Selbstverantwortung, nicht unsere Opferhaltung zum Ausdruck kommt.

Es ist auch völlig in Ordnung, einen guten Tag zu haben. Darüber gibt es zwar weniger zu reden, um so mehr Freude können wir empfinden.

■ *Hilf mir, Gott, daß ich mich von dem Bedürfnis löse, Opfer zu sein. Hilf mir, daß ich von der Überzeugung loskomme, eine Opferhaltung einnehmen zu müssen, um geliebt zu werden und Aufmerksamkeit zu erhalten. Laß mich im Kreis von Menschen sein, die mich lieben, auch wenn ich mir der eigenen Stärke bewußt bin.*

## Kritik und Grenzen — 23. März

*Wir müssen wissen, wie weit wir gehen wollen und wie weit wir andere mit uns gehen lassen. Sobald wir das begriffen haben, können wir alles erreichen.*

— Unabhängig sein

Wenn wir unsere Fähigkeit in Anspruch nehmen, für uns selbst zu sorgen — Grenzen setzen, nein sagen, ein altes Verhaltensmuster ändern —, stoßen wir bei manchen Menschen auf Kritik. Das ist in

Ordnung. Wir müssen uns nicht von den Reaktionen anderer beherrschen, beirren oder in unserem Entschluß, für uns selbst zu sorgen, beeinflussen lassen.

Wir brauchen auch nicht ihre Reaktion darauf, wie wir für uns selbst sorgen, kontrollieren. Das liegt nicht in unserer Verantwortung. Wir dürfen aber auch nicht erwarten, daß andere keine Reaktion zeigen.

Die Menschen reagieren, wenn wir unser Verhalten ändern oder konsequent etwas tun, um uns selbst zu hegen und zu pflegen. Sie reagieren vor allem dann, wenn unsere Entscheidung sie in irgendeiner Weise betrifft. Lassen Sie also den anderen ihre Gefühle. Lassen Sie ihnen ihre Reaktionen. Steuern Sie aber Ihren neuen Kurs unbeirrt weiter.

Wenn Menschen daran gewöhnt sind, daß wir uns in einer bestimmten Weise verhalten, werden sie versuchen, uns einzureden, genauso weiterzumachen, damit alles beim alten bleibt. Wenn Menschen daran gewöhnt sind, daß wir zu allem ja sagen, erheben sie Einspruch, wenn wir plötzlich nein sagen. Wenn Menschen daran gewöhnt sind, daß wir uns um ihre Verantwortung, ihre Gefühle und Probleme kümmern, werden sie uns kritisieren, wenn wir damit aufhören. Das ist ganz normal. Im Namen der Sorgfalt, die wir uns selbst angedeihen lassen, können wir lernen, mit einem gewissen Maß an Kritik zu leben. Nicht an Kränkungen, wohlbemerkt. Sondern an Kritik.

Wenn Menschen daran gewöhnt sind, uns durch Schuldzuweisungen, Einschüchterungsversuche und Nötigung zu beherrschen, werden sie ihre Bemühungen verstärken, sobald wir uns ändern und die gewohnte Kontrolle zurückweisen. Das ist in Ordnung. Auch hierbei handelt es sich nur um Kritik.

Wenn wir den Entschluß gefaßt haben, daß wir uns verändern wollen und müssen, sollten wir uns durch Kritik nicht in alte Verhaltensmuster zurückdrängen lassen. Wir müssen nicht auf Kritik reagieren oder ihr allzuviel Aufmerksamkeit schenken. Sie ist es nicht wert. Kritik wird abflauen.

■ *Heute will ich nicht auf Kritik eingehen, die mir entgegengebracht wird, weil ich mein Verhalten ändere oder mich sonstwie darum bemühe, ich selbst zu sein.*

*Wir selbst sind das Größte und Beste, was uns je begegnen wird. Glauben Sie daran. Das erleichtert das Leben ungemein.*

— Unabhängig sein

Es ist an der Zeit, daß wir mit dem Unsinn aufhören, durch die Gegend zu rennen und uns Selbstvorwürfe zu machen.

Wir haben möglicherweise den Großteil unseres Lebens damit verbracht, uns direkt oder indirekt für uns selbst zu entschuldigen — weil wir uns für weniger wertvoll hielten als andere, weil wir glaubten, andere wüßten besser Bescheid als wir, und der Überzeugung waren, andere hätten — im Gegensatz zu uns — eine Existenzberechtigung.

Auch wir haben eine Existenzberechtigung. Wir haben das Recht, wir selbst zu sein. *Wir leben.* Unser Leben hat einen Sinn, einen Grund und einen Zweck. Wir müssen uns nicht für unsere Existenz entschuldigen oder dafür, so zu sein, wie wir sind.

Wir sind gut genug, und wir sind wertvoll.

Andere haben nicht unsere Ausstrahlung. Wir haben unsere ganz eigene Ausstrahlung.

Es ist unwichtig, was wir in unserer Vergangenheit getan haben. Wir alle haben eine Vergangenheit, die sich aus Fehlern, Erfolgen, Mißerfolgen und Lernprozessen zusammensetzt. Wir haben ein Recht auf unsere Vergangenheit. Sie gehört uns. Sie hat dazu beigetragen, uns zu prägen und unsere Persönlichkeit zu formen. Im Verlauf unserer Reise werden wir sehen, wie jede unserer Erfahrungen so gewendet wird, daß sie uns zugute kommt.

Wir haben bereits zuviel Zeit damit verbracht, uns zu schämen, uns zu entschuldigen und unsere innere Schönheit anzuzweifeln. Schluß damit. Befreien Sie sich von dieser unnötigen Bürde. Andere haben Rechte, aber wir haben gleichfalls Rechte. Wir sind weder schlechter noch besser als andere. Wir sind gleichwertig. Wir sind so, wie wir sind. So sind wir erschaffen worden, und so sollen wir auch sein.

Das, meine Freunde, ist ein wundervolles Geschenk.

■ *Hilf mir, Gott, daß ich über die Stärke verfüge, mich zu lieben und mich selbst anzuerkennen. Hilf mir, daß ich mich selbst als wertvoll empfinde, anstatt meinen Wert durch andere definieren zu lassen.*

---

## Sich nicht mehr sorgen — 25. März

---

Was wäre, wenn wir mit Bestimmtheit wüßten, daß alles, worüber wir uns heute Sorgen machen, einen guten Ausgang nimmt?

Was, wenn ... wir die Garantie hätten, daß sich ein Problem, das uns zu schaffen macht, genau zum richtigen Zeitpunkt in Wohlgefallen auflösen wird? Was wäre, wenn wir weiterhin wüßten, daß wir heute in drei Jahren sowohl für das Problem wie für seine Lösung dankbar sind?

Was, wenn ... wir wüßten, daß sich selbst unsere schlimmsten Befürchtungen zum Guten wenden?

Was, wenn ... wir die Garantie hätten, daß alles, was in unserem Leben geschieht und geschah, genau so sein soll, nur für uns vorgesehen ist und in unserem eigenen Interesse liegt?

Was, wenn ... wir die Garantie hätten, daß die Menschen, die wir lieben, genau das erleben, was sie erleben müssen, um so zu werden, wie sie sein sollen? Was, wenn wir eine Garantie hätten, daß andere für sich selbst verantwortlich sein können; daß wir sie also nicht kontrollieren oder Verantwortung für sie übernehmen müssen?

Was, wenn ... wir wüßten, daß die Zukunft gut wird und uns eine Fülle von Hilfen und Unterweisungen zur Verfügung steht, daß wir mit allem, was uns begegnet, richtig umgehen?

Was, wenn ... wir wüßten, daß alles in Ordnung ist und wir uns um nichts sorgen müssen? Was würden wir dann tun?

Wir wären frei und gelöst und würden unser Leben genießen.

■ *Heute werde ich wissen, daß ich mich um nichts zu sorgen brauche. Wenn ich mir Sorgen mache, dann mit dem Wissen, daß ich mich dafür entscheide, mir Sorgen zu machen, und daß das nicht nötig ist.*

## Geschenke, keine Bürden — 26. März

*Kinder sind Geschenke, wenn wir sie annehmen.*

— Kathleen Turner Crilly

Kinder sind Geschenke. Unsere Kinder — falls wir Kinder haben — sind für uns Geschenke. In unserer Kindheit waren wir Geschenke für unsere Eltern.

Bedauerlicherweise haben viele Eltern uns in der Kindheit nicht die Botschaft vermittelt, daß wir für sie und das Universum Geschenke sind. Vielleicht hatten unsere Eltern selbst zu leiden; möglicherweise wiesen sie uns die Bekennerrolle zu, oder wir kamen in einer für sie schwierigen Zeit zur Welt. Vielleicht auch hatten sie ihre eigenen Probleme und waren einfach nicht in der Lage, uns als Geschenke anzunehmen, sich an uns zu erfreuen und uns anzuerkennen.

Viele von uns leben mit der tiefen oder unterbewußten Überzeugung, daß wir für die Welt und die Menschen unserer Umgebung eine Last waren und sind. Diese Überzeugung kann uns daran hindern, das Leben und unsere Beziehungen mit anderen Menschen zu genießen; kann sogar unsere Beziehung zur Höheren Macht beeinträchtigen: Wir haben das Gefühl, Gott zur Last zu fallen.

Wenn wir diese Überzeugung haben, ist es Zeit, sie über Bord zu werfen.

Wir sind keine Bürde. Wir waren es nie. Wenn die Eltern uns diese Botschaft vermittelt haben, so ist es höchste Zeit zu erkennen, daß sie dieses Problem selbst lösen müssen.

Wir haben ein Recht, uns als Geschenk zu betrachten — ein Geschenk für uns selbst, für andere und für das Universum.

■ *Heute werde ich mich und meine Kinder — falls ich welche habe — als Geschenk behandeln. Ich löse mich von der Überzeugung, für meine Höhere Macht, meine Freunde, meine Familie und mich selbst eine Bürde zu sein.*

»Wie konnte ich das tun? Warum habe ich das gesagt? Auch wenn es meiner Überzeugung entspricht, fühle ich mich beschämt, schuldig und ängstlich.«

Das ist eine vertraute Reaktion auf jene neuen Verhaltensweisen, die der Heilungsprozeß hervorruft. Wenn wir uns zur eigenen Kraft bekennen und sorgsam mit uns selbst umgehen, kann es sein, daß dadurch Gefühle von Scham, Schuld und Angst ausgelöst werden.

Wir sollten uns nicht von solchen Gefühlen beherrschen lassen. Sie sind Gegenreaktionen. Warten Sie, bis sie abklingen.

Sobald wir uns mit Gefühlen und inneren Botschaften auseinandersetzen und sie bekämpfen, erleben wir solche Nachwirkungen. Davon haben wir unser ganzes Leben bestimmen lassen: nämlich von Scham und Schuld.

Viele von uns wuchsen auf mit Botschaften, die in Schamgefühlen gründeten und zum Ausdruck brachten, es sei nicht richtig, sich um die eigene Person zu kümmern, ehrlich und direkt zu sein und ja zu sagen zur eigenen inneren Stärke. Andere Botschaften lauteten, es sei nicht richtig, so zu sein, wie wir sind, es sei nicht richtig, Probleme in Beziehungen zu lösen. Wieder eine andere Botschaft aus der Kindheit besagte, daß unsere Wünsche und Bedürfnisse nicht berechtigt seien.

Lassen Sie diese Botschaften ausklingen. Messen Sie Nachwirkungen keinen allzu großen Wert bei. Sie sollen uns nicht davon überzeugen, daß wir uns irren und kein Recht haben, für uns selbst Sorge zu tragen oder Grenzen zu setzen.

Haben wir wirklich das Recht, sorgsam mit uns selbst umzugehen? Haben wir wirklich das Recht, Grenzen zu setzen? Haben wir wirklich das Recht, direkt zu sein und zu sagen, was wir sagen müssen?

Sie können darauf wetten.

■ *Heute lasse ich jegliche Gegenreaktion auf eine neue heilsame Verhaltensweise ausklingen. Ich messe dieser Nachwirkung keine große Bedeutung bei. Hilf mir, Gott, mich zu befreien von meiner Scham und meinen sinnlosen Ängsten darüber, was wohl geschehen mag, wenn ich wirklich anfange, sorgsam mit mir selbst umzugehen und mich zu lieben.*

## Gleichgewicht 28. März

Suchen Sie inneren Ausgleich.

Bringen Sie Gefühl und Vernunft miteinander in Einklang.

Verbinden Sie Loslassen mit Anteilnehmen.

Finden Sie die Balance zwischen Geben und Nehmen.

Wechseln Sie Arbeit mit Spiel ab, den Beruf mit privaten Unternehmungen.

Kümmern Sie sich um Ihre spirituellen Bedürfnisse genauso wie um Ihre anderen Bedürfnisse.

Wägen Sie ab zwischen der Verantwortung für andere und der Verantwortung, die Sie für sich selbst tragen.

Finden Sie eine gesunde Mitte zwischen der Sorgfalt, die Sie anderen, und der Sorgfalt, die Sie sich selbst entgegenbringen.

Wann immer möglich, wollen wir gut zu anderen sein, aber auch zu uns selbst.

Manche von uns müssen verlorene Zeit wettmachen.

■ *Heute will ich nach Gleichgewicht streben.*

## Bedürfnisse befriedigen 29. März

Stellen Sie sich vor, Sie wandern über eine Wiese. Vor Ihnen tut sich ein Weg auf. Sie nehmen ihn. Nach einer Weile verspüren Sie Hunger. Links von Ihnen steht ein üppiger Obstbaum. Pflücken Sie Früchte, soviel Sie wollen.

Etwas später verspüren Sie Durst. Zu Ihrer Rechten plätschert ein kristallklarer Bach.

Wenn Sie müde sind, bietet sich ein Rastplatz an. Wenn Sie einsam sind, treffen Sie einen Freund, der Sie begleitet. Wenn Sie sich verirren, kommt jemand mit einer Landkarte und führt Sie auf den rechten Weg zurück.

Es dauert nicht lang, und Sie bemerken das Fließen zwischen Bedürfnis und Befriedigung, Wunsch und Erfüllung. Und vielleicht fragen Sie sich: Hat mir jemand das Bedürfnis eingegeben, weil er beabsichtigte, es zu befriedigen? Vielleicht mußte ich das Bedürfnis haben, damit ich das Geschenk bemerken und annehmen konnte. Wenn ich meine Augen vor dem Verlangen verschließe, verschließen sich meine Arme vor der Erfüllung.

Nachfrage und Angebot, Verlangen und Erfüllung — ein ständiger Kreislauf, wenn wir ihn nicht durchbrechen. Alle notwendige Erfüllung auf dieser Reise war bereits geplant und vorgesehen.

■ *Heute bekomme ich alles, was ich brauche.*

## Experimentieren — 30. März

Experimentieren Sie. Probieren Sie etwas Neues aus. Versuchen Sie, aus der Reihe zu tanzen.

Wir wurden zu lange zurückgehalten. Wir haben uns selbst zu lange zurückgehalten.

In der Kindheit wurde vielen von uns das Recht verwehrt, zu experimentieren. Viele von uns versagen sich als Erwachsene das Recht zu experimentieren und zu lernen.

Jetzt ist die Zeit gekommen, um zu experimentieren. Das ist ein wichtiger Bestandteil unserer inneren Heilung. Probieren Sie Dinge aus. Probieren Sie etwas Neues aus. Selbstverständlich werden Sie Fehler machen. Aber an diesen Fehlern können Sie erkennen, welche inneren Werte Sie besitzen.

Manche Dinge werden wir nicht haben wollen. Das ist gut so. Auf diese Weise erfahren wir etwas mehr darüber, wer wir sind und was wir nicht haben wollen.

Manches entspricht unserer Wertvorstellung, und wir werden es haben wollen. Auch das trägt dazu bei, zu wissen, wer wir sind, und wir werden dadurch wichtige und lebensbereichernde Erfahrungen machen.

Im Heilungsprozeß erleben wir Phasen der Stille, in denen wir ruhen und allmählich gesunden; eine Zeit, in der wir Abstand gewinnen; eine Zeit der Innenschau und der Genesung. Diese Zeit ist wichtig. Wir arbeiten unsere Probleme auf.

Es kommt auch eine Zeit, in der wir experimentieren, andere Dinge ausprobieren, Neuland betreten.

Innere Heilung ist nicht gleichbedeutend mit Kasteiung und Enthaltsamkeit. Wir lernen zu leben, lernen erfüllt zu leben. Wir erforschen, untersuchen und experimentieren.

Innere Heilung heißt: einen Schlußstrich ziehen unter die strikten, von Scham beherrschten Grundsätze aus der Vergangenheit; heißt, gesunde Wertvorstellungen auf der Basis der Selbstliebe, der Liebe zu anderen und eines harmonischen Lebens mit der Welt entwickeln und fördern.

Experimentieren Sie. Probieren Sie Neues aus. Vielleicht gefällt Ihnen dabei dieses und jenes nicht. Vielleicht machen Sie Fehler. Vielleicht gefällt Ihnen aber auch das eine oder andere, und Sie entdecken etwas, das Sie lieben.

■ *Heute nehme ich mir die Freiheit, im Leben zu experimentieren. Ich höre auf damit, mir ständig Zurückhaltung aufzuerlegen; ich handle spontan, wenn es mir richtig erscheint. Hilf mir, Gott, daß ich nicht mehr das Bedürfnis habe, mir das Leben vorzuenthalten.*

## Finanzen — 31. März

Finanzielle Eigenverantwortung ist ein wichtiger Bestandteil unseres Heilungsprozesses. Manche von uns befinden sich aus verschiedensten Gründen in finanziellen Schwierigkeiten.

Unsere Heilungskonzepte, zu denen die Zwölf Schritte gehören, befassen sich eingehend mit Geldangelegenheiten und damit, wie wir in diesen Lebensbereich wieder Ordnung bringen. Unternehmen Sie einen entsprechenden Schritt — selbst wenn er nur darin besteht, einen Schuldenbetrag von 10000 Mark in Zehn-Mark-Raten abzustottern.

Beginnen Sie dort, wo Sie sind, mit dem, was Sie haben. Wie in anderen Lebensbereichen wird auch hier durch eine bejahende und dankbare Einstellung das vermehrt, was wir haben.

Geldangelegenheiten eignen sich nicht zum »Handeln, als ob«. Schreiben Sie keine Schecks aus, solange kein Geld auf Ihrem Konto ist! Geben Sie nur Geld aus, über das Sie verfügen können.

Wenn Sie zuwenig Geld zum Leben haben, wenden Sie sich an die richtigen Quellen, *ohne sich zu schämen.*

Setzen Sie sich Ziele.

Glauben Sie daran, daß Ihnen finanziell das Beste zusteht.

Glauben Sie daran, daß Gott sich um Ihre Finanzen kümmert.

Lassen Sie Ihre Angst los, und haben Sie Vertrauen.

■ *Heute will ich mich darauf konzentrieren, Verantwortung für meine gegenwärtige Finanzlage zu übernehmen, egal wie überaus schwierig dieser Bereich meines Lebens auch erscheinen oder sein mag.*

# April

Seien Sie gelassen. Vielleicht müssen Sie viel tun, damit die Dinge vorangehen, aber Sie müssen sich dabei nicht zu sehr anstrengen. Gehen Sie behutsam vor, gehen Sie friedlich vor.

Legen Sie keine zu große Hast an den Tag. Nie, zu keiner Stunde, zu keinem Augenblick wird von Ihnen verlangt, mehr zu tun, als Sie in Ruhe tun können.

Hektik und Druck sind keine Grundlagen für eine neue Lebensweise.

Überstürzen Sie nichts, wenn Sie beginnen. Beginnen Sie, aber erzwingen Sie den Beginn nicht, wenn die Zeit nicht reif ist. Der Beginn kommt rechtzeitig.

Erfreuen Sie sich, und finden Sie Gefallen an der Mitte, die das Herz aller Dinge ist.

Beeilen Sie sich nicht zu sehr damit, etwas zu Ende zu bringen. Auch wenn Sie mit einer Sache fast fertig sind, kosten Sie die letzten Augenblicke aus. Geben Sie sich diesen Augenblicken ganz hin.

Geben Sie Ihrem Tempo einen natürlichen Rhythmus. Machen Sie sich auf den Weg. Gehen Sie weiter. Aber seien Sie sanft. Seien Sie in Harmonie mit sich. Machen Sie sich jeden Augenblick bewußt.

■ *Hilf mir heute, Gott, mich auf ein geruhsames Tempo einzustimmen, anstatt übereilte Schritte zu tun. Ich werde mich in aller Ruhe vorwärtsbewegen, ohne Hast. Hilf mir, daß ich mich von dem Bedürfnis löse, ängstlich, nervös und gehetzt zu sein. Hilf mir, diesen Drang durch den Wunsch nach Frieden und Harmonie zu ersetzen.*

## Sich der Schattenseite des eigenen Wesens zuwenden

**2. April**

*Wir machten eine gründliche und furchtlose Inventur in unserem Inneren.*

— Vierter Schritt von Al-Anon

Wenn wir zum vierten der Zwölf Schritte kommen, sind wir bereit, uns der eigenen Schattenseite zuzuwenden, die uns daran hindert, uns selbst und andere zu lieben sowie Liebe von anderen entgegenzunehmen und das Leben zu genießen. Der Sinn des Vierten Schrittes liegt nicht darin, daß wir uns minderwertig fühlen; der Sinn liegt vielmehr darin, unsere Blockaden gegen Freude und Liebe abzubauen.

Wir suchen nach Ängsten, Wut, Verletzungen und Schamgefühlen aus früheren Ereignissen — nach verschütteten Gefühlen, die sich bis heute auf unser Leben auswirken. Wir suchen nach unterbewußten Überzeugungen hinsichtlich unserer eigenen Person und solchen, die die Qualität unserer Beziehungen beeinträchtigen. Solche Überzeugungen lauten: *Ich bin nicht liebenswert ... Ich bin eine Last für andere ... Menschen kann man nicht trauen ... Mir kann man nicht trauen ... Ich verdiene es nicht, glücklich und erfolgreich zu sein ... Das Leben ist es nicht wert, gelebt zu werden.* Wir untersuchen unser Verhalten und unsere Gewohnheiten, um unsere selbstzerstörerischen Überzeugungen ausfindig zu machen. Mit Liebe und Mitgefühl uns selbst gegenüber versuchen wir, unsere Schuldgefühle — berechtigte und unberechtigte — ans Tageslicht zu befördern.

Die Prüfung unternehmen wir ohne Angst vor dem, was wir entdecken werden, da diese Erforschung der Seele uns reinigt und zu einem besseren Selbstwertgefühl verhilft, als wir es uns je träumen ließen.

■ *Hilf mir, Gott, die Blockaden und Barrieren in meinem Inneren ausfindig zu machen. Bring mir alles, was ich wissen muß, zu Bewußtsein, damit ich mich davon befreien kann. Zeig mir, was ich über mich wissen muß.*

Geben Sie sich dem Augenblick hin. Kosten und leben Sie ihn aus. Nehmen Sie die Dinge, wie sie sind. Lassen Sie los.

Hören Sie auf, sich zu wehren.

Wieviel Qual entsteht durch unseren inneren Widerstand. Wieviel Erleichterung, Befreiung und Veränderung sind möglich, wenn wir akzeptieren, einfach akzeptieren.

Wir vergeuden unsere Zeit, verausgaben unsere Kräfte und erschweren die Dinge, wenn wir Widerstand leisten, Tatsachen verdrängen und unterdrücken. Unsere Gedanken verschwinden dadurch nicht. Wenn wir einen Gedanken unterdrücken, der bereits vorhanden ist, werden wir nicht zu besseren Menschen. Lassen Sie den Gedanken zu. Gewähren Sie ihm Zugang zur Realität. Dann lösen Sie sich von ihm. Ein Gedanke ist nicht ewig präsent. Wenn er uns nicht gefällt, können wir ihn abwandeln oder ihn durch einen neuen Gedanken ersetzen. Aber um das tun zu können, müssen wir den ersten Gedanken zunächst akzeptieren und loslassen.

Widerstand und Verdrängung ändern gar nichts. Damit liegen wir nur im Widerstreit mit unseren Gedanken.

Wir erschweren uns das Leben, wenn wir uns Gefühlen widersetzen, sie unterdrücken. Wie dunkel, unangenehm, ungerechtfertigt, überraschend oder »unangemessen« uns die eigenen Gefühle auch erscheinen mögen — wenn wir uns ihnen widersetzen und sie verdrängen, werden wir sie nicht los. Wir machen sie nur schlimmer. Sie werden in uns rumoren, uns quälen, krank machen, körperliche Schmerzen bereiten, uns zu Zwangshandlungen drängen, uns nicht schlafen lassen oder uns erschöpfen.

Letztlich sind wir aufgerufen, unsere Gefühle anzunehmen, sie zu fühlen und zu sagen: »Ja, das ist es, was ich fühle.«

Gefühle existieren in einem gegebenen Augenblick. Je rascher wir ein Gefühl akzeptieren, desto schneller können wir zum nächsten übergehen.

Wir werden nicht verändert, und es macht uns nicht zu dem Menschen, der wir sein wollen oder der wir glauben, sein zu müssen, wenn wir uns gegen Gedanken und Gefühle sträuben oder sie unterdrücken. Damit verschließen wir uns nur vor der Realität. Damit unterdrücken wir uns selbst. Das führt schließlich in die Depression.

Verdrängte Ereignisse oder Situationen in unserem Leben verändern die Dinge nicht, egal wie unerwünscht diese Ereignisse oder Situationen auch sein mögen.

Indem wir die Dinge akzeptieren, werden wir zu dem Menschen, der wir sind und sein wollen. Durch das Akzeptieren können sich Ereignisse und Umstände zum Guten wenden.

Was aber tun, wenn wir Widerstand leisten, wenn wir mit einer bestimmten Realität in unserem Leben eine Art Tauziehen veranstalten? *Unseren Widerstand zu akzeptieren,* kann uns helfen, auch diese Hürde zu überwinden.

Etwas annehmen bedeutet nicht, daß wir unsere volle Zustimmung geben; daß wir uns dem Willen und den Plänen anderer unterordnen; daß wir eine Verpflichtung eingehen. Es dauert nicht ewig; ist vielmehr gültig für den jetzigen Moment. Annehmen erschwert die Dinge nicht; es erleichtert sie. Annehmen bedeutet nicht, daß wir Kränkungen oder eine schlechte Behandlung akzeptieren; daß wir auf unsere Grenzen, Hoffnungen, Träume, Wünsche oder Sehnsüchte verzichten. Es bedeutet, daß wir Gegebenheiten akzeptieren, um zu wissen, was wir für uns selbst tun, und welche Grenzen wir setzen müssen. Es bedeutet, daß wir akzeptieren, was momentan ist, daß wir uns akzeptieren, so wie wir momentan sind: Dadurch können wir uns ungehindert verändern und innerlich wachsen.

Wenn wir akzeptieren und uns hingeben, bringt uns das weiter auf unserer Reise. Mit Zwang erreichen wir nichts.

Akzeptieren und sich hingeben — zwei Auffassungen, die nur so lange Kopfzerbrechen bereiten, bis wir sie praktizieren.

■ *Heute will ich üben, mich und meine gegenwärtigen Lebensumstände zu akzeptieren. Ich werde offen sein und allmählich Vertrauen haben in die magische Kraft, die in meinem Leben und meinem Heilungsprozeß spürbar wird, wenn ich die Dinge so annehme, wie sie sind.*

*In unserem Heilungsprozeß geht es um mehr, als nur etwas hinter uns zu lassen. Manchmal sind wir dazu aufgefordert, auszuharren und mit den Dingen umgehen zu lernen. Es geht darum, intakte Beziehungen aufzubauen und zu bewahren.*

— Unabhängig sein

Probleme und Konflikte sind Bestandteile des Lebens und unserer Beziehungen — zu Freunden, Familie, Geliebten und Berufskollegen. Problemlösung und Konfliktüberwindung sind Techniken, die wir uns aneignen und mit der Zeit verbessern können.

Die Weigerung, sich auf Beziehungsprobleme einzulassen und sie zu lösen, führt zu unverarbeiteten Wutgefühlen, in die Opferrolle, zum Abbruch von Beziehungen und zu Machtspielen, die das Problem verstärken und Zeit und Energie unnötig beanspruchen.

Die Weigerung, uns einem Problem zu stellen und es zu lösen, führt dazu, daß wir genau diesem Problem wieder begegnen.

Manche zwischenmenschliche Probleme können nicht in gegenseitig zufriedenstellender Form aufgearbeitet werden. Wenn das Problem mit unseren Grenzen zu tun hat, fehlt oft jeglicher Verhandlungsspielraum. In diesem Fall müssen wir genau wissen, was wir wollen und brauchen, um unsere Grundsätze formulieren zu können.

Andere zwischenmenschliche Probleme können behandelt, aufgearbeitet und zufriedenstellend überwunden werden. Oft ergeben sich für uns erst dann praktikable Alternativen, wenn wir zu der Auffassung gelangen, Probleme in Beziehungen überhaupt aufzuarbeiten, anstatt vor ihnen davonzulaufen.

Um Konflikte zu überwinden, müssen wir bereit sein, das Problem zu erkennen, uns von Schuld und Scham zu lösen und uns auf mögliche kreative Lösungen einzulassen. Um Beziehungsprobleme erfolgreich zu überwinden und wirklich zu lösen, müssen wir eine genaue Vorstellung unserer Prinzipien und Grenzen haben, um uns nicht mit Themen aufzuhalten, die nicht zu besprechen sind.

Wir müssen uns Klarheit verschaffen, was beide Beteiligten wirklich wollen und brauchen, und verschiedene Möglichkeiten in Erwägung ziehen, um das herauszufinden. Wir können lernen, flexibel zu sein, ohne gleich nachzugeben. In guten zwischenmenschlichen Beziehungen müssen zwei Menschen lernen, sich gemeinsam durch ihre Probleme und Konflikte zu arbeiten, damit eine für beide Seiten richtige Lösung gefunden werden kann.

■ *Heute öffne ich mich, um Beziehungskonflikte zu besprechen. Ich will nach Ausgleich suchen, ohne zu nachgiebig oder zu fordernd zu sein. Ich bemühe mich um eine angemessene und flexible Haltung, wenn ich dabei bin, meine Probleme zu lösen.*

## Liebevolle Distanz — 5. April

Distanz ist ein Schlüssel zur Genesung von Co-Abhängigkeit. Damit festigen wir unsere guten Beziehungen — solche, die sich entwickeln und gedeihen sollen. Sie hilft uns aber auch in schwierigen Beziehungen — in solchen, die uns lehren, die Dinge zu meistern. Distanz hilft immer!

Distanz ist keine Haltung, die wir nur einmal einnehmen. Sie ist eine im Heilungsprozeß übliche Verhaltensweise. Das erkennen wir zu Beginn unserer Genesung von Co-Abhängigkeit und von den Problemen unserer Kindheit. Und wir beherzigen dieses Prinzip, während wir uns im gleichen Maß entwickeln und verändern wie unsere Beziehungen.

Wir lernen, Menschen, die wir lieben, Menschen, die wir gern haben, innerlich loszulassen, aber auch jene, die uns nicht sonderlich interessieren. Wir nehmen mitsamt unserem Heilungsprozeß Abstand von anderen und deren Heilungsprozeß.

Wir hören auf zu klammern und legen das Kontrollbedürfnis in unseren Beziehungen ab. Wir übernehmen Verantwortung für uns selbst; wir überlassen es anderen, das gleiche für sich zu tun. Wir lösen uns im Wissen, daß das Leben sich so entfaltet, wie es notwendig ist — für andere wie für uns selbst. So, wie das Leben sich zeigt, ist es gut, auch wenn das für uns schmerzlich ist. Am Ende können wir selbst aus den schwierigsten Situationen Nutzen ziehen. Wir tun dies im Wissen, daß eine Macht, größer als wir selbst, sich unserer Belange annimmt und alles zum Guten wendet.

■ *Heute will ich das Prinzip der inneren Distanz in meinen Beziehungen anwenden, so gut ich es vermag. Wenn ich nicht völlig loslassen kann, versuche ich zumindest, meinen Griff zu lockern.*

## Geduld — 6. April

Menschen, die uns sagen, wir sollen Geduld haben oder Geduld lernen, gehen uns auf die Nerven. Wie frustrierend kann es sein, wenn wir etwas erreichen oder vorankommen wollen — und es geschieht nichts; wie irritierend, wenn uns gesagt wird, wir sollen abwarten, obgleich unsere Bedürfnisse nicht befriedigt wurden und wir unsicher, enttäuscht und machtlos sind.

Verwechseln Sie nicht den Rat, Geduld zu haben, mit jener alten Botschaft, keine Gefühle haben zu dürfen.

Geduld haben bedeutet nicht, daß wir durch den bisweilen zermürbenden Prozeß des Lebens und der inneren Heilung gehen, ohne dabei etwas zu empfinden! Spüren Sie Ihre Frustration. Spüren Sie Ihre Ungeduld. Werden Sie so wütend, wie Sie sein müssen, wenn Ihre Bedürfnisse nicht erfüllt werden. Spüren Sie Ihre Angst.

Wenn wir unsere Gefühle beherrschen, beherrschen wir noch lange nicht den Lauf der Dinge!

Wir finden Geduld, wenn wir uns den eigenen Gefühlen überlassen. Geduld kann nicht erzwungen werden. Sie ist ein Geschenk, das dem Akzeptieren und der Dankbarkeit nahekommt. Wenn wir unsere Gefühle aufarbeiten, um uns selbst und das, was wir haben, zu akzeptieren, werden wir die Bereitschaft erlangen, mehr zu sein und zu haben.

■ *Heute will ich meine Gefühle zulassen und gleichzeitig Geduld üben.*

*Ich habe noch immer schlechte Tage. Aber das ist nicht schlimm. Früher hatte ich schlechte Jahre.*

— Anonym

Manchmal kommen die alten Gefühle wieder hoch. Wir fühlen uns verängstigt, beschämt und hoffnungslos. Wir fühlen uns generell unzureichend, nicht liebenswert, benutzt, hilflos und verärgert. Das ist Co-Abhängigkeit, ein Zustand, den wir als »Seelisches Tief« bezeichnen.

Viele von uns fühlten sich zu Beginn ihrer inneren Heilung so. Derlei Empfindungen überkommen uns aber auch, nachdem wir in diesem Prozeß schon weiter fortgeschritten sind. Manchmal gibt es dafür konkrete Gründe. Ein bestimmtes Ereignis kann solche Reaktionen hervorrufen, etwa in einer Beziehung, die wir gerade beenden, bei Problemen am Arbeitsplatz, zu Hause oder in Freundschaften. Zeiten der inneren Veränderung oder eine physische Krankheit können sie gleichfalls auslösen.

Mitunter kehren diese Gefühle völlig grundlos zurück.

Ein Rückfall in alte Empfindungen bedeutet nicht, daß wir wieder ganz von vorn anfangen müssen oder daß wir versagt haben. Er bedeutet auch nicht, daß nun eine langanhaltende, schmerzliche Periode unangenehmer Gefühle vor uns liegt.

Rückfälle in alte Gefühle überwinden wir mit Hilfe unserer Grundsätze: durch Selbstliebe und Vertrauen, durch Loslassen, durch die Unterstützung in der Selbsthilfegruppe, indem wir unsere positiven Erfahrungen umsetzen, Ablenkungen finden und uns und anderen Freude bereiten.

Eine weitere Hilfsmaßnahme ist die Arbeit an den Zwölf Schritten. Dadurch sind wir imstande, jene Grundsätze wirklich zu praktizieren, inneren Abstand zu wahren und uns selbst zu lieben.

Wenn alte Gefühle wieder auftauchen, können Sie mit Gewißheit davon ausgehen, daß Sie etwas dagegen tun können und ihnen nicht hilflos ausgeliefert sind.

■ *Wenn ich heute einen Rückfall in alte Co-Abhängigkeits-Muster erleide, arbeite ich an einem der Schritte, der mir hilft, mein Selbstvertrauen wiederzufinden.*

## Sorge tragen für sich selbst — 8. April

*Ich weiß nicht genau, was Sie tun müssen, um für sich selbst zu sorgen. Aber ich weiß, daß Sie es herausfinden können.*

— Unabhängig sein

Ruhen Sie sich aus, wenn Sie müde sind.

Trinken Sie einen Schluck kaltes Wasser, wenn Sie durstig sind.

Rufen Sie einen Freund an, wenn Sie einsam sind.

Bitten Sie Gott um Hilfe, wenn Sie nicht mehr weiterwissen.

Viele von uns haben es zur Gewohnheit werden lassen, sich selbst zu benachteiligen und zu vernachlässigen. Viele von uns setzen sich unter noch stärkeren Druck, obgleich ihr Problem darin besteht, daß sie bereits zuviel Druck ausgesetzt sind.

Viele von uns fürchten, die Arbeit würde liegenbleiben, wenn wir müde sind und uns ausruhen. Die Arbeit bleibt nicht liegen; sie wird besser geleistet als eine Arbeit im Zustand körperlicher und geistiger Erschöpfung. Stabile, gefestigte Menschen, die sich selbst lieben und sorgsam mit sich umgehen, sind ausgeglichen, leistungsfähig und stehen unter göttlicher Führung.

■ *Heute will ich liebevoll auf mich selbst achtgeben.*

## Geben — 9. April

Zu lernen, wie man auf gesunde Weise gibt, kann eine große Aufgabe sein. Viele von uns haben zwanghaft gegeben — vollbrachten Kraftakte der Wohltätigkeit aus dem Gefühl von Schuld, Scham, innerer Verpflichtung, Mitleid oder moralischer Überlegenheit.

Heute wissen wir, daß übertriebene Fürsorge und zwanghaftes Geben nicht funktionieren. Sie gleichen einem Schuß, der nach hinten losgeht.

Übertriebene Fürsorge hält uns in der Opferrolle gefangen.

Wir gaben zuviel in der Überzeugung, das Richtige zu tun; dann gerieten wir in Verwirrung, weil unser Leben und unsere Beziehungen nicht funktionierten. Wir gaben lange Zeit übermäßig viel und glaubten, damit Gottes Willen auszuführen. In einem späteren Stadium weigerten wir uns, irgend etwas zu geben, andere zu umsorgen oder zu lieben.

Das war richtig. Wahrscheinlich mußten wir zu uns kommen. Gesundes Geben gehört zu einem gesunden Leben. Nunmehr, im Heilungsprozeß, bemühen wir uns um Ausgleich — um Fürsorge, die motiviert ist durch den richtigen Wunsch zu geben, zusammen mit einer Grundhaltung der Achtung uns selbst und anderen gegenüber.

Unser Ziel ist es, darüber zu entscheiden, was und wieviel wir wem und zu welcher Zeit geben wollen. Wir wollen geben, ohne uns durch unser Geben als Opfer zu fühlen.

Geben wir, weil wir geben wollen, weil es in unserer Verantwortung liegt? Oder geben wir, weil wir uns verpflichtet, schuldig, beschämt und überlegen fühlen? Geben wir aus Angst, nein zu sagen?

Ist unsere Hilfe für andere angebracht, oder hindern wir sie damit nur daran, ihre Verantwortung wahrzunehmen?

Geben wir, um uns die Zuneigung anderer zu sichern oder um zu erreichen, daß andere sich uns verpflichtet fühlen? Geben wir, um zu beweisen, daß wir gute Menschen sind? Oder geben wir ohne Hintergedanken, weil wir Freude daran haben?

Die innere Heilung ist ein Kreislauf von Geben und Nehmen. Dadurch strömt ein gesunder Energiefluß zwischen uns, unserer Höheren Macht und anderen Menschen. Es braucht Zeit, bis wir lernen, auf gesunde Weise zu geben. Es braucht Zeit, bis wir lernen zu nehmen. Haben Sie Geduld. Sie finden die gesunde Mitte.

■ *Gott, bitte stehe mir heute bei, wenn ich etwas gebe, und zeige mir, warum ich es tue.*

## Andere benutzen, um den eigenen Schmerz zu lindern — 10. April

Unser Glück ist kein Geschenk, das andere in Händen halten. Unser Wohlbefinden hängt nicht von der Laune anderer ab. Wenn wir darauf warten oder erzwingen wollen, daß uns ein anderer das gibt, was wir in seinem Besitz wähnen, werden wir Enttäuschungen erleben. Wir werden feststellen, daß wir uns geirrt haben. Der oder die andere besitzt es nicht, wird es nie besitzen. Das hübsche Päckchen mit der Schleife, in dem wir unser Glück vermuten, das ein anderer in Händen hält — es ist ein Trugbild!

Wir müssen zur Erkenntnis kommen, daß andere unsere Schmerzen nicht lindern können, daß andere unser Glück nicht in Händen halten. Wir dürfen uns nicht länger verzweifelt nach außen wenden; wir wollen unsere Probleme selbst angehen. Nur so werden wir unser Glück finden.

Natürlich tut jemand uns weh, der uns auf den Fuß tritt, und es liegt an ihm, unseren Schmerz zu beenden, indem er seinen Fuß wegnimmt. Aber es ist *unser* Schmerz. Und es liegt deshalb an uns, es nicht soweit kommen zu lassen, daß jemand uns auf den Fuß tritt.

Die Heilung setzt dann ein, wenn wir uns bewußt machen, in welcher Weise wir andere dafür benutzen, unseren Schmerz zu beenden und uns glücklich zu machen. Wir heilen uns selbst von den Wunden unserer Vergangenheit. Wir müssen selbst Einsicht darüber erlangen, wie wir den Fortgang unserer Beziehungen verändern können.

Dadurch werden wir erkennen, daß unser Glück und unser Wohlbefinden seit jeher unsere Sache waren. Wir waren diejenigen, die jenes Päckchen in der Hand hielten. Es liegt an uns, es zu öffnen und uns den Inhalt anzueignen.

■ *Hilf mir, Gott, mich daran zu erinnern, daß ich den Schlüssel zu meinem Glück in Händen halte. Gibt mir den Mut, innezuhalten und mit meinen eigenen Gefühlen umzugehen. Gib mir die nötige Einsicht, damit ich meine Beziehungen verbessere. Hilf mir, daß ich mich von Co-Abhängigkeit befreie und mich mit meiner inneren Heilung befasse.*

Verantwortung für unsere Finanzlage zu übernehmen, erhöht unsere Selbstachtung und verringert unsere Angst.

Jeder von uns befindet sich immer *in einer bestimmten finanziellen Situation.* Wir haben einen gewissen Geldbetrag zur Verfügung oder Geld zu bekommen; wir müssen Rechnungen begleichen und Steuern bezahlen. Aus diesen grundsätzlichen Faktoren setzt unsere gegenwärtige Finanzlage sich zusammen. Wie die Einzelheiten auch aussehen mögen: Wenn wir die Dinge akzeptieren, wie sie sind, uns dankbar erweisen und Eigenverantwortung tragen, sind wir innerlich weniger belastet.

Jeder von uns hat eine *finanzielle Zukunft.* Wir können zwar nur wenige Aspekte unseres künftigen Lebens kontrollieren, sind aber doch imstande, einen Beitrag zur Gestaltung unserer Zukunft zu leisten, indem wir uns Ziele setzen.

Wir müssen diese Zielsetzung nicht ständig stur vor Augen haben. Wir müssen unseren Erfolg nicht unentwegt überprüfen und uns darauf fixieren. Es ist aber ratsam, über unsere Ziele nachzudenken und sie schriftlich zu fixieren. Wie soll unsere finanzielle Zukunft aussehen? Welche finanziellen Probleme möchten wir lösen? Welche Schulden möchten wir begleichen? Wieviel möchten wir am Ende dieses Jahres verdient haben? Am Ende des nächsten Jahres? Heute in fünf Jahren?

Sind wir bereit, für unsere Ziele zu arbeiten und uns der Führung unserer Höheren Macht anzuvertrauen?

Bezahlen Sie Rechnungen pünktlich. Nehmen Sie Kontakt mit Ihren Gläubigern auf. Treffen Sie Übereinkünfte. Tun Sie heute Ihr Bestes, um Verantwortung für Ihre Finanzen zu tragen. Setzen Sie sich Ziele für die Zukunft. Dann wenden Sie sich von Geldangelegenheiten ab und den Dingen des Lebens zu. Wenn wir die Verantwortung für unsere finanziellen Angelegenheiten übernehmen, bedeutet das nicht, daß wir Geld zum Mittelpunkt unseres Lebens machen. Die verantwortliche Haltung gegenüber den eigenen Finanzen versetzt uns in die Lage, die Gedanken von Geldangelegenheiten frei zu machen. Wir können unserer Arbeit nachgehen und das Leben führen, das wir wünschen.

Wir verdienen die Selbstachtung und den Frieden, die wir durch unsere finanzielle Verantwortung erlangen.

■ *Heute werde ich mir die nötige Zeit nehmen, um meine finanzielle Verantwortung zu tragen. Falls erforderlich, werde ich Rechnungen bezahlen oder mit Gläubigern sprechen. Sobald ich diese Aufgaben erledigt habe, wende ich mich anderen Dingen zu.*

## Angst loslassen — 12. April

Stellen Sie sich vor, Sie schwimmen gemächlich in einer sanften Strömung. Sie brauchen nur gleichmäßig zu atmen, sich zu entspannen und sich von der Strömung tragen zu lassen.

Plötzlich werden Sie sich Ihrer eigenen Situation bewußt. Sie bekommen Angst, fragen sich immer wieder: »Was passiert, wenn ...« Sie verkrampfen sich. Sie beginnen, um sich zu schlagen, halten verzweifelt Ausschau nach einem Halt, an dem Sie sich festklammern könnten.

Sie geraten so sehr in Panik, daß Sie untergehen. Dann fassen Sie sich wieder — Sie erkennen, daß Ihre Angst unangebracht ist. Es besteht kein Grund, in Panik zu geraten. Sie müssen nur ruhig atmen, sich entspannen und der Strömung überlassen. Sie ertrinken nicht.

Panik ist unser großer Feind.

Wir müssen nicht verzweifeln. Wenn überwältigende Probleme in unserem Leben auftauchen, sollten wir aufhören zu kämpfen und um uns zu schlagen. Wir können eine Weile »Wasser treten«, bis wir unser Gleichgewicht wiedererlangt haben. Dann können wir uns wieder gemächlich der sanften Strömung überlassen. Es ist unser Fluß. Die Strömung ist ungefährlich. Wir steuern einen vorbestimmten Kurs. Alles ist gut.

■ *Heute will ich entspannen, ruhig atmen und mich dem Fließen überlassen.*

## Freude 13. April

Eine der Verhaltensregeln, die viele von uns in der Kindheit gelernt haben, resultiert aus dem unausgesprochenen Gebot: *Du sollst keine Freude haben und das Leben nicht genießen.* Diese Botschaft bringt Märtyrer hervor — Menschen, die sich nicht gestatten, die Freuden des Alltags zu genießen.

Für viele von uns war das Leiden mit einer Art Heiligenschein verbunden. Heute setzen wir Leiden mit Co-Abhängigkeit gleich. Wir können durch den Tag gehen und uns verunsichert, schuldig, unglücklich und benachteiligt fühlen. Oder wir können uns die Freiheit nehmen, denselben Tag voller Wohlgefühl zu erleben. Im Heilungsprozeß lernen wir nicht zuletzt, daß die Wahl bei uns liegt.

Jeder Tag bringt eine Menge, worüber wir uns freuen können, und es ist richtig, sich wohl zu fühlen. Wir dürfen zulassen, daß wir unsere Aufgaben genießen. Wir können lernen, uns ohne Schuldgefühle zu entspannen. Wir können lernen, Freude zu empfinden.

Arbeiten Sie daran, Freude zu empfinden. Nehmen Sie sich vor, die Dinge zu genießen. Arbeiten Sie ebenso fleißig daran, Spaß zu haben, wie Sie daran gearbeitet haben, unglücklich zu sein.

Unsere Arbeit wird sich lohnen. Spaß macht wieder Spaß. Das Leben wird lebenswert. Und jeden Tag finden wir eine Reihe von Annehmlichkeiten, die uns Freude bereiten.

■ *Heute will ich zulassen, daß ich Freude am Leben habe.*

## Perfektionismus 14. April

Genesung von Co-Abhängigkeit ist ein individueller Prozeß, in dem notwendigerweise Fehler passieren, Probleme überstanden und schwierige Fragen gestellt werden müssen.

Wenn wir von uns erwarten, perfekt zu sein, verzögern wir diesen Prozeß; wir bekommen Schuldgefühle und werden unsicher. Perfektion von anderen zu erwarten ist gleichermaßen destruktiv; dadurch fühlen andere sich beschämt und in ihrem inneren Wachstum beeinträchtigt.

Zum Menschsein gehört die Verletzlichkeit, und das ist gut so. Wir können diesen Gedanken akzeptieren und festhalten. Von anderen Perfektion zu erwarten, versetzt uns in den Co-Abhängigkeitszustand moralischer Überheblichkeit. Wenn wir von uns selbst Perfektion erwarten, werden wir übertrieben streng zu uns selbst und fühlen uns dennoch minderwertig.

Wir können uns von beiden Vorstellungen lösen.

Nun sollten wir aber nicht ins andere Extrem verfallen und alles tolerieren, was man uns hinwirft. Wir sollten ein angemessenes, verantwortungsvolles Verhalten von uns erwarten. Doch die meisten von uns dürfen getrost etwas lockerer sein. Wenn wir uns damit abfinden, daß andere nicht perfekt sind, stellen wir unter Umständen sogar fest, daß sie weit besser sind, als wir dachten. Wenn wir uns damit abfinden, daß wir nicht perfekt sind, entdecken wir wunderbare Talente in uns, die uns bisher verborgen waren.

■ *Heute will ich eine tolerante, bejahende und liebevolle Einstellung gegenüber anderen — so wie sie sind — und gegenüber mir selbst — so wie ich bin — in die Tat umsetzen. Ich werde mich darum bemühen, daß ich von anderen und mir selbst weder zuviel noch zuwenig erwarte und eine gesunde Mitte zwischen beiden Extremen finde.*

## Kommunikation — 15. April

Es ist sehr wichtig, eine klare, direkte und selbstbewußte Form der Kommunikation zu finden. Wir müssen nicht ständig um den Brei herumreden, um die Reaktionen anderer auszuloten. Schuldzuweisungen erzeugen nichts anderes als Schuldgefühle. Wir brauchen andere Menschen nicht mit Worten zu beleidigen oder im Gespräch übertrieben Rücksicht auf sie zu nehmen; ebensowenig sollten wir von anderen erwarten, daß sie in ihren Worten übertrieben Rücksicht auf uns nehmen. Begnügen wir uns damit, daß unsere Bemerkungen gehört und aufgenommen werden. Auch wir können aufmerksam zuhören, was andere uns sagen.

Sich in Andeutungen darüber zu ergehen, was wir brauchen, funktioniert nicht. Andere können nicht unsere Gedanken lesen; unsere Umständlichkeit wird sie vermutlich nur verärgern. Die beste Art, Verantwortung für unsere Wünsche zu übernehmen, besteht darin, eine Bitte direkt auszusprechen. Auch wir sollten auf Direktheit seitens der anderen dringen. Wenn wir zu einer bestimmten an uns herangetragenen Forderung nein sagen wollen, so steht es uns frei, dies zu tun. Wenn jemand versucht, durch ein Gespräch über uns zu bestimmen, können wir uns weigern, es fortzusetzen.

Zu einer von Verantwortung getragenen Kommunikation gehört es, daß wir unsere Enttäuschung, unsere Wut unmittelbar zugeben, anstatt unsere Empfindungen von anderen erraten zu lassen oder sie in abgewandelter Form zum Ausdruck zu bringen. Wenn wir nicht wissen, was wir sagen sollen, steht es uns frei, auch das zu sagen.

Auch können wir um neue Informationen bitten und unsere Beziehungen durch Gespräche vertiefen, wir brauchen jedoch die anderen nicht unter unserem Wortschwall zu ersticken. Wir müssen uns nicht an wortreichem Unsinn beteiligen und ihn uns auch nicht anhören. Wir formulieren eine klare Aussage und lassen es dabei bewenden.

■ *Heute will ich in meiner Kommunikation klar und direkt mit anderen sein. Ich bemühe mich, manipulative, indirekte oder schuldzuweisende Aussagen zu vermeiden. Ich kann taktvoll und sanft sein. Und ich kann meinen Standpunkt sicher vertreten.*

## Dinge geschehen lassen — 16. April

Wir müssen nicht zu verbissen an unseren Einsichten arbeiten. Wir lernen, daß schmerzliche und enttäuschende Dinge häufig aus einem tieferen Grund geschehen und sich am Ende häufig als gut erweisen. Doch wir müssen nicht unnötig viel Zeit und Energie darauf verwenden, den Sinn und den Höheren Plan hinter jeder Einzelheit unseres Lebens zu ergründen. Das wäre eine übertriebene Grübelei!

Der Wagen springt nicht an. Die Spülmaschine geht kaputt. Wir ziehen uns eine Erkältung zu. Das heiße Wasser läuft nicht. Mitunter haben wir einen schlechten Tag. Es hilft, diese lästigen Zwischenfälle als gegeben hinzunehmen; wir müssen nicht über jede Kleinigkeit nachdenken und herauszufinden versuchen, ob sie Teil eines Großen Plans ist.

Lösen Sie das Problem. Bringen Sie den Wagen in die Werkstatt. Lassen Sie die Spülmaschine reparieren. Kurieren Sie Ihre Erkältung aus. Duschen Sie dann, wenn das heiße Wasser wieder läuft. Gönnen Sie sich etwas Gutes, wenn Sie einen schlechten Tag haben. Kümmern Sie sich um Ihre Verantwortlichkeiten, und nehmen Sie nicht alles zu persönlich!

Wenn wir eine bestimmte Einsicht oder ein bestimmtes Bewußtsein erlangen müssen, werden wir dahin geführt werden. Wir sollten wachsam sein gegenüber alten Gewohnheiten. Aber häufig ergeben sich Einsichten und bedeutende Fortschritte auf ganz natürliche Art und Weise.

Wir müssen nicht jede Begebenheit prüfen, ob und wie sie in den Plan paßt. Der Plan — die Bewußtheit, der Einblick, das Vermögen, innerlich zu wachsen — wird sich uns enthüllen. Vielleicht besteht die Lektion darin, Probleme zu lösen, ohne immer ihre tiefere Bedeutung erkennen zu müssen. Vielleicht besteht die Lektion darin, Vertrauen in uns zu gewinnen, um das Leben zu erfahren und wirklich zu leben.

■ *Heute will ich die Dinge geschehen lassen, ohne mir um die Bedeutung jedes Ereignisses Gedanken zu machen. Ich vertraue darauf, daß diese Haltung meinem inneren Wachstum eher zugute kommt, als wenn ich alles unter die Lupe nehmen würde. Ich vertraue darauf, daß sich mir meine Lektionen zur rechten Zeit enthüllen.*

## Sorge tragen für sich selbst 17. April

Die Genesung von Co-Abhängigkeit und von den Problemen in der Kindheit bezeichnen wir häufig als Ausdruck jener »Sorgfalt, die wir uns selbst entgegenbringen«. Diese Sorgfalt ist nicht, wie manche annehmen mögen, ein Auswuchs der »Ego-Trip-Generation«. Sie bedeutet nicht, daß wir uns selbst frönen. Sie hat nichts mit einer negativ verstandenen Ichbezogenheit zu tun.

Wir lernen, sorgsam mit uns selbst umzugehen, statt uns zwanghaft an anderen Menschen zu orientieren. Wir lernen, Eigenverantwortung zu tragen, anstatt uns übertrieben verantwortlich für andere zu fühlen. Dieser sorgsame Umgang mit uns selbst bedeutet weiterhin, daß wir uns der echten Verantwortung für andere bewußt werden; das erreichen wir oft leichter, wenn wir uns nicht überverantwortlich fühlen.

Sorge tragen für sich selbst bedeutet mitunter: »Zuerst komme ich«, in den meisten Fällen allerdings: »Ich auch.« Es bedeutet, daß wir verantwortlich für uns selbst sind und uns dafür entscheiden, nicht länger Opfer zu sein.

Sorge tragen für sich selbst bedeutet, die Person lieben zu lernen, für deren Fürsorge wir verantwortlich sind — und diese Person sind wir selbst. Dabei spinnen wir uns nicht in einen abgetrennten Kokon ein, in dem wir nur besessen wären von uns selbst; wir bemühen uns vielmehr, andere lieben zu können, und lernen, uns von anderen lieben zu lassen.

Wenn wir sorgsam mit uns selbst umgehen, sind wir nicht selbstsüchtig; wir achten uns selbst.

■ *Hilf mir heute, Gott, mich selbst zu lieben. Hilf mir, mich nicht übertrieben verantwortlich für die Menschen meiner Umgebung zu fühlen. Zeige mir, was ich tun muß, um sorgsam mit mir selbst umzugehen und wie ich in angemessener Form verantwortlich für andere sein kann.*

## Freiheit 18. April

Viele von uns wurden als Kind unterdrückt und zu Opfern gemacht. Als Erwachsene lassen wir uns möglicherweise weiterhin unterdrükken.

Manche von uns erkennen nicht, daß die übertriebene Sorge um andere uns zu Opfern macht, wenn wir keine Grenzen ziehen.

Manche von uns verstehen nicht, daß wir uns so lange unterdrückt fühlen, wie wir uns als Opfer sehen.

Manche von uns wissen nicht, daß wir den Schlüssel zu unserer Freiheit in Händen halten. Er bedeutet: Wir schätzen uns selbst und gehen sorgsam mit uns um.

Es steht uns frei zu sagen, was wir meinen, und zu meinen, was wir sagen.

Wir können aufhören, darauf zu warten, daß andere uns geben, was wir brauchen: Wir können Verantwortung für uns selbst übernehmen. Wenn wir das tun, öffnen sich die Tore zur Freiheit.

Gehen Sie hindurch.

■ *Heute werde ich wissen, daß ich den Schlüssel zu meiner Freiheit in Händen halte. Ich werde aufhören, an meiner Unterdrückung und meiner Opferhaltung mitzuwirken. Ich werde Verantwortung für mich selbst übernehmen und andere tun lassen, was ihnen gefällt.*

## Veränderung akzeptieren 19. April

Der Wind der Veränderung weht durch unser Leben, zuweilen sanft, zuweilen als mächtiger Sturm. Wir haben Ruheorte — Zeit, um uns einer neuen Lebensweise anzupassen, Zeit, unser inneres Gleichgewicht wiederzufinden, Zeit, um die Belohnung zu genießen. Wir haben Zeit, Luft zu holen.

Doch Veränderung ist sowohl unausweichlich wie erstrebenswert.

Manchmal, wenn der Sturm der Veränderung sich erhebt, wissen wir nicht genau, ob es zum Besseren geschieht. Wir sprechen von inneren Belastungen oder einer vorübergehenden Krise und sind sicher, daß die Dinge sich wieder einrenken. Manchmal wehren wir uns dagegen. Wir ziehen den Kopf ein und trotzen dem Sturm in der Hoffnung, daß die Dinge sich bald wieder beruhigen und alles wieder so wird, wie es einmal war. Ist es möglich, daß wir uns auf einen neuen »Normalzustand« zubewegen?

Die Veränderung bringt immer dann Bewegung in unser Leben, wenn sie für unseren Fortschritt nötig ist. Wir können darauf vertrauen, daß unsere Höhere Macht einen Plan verfolgt, auch wenn wir nicht wissen, wohin die Veränderung uns führt.

Wir können darauf vertrauen, daß die Veränderung gut ist. Die Winde tragen uns dorthin, wohin wir gehen müssen.

■ *Hilf mir heute, Gott, meinen Widerstand gegen Veränderung aufzugeben. Hilf mir, mich diesem Prozeß zu öffnen. Hilf mir zu glauben, daß der Ort, an dem ich abgesetzt werde, besser sein wird, als der, von dem ich fortgetragen wurde. Hilf mir, daß ich mich hingebe, Vertrauen habe und die Dinge akzeptiere, wie sie sind, auch wenn ich sie nicht verstehe.*

## Termine festlegen — 20. April

*Ich weiß nicht, ob ich diese Beziehung beenden oder fortsetzen will. Ich quäle mich jetzt seit Monaten damit herum. Es ist nicht richtig, diese Sache endlos hinzuziehen. Ich gebe mir weitere zwei Monate Zeit, um eine Entscheidung zu treffen.*

— Anonym

*Ich habe ein ungelöstes Problem, das mir seit sechs Monaten im Kopf herumgeht. Ich bin verwirrt. Ich bin unschlüssig, was ich tun soll. Ich gebe mir noch einen Monat, um eine Lösung zu finden.*

— Anonym

Es ist manchmal nützlich, sich einen Termin zu setzen.

Dann nämlich, wenn wir vor ungelösten Problemen stehen, mit einer schweren Entscheidung ringen, bislang zu keinem Entschluß kamen oder uns vergebens mit einem bestimmten Sachverhalt abgequält haben.

Das wiederum heißt nicht, daß der Termin absolut feststeht. Wir erstellen einen Zeitrahmen, um uns weniger hilflos zu fühlen, um einer Lösung näherzukommen. Wenn wir Termine setzen, können Kräfte frei werden, die uns helfen, um von einem Problem oder Sachverhalt loszukommen; Kräfte, die uns und unserer Höheren Macht erlauben, eine Lösung anzusteuern.

Wir müssen nicht immer laut verkünden, daß wir einen Termin festgelegt haben. Manchmal empfiehlt es sich zu schweigen, um bei anderen nicht den Verdacht zu erwecken, wir würden sie kontrollieren wollen; dieser Verdacht ließe sich gegen unsere Terminplanung rebellieren. Manchmal ist es aber auch angebracht, andere von unserem Termin in Kenntnis zu setzen.

Termine dienen uns in erster Linie als Hilfsmaßnahme. Sie müssen vernünftig gesetzt und der jeweiligen Situation angepaßt sein. Richtig angewandt, können Termine ein nützliches Instrument sein, um uns durch schwierige Probleme und Situationen zu führen, ohne daß wir das Gefühl haben, gefangen und hilflos zu sein. Termine nehmen uns einen Teil unserer Sorgen und Obsessionen ab und versetzen uns in die Lage, unsere Energien in andere, konstruktive Bahnen zu lenken. Eine überlegte Zeitplanung befreit uns aus der Zwangslage, in die wir uns durch einen Menschen oder ein unlösbares Problem hineinmanövriert fühlen.

Termine helfen uns, Abstand zu gewinnen und vorwärtszukommen.

■ *Heute denke ich darüber nach, ob ein Termin in einem bestimmten Bereich meines Lebens von Nutzen sein kann. Ich nehme göttliche Weisheit und Unterweisung in Anspruch, indem ich bei allen Problemen oder Beziehungskonflikten vernünftige Termine setze.*

## Warten — 21. April

Warten Sie. Wenn die Zeit nicht reif ist, der Weg noch nicht klar überschaubar, die Antwort oder Entscheidung nicht folgerichtig, dann warten Sie ab.

Wir fühlen uns bedrängt. Wir wollen das Problem lösen, indem wir etwas tun — *irgend etwas:* Solches Tun dürfte nicht zu unserem Besten sein.

Mit Unklarheit oder ungelösten Problemen zu leben ist schwierig. Leichter ist es, die Dinge zu bereinigen. Eine überstürzte Entscheidung kann jedoch eine schwerwiegende Fehlentscheidung sein und bedeuten, daß wir von vorn anfangen müssen.

Wenn die Zeit nicht reif ist, warten Sie ab. Wenn der Weg nicht deutlich ist, beschreiten Sie ihn nicht zu hastig. Wenn die Antwort oder Entscheidung unklar ist, lassen Sie sich Zeit.

Unsere neue Lebensform gibt uns Kraft. Wir müssen niemals zu früh handeln oder etwas tun, das uns von der Harmonie entfernt. Abwarten ist eine Aktion — eine positive, starke Aktion.

Mit dem Abwarten beweisen wir oft mehr Stärke als mit einer Entscheidung, die wir übereilt und ohne reifliche Überlegung treffen.

Wir müssen uns nicht unter Druck setzen und darauf beharren, etwas zu tun oder zu wissen, bevor die Zeit reif ist. Wenn die Zeit gekommen ist, werden wir klarsehen. Wir werden auf natürliche und harmonische Weise in diese Zeit eintreten. Wir werden Frieden und Standfestigkeit finden. Wir werden uns in einer Art bestärkt fühlen, die wir heute noch nicht überschauen können.

Gehen Sie mit Panik, innerer Unruhe und Angst gelassen um; hüten Sie sich davor, Ihre Entscheidungen von solchen Zwängen kontrollieren oder diktieren zu lassen.

Abwarten ist nicht leicht. Es ist nicht angenehm. Abwarten ist aber oftmals notwendig, um das zu bekommen, was wir uns wünschen. Abwarten ist *keine* verlorene Zeit; ist keine Ausfallzeit. Die Antwort wird kommen. Die Kraft wird kommen. Die richtige Zeit wird kommen. Und alles wird gut sein.

■ *Heute will ich warten, wenn das Warten die Aktion ist, die ich brauche, um auf mich selbst achtzugeben. Ich werde wissen, daß ich eine positive starke Aktion unternehme, wenn ich abwarte, bis die Zeit reif ist. Hilf mir, Gott, mich von meiner Angst, meiner Unruhe und Panik zu lösen. Hilf mir, die richtige zeitliche Abstimmung zu erlernen.*

Streßzeiten sind unabwendbar in unserem Leben.

Manchmal kommt der Streß von außen, von unserer Umgebung. Wir selbst sind ausgeglichen, nur unsere Umstände sind streßbelastet. Manchmal ist der Streß in uns; wir fühlen uns nicht im Gleichgewicht.

Wenn der Streß von außen *und* von innen kommt, machen wir eine äußerst schwierige Zeit durch.

In streßbelasteten Zeiten können wir in stärkerem Maße auf jene Bezugssysteme zurückgreifen, die uns unterstützen. Unsere Freunde und Beratungsgruppen verhelfen uns trotz Streßsituationen zu größerer Ausgeglichenheit und Ruhe.

Wenn wir uns bestätigen, daß Streßsituationen ein vorübergehender unangenehmer Bestandteil eines guten, soliden Planes sind, erweisen wir uns einen guten Dienst. Wir können uns versichern, daß wir durchkommen. Wir werden nicht vernichtet. Wir brechen nicht zusammen, wir gehen nicht unter.

Es ist ratsam und hilfreich, zu den Grundprinzipien zurückzukehren: loslassen, mit Gefühlen umgehen und das Leben annehmen, Tag für Tag.

Unser primäres Interesse in Streßzeiten gilt dem sorgsamen Umgang mit uns selbst. Dadurch können wir erfolgreicher mit ausgesprochen unangenehmen Umständen umgehen; dadurch sind wir besser gerüstet, um für andere dazusein. Wir sollten uns regelmäßig fragen: Was müssen wir tun, um Sorge zu tragen für uns selbst? Womit verschaffen wir uns ein besseres Gefühl?

In Streßzeiten fällt es nicht leicht, sich selbst gut zu behandeln. Die Vernachlässigung der eigenen Person wäre weitaus bequemer. Doch das genaue Gegenteil ist immer angebracht.

■ *Heute will ich mich darauf besinnen, daß es keine Situation gibt, aus der ich nicht Nutzen ziehen könnte, indem ich gut zu mir selbst bin.*

Eine der größten Herausforderungen des Heilungsprozesses besteht darin, daß wir uns gestatten müssen, Liebe zu empfangen.

Viele von uns haben sich der Liebe verschlossen. Wir haben möglicherweise mit Menschen gelebt, die uns durch Liebe beherrschten. Sie gaben uns Zuwendung, forderten aber den hohen Preis unserer Freiheit. Liebe wurde uns zugeteilt oder verweigert, um uns zu kontrollieren und Macht über uns auszuüben. Von diesen Menschen Liebe anzunehmen, war nicht ungefährlich. Also gewöhnten wir uns an, keine Liebe zu empfangen, unser Verlangen nach Liebe nicht einzugestehen, denn wir lebten mit Menschen zusammen, die keine echte Liebe zu geben vermochten.

An einem bestimmten Punkt unserer inneren Heilung gestehen wir uns ein, daß auch wir geliebt werden wollen und müssen. Dieser Wunsch macht uns zunächst verlegen und unsicher. Wohin geraten wir? Was tun wir? Wer kann uns Liebe geben? Wie können wir feststellen, bei wem wir uns sicher fühlen können und bei wem nicht? Wie können wir zulassen, daß andere uns Zuwendung schenken, ohne daß wir uns gefangen, mißbraucht, verängstigt und unfähig fühlen, sorgsam mit uns selbst umzugehen?

Zunächst müssen wir lernen zu kapitulieren — vor unserem Wunsch, geliebt zu werden, unserem Bedürfnis, umsorgt zu werden. Wir gewinnen Vertrauen, auch im Beisein anderer gut zu uns selbst sein zu können. Unser Selbstbewußtsein wird so gestärkt, daß wir die Zuneigung und Fürsorge anderer annehmen können; wir werden innerlich wachsen und Vertrauen gewinnen in die Fähigkeit, solche Menschen zu wählen, die uns nicht weh tun und uns Liebe schenken können.

Zunächst sind wir vielleicht wütend, weil unsere Bedürfnisse nicht befriedigt wurden. Später können wir jenen danken, die uns die Augen dafür geöffnet haben, was wir nicht wünschen; jenen, die zu unserer Überzeugung beigetragen haben, daß auch uns Liebe zusteht, und natürlich jenen, die uns Liebe entgegenbrachten.

Wir öffnen uns wie Blütenkelche. Gelegentlich geschieht dies unter Schmerzen. Freuen Sie sich darüber. Unser Herz öffnet sich der Liebe, die für uns da ist und immer für uns dasein wird.

Geben wir uns der Liebe hin, die für uns da ist, der Liebe, die unsere Mitmenschen und unsere Höhere Macht für uns bereithalten.

Geben wir uns der Liebe hin, ohne zuzulassen, daß Menschen uns kontrollieren oder uns daran hindern, unsere eigenen Interessen wahrzunehmen. Beginnen wir damit, uns selbst zu lieben.

■ *Heute will ich mich der Liebe öffnen, die für mich da ist. Ich lasse zu, daß ich geliebt werde, weil ich weiß, daß ich auch im Beisein anderer Menschen sorgsam mit mir selbst umgehen kann. Ich will allen Menschen aus meiner Vergangenheit dankbar sein, die mir dabei behilflich waren, daß ich mich der Liebe nach und nach öffnen konnte. Ich beanspruche und nehme die Liebe, die auf mich zukommt, dankend an.*

## Lehren im Beruf — 24. April

Die spirituellen und heilsamen Lektionen, die wir im Beruf erteilt bekommen, reflektieren Lektionen aus anderen Lebensbereichen.

Häufig gleichen die Systeme, zu denen wir uns im Berufsleben hingezogen fühlen, solchen aus unserem Privat- und Liebesleben. Auch diese Strukturen spiegeln unsere Probleme wider und helfen uns, unsere Lektion zu lernen.

Beginnen wir allmählich, uns beruflich etwas zuzutrauen? Wie ist es zu Hause? Lernen wir, auch im Beruf sorgsam mit uns umzugehen? Und zu Hause? Setzen wir allmählich Grenzen, gewinnen wir Selbstachtung, lernen wir, Ängste abzubauen und mit Gefühlen umzugehen?

Wenn wir auf unser Berufsleben zurückblicken, erkennen wir, daß es unsere grundsätzlichen Probleme und unsere innere Entwicklung widerspiegelt. Dem ist wohl auch heute noch so.

Wir können darauf vertrauen, daß wir genau da sind, wo wir sein müssen — zu Hause und im Berufsleben.

■ *Heute will ich meine gegenwärtigen beruflichen Umstände akzeptieren. Ich werde darüber nachdenken, welche Bezüge bestehen zwi-*

*schen dem, was ich in meinem Privatleben und dem, was ich im Berufsleben lerne. Wenn ich das nicht weiß, werde ich meiner Erfahrung vertrauen, bis mir die Zusammenhänge klar werden. Hilf mir, Gott, die Arbeit zu tun, die ich heute tun muß. Hilf mir, offen zu sein und zu lernen, was ich lernen muß. Hilf mir Zutrauen zu finden, daß das gut sein kann und sein wird.*

## Die eigene Wahrheit finden — 25. April

Jeder von uns muß seine eigene Wahrheit finden.

Es nützt *uns* nichts, wenn die, die wir lieben, ihre Wahrheit finden. Sie können uns die Wahrheit nicht vermitteln. Es hilft uns nichts, wenn jemand, den wir lieben, eine bestimmte Wahrheit in unserem Leben erkennt. Wir selbst müssen unsere Wahrheit erkennen.

Jeder von uns muß seine eigene Erleuchtung finden.

Wir müssen kämpfen, versagen, Verwirrungen durchmachen und Enttäuschungen erleiden. Damit schaffen wir den Durchbruch; so lernen wir, was für uns wahr und richtig ist.

Wir können Informationen austauschen. Andere können uns sagen, was aller Voraussicht nach geschieht, wenn wir einen bestimmten Kurs steuern. Das bedeutet jedoch gar nichts, wenn wir diese Botschaft nicht aufnehmen, um sie zu unserer Wahrheit, unserer Entdeckung, unserem Wissen zu machen.

Den Durchbruch zu schaffen und zur eigenen Wahrheit zu finden ist nicht leicht.

Aber wir können und werden es fertigbringen, wenn wir den Wunsch dazu haben.

Wir versuchen, uns die Dinge zu erleichtern. Wir wenden uns an Freunde, bitten sie, uns ihre Wahrheit mitzuteilen oder unsere Suche leichter zu machen. Damit überfordern wir unsere Umgebung.

Jeder von uns hat auf seine Weise Anteil an der Wahrheit, die sich ihm offenbart. Jeder von uns hat teil am Licht, in das wir treten werden.

Zuspruch hilft. Rückhalt hilft. Der feste Glaube, daß jeder Mensch über Wahrheit verfügt, hilft.

Jede Erfahrung, jede Enttäuschung, jede Situation hat ihre eigene Wahrheit, die darauf wartet, enthüllt zu werden. Geben Sie nicht auf, bis Sie sie finden — für sich selbst.

Wir werden zur Wahrheit geführt, wenn wir sie suchen. Wir sind nicht allein.

■ *Heute werde ich nach meiner eigenen Wahrheit suchen und zulassen, daß andere sich auf ihre Suche begeben. Ich werde meinen Auffassungen und denen der anderen Beachtung schenken. Wir alle befinden uns auf der Reise zu unseren eigenen Entdeckungen — die heute für uns richtig sind.*

## Der Negativität widerstehen — 26. April

Manche Menschen tragen Negativität in sich. Sie sind wandelnde Lagerhäuser aufgestauter Wut und gereizter Stimmungen. Manche bleiben in der Opferrolle gefangen, und ihr Verhalten verstärkt diese noch. Wieder andere sind noch immer im Kreislauf suchterzeugender oder zwanghafter Verhaltensmuster gefangen.

Negative Energie hat einen starken Einfluß auf uns, zumal dann, wenn wir uns bemühen, positive Energie und innere Ausgeglichenheit beizubehalten. Wir gewinnen den Eindruck, daß Menschen, die negative Energie ausstrahlen, uns zu sich hinab in die Finsternis ziehen wollen. Diesem Ruf müssen wir nicht folgen. Ohne sie zu verurteilen, können wir uns von ihnen abwenden, um uns vor negativen Einflüssen zu schützen.

Wir können andere Menschen nicht ändern. Niemandem ist geholfen, wenn wir aus dem Gleichgewicht geraten. Wir führen andere nicht ans Licht, wenn wir ins Dunkel zu ihnen hinabsteigen.

■ *Hilf mir heute zu erkennen, Gott, daß ich mich nicht in Negativität hineinziehen lassen muß, auch nicht von denen, die ich liebe. Hilf mir, Grenzen zu setzen. Verhilf mir zum Wissen, daß es richtig ist, sorgsam mit sich selbst umzugehen.*

*Der innere Abstand bringt enorme Vorteile: Gelassenheit; ein tiefes Gefühl von Frieden; die Fähigkeit, Liebe so zu geben und zu empfangen, daß sie sich steigert und Kraft schenkt; und die Freiheit, echte Lösungen für die eigenen Probleme zu finden.*

— Unabhängig sein

Wenn wir unser Bedürfnis nach Kontrolle ablegen, befreien wir uns und andere. Dadurch kann unsere Höhere Macht ungehindert sich entfalten und uns das Beste zukommen lassen.

Was würden wir ändern, wenn wir nicht versuchten, einen Menschen oder eine Sache zu kontrollieren?

Würden wir etwas tun, das wir jetzt noch nicht zulassen? Wohin würden wir gehen? Was würden wir sagen?

Welche Entscheidungen würden wir treffen?

Welche Forderungen würden wir stellen? Welche Grenzen würden wir ziehen? Wann würden wir ja, wann nein sagen?

Wie würden wir uns verhalten, wenn wir uns die Zuneigung anderer nicht dadurch sichern wollten, daß wir sie kontrollieren? Was würden wir anders machen, wenn wir nicht versuchten, die Richtung einer Beziehung zu bestimmen? Wie würden wir denken, fühlen, sprechen und uns verhalten, wenn wir nicht versuchten, das Verhalten eines anderen Menschen zu beeinflussen?

Was haben wir uns versagt, in der Hoffnung, die Verleugnung unserer selbst könne eine bestimmte Situation oder Person beeinflussen? Gibt es Dinge, die wir getan haben, die wir heute nicht mehr tun würden?

In welcher Weise würden wir anders mit uns umgehen?

Würden wir zulassen, das Leben mehr zu genießen und uns damit besser fühlen? Würden wir aufhören, uns so schlecht zu fühlen? Würden wir besser mit uns umgehen?

Wenn wir nicht versuchten, Kontrolle auszuüben, was würden wir ändern? Stellen Sie eine Liste auf, und setzen Sie die einzelnen Punkte in die Praxis um.

■ *Heute will ich mich fragen, was ich anders machen würde, wenn ich nicht versuchte, Kontrolle auszuüben. Wenn ich die Antwort ver-*

*nehme, richte ich mich danach. Hilf mir, Gott, mein Bedürfnis nach Kontrolle abzulegen. Hilf mir, mich und andere davon zu befreien.*

## Wut gegen Familienmitglieder — 28. April

Viele von uns sind wütend gegen bestimmte Mitglieder ihrer Familie. Bei manchen von uns sitzt diese Wut sehr tief — ein Zorn, der sich in all den Jahren angestaut hat.

Für viele war die Wut die einzige Möglichkeit, um eine ungesunde Beziehung zu einem Familienmitglied abzubrechen. Sie war eine Kraft, die uns von unseren familiären Fesseln befreite — in geistiger, emotionaler und mitunter auch in spiritueller Hinsicht.

Es ist wichtig, daß wir unsere Wut gegen Familienmitglieder zulassen, ohne uns selbst Schuld- oder Schamgefühle aufzubürden. Es ist weiterhin wichtig, unsere Schuldgefühle gegen Familienmitglieder zu untersuchen, da Wut und Schuldgefühl häufig ineinander verwoben sind.

Wir können unsere Wut akzeptieren, sogar dankbar dafür sein, da sie ein Schutzfaktor ist. Wir können uns ein weiteres Ziel setzen: unsere innere Freiheit in Anspruch zu nehmen.

Damit wird unsere Wut überflüssig. Wenn wir frei sind, können wir verzeihen.

Senden wir unseren Verwandten liebevolle Gedanken, senden wir ihnen heilsame Gedanken. Gleichzeitig können wir unsere Wutgefühle zulassen.

Zu gegebener Zeit bemühen wir uns, unsere Wut abzulegen. Wir gehen nachsichtig mit uns um, wenn Wutgefühle dann und wann wieder hochkommen.

Wir danken Gott für unsere Gefühle. Wir spüren sie. Wir lassen sie los. Wir bitten Gott, unsere Familien zu segnen und in seine Obhut zu nehmen. Wir bitten Gott, uns zu helfen, damit wir uns die Freiheit nehmen, sorgsam mit uns selbst umzugehen.

Wir lassen das goldene Licht der Heilung auf alle scheinen, die wir lieben, und auch auf alle, die uns zornig machen. Wir lassen das goldene Licht der Heilung auf uns selbst scheinen.

Vertrauen Sie darauf, daß die Heilung sich *jetzt* vollzieht.

■ *Hilf mir, die starken Gefühle, die ich meinen Verwandten entgegenbringe, wirklich zu akzeptieren. Hilf mir, dankbar zu sein für die Lektion, die sie mir erteilen. Ich akzeptiere das goldene Licht, das nun auf mich und meine Familie scheint. Ich danke Gott, daß sich die Heilung nicht immer in Form eines Bündels von klaren Lösungen präsentiert.*

## Beziehungen anknüpfen — 29. April

Wir können viel über uns lernen von den Menschen, zu denen wir uns hingezogen fühlen.

Auf unserem Weg durch die Stadien der Heilung lernen wir, Beziehungen nicht länger *ausschließlich* auf der Basis gegenseitiger Anziehung aufzubauen. Wir lernen, Geduld zu haben, uns Zeit zu nehmen, wichtige Faktoren in Betracht zu ziehen und Informationen weiterzuverarbeiten.

Wir streben danach, eine gesunde Anziehungskraft gegenüber anderen zu spüren. Wir lassen zu, daß wir uns hingezogen fühlen zum *Wesen* anderer Menschen und nicht zur Wunschvorstellung, die wir von ihnen haben.

Je mehr wir die Probleme unserer eigenen familiären Vergangenheit aufarbeiten, desto weniger müssen wir sie mit den Menschen aufarbeiten, zu denen wir uns hingezogen fühlen. Wenn wir unsere Angelegenheiten ins reine bringen, fällt es uns leichter, neue und gesündere Beziehungen aufzubauen.

Je mehr wir unser Bedürfnis nach einer übertriebenen Fürsorge für andere ablegen, desto weniger fühlen wir uns zu Menschen hingezogen, die ständig von anderen Fürsorge beanspruchen.

Je mehr wir lernen, uns selbst zu lieben und zu achten, desto mehr fühlen wir uns zu Menschen hingezogen, die uns lieben und achten und die wir gefahrlos lieben und achten können.

Das ist ein langsamer Prozeß. Wir müssen Geduld mit uns haben. Der Menschentypus, zu dem wir uns hingezogen fühlen, verändert sich nicht über Nacht. Es kann noch lange in die Zeit unseres inneren Wachstums hineinreichen, daß wir uns zu Menschen mit großen inneren Problemen hingezogen fühlen. Das heißt nicht, daß wir uns davon beherrschen lassen. Tatsache ist, daß wir nach wie vor Beziehungen anknüpfen und aufrechterhalten mit Menschen, mit denen wir so lange zusammensein müssen, bis wir das gelernt haben, was wir lernen müssen.

Zu wem wir auch Beziehungen aufnehmen und was auch immer wir in der Beziehung entdecken — es geht zuletzt um uns und nicht um die andere Person. Darin liegt der Kern, die Hoffnung und die Kraft unserer inneren Heilung.

Auch während wir Beziehungen anknüpfen und aufbauen, können wir lernen, sorgsam mit uns selbst umzugehen. Wir können lernen, langsam voranzuschreiten. Wir können lernen, auf uns zu achten. Und wir können zulassen, daß wir Fehler machen, selbst wenn wir es *besser wissen.*

Wir können aufhören damit, Gott die Schuld für unsere Beziehungen zu geben, und nunmehr auch in diesem Bereich Selbstverantwortung tragen. Wir können lernen, gesunde Beziehungen zu genießen und uns müheloser aus nicht intakten Beziehungen zu lösen.

Wir können lernen, uns nach dem umzusehen, was gut für uns ist, statt nach dem, was gut für andere ist.

■ *Hilf mir, Gott, auf meine Verhaltensweisen zu achten, während ich Beziehungen anknüpfe. Hilf mir, daß ich Verantwortung für mich übernehme, um zu lernen, was ich lernen muß. Ich vertraue darauf, daß die Menschen, die ich mir wünsche und die ich brauche, in mein Leben treten werden. Ich erkenne, daß ich das Recht habe, eine Beziehung, die nicht gut für mich ist, zu vermeiden — selbst wenn die andere Person der Ansicht ist, diese Beziehung sei gut für sie oder ihn. Ich werde offen sein für die Lektionen, die ich über mich selbst in Beziehungen lernen muß, um auf harmonische zwischenmenschliche Beziehungen vorbereitet zu werden.*

Unser Ziel ist Gleichgewicht.

Wir brauchen Ausgleich zwischen Arbeit und Spiel. Wir brauchen Ausgleich zwischen Geben und Nehmen. Wir brauchen Ausgleich zwischen Denken und Fühlen. Wir brauchen Ausgleich zwischen unserem physischen Selbst und unserem spirituellen Selbst.

In einem ausgeglichenen Leben stehen Berufs- und Privatleben miteinander in Einklang. Es gibt Zeiten, da wir im Beruf Hürden überwinden müssen. Es gibt Zeiten, in denen wir vermehrt Energie in unsere privaten Beziehungen stecken. Doch das Gesamtbild muß ausgeglichen sein.

Genauso, wie eine ausgeglichene Ernährung sich an den Bedürfnissen unseres Körpers orientiert, um ihn gesund zu erhalten, werden auch in einem ausgeglichenen Leben all unsere Bedürfnisse berücksichtigt: das Bedürfnis nach Freundschaft, nach Arbeit, Liebe, Familie, Spiel, Privatleben, Erholung und Spiritualität — die unsere Zeit mit Gott ist. Wenn wir aus dem Gleichgewicht geraten, wird unsere innere Stimme sich melden. Wir müssen nur hinhören.

■ *Heute werde ich mein Leben erforschen, um festzustellen, ob die Waage zu weit in eine bestimmte Richtung ausschlägt beziehungsweise nicht weit genug in die andere. Ich bemühe mich, mein inneres Gleichgewicht zu finden.*

# *Mai*

## Das Gebet zur inneren Heilung — 1. Mai

Dieses Gebet basiert auf einem Kapitel aus dem Buch der Anonymen Alkoholiker:

— Danke, daß du mich gestern nüchtern gehalten hast. Bitte hilf mir, heute nüchtern zu bleiben.

Für die nächsten vierundzwanzig Stunden bete ich für das Wissen, daß Dein Wille mir geschieht, und für die Kraft, daß ich dieser Erkenntnis treu bleibe.

Bitte befreie mein Denken von Eigensinn, Selbstsucht, Unaufrichtigkeit und falschen Motiven.

Sende mir richtige Gedanken, Worte und Taten. Zeige mir, welchen Schritt ich als nächstes tun muß. Sende mir bitte in den Zeiten des Zweifels und der Unschlüssigkeit Deine Eingebung und Unterweisung.

Ich bitte Dich, mir bei der Aufarbeitung all meiner Probleme zu helfen, zu Deinem Ruhm und Deiner Ehre. —

Dieses Gebet ist ein Gebet zur inneren Heilung. Es hilft uns, jede Situation durchzustehen. In den folgenden Tagen werden wir uns mit den darin enthaltenen Gedanken näher befassen. Wenn wir dieses Gebet sprechen, können wir darauf vertrauen, daß es erhört wird.

■ *Heute werde ich darauf bauen, daß Gott für mich tut, was ich nicht für mich selbst tun kann. Ich werde meinen Beitrag leisten — die Zwölf Schritte durcharbeiten — und das andere Gott überlassen.*

## Unsere Höhere Macht — 2. Mai

*Für die nächsten vierundzwanzig Stunden …*

Im Heilungsprozeß leben wir einen Tag nach dem anderen. Das ist ein Gedanke, der ein hohes Maß an Zuversicht erfordert. Wir weigern uns zurückzublicken — es sei denn, die Heilung der Vergangenheit ist Bestandteil unserer heutigen Arbeit. Und nach vorn blicken wir nur, um Pläne zu machen. Wir konzentrieren uns auf die Aktivitäten des heutigen Tages und leben danach, so gut wir es können. Wenn wir das lange genug tun, verfügen wir über so viele zusammenhängende Tage eines gesunden Lebens wie nötig, um etwas Wertvolles aus unserem Dasein zu machen.

*... bete ich für das Wissen, daß Dein Wille mir geschieht ...*

Wir beugen uns dem Willen Gottes. Wir hören auf zu kontrollieren und beginnen, unser Leben in den Griff zu bekommen. Wir *vertrauen* dem Wohlwollen unserer Höheren Macht — die gut, großmütig und richtungweisend ist.

Durch Erfahrung lernen wir, unseren Willen vom Willen Gottes zu unterscheiden. Wir erkennen, daß der Wille Gottes sich nicht gegen uns richtet. Wir haben erkannt, daß ein Unterschied besteht zwischen dem, was andere von uns wollen, und dem, was Gott von uns will. Wir erkennen weiterhin, daß Gottes Absicht nicht darin besteht, daß wir Co-abhängig sind, uns zu Märtyrern machen, andere beherrschen oder sie mit unserer Bevormundung ersticken. Wir lernen, uns selbst zu vertrauen.

*... und um die Kraft, daß ich dieser Erkenntnis treu bleibe.*

Auf dem Weg der inneren Heilung sein heißt auch: die eigene Machtlosigkeit akzeptieren. Zugleich verlangen wir nach innerer Stärke, um Sorge zu tragen für uns selbst.

Manchmal müssen wir Dinge tun, die beängstigend oder schmerzlich sind. Manchmal müssen wir einen Schritt seitwärts, nach hinten oder nach vorne gehen. Um das zu schaffen, müssen wir eine Macht, größer als wir selbst, um Hilfe bitten.

Es wird niemals von uns verlangt, etwas zu tun, wofür uns die Kraft fehlt.

■ *Heute kann ich mich an eine belebende Kraftquelle anschließen, damit ich Hilfe bekomme. Diese Kraft ist Gott. Ich werde um das bitten, was ich brauche.*

## Frei sein von Selbstsucht — 3. Mai

*Bitte befreie mein Denken von Eigensinn, Selbstsucht, Unaufrichtigkeit und falschen Motiven.*

— frei nach: Anonyme Alkoholiker

Es besteht ein Unterschied, ob wir unsere Kraft benutzen, um sorgsam mit uns selbst umzugehen — wie Gott es für uns vorgesehen hat —, oder ob wir nur unseren eigenen Willen durchsetzen. Es besteht ein Unterschied zwischen der Pflege, die wir uns selbst angedeihen lassen, und der Selbstsucht. Unsere Verhaltensweisen verdienen weniger Kritik als die ihnen zugrundeliegenden Motive.

Der bewußte Umgang mit unserer inneren Kraft, die liebevolle Aufmerksamkeit, die wir uns selbst entgegenbringen, die Handlungen, die aus gesunden Motiven erfolgen — all diese Verhaltensweisen sind begleitet von harmonischen, gütigen, angemessenen Empfindungen, die dem Eigensinn und der Selbstsucht fremd sind. Wir lernen zu unterscheiden, werden aber den Unterschied nicht immer erkennen. Immer wieder werden wir uns grundlos schuldig und unsicher fühlen. Der Wille Gottes, der darauf abzielt, daß wir uns liebevoll behandeln, setzt uns oft in Erstaunen. Wir können darauf vertrauen, daß der sorgsame Umgang mit uns selbst immer angebracht ist. Wir wollen frei sein von Eigensinn und Selbstsucht, haben aber stets die Freiheit, auf uns selbst gut achtzugeben.

■ *Gott, bitte nimm Dich heute meiner Motive an, und führe mich weiterhin auf Deinem Weg. Hilf mir dabei, mich selbst und andere zu lieben. Hilf mir zu erkennen, daß diese beiden Auffassungen von Liebe in den meisten Fällen nicht voneinander zu trennen sind.*

## Frei sein von zwanghaften Störungen 4. Mai

*Danke, daß du mich gestern nüchtern gehalten hast. Bitte hilf mir, heute nüchtern zu bleiben.*

— frei nach: Anonyme Alkoholiker

Als ich mit meiner Genesung von Co-Abhängigkeit begann, war ich wütend, noch ein Heilungsprogramm beginnen zu müssen. Sieben Jahre zuvor hatte ich angefangen, mich von der Tablettensucht zu befreien. Es erschien mir nicht gerecht, daß ein einziger Mensch sich in seinem Leben mit zwei so furchtbaren Problemen herumschlagen muß.

Inzwischen habe ich meine Wut überwunden. Ich habe begriffen, daß meine beiden Heilungsprozesse voneinander nicht trennbar sind. Viele, die von Co-Abhängigkeit und schweren Kindheitsproblemen geheilt werden, müssen auch von Suchterkrankungen genesen: Alkoholismus oder Drogensucht, Spielsucht, Eßsucht, Arbeitssucht oder Sexsucht. Manche von uns sind bemüht, sich von anderen zwanghaften Störungen frei zu halten — angefangen von übertriebener Fürsorge bis zu zwanghaften Gefühlen des Unglücklichseins, der Schuld oder der Scham.

Ein wichtiger Teil der Genesung von Co-Abhängigkeit besteht darin, frei zu bleiben von unserem Zwangs- oder Suchtverhalten. Im Inneren geheilt werden heißt: einen großen Raum betreten, in dem uns ein gesundes Leben erwartet.

Wir müssen angesichts all unserer Süchte die weiße Fahne der Kapitulation hissen. Wir können uns gefahrlos an eine Macht, größer als wir selbst, wenden mit der Bitte, uns von unserem zwanghaften Verhalten zu befreien. Das wissen wir jetzt. Sobald wir aktiv in einem Heilungsprogramm arbeiten, wird Gott uns von unseren Suchtkrankheiten befreien. Bitten wir Gott jeden Morgen darum, uns von unseren Süchten und Zwängen fernzuhalten. Danken wir Gott, daß er uns am Tag zuvor dabei geholfen hat.

■ *Hilf mir heute, Gott, auf all die Probleme in meinem Heilungsprozeß zu achten. Verhilf mir zu der Einsicht, daß ich von meinem Suchtverhalten frei sein muß, bevor ich weitere Aspekte meiner Genesung, soweit sie etwa meine Beziehungen betreffen, in Angriff nehmen kann.*

## Kontrolle 5. Mai

Viele von uns haben versucht, die Welt durch den großen Einsatz geistiger Energie im Lot zu halten.

Was geschieht, wenn wir loslassen, wenn wir aufhören, unsere Welt auf ihrer festen Umlaufbahn zu halten, und zulassen, daß sie sich von selbst dreht? Sie wird auch ohne unser Zutun auf ihrer Bahn bleiben. Und wir sind frei und erlöst und können uns freuen, daß wir ihr angehören.

Kontrolle ist ein Trugschluß — zumal die Art von Kontrolle, die wir auszuüben versuchen. Diese Kontrolle verleiht anderen Menschen, Ereignissen und Krankheiten, wie etwa dem Alkoholismus, Kontrolle über uns. *Alles, was wir kontrollieren wollen, kontrolliert uns und unser Leben.*

Ich habe über viele Menschen und Dinge in meinem Leben Kontrolle ausgeübt. Durch Kontrolle oder schon den Versuch, Menschen zu beherrschen, habe ich nie die Ergebnisse erzielt, die ich mir wünschte. Was ich mit meinen Bemühungen erreichte, war ein unüberschaubares Leben, dessen Unkontrollierbarkeit teils in mir und teils an äußeren Umständen lag.

Im Heilungsprozeß machen wir ein Tauschgeschäft. Wir tauschen ein Leben, das wir zu kontrollieren versuchten, gegen etwas Besseres — ein Leben, das lenkbar ist.

■ *Heute tausche ich ein kontrolliertes Leben gegen eines, das lenkbar ist.*

## Wohlbefinden 6. Mai

Verschaffen Sie sich Wohlbefinden.

Es ist unsere Aufgabe, uns selbst ein besseres Gefühl zu geben, auf das dann ein wirklich gutes Gefühl folgt. Im Heilungsprozeß geht es nicht nur darum, schmerzhaften Gefühlen Einhalt zu gebieten; es geht darum, uns selbst ein schönes Leben zu erschaffen.

Wir müssen uns nichts versagen, was uns ein gutes Gefühl gibt. Gruppentreffen besuchen, in der Sonne liegen, Sport treiben, Spazierengehen oder Zeit mit einem lieben Menschen verbringen — all das sind Aktivitäten, die zu unserem Wohlbefinden beitragen. Jeder von uns hat seine eigene Wunschliste. Sollte das nicht der Fall sein, haben wir jetzt die Gelegenheit, diese Liste zu untersuchen, auszuprobieren und weiterzuentwickeln.

Wenn wir eine Verhaltensweise oder Aktivität finden, die uns ein gutes Gefühl gibt, setzen wir sie auf die Liste. Und das tun wir immer wieder.

Hören wir auf, uns Wohlgefühle zu versagen, und beginnen wir, das zu tun, was uns Wohlbefinden verschafft.

■ *Heute werde ich eine Aktivität oder eine Verhaltensweise ausüben, von der ich weiß, daß sie mir ein gutes Gefühl gibt. Wenn ich nicht genau weiß, was ich möchte, werde ich heute mit einer Verhaltensweise experimentieren.*

## Angst loslassen — 7. Mai

Angst ist der Kern der Co-Abhängigkeit. Sie kann uns dazu veranlassen, Situationen zu kontrollieren oder uns selbst zu vernachlässigen.

Viele von uns haben so lange Zeit Angst gehabt, daß sie ihre Gefühle gar nicht mehr als *Angst* bezeichnen. Wir sind daran gewöhnt, uns durcheinander und unsicher zu fühlen. Das ist für uns *normal.*

Vielleicht machen Frieden und Gelassenheit uns sogar nervös.

Zu bestimmten Zeiten war unsere Angst angebracht und nützlich. Wir brauchten die Angst, um uns zu schützen, so wie Soldaten im Krieg die Angst brauchen, um zu überleben.

Es ist Zeit, den alten Ängsten dafür zu danken, daß sie uns halfen zu überleben — und uns anschließend von ihnen zu verabschieden. An ihrer Stelle heißen wir Frieden, Vertrauen, eine bejahende Einstellung und Sicherheit willkommen. Gewisse Formen der Angst sind überflüssig geworden. Hören und achten wir auf unsere gesunden Ängste, und trennen wir uns vom ganzen Rest.

Wir können uns nunmehr ein Gefühl der Sicherheit aneignen. Wir sind außer Gefahr. Wir haben uns dazu verpflichtet, sorgsam mit uns selbst umzugehen. Wir können uns selbst vertrauen und lieben.

■ *Hilf mir, Gott, mein Bedürfnis nach Angst loszulassen. Ersetze es durch ein Bedürfnis nach Frieden. Hilf mir, auf meine gesunden Ängste zu hören und auf den Rest zu verzichten.*

## Sich selbst das geben, was man verdient hat — 8. Mai

*Ich hatte einen guten Job, verdiente gutes Geld. Ich war seit Jahren im Heilungsprozeß. Jeden Morgen stieg ich in meinen Wagen und dankte Gott dafür. Die Heizung funktionierte nicht. Meistens sprang der Motor nicht an. Ich ertrug das alles und dankte Gott dafür. Eines Tages kam mir der Gedanke, daß absolut kein Grund vorlag, warum ich mir keinen neuen Wagen kaufte. Ich konnte ihn mir leisten. Ich hatte mir unnötigerweise etwas vorenthalten und mich in die Opferrolle hineinmanövriert. Noch am selben Tag kaufte ich mir einen neuen Wagen.*

— Anonym

Unsere instinktive Reaktion auf unsere Wünsche oder Bedürfnisse lautet häufig: »Nein! Das kann ich mir nicht leisten!«

Wir müssen lernen, uns die Frage zu stellen: »Kann ich es mir leisten?«

Viele von uns sind daran gewöhnt, sich alle gewünschten und die meisten benötigten Dinge zu versagen.

Mitunter mißbrauchen wir den Gedanken der Dankbarkeit, um uns unnötige Entbehrungen aufzuerlegen.

Dankbar zu sein für das, was wir haben, ist eine wichtige Haltung für den Heilungsprozeß. Gleichermaßen wichtig ist die Überzeugung, daß uns das Beste zusteht, daß wir aufhören, uns Dinge vorzuenthalten, und gut mit uns umgehen.

Es ist in Ordnung, das zu kaufen, was wir haben wollen, falls wir es uns leisten können. Lernen Sie, sich selbst zu vertrauen und auf Ihre Wünsche zu hören. Es ist nichts dabei, wenn Sie sich etwas gönnen, sich etwas *Neues* anschaffen.

Es gibt Zeiten, in denen es gut ist, abzuwarten. Es gibt Zeiten, in denen wir uns tatsächlich keinen Luxus leisten können. Aber es gibt viele Zeiten, in denen wir das sehr wohl können.

■ *Heute werde ich die Prinzipien der Dankbarkeit mit der Überzeugung verbinden, daß ich das Beste verdiene. Wenn es keinen guten Grund gibt, mir etwas zu versagen, so tue ich es auch nicht.*

## Neue Verhaltensweisen lernen — 9. Mai

*Manchmal gehen wir ein paar Schritte zurück. Auch das ist in Ordnung, manchmal sogar notwendig. Manchmal gehört es zum Fortschritt.*

— Unabhängig sein

Das Leben ist ein gütiger Lehrer, der uns helfen will zu lernen.

Das Leben will uns die Lektionen beibringen, die wir lernen müssen. Manche Menschen sind der Ansicht, wir hätten uns die Lektionen vor unserer Geburt bereits ausgesucht. Andere sagen, die Lektionen wurden von einer Höheren Macht für uns ausgesucht.

Lernprozesse sind lange Zeit frustrierend. Stellen wir uns vor: Wir sitzen als Schüler in der Algebrastunde; der Lehrer erklärt einen Zusammenhang, den wir nicht verstehen. Er jedoch setzt voraus, wir hätten alles begriffen.

Wir alle kennen das Gefühl, wenn jemand uns quält mit Lehren, die wir nie kapieren werden, sosehr wir uns auch anstrengen. Wir sind wütend. Frustriert. Verwirrt. Schließlich wenden wir uns verzweifelt ab in der Überzeugung, diese Formel nie in unseren Kopf zu kriegen.

Und plötzlich, bei einem geruhsamen Spaziergang, kommt uns die Erleuchtung. Unbemerkt hat das Verständnis unsere tiefsten Winkel erreicht. Wir verstehen. Wir haben gelernt. Am nächsten Tag im Unterricht können wir uns gar nicht vorstellen, die Formel nicht begriffen zu haben. Unsere Frustration und Verwirrung, die wir empfanden, scheint uns kaum nachvollziehbar. Mit einem Mal ist alles ganz *leicht* …

Das Leben ist ein geduldiger Lehrer. Es wiederholt die Lektion so lange, bis wir daraus gelernt haben. Es ist in Ordnung, frustriert zu sein. Verwirrt. Wütend. Manchmal ist es auch in Ordnung, zu verzweifeln. Und dann wieder ist es richtig, sich abzuwenden, damit der innere Durchbruch geschehen kann. Er wird kommen.

■ *Hilf mir, nicht zu vergessen, daß Frustration und Verwirrung meistens dem inneren Wachstum vorangehen. Wenn meine Situation mich herausfordert, so deshalb, weil ich etwas Neues lerne und eine höhere Bewußtseinsstufe erlange. Hilf mir, auch in meiner Frustration dankbar dafür zu sein, daß das Leben eine spannende Folge von Lernprozessen ist.*

## Freude an guten Tagen — 10. Mai

Gute Gefühle können ein vertrauter Bestandteil unseres Lebens werden.

Es ist absolut keine Tugend, unnötig zu leiden, wie viele von uns die meiste Zeit ihres Lebens dachten. Wir müssen nicht zulassen, daß andere uns unglücklich machen, und wir müssen uns auch nicht selber unglücklich machen.

Ein guter Tag muß nicht die »Ruhe vor dem Sturm« sein. Das sind alte Denkweisen, die wir aus nicht intakten Beziehungssystemen übernommen haben.

Ein guter Tag oder ein gutes Gefühl bedeutet nicht, daß wir etwas verdrängen. Wir sollten unsere guten Zeiten nicht dadurch verderben, daß wir zwanghaft ein Problem erzeugen.

Wenn wir unsere guten Tage genießen, bedeutet das nicht, daß wir uns nicht loyal gegenüber jenen verhalten, die Probleme haben. Wir brauchen uns nicht schuldig zu fühlen, weil andere Menschen keinen guten Tag haben. Wir müssen uns nicht unglücklich machen, um so zu sein wie sie. Andere haben ihre Gefühle; wir haben unsere.

Wir dürfen uns über gute Gefühle freuen. Es stehen uns mehr gute Tage zu, als wir uns vorstellen können.

■ *Heute will ich mich an allem erfreuen, was gut ist. Ich brauche mir einen guten Tag oder ein gutes Gefühl nicht zu verderben; ich muß sie mir auch nicht von anderen verderben lassen.*

---

## Perfektion 11. Mai

---

Viele von uns haben sich vor der Zeit ihrer inneren Heilung erbitterte Vorwürfe gemacht. Und nachdem wir damit begonnen haben, machen wir uns vielleicht weiterhin Vorwürfe.

»Wenn ich *wirklich* genesen würde, würde ich *das* nicht wieder tun ...«; »Ich müßte längst weiter sein, als ich es bin.« Das sind Aussagen, die aus der Scham geboren sind. So sollten wir nicht mit uns umgehen. Das führt zu nichts.

Vergessen wir nicht, daß Scham uns blockiert. Selbstliebe und Hinnahme befähigen uns zu innerem Wachstum und Veränderung. Wenn wir wirklich etwas getan haben, weswegen wir uns schuldig fühlen, können wir den Fehltritt mit einer Haltung der Selbstbejahung und Liebe korrigieren.

Auch wenn wir in unser altes Co-Abhängigkeits-Denken, -Fühlen und -Verhalten zurückfallen, müssen wir uns nicht schämen. Wir alle werden von Zeit zu Zeit rückfällig. Dadurch lernen und wachsen wir. Der Rückfall ist eine wichtige und notwendige Komponente der Genesung. Aber durch Scham wird der Rückfall nicht überwunden. Wir geraten damit nur tiefer in die Co-Abhängigkeit.

Aus dem Versuch, perfekt zu sein, erwächst viel Schmerz. Perfektion ist unerreichbar, wenn wir sie nicht unter einem neuen Aspekt sehen: *Perfekt* ist, so zu sein, wie wir heute sind, und dort zu stehen, wo wir heute stehen; uns so zu akzeptieren und zu lieben, wie wir sind. Wir sind genau an der richtigen Stelle, dort, wo wir in unserem Heilungsprozeß sein müssen.

■ *Heute will ich mich, so wie ich bin, und auch das Heilungsstadium, in dem ich mich momentan befinde, lieben und akzeptieren. Ich bin genau da, wo ich sein muß, um dorthin zu gelangen, wo ich morgen sein werde.*

Wir können zulassen, anderen Menschen nahe zu sein.

Viele von uns haben tief eingeprägte Verhaltensmuster, die ihre Beziehungen sabotieren. Manche von uns beenden eine Beziehung instinktiv, sobald eine gewisse Nähe und Intimität erreicht ist.

Wenn wir uns jemand nahe fühlen, fixieren wir uns auf einen Charakterfehler dieser Person, vergrößern ihn so sehr, daß wir nur noch ihn sehen. Wir ziehen uns zurück oder stoßen den Betreffenden von uns, um Distanz zu schaffen. Wir üben Kritik an anderen — ein Verhalten, das mit Sicherheit Distanz schafft.

Wir beginnen, den anderen zu kontrollieren — ein Verhalten, das Intimität ausschließt.

Wir sagen uns, daß wir einen anderen nicht wollen oder brauchen; oder wir überfordern den anderen mit unseren Ansprüchen.

Mitunter stellen wir uns selbst eine Falle, wenn wir die Nähe von Menschen suchen, die zu Intimität nicht fähig sind — Menschen mit aktiven Süchten, oder Menschen, die uns nicht nahe sein wollen. Manchmal suchen wir uns Menschen mit bestimmten Fehlern aus, um uns eine Fluchtmöglichkeit offenzuhalten, wenn die Zeit der Nähe gekommen ist.

Wir haben Angst und befürchten, uns selbst zu verlieren. Wir haben Angst, Nähe könnte bedeuten, daß wir die Fähigkeit verlieren, sorgsam mit uns selbst umzugehen.

Jetzt lernen wir, daß es in Ordnung ist, die Nähe anderer zu suchen. Wir entscheiden uns dafür, Beziehungen mit gefahrlosen, gesunden Menschen einzugehen. Nähe ist also möglich. Nähe bedeutet nicht, daß wir uns oder unser Leben aufgeben müßten. Wir lernen, daß wir, auch wenn wir anderen Menschen nah sind, über eine Kraft verfügen, die aus unserem Inneren kommt.

■ *Heute will ich offen werden für die Nähe und Intimität mit Menschen, wenn dies angebracht ist. Ich werde zulassen, so zu sein, wie ich bin, andere so zu lassen, wie sie sind, und mich an den guten Gefühlen zwischenmenschlicher Beziehungen erfreuen.*

Herauszufinden, wem was gehört, ist ein wichtiger Faktor in unserem Heilungsprozeß — vorwiegend bei jenem Verhalten, das wir als innere Loslösung bezeichnen. Wir lassen zu, daß jeder Mensch sein rechtmäßiges Eigentum besitzt.

Wenn ein anderer mit einer Sucht, einem Problem, einem bestimmten Gefühl oder einem selbstzerstörerischen Verhalten zu tun hat, so ist das sein Eigentum, nicht unseres. Wenn jemand ein Märtyrer ist, sich in negativen Gedanken ergeht, andere kontrolliert oder manipuliert, ist das seine Sache, nicht unsere.

Wenn jemand etwas Bestimmtes getan und die Auswirkungen seiner Handlung erfahren hat, so sind sowohl Verhalten wie Konsequenz Sache dieses Menschen.

Wenn jemand ein bestimmtes Problem verdrängt oder keine klare Vorstellung davon hat, ist diese Verwirrung seine oder ihre Sache.

Wenn jemand eine begrenzte oder nur verkümmerte Fähigkeit zu Liebe und Fürsorge hat, ist das seine Sache, nicht die unsere. Wenn jemand keine Anerkennung zollen oder Zuwendung geben kann, ist das gleichfalls seine Sache.

Lügen, Täuschungen, Tricks, Manipulationen, mißbräuchliches und unangemessenes Verhalten, Betrug und Taktlosigkeit gehören ebenfalls dem, der damit umgeht. Nicht uns.

Den Menschen gehören ihre Hoffnungen und Träume. Auch ihr Schuldgefühl gehört ihnen. Ihr Glück oder Unglück gehört ihnen. Gleichermaßen ihre Überzeugungen und Botschaften.

Wenn manche Menschen sich nicht leiden mögen, ist das ihre Sache. Die Entscheidungen anderer Menschen sind deren Angelegenheit, nicht unsere.

Zu welchen Aussagen oder Handlungen Menschen sich entschließen, ist ihre Sache.

Was gehört uns? Unser Besitz umfaßt unter anderem: unsere Verhaltensweisen, Probleme, Gefühle, unser Glück, Unglück, unsere Entscheidungen und Botschaften; unsere Fähigkeit, andere zu lieben, zu pflegen und zu umsorgen; unsere Gedanken, unsere Verdrängungen, unsere Hoffnungen und Lebensträume. Wenn wir zulassen, daß wir kontrolliert, manipuliert, getäuscht oder mißbraucht werden, ist das ebenfalls unsere Angelegenheit.

In der inneren Heilung verschaffen wir uns Klarheit über innere Besitzverhältnisse. Etwas, das uns nicht gehört, nehmen wir nicht an. Wenn wir es dennoch annehmen, lernen wir, es zurückzugeben. Wir überlassen anderen ihr Eigentum und lernen, unser Eigentum geltend zu machen und es zu hüten.

■ *Heute will ich daran arbeiten, einen klaren Begriff davon zu bekommen, was mir gehört und was nicht. Wenn etwas nicht mir gehört, behalte ich es nicht. Ich gehe mit meiner Person, meinen Problemen und meinen Verantwortlichkeiten richtig um. Ich werde meine Hände von dem lassen, was nicht mir gehört.*

## Ehrlichkeit — 14. Mai

*Wir gaben Gott, uns selbst und einem anderen Menschen gegenüber unverhüllt unsere Fehler zu.*

— Fünfter Schritt von Al-Anon

Offen und ehrlich mit einem anderen über uns selbst zu sprechen, ist eine Haltung, die Selbstverantwortung zum Ausdruck bringt und für unsere innere Heilung sehr wichtig ist.

Es ist wichtig, einzugestehen, was wir bei anderen und uns selbst falsch gemacht haben. Wir fassen unsere Überzeugungen und unser Verhalten in Worte. Wir bringen unseren Groll und unsere Ängste an die Oberfläche.

Damit lindern wir unseren Schmerz. Damit lassen wir alte Überzeugungen und Gefühle los. Damit befreien wir uns. Je klarer und ausführlicher wir mit unserer Höheren Macht, uns selbst und einer anderen Person sprechen, desto rascher wird uns diese Befreiung zuteil.

Der Fünfte Schritt ist ein wichtiger Faktor im Genesungsprogramm. Für jene von uns, die gelernt haben, vor sich selbst und anderen Geheimnisse zu haben, ist er nicht nur ein Schritt — er ist ein großer Sprung zur Heilung.

■ *Heute will ich mich darauf besinnen, daß es in Ordnung ist, über Themen zu sprechen, die mich belasten. Indem ich meine Probleme formuliere, wachse ich über sie hinaus. Ich werde weiterhin daran denken, daß es in Ordnung ist, mir die Menschen auszusuchen, denen ich mich anvertraue. Ich kann meinem Instinkt vertrauen und mir jemanden aussuchen, der meine Offenheit nicht gegen mich verwendet und mir ein gesundes Feedback gibt.*

## Risiken eingehen — 15. Mai

Gehen Sie ein Risiko ein. Nehmen Sie eine Chance wahr.

Das heißt nicht, daß wir uns in verwegene Situationen stürzen sollen, die unser Leben gefährden; dennoch können wir im Heilungsprozeß positive Risiken eingehen. Wir sollten vermeiden, untätig zu sein.

Wir dürfen uns nicht selbst behindern aus Angst, einen Fehler zu machen oder zu versagen. Selbstverständlich werden wir Fehler machen und von Zeit zu Zeit versagen. Das gehört einfach zum Leben. Es gibt keine Garantien. Wenn wir auf Garantien für unsere Handlungen warten, verbringen wir möglicherweise unser halbes Leben mit Warten.

Wir müssen uns nicht schämen oder uns von anderen, auch nicht von gleichgesinnten Menschen beschämen lassen, weil wir Fehler machen. Ziel der inneren Heilung ist nicht, ein perfektes Leben zu führen. Das Ziel besteht darin, zu leben, unsere Lektionen zu lernen und insgesamt Fortschritte zu machen.

Gehen Sie ein Wagnis ein. Warten Sie nicht ständig auf eine Garantie. Wir müssen uns nicht sagen lassen: »Das hab' ich kommen sehen.« Klopfen Sie den Staub ab, wenn Sie einen Fehler gemacht haben, und steuern Sie den nächsten Erfolg an.

■ *Hilf mir, Gott, gesunde Risiken auf mich zu nehmen. Hilf mir, mich von meiner Versagensangst zu lösen, und hilf mir, meine Erfolgsangst abzulegen. Hilf mir, die Angst vor einem erfüllten Leben loszulassen, und hilf mir, alles zu erfahren, was zu meiner Reise gehört.*

»Als ich heute morgen aufwachte, ging es mir miserabel«, sagte ein Mann in der Gruppe. »Dann wurde mir klar, warum: Ich mochte mich selbst nicht besonders.« Menschen im Heilungsprozeß sagen oft: »Ich kann mich einfach nicht leiden. Wann fange ich endlich an, mich gern zu haben?«

Die Antwort lautet: Beginnen Sie jetzt damit! Wir können lernen, mit uns selbst gütig, liebevoll und fürsorglich umzugehen. Von allen neuen Verhaltensweisen, die wir anstreben, ist Selbstliebe vielleicht die schwierigste und wichtigste. Wenn wir sonst streng und kritisch mit uns verfahren, müssen wir ganz besonders darum bemüht sein, den sanften Umgang mit uns selbst zu erlernen.

Aber welcher Lohn wird uns zuteil!

Wenn wir uns nicht gern haben, setzen wir die gleichgültigen Reaktionen, die Versäumnisse, die Mißhandlungen fort, die wir in der Kindheit seitens unserer Bezugspersonen über uns ergehen lassen mußten. Es gefiel uns nicht, was damals geschah, dennoch ahmen wir jene nach, die uns schlecht behandelten, indem wir nun uns selbst schlecht behandeln.

Wir wollen dieses Verhaltensmuster ablegen. Wir können uns die liebende, respektvolle Behandlung zukommen lassen, die wir verdienen.

Statt uns zu kritisieren, können wir uns sagen, daß wir unsere Sache gut gemacht haben.

Wir können am Morgen erwachen und uns sagen, daß wir einen guten Tag verdienen.

Wir können uns versprechen, daß wir im Verlauf des kommenden Tages gut zu uns sind.

Wir bestätigen uns, daß wir Liebe verdienen.

Wir können andere lieben und zulassen, daß sie uns lieben.

Menschen, die sich wirklich lieben, sind nicht krankhaft auf sich selbst bezogen. Sie mißbrauchen andere nicht. Sie sind in beständigem Wachstum, in Veränderung begriffen. Menschen, die sich selbst richtig lieben, lernen, auch andere zu lieben. Sie entwickeln sich kontinuierlich zu gesünderen Persönlichkeiten und erkennen, daß ihre Liebe richtig ist.

■ *Heute will ich mich lieben. Sollte ich in das alte Verhaltensmuster zurückfallen und mich nicht gern haben, finde ich einen Ausweg.*

## Grenzen 17. Mai

Das Leben und die anderen Menschen setzen uns zuweilen stark unter Druck. Da wir so sehr an Schmerz gewöhnt sind, reden wir uns ein, daß uns das nicht weh tut. Da wir so sehr daran gewöhnt sind, von Menschen kontrolliert und manipuliert zu werden, sagen wir uns, daß etwas mit *uns* nicht stimmt.

Mit uns ist alles in Ordnung. Das Leben setzt uns unter Druck und fügt uns Schmerzen zu, um unsere Aufmerksamkeit auf etwas zu lenken. Manchmal weisen Schmerz und Bedrängnis auf eine Lektion hin. Die Lektion lautet vielleicht, daß *wir* zu sehr kontrollieren. Vielleicht werden wir aber auch darauf aufmerksam gemacht, daß wir unsere innere Stärke geltend machen müssen, um sorgsam mit uns selbst umzugehen. Es geht um unsere Grenzen.

Wenn uns ein bestimmter Mensch oder irgendeine Angelegenheit an den Rand der Verzweiflung bringt, geschieht genau das: Wir werden an unsere Grenzen herangeführt. Wir können dankbar sein für die Lektion, die uns hilft, unsere Grenzen zu erforschen und zu setzen.

■ *Heute erlaube ich mir, die Grenzen zu ziehen, die ich in meinem Leben zu ziehen wünsche und ziehen muß.*

## Das Leben wirklich leben 18. Mai

Hören Sie nicht auf, Ihr Leben zu leben!

Wenn ein Problem in uns oder unserer Umgebung auftaucht, fallen wir oft in die alte Denkweise zurück, daß wir positiv zu seiner Lösung beitragen, wenn das Leben gleichsam »auf Eis gelegt wird«. Wenn eine Beziehung nicht funktioniert, wenn wir vor einer schwierigen Entscheidung stehen, wenn wir deprimiert sind, schränken wir unser Leben völlig ein und quälen uns mit zwanghaften Gedanken.

Wenn wir unser Leben oder unsere alltäglichen Gewohnheiten stark reduzieren, nähren wir damit nur die Probleme und zögern eine Lösung hinaus.

Häufig ergibt sich die Lösung, wenn wir innerlich genügend loslassen, um unser Leben fortzuführen, zu unserem Alltag zurückkehren und aufhören, uns mit dem Problem zu quälen.

Auch wenn wir manchmal nicht das *Gefühl* haben, loslassen zu können, sollten wir »handeln, als ob«; diese Einstellung verhilft uns zum erwünschten Loslassen.

Sie brauchen sich einem Problem nicht auszuliefern. Sie können Ihre Aufmerksamkeit von ihm abwenden und Ihrem Leben zuwenden — im Vertrauen darauf, daß Sie damit einer Lösung näherkommen.

■ *Heute will ich mein Leben und meine Alltagsroutine unbeirrt fortsetzen. Ich nehme mir vor, mich nicht von dem quälen zu lassen, was mir zu schaffen macht. Wenn ich spüre, daß ich eine bestimmte Sache nicht loslassen kann, will ich »handeln, als ob« ich losgelassen hätte, bis meine Gefühle und Überzeugungen sich meinem Verhalten anpassen.*

## Probleme lösen — 19. Mai

»Wenn ich ein Problem habe oder einer meiner Lieben ein Problem hat, überkommt mich zunächst ein Gefühl der Scham«, sagte eine Frau in der Selbsthilfegruppe.

Viele von uns wurden mit der Überzeugung groß, man müsse sich schämen, wenn man ein Problem hat.

Diese Überzeugung kann großen Schaden bei uns anrichten. Sie kann uns davon abhalten, unsere Probleme zu erkennen; sie ist imstande, uns allem zu entfremden oder Minderwertigkeitsgefühle einzuflößen. Scham verhindert, daß wir an einem Problem das Positive sehen und es ganz einfach lösen.

Probleme gehören zum Leben wie ihre Lösungen. Menschen haben Probleme, doch wir — und unsere Selbstachtung — sind nicht identisch mit unseren Problemen.

Mir ist noch kein Mensch ohne zu lösende Probleme begegnet, aber eine Reihe von Menschen, die sich schämten, über die Probleme zu reden, die sie gelöst hatten!

Wir sind mehr als unsere Probleme. Selbst wenn unser Problem in unserem Verhalten besteht, besteht das Problem nicht in unserer Person — sondern in dem, was wir getan haben.

Es ist in Ordnung, Probleme zu haben. Es ist in Ordnung, über Probleme zu reden — zu gegebener Zeit mit wohlmeinenden Menschen. Es ist in Ordnung, Probleme zu lösen.

Und wir sind in Ordnung, auch wenn wir — oder andere, die wir lieben — ein Problem haben. Dadurch büßen wir weder unsere innere Stärke noch unsere Selbstachtung ein. Wir haben genau die Probleme gelöst, die wir lösen mußten, um die Person zu werden, die wir sind.

■ *Heute löse ich mich von der Scham darüber, daß ich Probleme habe.*

## Traurigkeit — 20. Mai

Wenn wir unsere Verluste betrauern, lassen wir unseren Gefühlen freien Lauf.

Viele von uns haben große Verluste erlitten, haben häufig Abschied genommen, haben viele Veränderungen durchgemacht. Nun wollen wir den Gang der Veränderungen vielleicht aufhalten — nicht, weil Veränderung schlecht wäre, sondern weil wir so viele Veränderungen, so viele Verluste erleben mußten.

Manchmal, wenn wir mitten in Schmerz und Trauer stecken, verlieren wir den Überblick, werden kurzsichtig, wie einige Angehörige jenes Eingeborenenstammes, von dem im Film *Out of Africa* die Rede ist.

»Wenn man sie ins Gefängnis sperrt«, sagt da eine Figur über die Stammesangehörigen, »sterben sie.«

»Warum?« fragt sein Gesprächspartner.

»Weil sie keine Vorstellung davon haben, daß sie eines Tages wieder freikommen. Sie halten den Zustand für unabänderlich und ewig. Also sterben sie.«

Viele von uns haben große Trauerarbeit zu leisten. Manchmal glauben auch wir, unser Kummer oder Schmerz sei ein Dauerzustand.

Der Schmerz wird vergehen. Sobald wir unsere Gefühle wahrgenommen und zugelassen haben, führen sie uns an einen besseren Ort, als es der war, wo wir begannen. Wenn wir unsere Gefühle wahrnehmen, statt sie zu verleugnen oder herunterzuspielen, heilen wir uns von unserer Vergangenheit und bewegen uns auf eine bessere Zukunft zu. Die eigenen Gefühle wahrzunehmen bedeutet, sie loszulassen.

Das mag vorübergehend schmerzlich sein, doch auf der anderen Seite warten immer Frieden und eine bejahende Haltung. Es ist also ein neuer Anfang.

■ *Hilf mir, Gott, daß ich meine Endpunkte bereitwillig hinnehme und überwinde, um für Neuanfänge bereit zu sein.*

## Bedürfnisse befriedigen 21. Mai

Ich möchte einen Berufswechsel vornehmen ... Ich brauche einen Freund ... Ich bin bereit, eine neue Beziehung einzugehen ...

Wir werden uns immer wieder neuer Bedürfnisse bewußt. Vielleicht müssen wir unser Verhalten zu unseren Kindern verändern; oder wir brauchen ein neues Sofa, Liebe und Zuwendung, Geld oder Hilfe.

Scheuen Sie sich nicht, einen Wunsch oder ein Bedürfnis zur Kenntnis zu nehmen. Zu Beginn jenes Kreislaufs, der dazu führt, daß wir bekommen, was wir wollen, taucht ein Wunsch oder Bedürfnis auf, zeigt sich die vorübergehende Frustration, ein Bedürfnis artikulieren zu müssen, bevor es gestillt ist. Wir folgen diesem Kreislauf, indem wir loslassen und schließlich das erhalten, was wir wünschen und brauchen. Unsere Bedürfnisse zu identifizieren, ist eine Vorbereitung auf das Gute, das auf uns zukommt.

Wenn wir unsere Bedürfnisse anmelden, werden wir darauf vorbereitet, sie zu stillen, und darauf aufmerksam gemacht, was dazu nötig ist.

■ *Heute lege ich die Überzeugung ab, daß meine Bedürfnisse nie befriedigt werden. Ich erkenne meine Wünsche und Bedürfnisse an und überlasse sie dann meiner Höheren Macht. Meine Höhere Macht nimmt sich auch der kleinsten Nebensächlichkeiten an, wenn auch ich es tue. Meine Wünsche und Bedürfnisse sind kein Zufall. Gott hat mich mit all meinen Wünschen erschaffen.*

## Zeiten der Umorientierung — 22. Mai

Fordern Sie erst dann Liebe, wenn Sie innerlich bereit und soweit gesund sind, um Liebe geben und empfangen zu können.

Fordern Sie erst dann Freude, wenn Sie bereit sind, Ihren Schmerz zu spüren und loszulassen, um Freude empfinden zu können.

Streben Sie erst dann nach Erfolg, wenn Sie bereit sind, die Verhaltensweisen zu besiegen, die Ihrem Erfolg im Wege stehen.

Ist die Vorstellung nicht schön, alles zu bekommen oder zu werden, was wir uns wünschen? Wir können das Gute, das wir uns wünschen, *haben* und *sein*. Alles, was gut ist, steht uns zur Verfügung. Doch zunächst muß Grundsätzliches — die Vorbereitungsarbeit — geleistet werden.

Kein Gärtner würde Samen säen, bevor er nicht die Erde fachgerecht vorbereitet, also die Bedingungen geschaffen hat, um den Samen zum Keimen und die Pflanze zum Wachsen zu bringen. Sonst wäre die Aussaat vergebliche Liebesmüh. Auch in unserem Fall wäre es Zeitverschwendung, Wünsche in die Realität umsetzen zu wollen, bevor wir dazu bereit sind.

Zunächst müssen wir uns ein Bedürfnis oder einen Wunsch bewußt machen. Das ist oft nicht leicht! Viele von uns sind daran gewöhnt, sich ihrer inneren Stimme, ihren Wünschen und Bedürfnissen zu verschließen. Das Leben muß sich oft sehr anstrengen, bis wir ihm Aufmerksamkeit schenken.

Der nächste Schritt ist, sich von alten »Programmen« zu trennen — den Verhaltensweisen und Überzeugungen, die der Zuwendung und Fürsorge entgegenwirken. Viele von uns müssen sich jetzt von stark unterminierenden Programmen lösen, die sie in der Kindheit erlernt haben. Vielleicht müssen wir eine Weile »handeln, als ob«, bis sich die Überzeugung, daß wir das Gute verdienen, im Leben verwirklicht hat.

Wir verbinden diesen Vorgang mit dem Prinzip des Loslassens und werden von Grund auf verändert.

Dieser Prozeß nimmt einen natürlichen Verlauf, kann aber sehr intensiv sein. Gut Ding braucht Weile.

Es ist unser Recht, Gutes zu verlangen, wenn wir uns auch klarmachen, daß die Vorarbeiten nötig sind. Tun wir die Arbeit, und warten wir ab.

■ *Gott, gib mir heute den Mut, das Gute, das ich für mein Leben will, zu erkennen und zu fordern. Schenke mir auch den Glauben und die Kraft, die ich brauche, um die dafür nötige Vorarbeit zu leisten.*

## Freude — 23. Mai

Das Leben muß nicht erduldet und ausgestanden werden; es soll Freude bereiten.

Wenn wir glauben, wir müßten unsere Schultern straffen und uns durch eine karge, entbehrungsreiche Existenz kämpfen, um irgendwelche »Belohnungen im Himmel« zu erhalten, haben wir eine alte Überzeugung aus der Co-Abhängigkeit noch nicht abgelegt.

Natürlich müssen viele von uns auch heute noch Belastungen durchstehen, die unser Durchhaltevermögen fordern. Wir lernen jedoch, unser Leben zu genießen und Situationen so zu nehmen, wie sie kommen.

Unsere Überlebensstrategien haben uns früher gute Dienste erwiesen. Sie haben uns durch schwierige Zeiten geführt — als Kinder und als Erwachsene. Unsere Fähigkeit, Gefühle auf Eis zu legen, Probleme zu verdrängen, uns Dinge zu versagen und Streß zu bewältigen, hat uns geholfen, dorthin zu gelangen, wo wir heute sind. Doch nun sind wir in Sicherheit. Wir lernen, mehr zu erreichen, als nur zu überleben. Wir können uns von ungesunden Überlebensstrategien trennen. Wir lernen neue, bessere Wege kennen, um uns zu schützen und sorgsam auf uns zu achten. Es steht uns frei, unsere Gefühle wahrzunehmen, Probleme zu erkennen und zu lösen und uns selbst das Beste zukommen zu lassen. Wir sind frei, uns dem Leben und seiner Vielfalt zu öffnen.

■ *Heute will ich mich von meinen ungesunden Durchhalte- und Überlebensstrategien lösen. Ich werde mir eine neue Lebensweise aneignen, die mir gestattet, das Abenteuer Leben zu genießen.*

## Freien Fluß zulassen — 24. Mai

Das Leben ist ein fließender Kreislauf, kein starres Gebilde. Unsere Beziehungen profitieren davon, wenn wir sie ihren natürlichen Verlauf nehmen lassen.

Wie Ebbe und Flut, so sind auch die Gezeiten der Beziehungen in Bewegung. Wir kennen Zeiten der Nähe und Zeiten der Ferne. Wir kennen Zeiten, wo wir zusammenfinden, und Zeiten, in denen wir uns trennen, um an unseren persönlichen Angelegenheiten zu arbeiten.

Wir kennen Zeiten der Liebe und Freude und Zeiten des Zorns.

Oft verändern sich mit unserer inneren Veränderung die Dimensionen unserer Beziehungen. Neue Freunde oder neue Lieben treten in unser Leben, damit wir mit ihnen neue Lektionen lernen.

Das bedeutet nicht, daß wir alte Freunde für immer aus den Augen verlieren. Wir sind lediglich in einen neuen Lebenszyklus eingetreten.

Wir müssen den Verlauf unserer Beziehungen nicht kontrollieren, ob es sich um Freundschaften oder um Liebesbeziehungen handelt. Wir müssen nicht unser Kontrollbedürfnis befriedigen, indem wir unsere Beziehungen in einen festen Rahmen zwingen.

Lassen Sie die Dinge fließen. Seien Sie offen und flexibel. Die Liebe wird nicht vergehen. Das Band zwischen Freunden wird nicht zerreißen. Die Dinge bleiben nicht immer gleich, zumal dann nicht, wenn wir in einem schnellen Tempo wachsen und uns verändern.

Überlassen Sie sich vertrauensvoll dem Strömen. Kümmern Sie sich um sich selbst, und seien Sie bereit, andere Menschen loszulassen. Wenn Sie sich zu sehr an sie klammern, werden sie Ihnen den Rücken kehren.

Die alte Redensart über die Liebe bewahrheitet sich stets aufs neue: »Was sein soll, wird sein. Wenn du einen Menschen liebst, laß ihn los. Kommt er zurück, findet die Liebe Erfüllung.«

■ *Heute akzeptiere ich zyklische Abläufe im Leben und in Beziehungen. Ich bemühe mich darum, im Fluß zu bleiben. Ich strebe nach Harmonie in meinen Bedürfnissen und denen meines Partners.*

## Sich selbst bedingungslos lieben — 25. Mai

Lieben Sie sich, um Gesundheit und ein gutes Leben zu erlangen.

Lieben Sie sich, um Beziehungen einzugehen, die gut für Sie und den Partner sind. Lieben Sie sich, um Frieden, Glück, Freude, Erfolg und Zufriedenheit zu erlangen.

Lieben Sie sich, um all das zu erhalten, was Sie sich immer wünschten. Wir können aufhören, uns so zu behandeln, wie andere uns behandelt haben, deren Verhalten unangemessen war. Wenn wir daran gewöhnt sind, uns mit kritischen oder strafenden Augen, voll Geringschätzung und Herablassung zu sehen, ist es Zeit, damit Schluß zu machen. So haben uns andere Menschen früher behandelt. Das weit Schlimmere ist leider, daß wir uns heute selber so behandeln.

Unsere Selbstliebe mag uns bisweilen fremdartig, sogar töricht erscheinen. Die Menschen unserer Umgebung beschuldigen uns vielleicht, selbstsüchtig zu sein. Das müssen wir ihnen nicht glauben.

Menschen, die sich selbst lieben, besitzen die Fähigkeit, andere zu lieben und sich für die Liebe anderer zu öffnen. Menschen, die sich selbst lieben und achten, können geben und Bindungen eingehen.

Wie erreichen wir Selbstliebe? Indem wir uns zunächst dazu zwingen. Indem wir sie nötigenfalls vortäuschen. Indem wir »handeln, als ob«. Indem wir genauso ernsthaft daran arbeiten, uns zu lieben und gern zu haben, wie wir daran gearbeitet haben, uns abzulehnen.

Erkunden Sie, was es heißt, sich selbst zu lieben.

Tun Sie etwas für sich, das mitfühlende, fürsorgliche Selbstliebe widerspiegelt.

Nehmen Sie alles an Ihrer Person in Liebe an — Vergangenheit, Gegenwart und Zukunft. Verzeihen Sie sich selbst, so oft es nötig ist. Sprechen Sie sich Mut zu. Denken Sie gut von sich.

Wir wollen negative Gedanken und Überzeugungen ohne Umschweife und ehrlich nach außen bringen, um sie durch bessere zu ersetzen.

Sprechen Sie sich getrost ab und zu ein Selbstlob aus. Zwingen Sie sich nötigenfalls dazu. Bitten Sie um Hilfe, um Zuwendung; verlangen Sie, was Sie brauchen.

Verwöhnen Sie sich gelegentlich. Behandeln Sie sich nicht wie einen Packesel, dem Sie ständig mehr aufbürden, den Sie vorantreiben und unter Druck setzen. Lernen Sie, gut zu sich zu sein. Lernen Sie Verhaltensweisen mit angenehmen Folgen — sich selbst gut behandeln ist eine davon.

Lernen Sie, Schluß zu machen mit Ihrem Schmerz, auch wenn das mit schwerwiegenden Entscheidungen verbunden ist. Nehmen Sie keine unnötigen Entbehrungen auf sich. Gönnen Sie sich das, was Sie wollen, *nur weil Sie es wollen.*

Hören Sie auf damit, sich zu rechtfertigen und Erklärungen abzugeben. Wenn Sie Fehler machen, lassen Sie es gut sein. Wir lernen, wir wachsen, und wir lernen mehr. Und bei all dem lieben wir uns selbst.

Wir arbeiten an uns und setzen die Arbeit fort. Eines Tages werden wir aufwachen, in den Spiegel schauen und feststellen, daß uns die Selbstliebe zur Gewohnheit geworden ist. Wir leben nun mit einer Person, die Liebe gibt und empfängt, da diese Person sich liebt. Selbstliebe wird zu unserem Leben gehören und zu seiner treibenden Kraft.

■ *Heute arbeite ich daran, mich selbst zu lieben. Ich werde genausosehr daran arbeiten, mich selbst zu lieben, wie ich daran gearbeitet ha-*

*be, mich abzulehnen. Hilf mir, Gott, mich von Selbsthaß und Verhaltensweisen zu trennen, die ein Spiegel meiner Selbstverneinung sind. Hilf mir, sie durch Verhaltensweisen zu ersetzen, die Selbstliebe widerspiegeln. Verhilf mir heute zu größerer Selbstachtung. Verhilf mir zu der Erkenntnis, daß ich liebenswert und fähig bin, Liebe zu geben und zu empfangen.*

## Klatsch — 26. Mai

Intimität ist jenes innige Gefühl der Verbundenheit mit anderen, das uns glücklich macht.

In unserem Heilungsprozeß erleben wir diese Nähe in erstaunlicher Weise. Wir stellen fest, daß wir vertraute Beziehungen mit Arbeitskollegen, Freunden, Teilnehmern unserer Selbsthilfegruppen entwickelt haben — manchmal auch mit Familienmitgliedern. Viele von uns finden jetzt in ihren Liebesbeziehungen zu wahrer Intimität.

Intimität ist nicht Sex, wobei Sex selbstverständlich sehr intim sein kann. Intimität bedeutet: Wir führen eine gegenseitig aufrichtige, warme, fürsorgliche, sichere Beziehung — in der ein anderer sein kann, wer er oder sie ist, und wir sein können, wer wir sind — und beide Partner sich schätzen und achten.

Gelegentlich tauchen Konflikte auf. Konflikte sind unvermeidbar. Manchmal gilt es, schwierige Gefühle aufzuarbeiten. Manchmal verändern sich Grenzen oder Begleitumstände von Beziehungen. Doch die Verbundenheit — das Band aus Liebe und Vertrauen — bleibt bestehen.

Es gibt viele Blockaden gegen Intimität und vertrauliche Beziehungen. Süchte und mißbräuchliche Verhaltensweisen verhindern Intimität. Ungelöste Probleme aus der eigenen familiären Vergangenheit erschweren Intimität. Kontrolle beeinträchtigt Intimität. Unausgeglichene Beziehungen, in denen die Kräfte zu unterschiedlich verteilt sind, lassen Intimität nicht zu. Übertriebene Fürsorge kann Intimität ausschließen. Wenn wir herumnörgeln, uns zurückziehen oder ganz abkapseln, kann Intimität verletzt werden.

Eine dieser Blockaden ist der Klatsch — wir reden über eine Person, um sie herabzusetzen oder zu verurteilen und uns selbst in ein besseres Licht zu rücken. Schwachpunkte, Unzulänglichkeiten oder Mißerfolge eines Menschen mit einem Dritten zu besprechen, hat eine vorhersehbar negative Wirkung auf die Beziehung.

Es steht uns zu, Intimität in möglichst vielen Beziehungen zu erleben. Wir verdienen Beziehungen, die von keiner Richtung her sabotiert werden.

Das soll nicht heißen, daß wir dabei unseren Kopf in den Wolken haben; es geht vielmehr darum, daß unsere Gespräche von lauteren Motiven bestimmt sind.

Besteht zwischen uns und dem anderen Menschen eine ernste Unstimmigkeit, so ist es ratsam, mit ihm direkt darüber zu sprechen.

Gezielte, offene Aussprachen reinigen die Atmosphäre und ebnen den Weg zur Intimität; wir fühlen uns mit uns selbst und mit anderen wohler.

■ *Hilf mir heute, Gott, meine Angst vor Intimität abzustreifen. Hilf mir, danach zu streben, meine Kommunikation mit anderen frei zu halten von bösem Klatsch. Hilf mir, mich um Intimität in meinen Beziehungen zu bemühen. Hilf mir, so direkt wie möglich mit meinen Gefühlen umzugehen.*

## **Möglichkeiten erkennen** **27. Mai**

Wir haben mehr Möglichkeiten, als wir wahrhaben wollen.

Vielleicht fühlen wir uns in unseren Beziehungen, unserem Beruf, unserem Leben gefangen. Wir fühlen uns eingesperrt in unserem Verhalten — etwa in übertriebener Fürsorge oder Kontrollbedürfnissen.

Sich gefangen fühlen ist ein Symptom der Co-Abhängigkeit. Wenn wir uns sagen hören: »Ich muß mich um diesen Menschen kümmern«; »Ich muß ja sagen ...«; »Ich muß versuchen, diesen Menschen zu kontrollieren ...«; »Ich muß mich so verhalten, so denken, so empfinden ...«, können wir sicher sein, daß wir uns dafür *entschieden* haben, Möglichkeiten nicht wahrzunehmen.

Dieses Gefühl, in der Falle zu sitzen, ist eine Einbildung. Wir werden nicht von Umständen, unserer Vergangenheit, den Erwartungen anderer oder von unserer ungesunden Erwartungshaltung gegenüber uns selbst kontrolliert. Wir können wichtige Entscheidungen treffen, ohne Schuldgefühle zu haben. Wir haben die freie Wahl.

Es geht nicht darum, sich perfekt oder nach den Regeln irgendeines Menschen zu verhalten. Es geht in erster Linie darum zu wissen, daß wir unter verschiedenen Möglichkeiten wählen können und daß die Entscheidung darüber bei uns liegt.

■ *Heute werde ich mein Denken und mich selbst den Möglichkeiten, die mir zur Verfügung stehen, öffnen. Ich werde Entscheidungen treffen, die gut für mich sind.*

---

## Selbstzweifel ablegen — 28. Mai

---

*Eine verheiratete Frau, die sich vor kurzem Al-Anon angeschlossen hatte, rief mich eines Nachmittags an. Sie arbeitete halbtags als Krankenschwester, kümmerte sich allein um die Erziehung ihrer beiden Kinder, versorgte den Haushalt, nahm kleinere Reparaturen im Haus selbst vor und finanzierte die Familie allein. »Ich will mich von meinem Mann trennen«, schluchzte sie. »Ich ertrage ihn und seine Gemeinheiten nicht länger. Aber sagen Sie mir, bitte, sagen Sie mir«, meinte sie, »glauben Sie, ich schaffe das allein?«*

— Unabhängig sein

Es ist nicht nur in Ordnung, daß wir für uns selbst sorgen, wir können sogar *gut* für uns sorgen.

Viele von uns, die ihre Fähigkeit, für andere zu sorgen, nie in Zweifel ziehen würden, bezweifeln ihre Kraft, sich um die eigene Person zu kümmern. Unsere vergangenen und gegenwärtigen Umstände haben uns zu der Überzeugung geführt, daß wir uns um andere kümmern müssen, aber andere brauchen, die sich um uns kümmern. Das ist Co-Abhängigkeitsdenken in Reinform.

Woher auch immer diese schädliche Überzeugung rühren mag — wir können sie ablegen und durch eine bessere, gesündere und zutreffendere Überzeugung ersetzen.

Wir können sorgsam mit uns umgehen — ob wir in einer Beziehung stehen oder nicht. Alles, was wir brauchen, wird uns zuteil. Wir werden Geliebte, Freunde und unsere Höhere Macht haben, die uns beistehen.

Wenn wir gut mit uns selbst umzugehen wissen, bedeutet das nicht, daß wir nie wieder Gefühle von Angst, Unbehagen, Zweifel, Mut und Zerbrechlichkeit haben werden. Es bedeutet, daß wir »Mut zur Verletzlichkeit« aufbringen, wie Colette Dowling sich in ihrem Buch *Cinderella-Komplex* ausdrückt. Wir wissen mit Ängsten umzugehen.

■ *Hilf mir heute, Gott, daß ich weiß, wie ich gut mit mir umgehe.*

---

## Machtlosigkeit und Lebensbewältigung 29. Mai

---

Mit Willenskraft allein erreichen wir nicht die Lebensweise, die wir anstreben. Erst die völlige Hingabe liefert uns den Schlüssel dazu.

»Ich habe einen Großteil meines Lebens damit verbracht, Menschen zu zwingen, etwas, das sie nicht sind, nicht tun und nicht empfinden wollen, zu sein, zu tun und zu empfinden. Ich habe sie und mich mit diesen Bemühungen verrückt gemacht«, sagte eine Frau in der Selbsthilfegruppe.

»Ich verbrachte meine Kindheit mit dem Versuch, aus meinem alkoholsüchtigen Vater, der sich selbst nicht liebte, einen normalen Menschen zu machen, der *mich* liebte. Später heiratete ich einen Alkoholiker und verbrachte zehn erfolglose Jahre damit, ihm das Trinken abzugewöhnen.«

»Ich habe Jahre damit verbracht, emotional unzugängliche Leute dazu zu bringen, emotional für mich da zu sein.«

»Ich habe noch mehr Jahre damit verbracht, Familienmitglieder glücklich machen zu wollen, die sich in ihrem Unglück wohl fühlten. Ich will damit sagen: Ich habe einen Großteil meines Lebens verzweifelt und vergebens versucht, das Unmögliche möglich zu machen, und bin mir wie ein Versager vorgekommen, weil ich es nicht schaffte. Es ist, als versuchte man, aus Maissamen Bohnen zu züchten. Das funktioniert nun mal nicht!«

»Jetzt kapituliere ich vor meiner Machtlosigkeit und gewinne die Einsicht, daß ich aufhören muß, meine Zeit und Energie damit zu verschwenden, etwas verändern und kontrollieren zu wollen, was ich nicht ändern und kontrollieren kann. Mit dem Eingeständnis meiner Machtlosigkeit gebe ich mir die Freiheit, nicht mehr das Unmögliche zu versuchen und mich dem Möglichen zuzuwenden: So kann ich der sein, der ich bin, mich lieben, meine Gefühle zulassen und das tun, was ich mit meinem Leben tun will.«

Wir hören auf, gegen Windmühlen zu kämpfen, da wir einsehen, daß wir den Kampf nicht gewinnen können. Wir erkennen, daß unser Leben um so schlechter zu bewältigen ist, je mehr wir uns darauf versteifen, andere zu kontrollieren und zu verändern. Je mehr wir uns damit befassen, unser eigenes Leben zu führen, desto erfüllter wird es, desto besser können wir es bewältigen.

■ *Heute gestehe ich meine Machtlosigkeit ein, wo ich keine Macht habe, Dinge zu verändern, und lasse zu, daß mein Leben in Zukunft zu bewältigen ist.*

## Innere Verpflichtung — 30. Mai

Auf unserem Lebensweg werden wir viele Dinge und Menschen verlieren oder gegen sie verlieren, wenn wir nicht bereit sind, uns innerlich zu verpflichten. Wir müssen uns in unseren Beziehungen engagieren, wenn wir über einen bloß oberflächlichen Kontakt hinauskommen wollen; wenn wir die gewünschte Wohnung, die ersehnte Arbeit oder den begehrten Wagen bekommen wollen.

Wir müssen uns tief im Innern für Ziele: im Beruf, in der Familie, in Freundschaften, im Heilungsprozeß einsetzen. Ein Versuch führt uns noch nicht zum Erfolg. Erst wenn wir uns einer Sache wirklich verbunden fühlen, erreichen wir ihn.

Wir müssen jedoch keine Verpflichtung eingehen, zu der wir nicht bereit sind.

Manchmal verhindert die Angst vor Verpflichtung unseren Entschluß zu einer Beziehung, einer Anschaffung oder einer beruflichen

Änderung. Zu anderen Zeiten geht es um unsere Ängste, die so zum Vorschein kommen. Warten Sie ab. Warten Sie, bis Ihnen das Problem klar wird.

Haben Sie Vertrauen zu sich selbst. Bitten Sie Ihre Höhere Macht darum, Ihnen die Angst vor Verpflichtungen zu nehmen. Bitten Sie Gott, Ihre inneren Blockaden gegenüber den Verpflichtungen abzubauen. Bitten Sie Gott um Unterweisung.

Fragen Sie sich, ob Sie bereit sind, das zu verlieren, wozu Sie sich nicht verpflichten wollen. Dann hören Sie ruhig zu. Warten Sie, bis eine Entscheidung durchweg richtig und stimmig erscheint.

Wir müssen fähig sein, uns zu verpflichten, wir müssen uns jedoch nie verpflichten, solange wir nicht dazu bereit sind.

Vertrauen Sie darauf, daß Sie sich dann festlegen, wenn Sie den Wunsch dazu verspüren.

■ *Führe mich, Gott, wenn ich Verpflichtungen eingehe. Gib mir den Mut, solche einzugehen, die für mich richtig sind, die Weisheit, mich nicht an etwas zu binden, was nicht richtig erscheint, und die Geduld, abzuwarten, bis ich es weiß.*

## Was, wenn? — 31. Mai

Ich sprach einmal mit einem Freund über eine Sache, die ich vorhatte. Ich machte mir nämlich Sorgen, wie ein bestimmter Mensch auf meine Absichten reagieren würde.

»Was, wenn er damit nicht zurechtkommt?« fragte ich.

»Dann«, erwiderte mein Freund, »mußt *du* damit zurechtkommen.«

Dieses »Was, wenn« kann uns verrückt machen. Es legt die Macht über unser Leben in die Hände eines anderen. »Was, wenn« ist ein Signal, daß wir in die alte Denkweise zurückfallen, die Menschen müßten auf bestimmte Weise reagieren, damit wir unseren Kurs fortsetzen können.

»Was, wenn« ist zudem ein Hinweis darauf, daß wir uns fragen, ob wir uns selbst und unserer Höheren Macht vertrauen können, das zu tun, was zu unserem Besten ist. Das sind Überbleibsel unseres Denkens, Fühlens und Verhaltens aus der Co-Abhängigkeit; und sie signalisieren Angst.

Die Reaktionen, Gefühle, Neigungen oder Abneigungen anderer dürfen unsere Verhaltensweisen, Gefühle und unsere Richtung nicht bestimmen. Wir müssen nicht darüber bestimmen, wie andere auf unsere Entscheidungen reagieren. Wir können darauf vertrauen, daß wir mit Hilfe unserer Höheren Macht jedes Ergebnis — ob angenehm oder unangenehm — in den Griff bekommen. Und wir werden es sicher in den Griff bekommen!

■ *Heute mache ich mir keine Sorgen um die Reaktionen anderer Menschen oder um Ereignisse, die außerhalb meiner Kontrolle liegen. Statt dessen konzentriere ich mich auf meine Reaktionen. Ich werde heute mit meinem Leben gut umgehen und darauf vertrauen, daß ich das morgen wieder tue.*

# *Juni*

## Direktheit 1. Juni

Im Kreis von direkten, ehrlichen Menschen fühlen wir uns wohl. Sie sagen ihre Meinung, und wir wissen, woran wir bei ihnen sind.

Indirekte Menschen, die sich scheuen zu sagen, wer sie sind, was sie wollen und was sie fühlen, sind nicht vertrauenswürdig. Sie bringen ihre Wahrheit auf andere Weise zum Ausdruck, auch wenn sie sie nicht aussprechen. Und das trifft andere oft überraschend.

Direktheit spart Zeit und Energie. Sie macht unsere Opferhaltung, unsere Märtyrerrolle und Tricks überflüssig; sie trägt dazu bei, daß wir unsere eigene Stärke anerkennen; sie schafft respektvolle Beziehungen.

Man fühlt sich geborgen im Kreis von direkten, ehrlichen Menschen. Seien Sie einer davon.

■ *Heute will ich meine innere Stärke anerkennen, um ganz direkt zu sein. Ich muß weder passiv noch aggressiv sein. Ich fühle mich mit meiner eigenen Wahrheit wohl; dadurch wird sich meine Umgebung mit mir wohl fühlen.*

## Die eigene Stärke geltend machen 2. Juni

Es ist nicht nötig, anderen alle Macht einzuräumen und uns gar keine. Wir müssen andere nicht für völlig glaubwürdig halten und uns für unglaubwürdig. In der Genesung von Co-Abhängigkeit lernen wir den großen Unterschied zwischen Bescheidenheit und Selbsterniedrigung.

Wenn andere unverantwortlich handeln und versuchen, uns für ihre Probleme verantwortlich zu machen, fühlen wir uns nun nicht mehr schuldig. Wir überlassen ihnen die Konsequenzen, die sie zu tragen haben.

Wenn andere Unsinn reden, stellen wir nicht unsere eigene Meinung in Frage.

Wenn andere versuchen, uns zu manipulieren oder auszunutzen, wissen wir, daß wir zu Recht Wut und Mißtrauen empfinden und daß wir zu ihren Machenschaften nein sagen können.

Wenn andere uns etwas einzureden versuchen, was wir nicht wollen, oder wenn andere uns etwas auszureden versuchen, was wir uns sehr wünschen, vertrauen wir unserer eigenen Meinung. Wenn andere uns Dinge sagen, die wir nicht glauben, wissen wir, daß wir unserer Intuition vertrauen können.

Wir können unsere Meinung auch ändern.

Wir müssen unsere eigene Stärke nicht an andere abtreten — seien es Fremde, Freunde, Ehepartner, Kinder, Vorgesetzte oder Untergebene. Wir können manches von anderen lernen. Sie verfügen vielleicht über mehr Informationen als wir, wirken selbstbewußter und energischer, als wir uns fühlen. Dennoch sind wir gleichwertig. Sie besitzen nicht unsere Kraft. Unsere Kraft, unser Licht ist in uns. Und unser Licht strahlt ebenso hell wie das Licht anderer.

Wir sind keine Menschen zweiter Klasse. Wenn wir unsere Stärke geltend machen, brauchen wir weder aggressiv noch kontrollierend zu sein. Wir müssen andere nicht herabsetzen, ebensowenig wie wir uns selbst herabsetzen.

■ *Heute will ich Stärke und Rechte gegenüber anderen Menschen geltend machen. Ich lasse zu, daß ich weiß, was ich weiß, fühle, was ich fühle, glaube, was ich glaube, und sehe, was ich sehe. Ich öffne mich der Möglichkeit, von anderen zu lernen, ohne mein Selbstvertrauen und meine Wertschätzung zu verlieren. Ich lebe in meiner eigenen Wahrheit.*

## Wohltätigkeit — 3. Juni

Geld annehmen und Geld weggeben sind zwei Aspekte, die gesunde Grenzen erfordern.

Manche von uns geben Geld in unvernünftigem Maß.

Vielleicht schämen wir uns, weil wir Geld haben, und glauben, es stehe uns nicht zu. Oder wir sind Mitglieder einer Organisation, die unsere Schamgefühle als eine Art Kontrollinstrument benutzt, um uns Geld abzunötigen, das ihr dann zugute kommt.

Wir können zwanghaft Geld an unsere Kinder, Verwandten oder Freunde geben, weil wir begründete oder unbegründete Schuldgefühle haben. Oder wir lassen uns von Menschen, die wir lieben, finanziell erpressen.

Solches Geld wird nicht bereitwillig, aus gesunden Gründen gegeben.

Manche von uns geben Geld aus einem Gefühl der Fürsorge. Wir haben vielleicht übertriebene Verantwortungsgefühle gebenüber anderen, und dazu gehört auch die finanzielle Verantwortung.

Oder wir geben, weil wir nicht gelernt haben, unsere innere Stärke geltend zu machen, um nein zu sagen, wenn die Antwort *nein* ist.

Manche von uns geben, weil wir hoffen oder glauben, daß die Menschen uns lieben werden, wenn wir ihnen finanziell unter die Arme greifen.

Wir *brauchen* keinem Menschen Geld zu geben. Wenn wir Geld geben, ist das unsere freie Entscheidung. Wir müssen nicht zulassen, daß wir manipuliert, bedrängt oder zur Geldausgabe genötigt werden. Wir sind finanziell für uns selbst verantwortlich. Eine gesunde Haltung gestattet es den Menschen unserer Umgebung, finanziell Eigenverantwortung zu tragen.

Wir müssen uns nicht des Geldes schämen, das wir verdienen; das Geld steht uns zu — wie hoch der Betrag auch sein mag —, ohne daß wir uns verpflichtet fühlen, es wegzugeben, oder uns schuldig fühlen, weil andere das wollen, was wir haben.

Wohltätigkeit ist eine segensreiche Haltung. Zum gesunden Leben gehört das Geben. Wir können lernen, gesunde Grenzen hinsichtlich des Gebens zu entwickeln.

■ *Heute will ich mich darum bemühen, beim Geldausgeben gesunde Grenzen zu setzen. Ich begreife, daß Geben meine freie Entscheidung ist.*

Ein befreundetes Ehepaar entschloß sich zu einigen Veränderungen in seiner Lebenssituation. Die beiden hatten immer in der Stadt gelebt und wollten nun in ländlicher Umgebung, am Wasser, wohnen.

Sie fanden ein kleines Haus am See. Es war nicht das Haus ihrer Träume, doch nach dem Verkauf ihrer Stadtwohnung würden ihnen ausreichende Geldmittel zur Verfügung stehen, um das Haus am See umzubauen. Sie hatten etwas Geld gespart und zogen in ihr neues Heim, bevor die Stadtwohnung verkauft war.

Ein Jahr verging, und die Stadtwohnung stand immer noch zum Verkauf. Meine Freunde machten wechselvolle Zeiten durch. Phasen der Geduld folgten auf solche der Ungeduld; an manchen Tagen vertrauten sie Gott; an anderen Tagen konnten sie nicht begreifen, warum Gott sie so lange warten ließ, warum Er ihnen nicht half, ihre Pläne zu verwirklichen. Die Tür wollte sich einfach nicht öffnen.

Eines Tages kam ein Nachbar zu Besuch. Sein Haus am See war das Traumhaus meiner Freunde — der Inbegriff ihrer Wunschvorstellungen. Sie hatten dieses Haus vom ersten Augenblick an bewundert, wagten jedoch kaum von seinem Besitz zu träumen, da sie nicht glaubten, dieser Wunsch könne je in Erfüllung gehen.

Der Grund des nachbarlichen Besuches lag nun aber darin, meinen Freunden das Traumhaus zum Kauf anzubieten, da er und seine Frau sich zu einem Ortswechsel entschlossen hatten.

Noch am selben Tag unterzeichneten meine Freunde den Kaufvertrag. Innerhalb der nächsten zwei Monate konnten sie ihre Stadtwohnung und das kleine Haus am See verkaufen. Wenig später zogen sie in das neue Haus ein.

Wir müssen manchmal mit Rückschlägen fertig werden. Wir glauben, auf dem richtigen Weg zu sein, vertrauen Gott und uns selbst, dennoch funktionieren die Dinge nicht. Es läuft nicht so, wie wir es geplant hatten. Es öffnen sich keine Türen für uns.

Wir fragen uns, ob Gott uns verlassen hat, ob wir ihm gleichgültig sind. Wir verstehen nicht, wohin wir gehen, welche Richtung wir einschlagen.

Und eines Tages erkennen wir: Der Grund, warum wir das nicht bekamen, was wir wollten, lag darin, daß Gott einen weitaus besseren Plan für uns hatte.

■ *Heute will ich Geduld üben. Ich wende mich vertrauensvoll an meine Höhere Macht und bitte, sie möge mir das Beste zukommen lassen.*

## Scham überwinden — 5. Juni

*Scham behindert, unterdrückt uns und zwingt unseren Blick zu Boden.*

— Unabhängig sein

Hüten Sie sich vor Scham.

Viele Strukturen und Menschen sind von Schamgefühlen durchdrungen und wollen uns dazu bringen, daß wir an ihrem Spiel teilnehmen. Sie hoffen, uns durch Scham zu unterdrücken und zu beherrschen.

Wir müssen uns nicht ihre Schamgefühle aneignen. Statt dessen suchen wir gute Gefühle — Selbstbejahung, Liebe und Zuwendung.

Zwanghaftes Verhalten, sexuelles Suchtverhalten, Eßsucht, Drogenmißbrauch und Spielsucht sind Verhaltensweisen, die auf Scham basieren. Wenn wir uns daran beteiligen, fühlen wir uns unweigerlich beschämt. Hüten wir uns vor Sucht- und anderem Zwangsverhalten, da wir sonst mit Schamgefühlen überhäuft werden.

Unsere Vergangenheit und die »Gehirnwäsche«, denen wir ausgesetzt waren, haben uns eine »Urscham« eingeprägt, die stets neue Schamgefühle in uns erzeugt. Sie können uns befallen, wenn wir allein sind, wenn wir durch den Supermarkt schlendern oder ruhig unserer alltäglichen Routine nachgehen. Du sollst nicht denken ... du sollst nicht fühlen ... du sollst dich nicht entwickeln oder dich verändern ... du sollst nicht lebhaft sein ... du sollst dein Leben nicht genießen ... Schäme dich!

Schluß mit dem Schamgefühl! Attackieren Sie die Scham. Bekämpfen Sie die Scham. Lernen Sie, die Scham zu erkennen, und meiden Sie sie wie die Pest.

■ *Heute lehne ich es bewußt ab, mich von Schamgefühlen befallen zu lassen. Wenn ich ihnen nicht widerstehen kann, werde ich sie spüren, annehmen und dann so rasch wie möglich Schluß damit machen. Gott, hilf mir zu erkennen, daß es in Ordnung ist, mich zu lieben, und hilf mir, daß ich mich dagegen wehre, der Scham ausgeliefert zu sein. Wenn ich vom Weg abkomme, hilf mir, daß ich lerne, Scham in Schuld zu verwandeln, mein Verhalten zu berichtigen und mein Leben in ungetrübter Selbstliebe weiterzuleben.*

## Bereitschaft — 6. Juni

*Wir waren völlig bereit, all diese Charakterfehler von Gott beseitigen zu lassen.*

— Sechster Schritt von Al-Anon

Wir kommen zum Sechsten Schritt, nachdem wir die ersten Fünf Schritte nach bestem Wissen und Gewissen durchgearbeitet haben. Diese Arbeit bereitet uns auf einen Sinneswandel vor, damit wir uns einer Macht öffnen, die größer ist als wir selbst — Gott — und die uns verändern wird.

Der Weg zu dieser Bereitschaft kann lang und beschwerlich sein. Viele von uns müssen gegen ein bestimmtes Verhalten oder Gefühl ankämpfen, bevor wir bereit sind, es loszulassen. Wir müssen uns immer wieder vor Augen halten, daß die Bewältigungsstrategien, die uns einst schützten, nun nicht mehr wirksam sind.

Die Charakterfehler, von denen im Sechsten Schritt die Rede ist, sind Ausdruck früherer Verhaltensweisen, die uns einmal geholfen haben, um irgendwie durchzukommen und mit den Menschen, dem Leben und uns selbst fertig zu werden. Doch nun sind sie uns im Wege, und wir müssen bereit sein, sie abzulegen.

Vertrauen Sie darauf, daß Sie darauf vorbereitet werden, das loszulassen, was Ihnen nicht mehr von Nutzen ist. Vertrauen Sie darauf, daß ein Sinneswandel in Ihnen stattfindet.

■ *Hilf mir, Gott, die Bereitschaft zu finden, mich von meinen Charakterfehlern zu trennen. Hilf mir, daß ich in meinem Herzen und mei-*

*ner Seele weiß, wann ich bereit bin, mich von meinen selbstzerstörerischen Verhaltensweisen, den inneren Blockaden und Schranken meines Lebens zu trennen.*

## Sich selbst verlieren — 7. Juni

> *Es ist egal, ob andere sich Schmerzen zufügen. Es ist egal, ob wir ihnen helfen könnten, wenn sie nur hören wollten und mit uns zusammenarbeiten würden. ES IST EGAL, ES IST EGAL, ES IST EGAL.*
>
> — Unabhängig sein

»Ich glaube, ich kann ihn verändern. Er wurde noch nie wirklich geliebt und anerkannt. Ich werde es tun, und er wird sich ändern ...«; »Sie war noch nie mit jemand zusammen, auf den sie sich verlassen konnte. Ich beweise ihr, daß sie sich auf mich verlassen kann, und dann wird sie fähig sein zu lieben ...«; »Niemand konnte bisher an sie herankommen und ihr Herz öffnen. Ich werde es schaffen ...«; »Er hat nie eine wirkliche Chance bekommen ...«; »Kein Mensch hat bisher an ihn geglaubt ...«

Das sind Warnsignale. Rote Ampeln. Wenn wir uns diese Gedanken bereits zu eigen gemacht haben, sind es Stoppzeichen.

Wenn wir glauben, daß *wir* irgendwie der- oder diejenige sind, um *die* Veränderung im Leben eines Menschen herbeizuführen, wenn wir beweisen wollen, wie gut wir für jemand anderen sein können, geraten wir in Schwierigkeiten.

Das ist ein Trick. Ein Trugschluß. Es klappt nicht. Es macht uns verrückt. Das ist sicher. Wir sehen die Dinge nicht klar. Etwas ist mit *uns* nicht in Ordnung.

Wir mögen allerdings der »Richtige« sein — der nämlich, der als Opfer endet.

Das ganze Denkschema riecht nach Co-Abhängigkeit, danach, daß wir eine Opferhaltung einnehmen, statt Eigenverantwortung zu übernehmen. Jeder Mensch muß seine Arbeit leisten.

»Bisher hat ihn noch nie jemand richtig verstanden ...«; »Niemand hat gesehen, was ich in ihr sehe ...« Das ist eine Illusion. Sie verführt uns dazu, unsere Selbstachtung zu verlieren und uns zu sehr in andere Menschen hineinzuversetzen. Mit dieser Haltung kommen wir vom Weg ab, verlieren wir uns selbst.

»Niemand hat ihn richtig anerkannt ...«; »Niemand war wirklich gut zu ihr, niemand hat das für sie getan, was ich tun kann ...« Das ist ein Rettungsversuch. Ein Schachzug in einem Spiel, das wir nicht mitspielen müssen. Wir müssen nicht beweisen, daß wir Retter sind. Wenn wir den Ehrgeiz haben, den Menschen zu zeigen, daß wir das Beste sind, was ihnen je widerfahren ist, sollten wir uns die Frage stellen, ob sie das Beste sind, was uns je widerfahren ist.

Wir sind nicht zum Schutzengel, zur Gouvernante, zum Aufpasser oder zum »Retter in der Not« auserkoren.

Die Hilfe, der Rückhalt und der Ansporn, von dem andere und wir wirklich profitieren, entstehen auf natürliche Weise. Lassen Sie das zu.

■ *Hilf mir, Gott, mich von dem Bedürfnis zu lösen, in meinen Beziehungen schädliche Aufgaben zu übernehmen.*

## Freude — 8. Juni

Haben Sie Freude — am Leben, an jedem Tag.

Das Leben ist keine Schinderei; das ist nur Gerede von früher. Schenken Sie dem keinen Glauben. Wir befinden uns auf einer Reise ins Abenteuer. Es werden Ereignisse eintreten, die wir heute noch nicht absehen können.

Ersetzen Sie Ihre Gedankenschwere und Mühsal durch den Geist der Freude. Umgeben Sie sich mit Menschen und Dingen, die Heiterkeit verbreiten.

Werden Sie empfänglich für das Unbeschwerte.

Die Reise kann ein aufregendes Abenteuer werden. Haben Sie Freude daran.

■ *Heute will ich Freude am Leben, an meiner Heilung, an Menschen und an diesem Tag haben.*

*Kaum eine Situation verbessert sich, wenn wir Amok laufen.*

— Unabhängig sein

Keine Panik!

Ein Schwimmer, der sich mitten in einem großen See zu stark auf die vor ihm liegende Strecke konzentriert, ist der Gefahr ausgesetzt, wild um sich zu schlagen und unterzugehen — Nicht, weil er nicht schwimmen könnte, sondern weil er in Panik geraten ist.

Panik ist unser Feind, nicht die Aufgabe, die vor uns liegt.

Viele von uns kennen Augenblicke, in denen sie sich eingeengt und überfordert fühlen. Wir kennen Zeiten, in denen wir das Gefühl haben, das nicht zu schaffen, was wir leisten müssen.

Dabei kann es sich um eine Aufgabe im Beruf, eine Verbesserung unseres inneren Zustands oder eine Veränderung in unserem Familienleben handeln.

Es hilft, einen kurzen Blick nach vorn zu richten und das Projekt ins Auge zu fassen. Es ist normal, Augenblicke der Panik zu erleben, wenn wir uns vorstellen, welche Aufgaben noch vor uns liegen. Spüren Sie die Angst, dann lassen Sie sie los. Wenden wir unseren Blick von der Zukunft und der Größe der vor uns liegenden Aufgabe ab. Wenn wir das Ziel ins Auge gefaßt haben, gehört es uns. Wir müssen nicht alles heute und auf einmal erreichen.

Konzentrieren Sie sich auf das Heute. Bemühen Sie sich um die Zuversicht, daß alles gut ist. Um unser Ziel zu erreichen, müssen wir uns nur mit dem befassen, was sich uns heute auf natürliche und überschaubare Weise zeigt. Wir sind imstande, das Notwendige zu leisten und zu vollenden, um dahin zu gelangen, wo wir morgen sein wollen.

Panik verzögert diesen Prozeß. Vertrauen und überlegte Aktionen bringen uns weiter. Atmen Sie tief durch. Werden Sie ruhig. Haben Sie Vertrauen. Handeln Sie mit Bedacht. Heute.

Wir erlangen unsere Fassung wieder, wenn wir gleichsam »Wasser treten«, bis wir uns beruhigt haben. Sobald wir wieder zu uns finden, die Welt gelassener betrachten, schwimmen wir zuversichtlich weiter. Konzentrieren Sie sich auf das Nächstliegende, auf den nächsten

Schwimmstoß, eine Bewegung nach der anderen. Mit jedem Meter, den wir zurücklegen, merken wir Fortschritte. Wenn wir müde sind, können wir uns treiben lassen — allerdings nur dann, wenn wir entspannt sind. Es dauert nicht lang, bis wir das Ufer erreicht haben.

■ *Heute will ich glauben, daß alles gut ist. Ich werde geführt, aber nur jeweils einen Tag nach dem anderen. Ich verwende meine Energie darauf, diesen Tag auf bestmögliche Weise zu verbringen. Wenn Panik in mir hochsteigt, werde ich alle Aktivitäten beenden und innehalten, um zunächst einmal nur mit dieser Panik fertig zu werden.*

## Verantwortung — 10. Juni

Sorgsam mit sich selbst umgehen heißt nichts anderes, als Verantwortung für sich übernehmen. Diese Verantwortung für uns selbst beinhaltet echte Verantwortung für andere.

Zu Beginn unserer inneren Heilung sind wir meist völlig ausgelaugt, weil wir uns für so viele Menschen verantwortlich fühlen. Die Erkenntnis, daß wir nur Verantwortung für uns selbst tragen müssen, kann eine so große Erleichterung sein, daß wir uns der Verantwortung für andere vollkommen entziehen.

Unser Ziel besteht darin, den Ausgleich zu finden: Wir übernehmen Eigenverantwortung und erkennen unsere echte Verantwortung für andere an.

Hierfür bedarf es möglicherweise einiger Neuorientierung, zumal dann, wenn wir jahrelang verzerrte Vorstellungen von unserer Verantwortung für andere gehabt haben. Wir sind einem bestimmten Menschen als Freund oder als Angestellter verpflichtet, einem anderen als Arbeitgeber oder als Ehepartner. Für jeden dieser Menschen tragen wir eine bestimmte Verantwortung. Wenn wir diese wahre Verantwortung anstreben, werden wir Gleichgewicht in unserem Leben finden.

Wir werden auch erkennen, daß andere zwar nicht für uns verantwortlich sind, aber doch gewissen Pflichten nachkommen müssen.

Wir lernen, unsere wahre Verantwortung für uns selbst und andere zu erkennen. Wir können zulassen, daß andere für sich selbst verantwortlich sind, und wir können von ihnen erwarten, daß sie in angemessener Form uns gegenüber verantwortlich sind.

Wir wollen gut zu uns sein, solange wir lernen.

■ *Heute strebe ich danach, eine klare Vorstellung zu bekommen, inwieweit ich für andere tatsächlich verantwortlich bin. Um sorgsam mit mir selbst umzugehen, werde ich auch diese Verantwortung übernehmen.*

## Vorankommen — 11. Juni

Wie sehr wir es uns vielleicht wünschen: Wir können nicht jeden mit auf die Reise nehmen, die wir innere Heilung nennen. Wir sind keine Verräter, wenn wir uns die Freiheit nehmen, voranzugehen. Wir müssen nicht darauf warten, daß die geliebten Menschen sich gleichfalls dazu entschließen, Veränderungen bei sich vorzunehmen.

Manchmal müssen wir uns die Freiheit nehmen zu wachsen, auch wenn die Menschen, die wir lieben, nicht bereit sind, sich zu verändern. Vielleicht müssen wir sogar einige Menschen mit ihren Störungen und ihrem Leid hinter uns lassen, weil wir die Heilung nicht für sie vollziehen können. Wir brauchen nicht mit ihnen zu leiden.

Es würde nichts nützen.

Es hat keinen Sinn, daß wir steckenbleiben, nur weil jemand, den wir lieben, nicht weiterkommt. Wenn wir uns lösen, an uns selbst arbeiten und aufhören, andere zu zwingen, sich mit uns zu verändern, ist die Chance, ihnen zu helfen, weitaus größer.

Wir üben einen positiven Einfluß auf die geliebten Menschen aus, wenn wir uns selbst verändern und wachsen und es ihnen überlassen, den eigenen Weg zu finden. Wir sind für uns selbst verantwortlich. Sie sind für sich verantwortlich. Wir lassen sie los und lassen unser inneres Wachstum zu.

■ *Heute will ich mir versichern, daß ich das Recht habe, mich zu entwickeln und zu verändern, auch wenn jemand, den ich liebe, sich nicht mit mir entwickelt und verändert.*

Üben Sie, spontan zu sein. Üben Sie, Spaß zu haben.

Die Freude an der inneren Heilung besteht darin, daß wir endlich experimentieren können. Wir lernen neue Verhaltensweisen, ohne dabei perfekt sein zu müssen. Wir müssen nur einen Weg finden, der für uns richtig ist. Es macht Spaß zu experimentieren, herauszufinden, was uns gefällt, und es auch zu tun.

Viele von uns bewegen sich in den festgefahrenen Bahnen der Inflexibilität, der Qual und der Entbehrung. Eine der »normalen« Erfahrungen, auf die viele von uns verzichten mußten, ist: Spaß zu haben. Eine weitere ist Spontaneität. Wir haben vielleicht nicht die leiseste Ahnung, was wir tun müssen, um Spaß zu empfinden. Und wir halten uns so sehr im Zaum, daß wir es ohnehin nicht wagen würden, einen Spaß auszuprobieren.

Wir dürfen uns hin und wieder gehenlassen. Wir können lockerlassen. Wir müssen nicht so verkrampft und inflexibel sein, wir brauchen keine Angst zu haben, so zu sein, wie wir sind. Seien Sie etwas risikofreudig. Probieren Sie neue Aktivitäten aus. Was würden Sie gern tun? Woran hätten Sie Spaß? Fördern Sie Ihre Risikobereitschaft. Gehen Sie ins Kino, sehen Sie sich einen Film an, den Sie gerne sehen würden; rufen Sie einen Freund oder eine Freundin an, laden sie ihn oder sie ein, mitzukommen. Wenn einer nein sagt, versuchen Sie es beim nächsten, oder versuchen Sie es später noch mal.

Fassen Sie den Entschluß, etwas auszuprobieren, und führen Sie es durch. Tun Sie es einmal, tun Sie es zweimal. Üben Sie, Spaß zu haben, bis Sie Spaß daran haben.

■ *Heute will ich etwas nur zum Spaß tun. Ich werde üben, Spaß zu haben, bis ich tatsächlich Spaß daran habe.*

## An alten Beziehungen festhalten 13. Juni

Wir wollen keinen Ballast mitnehmen auf unsere Reise, um sie uns nicht unnötig zu erschweren.

Zu dem Ballast, den wir abwerfen können, gehören nachklingende Gefühle und unerledigte Probleme aus früheren Beziehungen: Wut, Ressentiment, das Gefühl, Opfer zu sein, Schmerz und Sehnsucht.

Wenn wir eine Beziehung nicht abgeschlossen haben, wenn wir nicht in Frieden gehen können, haben wir unsere Lektion noch nicht gelernt. Das heißt, daß wir diese Lektion noch einmal durcharbeiten müssen, bevor wir weitergehen können.

Wir werden einen Vierten Schritt (eine schriftliche Inventur unserer Beziehungen) und einen Fünften Schritt (das Eingeständnis unserer Fehler) tun. Mit welchen Gefühlen gingen wir aus einer bestimmten Beziehung hervor? Tragen wir diese Gefühle noch immer mit uns herum? Wollen wir, daß diese Last unser heutiges Verhalten erschwert?

Fühlen wir uns immer noch als Opfer, zurückgewiesen oder verbittert über etwas, das zwei, fünf, zehn oder sogar zwanzig Jahre zurückliegt?

Es ist Zeit, loszulassen. Es ist Zeit, uns der wahren Lektion dieser Erfahrung zu öffnen. Es ist Zeit, vergangene Beziehungen endgültig abzuschließen, um frei zu sein für neue, lohnendere Erfahrungen.

Es liegt an uns, mit der Vergangenheit zu leben oder einen Schlußstrich unter alte Probleme aus der Vergangenheit zu ziehen und uns der Schönheit des heutigen Tages zu öffnen.

Werfen wir unseren Ballast aus früheren Beziehungen über Bord.

■ *Heute will ich mich jenem läuternden und heilsamen Prozeß öffnen, durch den die Vergangenheit abgeschlossen wird, und das Beste zulassen, das mir heute und morgen in meinen Beziehungen geboten wird.*

## Zeitplanung aufgeben 14. Juni

*Wenn die Zeit reif ist, mein Kind. Wenn die Zeit reif ist.* Wie oft haben wir diese Worte gehört — von einem Freund, einem Ehepartner, unserer Höheren Macht?

Gewisse Dinge wollen wir so dringend haben — einen Job, Geld, eine Beziehung, Besitz. Wir wollen, daß unser Leben sich ändert.

Also warten wir, mitunter geduldig, mitunter bang, und fragen uns ständig: Wann wird die Zukunft mir das bringen, wonach ich mich sehne? Werde ich dann glücklich sein?

Wir versuchen etwas vorherzusagen, wir kreuzen Daten im Kalender an, wir stellen Fragen. Wir vergessen, daß wir die Antworten nicht kennen. Die Antworten kommen von Gott. Wenn wir genau hinhören, vernehmen wir sie. *Wenn es soweit ist, mein Kind. Wenn es soweit ist.*

*Seien Sie heute glücklich.*

■ *Heute will ich mich entspannen. Ich bin vorbereitet. Ich kann mich von meiner Zeitplanung lösen. Ich kann aufhören, Ergebnisse zu manipulieren. Das Gute geschieht, wenn die Zeit reif ist, und es wird auf ganz natürliche Weise geschehen.*

## Wettstreit zwischen »Märtyrern« 15. Juni

*»Ja, ich weiß, Ihr Mann ist Alkoholiker; aber ich habe einen Sohn, der Alkoholiker ist, und das ist etwas anderes. Das ist viel schlimmer!«*

Mein Schmerz ist größer als deiner!

In diese Falle tappen wir oft. Wir sind versessen darauf, anderen zu zeigen, welch ein Opferlamm wir sind, wie sehr wir leiden, wie gemein das Leben ist und was für ein großartiger Märtyrer wir sind. Erst dann sind wir glücklich!

Wir müssen unseren Schmerz und unser Leid keinem anderen beweisen. Wir wissen, daß wir Schmerzen gehabt haben. Wir wissen, daß wir gelitten haben. Die meisten von uns wurden zu Recht zu Opferlämmern gemacht. Viele von uns mußten schwierige, schmerzhafte Lektionen lernen.

Unser Ziel besteht nicht darin, anderen zu zeigen, wie sehr wir verletzt werden und wurden. Das Ziel besteht darin, unserem Schmerz Einhalt zu gebieten, und dieses Ergebnis anderen mitzuteilen.

Wenn jemand uns beweisen will, wie sehr er oder sie leidet, können wir einfach sagen: »Ich habe den Eindruck, daß du verletzt wurdest.« Vielleicht sucht die Person lediglich eine Anerkennung seiner oder ihrer Schmerzen.

Wenn wir versuchen, einem anderen zu beweisen, wie sehr wir verletzt wurden, oder wenn wir versuchen, die Schmerzen anderer zu übertrumpfen, sollten wir herausfinden, was die Gründe dafür sind. Brauchen wir eine Bestätigung, wie sehr wir verletzt sind oder wurden?

Für Leiden gibt es keine Belohnung und keine Belobigung, wie sich viele Menschen auf dem Höhepunkt der Co-Abhängigkeit einzureden wußten. Die Belohnung besteht im Lernprozeß, unserem Schmerz ein Ende zu machen und zu Freude, Frieden und Erfüllung zu gelangen.

Das ist das Geschenk des Heilungsprozesses, und es ist jedem von uns gleichermaßen zugänglich, ob unser Schmerz nun größer oder kleiner ist als der eines anderen.

■ *Hilf mir, Gott, dankbar zu sein für all meine Lektionen, auch für jene, die mir großen Schmerz und großes Leid zugefügt haben. Hilf mir zu lernen, was ich lernen muß, damit ich dem Schmerz in meinem Leben Einhalt gebieten kann. Hilf mir, daß ich mich auf das Ziel meines Heilungsprozesses konzentriere statt auf den Schmerz, der mich bewogen hat, ihn anzutreten.*

## Sich wohl fühlen — 16. Juni

*Grenzen machen das Leben nicht komplizierter; Grenzen erleichtern das Leben.*

— Unabhängig sein

Das Setzen von Grenzen hat einen positiven Aspekt. Wir lernen, uns zuzuhören und zu erkennen, was uns verletzt und was wir nicht gern haben. Wir lernen aber auch herauszufinden, was sich gut anfühlt.

Wenn wir über Risikobereitschaft verfügen und aktive Schritte unternehmen, werden wir unsere Lebensqualität verbessern.

Was gefällt uns? Wobei fühlen wir uns wohl? Was beschert uns Freude? Mit wem sind wir gern zusammen? Was gibt uns morgens ein gutes Gefühl? Was ist eine echte Wohltat in unserem Leben? Welche kleinen, täglichen Aktivitäten geben uns das Gefühl, Zuwendung und Zuneigung zu bekommen?

Was tut unserem emotionalen, spirituellen, geistigen und körperlichen Selbst gut? Was tut *uns* wirklich gut?

Wir haben uns dem Leben zu lange versagt. Es ist unnötig, diese Einstellung beizubehalten, absolut unnötig. Wenn Ihnen etwas gefällt, dessen Folgen Ihrer Selbstliebe zugute kommen, nicht Ihrer Selbstzerstörung — tun Sie es!

■ *Heute will ich für mich jene kleinen Dinge tun, die das Leben angenehm machen. Ich werde mir keine gesunden Vergnügungen versagen.*

## Sich ausliefern — 17. Juni

Meistern Sie die Lektionen aus Ihren gegenwärtigen Lebensumständen.

Wir machen keinen Fortschritt, wenn wir uns heute dem widersetzen, was in unserem Leben unerwünscht ist. Wir machen Fortschritte, wir wachsen, wir verändern uns, indem wir die Dinge annehmen. Es bringt nichts, ihnen aus dem Weg zu gehen; erst, wenn wir uns ausliefern, öffnen sich die Türen.

Nehmen Sie sich diese Wahrheit zu Herzen: Wir alle befinden uns aus einem bestimmten Grund in unseren gegenwärtigen Lebensumständen. Wir müssen eine Lektion, eine wertvolle Lektion, lernen, bevor wir einen Schritt weiterkommen.

In uns und in den Menschen unserer Umgebung geschieht etwas Wichtiges. Auch wenn wir heute noch nicht in der Lage sind, das zu erkennen, so wissen wir doch, daß es wichtig ist. Wir können wissen, daß es gut ist.

Nicht durch Gewalt siegen wir, sondern indem wir uns ergeben. Der Kampf wird in uns selbst ausgefochten und gewonnen. Wir müssen so lange durchhalten, bis wir lernen, bis wir akzeptieren, bis wir dankbar werden, bis wir frei sind.

■ *Heute will ich offen sein für die Lektionen meiner gegenwärtigen Lebensumstände. Ich muß das, was ich lerne, nicht etikettieren, benennen oder verstehen; ich werde zur rechten Zeit klar sehen. Für heute reichen Vertrauen und Dankbarkeit aus.*

## Verwundbar sein — 18. Juni

Wir müssen lernen, uns anderen Menschen mitzuteilen. Wir müssen lernen, unsere Fehler einzugestehen und unsere Unzulänglichkeiten aufzudecken — nicht, um zu erreichen, daß andere uns heilen, uns retten, Mitleid für uns empfinden, sondern um uns selbst lieben und annehmen zu können. Dieser Austausch ist ein Katalysator zur Heilung und zur Veränderung.

Viele von uns fürchten sich davor, ihre Unzulänglichkeiten preiszugeben, weil sie dadurch angreifbar werden. Manche von uns haben sich in der Vergangenheit geöffnet und wurden deshalb von anderen kontrolliert, manipuliert, ausgebeutet oder beschämt.

Manche von uns haben dadurch gelitten, daß sie verwundbar waren. Wir haben Menschen ins Vertrauen gezogen, die es mißbrauchten. Oder wir haben den falschen Menschen zur falschen Zeit etwas anvertraut, und sind damit auf Unverständnis gestoßen.

Wir lernen aus unseren Fehlern — und trotz dieser Fehler ist es gut, wenn wir ehrlich sind und uns angreifbar machen. Wir können lernen, vertrauenswürdige Menschen auszusuchen, denen wir uns mitteilen. Wir können lernen, uns in angemessener Form mitzuteilen, um andere nicht zu ängstigen und von uns zu stoßen. Wir lernen auch, es zuzulassen, daß andere uns gegenüber verwundbar sind.

■ *Hilf mir heute, Gott, in angemessener Weise verwundbar zu sein. Ich werde mich nicht von anderen ausbeuten oder beschämen lassen, weil ich mich angreifbar mache, und werde meinerseits andere nicht ausbeuten.*

## Das Leben erleichtern — 19. Juni

Das Leben muß nicht schwer sein.

Natürlich gibt es Zeiten, in denen wir kämpfen und durchhalten und uns auf unsere Überlebensstrategien verlassen müssen. Wir müssen uns aber nicht ständig das Leben, das innere Wachstum, die Veränderung oder unseren Alltag schwermachen. Wenn unser Leben derart schwer ist, dann deshalb, weil ein Rest unserer Qualen, ein Überbleibsel aus alten Denkweisen, Gefühlen und Überzeugungen immer noch existiert. Wir sind wertvoll, auch wenn unser Leben schwer ist. Unser Wert und unser Verdienst werden nicht danach bemessen, wie angestrengt wir kämpfen.

Wenn uns alles *so* schwerfällt, machen wir es uns vielleicht schwerer als nötig. Lernen Sie, die Dinge mühelos und natürlich *geschehen zu lassen*. Lernen Sie, die Ereignisse und Ihre Beteiligung daran nach einer natürlichen Ordnung geschehen zu lassen. Das Leben ist dann leicht, leichter als bisher. Wir können uns dem Fluß überlassen, müssen nicht die Last der Welt auf unseren Schultern tragen und können uns von unserer Höheren Macht dorthin leiten lassen, wo wir sein müssen.

■ *Heute will ich damit aufhören, zu angestrengt zu kämpfen. Ich gebe meine Überzeugung auf, das Leben und die innere Heilung müßten schwer sein. Ich werde sie durch die Überzeugung ersetzen, daß ich diese Reise mühelos und in Ruhe unternehmen kann. Sie mag manchmal sogar richtig Spaß machen.*

## **Beziehungsopfer** **20. Juni**

Viele von uns sind so abgestumpft und haben ihre Gefühle so vollständig verleugnet, daß sie sich in ihren Beziehungen den eigenen Bedürfnissen entfremdet haben.

Wir können lernen zu erkennen, mit wem wir gern zusammen sind, ob es nun um die Freunde, Berufskollegen, Geliebten oder Ehepartner geht. Wir alle müssen mit Menschen umgehen, denen wir lieber aus dem Weg gingen, wir müssen uns jedoch nicht zu langfristigen oder intimen Beziehungen mit diesen Menschen zwingen.

Wir besitzen die Freiheit, Freunde, Geliebte, Ehepartner auszuwählen. Wir besitzen auch die Freiheit zu entscheiden, wieviel Zeit wir mit Leuten verbringen, die wir uns nicht immer aussuchen können, beispielsweise Verwandte. Dieses Leben gehört uns. Wir können darüber verfügen, wie wir unsere Tage und Stunden verbringen. Wir sind keine Sklaven. Wir sitzen nicht in der Falle. Und es gibt niemanden, der keine Möglichkeiten hätte. Vielleicht sehen wir sie nicht ganz deutlich. Auch wenn wir uns durch Schamgefühle kämpfen und lernen müssen, unsere innere Stärke geltend zu machen, können wir unsere wertvollen Stunden und Tage mit den Menschen verbringen, die uns Freude bereiten und mit denen wir gerne zusammen sind.

■ *Hilf mir, Gott, meine Zeit und mein Leben zu schätzen. Hilf mir, Wert darauf zu legen, wie ich mich fühle, wenn ich mit bestimmten Menschen zusammen bin. Führe mich, wenn ich lerne, gesunde, intime, offene Beziehungen aufzubauen. Hilf mir, daß ich mir die Freiheit nehme zu experimentieren, zu erforschen und zu lernen, wer ich bin und wer ich sein kann in meinen Beziehungen.*

## Gute Gefühle 21. Juni

Lassen Sie auch die guten Gefühle zu.

Manchmal können gute Gefühle ebenso verwirrend sein wie schmerzhafte, schwierige. Gute Gefühle können bei Menschen, die nicht daran gewöhnt sind, Unsicherheit auslösen. Lassen Sie sich nicht beirren, und empfinden Sie Ihre guten Gefühle.

Spüren und akzeptieren Sie Freude. Liebe. Wärme. Abenteuer. Glück. Zufriedenheit. Hochstimmung. Zärtlichkeit. Wohlbehagen.

Geben Sie sich dem Siegesglück, dem Entzücken hin.

Geben Sie sich dem guten Gefühl hin, Zuwendung zu erhalten.

Genießen Sie das Gefühl, respektiert, bedeutsam, etwas Besonderes zu sein.

Es sind nur Gefühle, aber sie tun gut. Sie sind voll positiver, optimistischer Energie — und es steht uns zu, sie zu haben.

Wir müssen nichts unterdrücken. Wir müssen uns nicht gute Gefühle ausreden — nicht eine Sekunde lang.

Wenn wir etwas spüren, gehört es uns. Ergreifen Sie Besitz davon. Genießen Sie gute Gefühle.

■ *Hilf mir heute, Gott, mich der Freude und dem Wohlbefinden zu öffnen.*

## Berufsleben 22. Juni

Genauso, wie es eine Geschichte unserer bisherigen Beziehungen gibt, gibt es auch, bei den meisten, eine Geschichte des eigenen Berufslebens. So wie wir in unseren zwischenmenschlichen Beziehungen eine bestimmte Situation akzeptieren und damit umgehen müssen, stehen wir im beruflichen Alltag vor einer bestimmten Situation, mit der wir umgehen und die wir akzeptieren müssen.

Genauso, wie wir eine gesunde Einstellung zur Geschichte unserer Beziehungen aufbauen — mit deren Hilfe wir lernen und uns weiterentwickeln —, können wir eine gesunde Einstellung zur Geschichte unseres Berufslebens aufbauen.

Seit meinem elften Lebensjahr habe ich in vielen Jobs gearbeitet. Genauso, wie ich durch meine Beziehungen vieles über mich erfahren habe, habe ich viele Lektionen in meiner Arbeitswelt gelernt, die wiederum oft parallel zu den Lektionen verliefen, die ich in anderen Lebensbereichen lernte.

Ich habe in Jobs gearbeitet, die ich haßte, auf die ich jedoch vorübergehend angewiesen war. Ich saß in Jobs fest, weil ich fürchtete, Eigeninitiative zu ergreifen und meine Lebenslage zu ändern.

Ich habe in Jobs gearbeitet, um mir Fähigkeiten anzueignen. Oft wußte ich erst, daß ich diese Fähigkeiten entwickelt hatte, als sie in meinem späteren Beruf eine bedeutende Rolle spielten.

Ich habe in Jobs gearbeitet, in denen ich mich als Opfer fühlte, in denen ich das Gefühl hatte, alles zu geben und nichts zurückzubekommen. In manchen meiner Beziehungen hatte ich ähnliche Gefühle.

Ich habe in Jobs gearbeitet, in denen ich Dinge lernte, von denen ich absolut nichts wissen wollte; andere entfachten in mir wenigstens den Funken einer Vorstellung davon, was ich wirklich wollte und was mir für meinen späteren Beruf wertvoll war.

Manche meiner Jobs halfen mir, meinen Charakter zu festigen, andere halfen mir, bestimmte Fähigkeiten zu verfeinern. Alles war dazu angetan, mein inneres Wachstum zu fördern.

Genauso, wie ich mit meinen Gefühlen und Überzeugungen in Beziehungen umgehen mußte, mußte ich mit meinen eigenen Gefühlen und Überzeugungen umgehen und damit, was mir, meiner Meinung nach, im Berufsleben zustand.

Genauso, wie ich die Scherben meiner Gefühle aus vergangenen Beziehungen aufräumen mußte, war es nötig, meine Gefühle im Arbeits- und Berufsleben aufzuarbeiten.

Ich habe zwei bedeutende Berufswechsel in meinem Leben vorgenommen. Ich machte die Erfahrung, daß keiner der Berufe ein Mißgriff und keiner der Jobs vergeudete Zeit war. Ich habe aus jedem Job etwas gelernt, und mein Berufsleben hat dazu beigetragen, daß ich die Person wurde, die ich heute bin.

Ich habe noch etwas gelernt: Es gab einen Plan, und ich wurde gelenkt. Je mehr ich meinem Instinkt vertraute hinsichtlich dessen, was ich wollte und was ich als richtig empfand, desto deutlicher spürte ich die Unterweisung, die mir zuteil wurde.

Je mehr ich mich dagegen wehrte, meine Seele zu verkaufen, und eine Arbeit nicht des Geldes wegen machte, sondern weil ich den Wunsch dazu verspürte, desto weniger fühlte ich mich durch Arbeit zum Opfer gemacht, auch wenn der Job mir wenig Geld einbrachte. Je mehr Ziele ich mir setzte und die Verantwortung dafür übernahm, den Beruf zu erreichen, der meinen Vorstellungen entsprach, desto klarer konnte ich mich entscheiden, ob ein bestimmter Job in dieses Schema paßte. Ich konnte erkennen, warum ich in einem bestimmten Job arbeitete und welchen Nutzen mir das brachte.

Es gab Zeiten, in denen ich mich angstvoll fragte, wie weit ich in meinem Berufsleben gekommen war. Panik half mir nie. Das Vertrauen und die Arbeit in meinem Selbsthilfeprogramm halfen mir.

Es gab Zeiten, in denen ich mich fragte, warum ich mich an einem bestimmten Platz befand. Es gab Zeiten, in denen die Menschen meiner Umgebung die Ansicht vertraten, ich müsse woanders sein. Wenn ich aber in mich hineinhorchte und mich an Gott wandte, wußte *ich*, daß ich zu diesem Zeitpunkt am richtigen Platz war.

Es gab Zeiten, in denen ich nicht die Wertschätzung seitens des Arbeitgebers erfuhr, die ich mir gewünscht hatte. Es gab Zeiten, in denen ich eine Beförderung ablehnte, weil sie mir nicht richtig erschien.

Es gab Zeiten, in denen ich eine Stellung kündigen mußte, um mir selbst treu zu bleiben. Das machte mir manchmal Angst. Zuweilen kam ich mir vor wie ein Versager. Aber ich lernte eines: Wenn ich an meinem Programm arbeitete und mir selbst treu blieb, mußte ich nie Angst haben, wohin ich geführt wurde.

Es gab Zeiten, in denen das geringe Gehalt, das ich verdiente, mir nicht zum Leben reichte. Statt mich mit diesem Problem an meinen Arbeitgeber zu wenden und ihm die Schuld dafür zu geben, mußte ich lernen, das Problem mir und meiner Höheren Macht vorzulegen. Ich habe gelernt, daß ich verantwortlich dafür bin, meine Grenzen zu setzen und zu bestimmen, wieviel Geld ich meiner Meinung nach verdienen muß. Ich habe weiterhin gelernt, daß Gott — nicht ein bestimmter Arbeitgeber — meine Führungskraft ist.

Ich habe erkannt, daß ich ebensowenig in einem Job wie in einer Beziehung festsitze oder gefangen bin. Ich habe die freie Wahl. Auch wenn ich nicht in der Lage bin, das sofort klar zu erkennen, habe ich dennoch die Wahl. Ich habe gelernt, in jedem beliebigen Job für mich Sorge zu tragen, wenn ich es wirklich will. Und wenn ich in einem Job zum Opfer gemacht werden will, liegt das ebenfalls an mir.

Ich bin verantwortlich für meine Entscheidungen — und ich verfüge über Wahlmöglichkeiten.

In erster Linie habe ich gelernt, meine gegenwärtigen Arbeitsbedingungen anzunehmen und ihnen zu vertrauen. Das heißt nicht, daß ich mich ihnen unterwerfe; heißt nicht, daß ich auf Grenzen verzichte. Es heißt, daß ich Vertrauen habe, die Dinge akzeptiere und dann jeden Tag so sorgsam mit mir selbst umgehe, wie es irgend möglich ist.

■ *Hilf mir, Gott, meine heilsamen Verhaltensweisen in meine Arbeitswelt mit einzubringen.*

## Sich von alten Überzeugungen trennen — 23. Juni

*Streng dich mehr an. Mach es besser. Sei perfekt.*

Diese Botschaften sind Tricks, mit denen Menschen uns kapern. Wie sehr wir uns auch bemühen, wir glauben immer, es besser machen zu müssen. Perfektion ist nicht erreichbar; daher sind wir unzufrieden mit dem Guten, das wir vollbracht haben.

Botschaften, die den Perfektionismus zum Thema haben, sind deshalb Tricks, weil wir dieses Ziel nie schaffen. Solange diese Botschaften uns vorwärtstreiben, sind wir unzufrieden mit uns oder dem, was wir geleistet haben. Wir werden nie gut genug sein, bis wir diese Botschaften ändern und uns sagen, daß wir jetzt gut genug sind.

Wir können damit anfangen, uns anzuerkennen und anzunehmen. Wir sind gut genug, so wie wir sind. So, wie wir es gestern gemacht haben, war es gut; so, wie wir es heute machen, ist es gleichfalls gut.

Wir können so sein, wie wir sind, und die Dinge tun, wie wir sie tun — heute. Genau darum geht es, wenn wir unser Perfektionsdenken ablegen wollen.

■ *Hilf mir, Gott, daß ich mich von Botschaften trenne, die mich verrückt machen. Es steht mir frei, so zu sein, wie ich bin, und damit lasse ich es gut sein.*

## Abstand — 24. Juni

Vielen von uns fällt es recht schwer, inneren Abstand zu gewinnen. Sobald wir jedoch den Nutzen dieses Prinzips für unsere innere Heilung erkennen, begreifen wir, wie wichtig dieser Abstand ist. Die folgende Geschichte einer Ehefrau macht uns das klar.

»Ich schaffte es zum ersten Mal, Abstand zu gewinnen, als ich mich von meinem alkoholkranken Ehemann trennte. Er trank damals sieben Jahre — seit Beginn unserer Ehe. Genau so lange hatte ich seine Alkoholabhängigkeit verdrängt und versucht, ihm das Trinken abzugewöhnen.

Ich setzte alle Hebel in Bewegung, um ihn von Alkohol fernzuhalten, ihn zur Einsicht zu bewegen, ihm vor Augen zu führen, wie sehr er mich mit seiner Trinkerei verletzte. Ich war wirklich der Überzeugung, mit meinen Kontrollmaßnahmen das Richtige zu tun.

Eines Abends kam mir die Erleuchtung. Mir wurde klar, daß meine Kontrollversuche das Problem nie lösen würden. Mir war außerdem klar, daß ich mein Leben nicht mehr im Griff hatte. Ich konnte ihn nicht zu etwas zwingen, wozu er nicht bereit war. Seine Alkoholabhängigkeit beherrschte mich, obwohl ich selbst nicht trank.

Ich stellte ihm frei, zu tun, was er wollte. In Wahrheit hat er das ohnehin immer getan. Die Dinge veränderten sich an jenem Abend, da ich auf Distanz ging. Er spürte das genauso wie ich. Indem ich ihn freigab, gewann ich die Freiheit, mein eigenes Leben zu führen.

Seitdem hatte ich oft Gelegenheit, das Prinzip des Abstandnehmens zu praktizieren — Abstand von ungesunden und gesunden Menschen. Es hat immer funktioniert. Der innere Abstand hat sich stets als positiv erwiesen.

Abstand gewinnen ist ein Geschenk, das uns zuteil wird, wenn wir die Bereitschaft dazu mitbringen. Wenn wir anderen die Freiheit geben, befreien wir uns selbst.

■ *Heute will ich liebevoll Abstand gewinnen, wo immer es möglich ist.*

## Verweigerung 25. Juni

Um uns selbst zu schützen, verschließen wir uns gelegentlich dem Menschen, der uns etwas bedeutet. Wir mögen ihm körperlich nah sein und sind doch weit weg. Wir weigern uns, an der Beziehung teilzuhaben.

Wir kapseln uns ab.

Es ist manchmal angebracht und auch gesund, sich in einer Beziehung zurückzuziehen. Jeder Mensch braucht Zeit und Raum für sich. Dieser Rückzug kann aber auch negative Wirkungen haben.

Wenn wir aufhören, offen, ehrlich für eine andere Person dazusein, kann die Beziehung in die Brüche gehen. Der Partner hat keine Möglichkeit, an uns heranzukommen. Unsere Verweigerung macht uns unerreichbar für jegliche Kommunikation.

Es ist normal, von Zeit zu Zeit auf Distanz zu gehen; ungesund ist es aber, sich diese Haltung zur Gewohnheit zu machen.

Bevor wir uns völlig zurückziehen, müssen wir uns fragen, was wir damit erreichen wollen. Brauchen wir Zeit, um Probleme in den Griff zu bekommen? Um zu heilen? Um innerlich zu wachsen? Um uns über Zusammenhänge klarzuwerden? Brauchen wir etwas Abstand von der Beziehung? Oder fallen wir in alte Gewohnheiten zurück — als wir Beziehungen einfach beendeten, vor ihnen wegliefen, uns davor versteckten, aus Angst, andernfalls uns selbst vernachlässigen zu müssen?

Oder verschließen wir uns deshalb, weil der andere es nicht ehrlich meint, manipuliert, lügt, uns benutzt oder durch sein Suchtverhalten mißbraucht? Verschließen wir uns, weil der andere sich verschlossen hat und wir nicht länger verfügbar sein wollen?

Sich verschließen, sich abschotten, einer Beziehung die eigene emotionale Präsenz entziehen, ist eine folgenschwere Maßnahme, mit der wir behutsam und verantwortungsvoll umgehen müssen. Um Intimität und Nähe in einer Beziehung zu erreichen, müssen wir emotional präsent sein. Wir müssen verfügbar sein.

■ *Hilf mir, Gott, emotional präsent zu sein in den Beziehungen, die ich gerne erhalten möchte.*

## Tiefpunkte durchstehen — 26. Juni

Ein inneres Tief kann tagelang andauern. Wir fühlen uns träge, lustlos und gelegentlich von Gefühlen überwältigt, die wir nicht einordnen können. Wir verstehen nicht, was mit uns los ist. Auch unsere Versuche, an unserer inneren Heilung zu arbeiten, wollen nicht klappen. Wir fühlen uns emotional, seelisch und spirituell nicht auf der Höhe.

In einem solchen Tief fallen wir wider besseres Wissen in alte Denk-, Gefühls- und Verhaltensmuster zurück. Wir kehren zu zwanghaften Handlungen zurück, obgleich wir sie als solche erkennen und wissen, daß es uns nichts bringt.

Wir wenden uns verzweifelt an andere Menschen um Rat und Trost, obschon wir genau wissen, daß unser Wohlbefinden und unser Glück nicht von anderen kommt.

Wir beginnen, Sachverhalte persönlich zu nehmen, die uns nicht betreffen, und reagieren in einer Art, die nicht funktioniert, wie wir nur zu gut wissen.

Wir sind an einem Tiefpunkt angelangt. Dieser Zustand dauert nicht ewig. Solche Phasen sind normal, sogar notwendig. Es sind Tage, die wir durchstehen müssen. Es sind Tage, an denen unsere innere Heilung fortgesetzt wird, auch wenn die Belohnungen sich nicht umgehend einstellen. Es sind manchmal Tage, an denen wir uns in Ruhe lassen und uns lieben wollen, so gut wir es vermögen.

Wir müssen uns nicht schämen. Wir müssen nicht unvernünftig »mehr« von uns verlangen. Wir müssen nie von uns erwarten, ein perfektes Leben zu führen.

Stehen Sie das seelische Tief durch. Es wird ein Ende haben. Manchmal dauert ein Tief tagelang, und plötzlich, innerhalb weniger Stunden, verziehen sich die Wolken, und wir fühlen uns wieder wohl. Das Stimmungstief kann aber auch länger anhalten.

Beginnen Sie, sich in einem kleinen Bereich langsam aus Ihrem Tief herauszuarbeiten. Bald wird es verschwunden sein. Wir können heute nie darauf schließen, wo wir morgen sein werden.

■ *Heute will ich mich auf meine innere Heilung in einem Problembereich konzentrieren und darauf vertrauen, daß mich das vorwärtsbringt. Ich werde daran denken, daß eine bejahende Haltung, Dankbarkeit und innerer Abstand gute Maßnahmen sind, um damit zu beginnen.*

## In Einklang kommen — 27. Juni

Ein Pianist, der ein neues Musikstück einstudiert, setzt sich nicht ans Klavier und spielt es perfekt vom Blatt. Häufig übt er mit jeder Hand einzeln, um die Noten, den technischen Ablauf zu lernen. Eine besonders schwierige Passage wiederholt er so lange mit einer Hand, bis die Griffe richtig sind und der Rhythmus stimmt. Dann übt der Musiker mit der anderen Hand, arbeitet sich systematisch durch die Notenfolge, bis auch diese Hand ihre Aufgabe beherrscht. Erst nachdem jede Hand geübt ist und Noten, Rhythmus, Anschlag perfekt beherrscht, können beide Hände zusammenspielen.

Während der Übungszeit ist die Schönheit des Musikstücks noch nicht zu erkennen.

Die Töne sind abgehackt und klingen nicht sonderlich musikalisch. Erst durch das Zusammenspiel beider Hände entsteht Musik — erst dann ertönt das Werk in seiner ganzen Fülle, Harmonie und Größe.

Zu Beginn unseres inneren Wachstums verbringen wir oft Monate, sogar Jahre damit, einzelne, dem Anschein nach zusammenhanglose Verhaltensweisen in den verschiedenen Bereichen unseres Lebens einzuüben.

Wir bringen unsere neuerworbenen Fähigkeiten nach und nach in unsere Arbeitswelt, in unseren Beruf, in unser Privatleben ein und beginnen allmählich, unser Leben gesünder zu gestalten.

Nach und nach üben wir ein neues Musikstück ein, Note für Note.

Wir arbeiten an der Beziehung zu unserer Höheren Macht — an unserer Spiritualität. Wir arbeiten an unserer Selbstliebe. Wir arbeiten an unserer Überzeugung, das Beste verdient zu haben. Wir arbeiten an unseren Finanzen, an unserer Entspannung, manchmal an unserem Aussehen oder an unserer Wohnung.

Wir arbeiten an Gefühlen, an Überzeugungen, an Verhaltensweisen. Wir trennen uns von Altem, nehmen Neues an. Wir arbeiten, arbeiten und arbeiten. Wir üben. Wir beißen uns durch. Wir schwanken von einem Extrem ins andere, und dann arbeiten wir uns noch einmal durch den ganzen Kreislauf. Wir machen kleine Fortschritte, gehen einen Schritt zurück und dann wieder einen nach vorn.

Nichts scheint zusammenzupassen. Unser Leben klingt nicht wie ein schönes, harmonisches Musikstück — jede Note steht für sich allein. Aber eines Tages passiert etwas: Wir sind plötzlich soweit, um beidhändig zu spielen, um den vollen Klang der Musik entstehen zu lassen.

Was wir uns Note für Note erarbeitet haben, wird zum Lied. Dieses Lied ist ein ganzes Leben, ein vollständiges Leben, ein Leben in Harmonie.

Die Musik vereinigt sich zu Wohlklang in unserem Leben — wenn wir die einzelnen Abschnitte üben.

■ *Heute will ich meine innere Heilung in einzelnen Bereichen meines Lebens anwenden. Ich vertraue darauf, daß die Dinge sich eines Tages zu einem vollständigen, wohlklingenden Musikstück zusammenfügen.*

## Vergebliche Mühe — 28. Juni

Wenn wir vor einem Problem stehen, versuchen wir, es auf eine bestimmte Weise zu lösen. Erzielen wir damit keinen Erfolg, versuchen wir erneut, das Problem in gleicher Weise zu lösen.

In unserer Frustration verstärken wir unsere Bemühungen, und unsere Frustration wächst; wir verwenden noch mehr Energie darauf, machen unseren Einfluß noch stärker geltend, um die Lösung auf dem gleichen Weg herbeizuführen, den wir bereits vergeblich gegangen sind.

Dieser Ansatz macht uns krank. Wir sitzen in der Falle. Unser Leben ist kaum noch zu bewältigen.

Das gleiche problematische Verhaltensmuster macht uns in Beziehungen, überhaupt in allen Lebensbereichen, zu Gefangenen. Wir setzen etwas in Bewegung, das zu nichts führt. Wir fühlen uns unglücklich, versuchen es mit der gleichen Methode erneut, obwohl nichts klappt, nichts fließt.

Manche Situationen verlangen danach, daß wir nicht aufgeben und unsere Bemühungen verstärken. Andere verlangen danach, daß wir loslassen, Abstand gewinnen und allzu verbissene Anstrengungen aufgeben.

Wenn etwas nicht klappt, wenn es nicht fließt, will das Leben uns vielleicht etwas mitteilen. Das Leben ist ein gütiger Lehrmeister. Es stellt nicht immer neonbeleuchtete Hinweisschilder für uns auf. Manchmal sind die Zeichen etwas subtiler. Manchmal deuten sie darauf hin, daß wir uns vergeblich bemühen!

Lassen wir los. Nach wiederholten Bemühungen, die nicht das erwünschte Ergebnis gebracht haben, zwingen wir uns oft, den falschen Weg beizubehalten, obgleich ein verändertes Vorgehen angebracht wäre. Manchmal eröffnet sich ein anderer Weg. Bisweilen zeigt sich die Antwort in der Ruhe des Loslassens deutlicher als in der Bedrängnis, der Frustration und den verzweifelten Anstrengungen.

Lernen Sie zu erkennen, wann etwas nicht klappt oder nicht im Fluß ist. Halten Sie inne, und warten Sie auf eine klare Unterweisung.

■ *Heute werde ich mich nicht verrückt machen bei meiner Suche nach Lösungen, die sich bislang nicht eingestellt haben. Wenn etwas nicht klappt, halte ich inne und warte darauf, daß ich geführt werde.*

Gottes Wille geschieht in vielen Fällen trotz, nicht wegen uns.

Wir mögen herumrätseln, was Gott mit uns vorhat; wir halten Ausschau, suchen fieberhaft nach Seinem Willen, als handle es sich um einen verborgenen Schatz. Sollten wir ihn finden, hätten wir das große Los gezogen. Wenn wir jedoch nicht umsichtig sind, übersehen wir ihn.

So funktioniert es *nicht*.

Wir glauben, besonders umsichtig sein zu müssen, um das Richtige zu sagen, zu denken und zu fühlen; wir zwingen uns, zur rechten Zeit am rechten Ort zu sein, um Gottes Willen zu erfahren. Damit erreichen wir nichts.

Gottes Wille ist nicht verborgen wie ein vergrabener Schatz. Wir müssen ihn weder kontrollieren noch erzwingen. Wir müssen nicht übertrieben achtsam sein, damit er geschehen kann.

Gottes Wille ist in uns und in unserer Umgebung. Er geschieht jetzt, in diesem Augenblick. Manchmal vollzieht er sich still und ohne großes Aufsehen durch die tägliche Disziplin unserer Verantwortung und Sorge, die wir für uns selbst tragen. Manchmal heilt er uns, wenn wir Situationen erleben, die altes Leid und unerledigte Probleme heraufbeschwören.

Manchmal ist er großartig.

Wir haben Anteil. Wir tragen Verantwortung, nicht zuletzt dafür, daß wir sorgsam mit uns selbst umgehen. Aber wir brauchen den Willen Gottes nicht zu kontrollieren. Wir werden umsorgt. Wir werden beschützt. Und die Macht, die uns umsorgt und beschützt, liebt uns aufrichtig.

Wenn ein Tag ruhig ist, vertrauen Sie der Stille. Wenn ein Tag voll Aktion ist, vertrauen Sie der Aktion. Wenn es Zeit ist zu warten, vertrauen Sie dem Warten. Wenn es Zeit ist, das zu bekommen, worauf wir gewartet haben, vertrauen Sie darauf, daß es deutlich und mit Macht geschieht, und nehmen das Geschenk mit Freuden an.

■ *Heute will ich darauf vertrauen, daß Gottes Wille in meinem Leben geschieht. Ich mache mich nicht nervös und unsicher, indem ich Gottes Willen zu ergründen suche; ich werde keine unnötigen Schritte unternehmen, um den Verlauf meines Schicksals zu kontrollieren, oder mich fragen, ob Gott mich übergangen hat und ich den richtigen Augenblick verpaßt habe.*

## Veränderungen akzeptieren 30. Juni

Eines Tages arbeiteten meine Mutter und ich gemeinsam im Garten. Wir setzten einige Pflanzen zum dritten Mal um. Aus Samen in einer kleinen Schale gezogen, waren die Keimlinge später in einen größeren Behälter und dann ins Freiland gesetzt worden. Da ich einen Wohnungswechsel vornahm, wurden sie erneut verpflanzt.

Ich war keine erfahrene Gärtnerin wie meine Mutter. »Schadet ihnen das nicht?« fragte ich sie und schüttelte die Erde von den Wurzeln ab. »Leiden die Pflanzen nicht darunter, wenn sie so oft ausgegraben und umgesetzt werden?«

»Aber nein«, antwortete meine Mutter. »Das Umpflanzen macht ihnen nichts aus. Im Gegenteil, dadurch werden sie robuster. Ihre Wurzeln bohren sich tiefer ins Erdreich, die Pfanzen werden kräftiger.«

Ich bin mir oft wie diese kleinen Gewächse vorgekommen — entwurzelt und durchgeschüttelt. Manchmal habe ich die Veränderungen bereitwillig hingenommen, manchmal widerstrebend; meist war meine Reaktion eine Mischung aus beidem.

Ist das nicht mühsam für mich? frage ich. Wäre es nicht besser, wenn die Dinge so blieben, wie sie sind? Bei solchen Gelegenheiten erinnere ich mich der Worte meiner Mutter: die Wurzeln bohren sich tiefer ins Erdreich, die Pflanzen werden kräftiger.

■ *Hilf mir, Gott, daß ich nicht vergesse: In Zeiten des Übergangs werden mein Glaube und die Fürsorge, die ich mir entgegenbringe, gestärkt werden.*

# *Juli*

## Annehmen können — 1. Juli

Hier eine Übung:

Lassen Sie sich heute ein Geschenk machen. Lassen Sie sich einen Gefallen tun. Lassen Sie sich ein Kompliment machen oder ein Lob geben. Lassen Sie sich von jemandem helfen.

Nehmen Sie es an. Spüren Sie, wie Sie annehmen. Erkennen Sie, daß Sie wertvoll sind und es verdienen. Entschuldigen Sie sich nicht. Sagen Sie nicht: »Das wäre nicht nötig gewesen.« Fühlen Sie sich nicht schuldig, ängstlich, beschämt oder in Panik. Versuchen Sie nicht, sich sofort zu revanchieren.

Sagen Sie einfach: »Danke.«

■ *Heute will ich zulassen, daß mir jemand etwas gibt, und ich werde zulassen, daß ich mich wohl dabei fühle.*

## Wer weiß es am besten? — 2. Juli

Andere wissen nicht, was für uns am besten ist.

Wir wissen nicht, was für andere am besten ist.

Es ist unsere Aufgabe, festzustellen, was für uns am besten ist.

»Ich weiß, was du brauchst ...«; »Ich weiß, was du tun mußt ...«; »Hör mal zu, ich finde, du solltest jetzt das und das tun.«

Das sind dreiste Anmaßungen, Aussagen, die uns daran hindern, unser Leben auf eine spirituelle Ebene zu bringen. Jeder von uns besitzt die Fähigkeit, seinen eigenen Weg zu erkennen und zu finden. Das ist zwar nicht immer leicht, und wir mögen manchen Kampf zu bestehen haben, bevor wir Ruhe und Frieden finden.

Es liegt nicht in unserem Aufgabenbereich, anderen Ratschläge zu erteilen, Entscheidungen für andere zu treffen oder Strategien für sie zu erarbeiten. Genausowenig ist es die Aufgabe anderer, uns an der Hand zu nehmen und zu führen. Auch wenn wir großes Vertrauen zu einer Bezugsperson haben, können wir uns nicht darauf verlassen, daß andere *stets* wissen, was für uns am besten ist. Es ist unsere Verantwortung, die an uns herangetragene Information anzunehmen. Wir haben die Pflicht, um Unterweisung und Führung zu bitten. Wir haben auch die Verantwortung, die Information zu prüfen und einzuordnen und dann unsere innere Stimme zu befragen, was für uns am besten sei. Das kann niemand wissen, nur wir selbst.

Wir erweisen anderen einen großen Dienst, wenn wir ihnen die Fähigkeit zutrauen, daß sie selbst herausfinden, was für sie am besten ist, daß *sie das Recht haben, ihren Weg zu finden, Fehler zu machen und zu lernen.*

Unser Vertrauen darauf, daß wir durch einen Lernprozeß — indem wir etwas ausprobieren, Fehler machen, etwas Neues ausprobieren — Erkenntnisse erlangen: Das ist ein großer Dienst, den wir uns selbst erweisen können.

■ *Heute will ich daran denken, daß uns allen das Geschenk zuteil wurde, festzustellen, was gut für uns ist. Hilf mir, Gott, dieses Geschenk anzunehmen und ihm zu vertrauen.*

## Direktheit — 3. Juli

Die Art, wie wir mit anderen kommunizieren, kann unsere Kontrollbedürfnisse widerspiegeln. Wir sagen Dinge, von denen wir glauben, daß der andere sie hören will. Wir bemühen uns, andere nicht zu verärgern, nicht zu verunsichern, sie nicht vor den Kopf zu stoßen, ihnen keinen Anlaß zum Widerwillen zu geben. Doch unser Bedürfnis nach Kontrolle lockt uns in eine Falle, in der wir uns als Opfer und Märtyrer vorkommen.

Die Freiheit ist nur wenige Worte entfernt. Diese Worte sind unsere Wahrheiten. Wir können sagen, was wir sagen müssen. Wir können unsere Meinung ruhig und selbstbewußt äußern.

Lassen Sie Ihr Bedürfnis nach Kontrolle los. Wir müssen nicht verurteilen, taktlos sein, Schuld zuweisen oder grausam sein, wenn wir unsere Wahrheiten aussprechen. Andererseits brauchen wir unser Licht nicht unter den Scheffel zu stellen. Lassen wir los, und bekennen wir uns freimütig dazu, so zu sein, wie wir sind.

■ *Heute will ich mit mir und anderen aufrichtig umgehen im Bewußtsein, daß meine innere Wahrheit eben anders zum Vorschein kommt, wenn ich nicht aufrichtig bin.*

## Feiern — 4. Juli

Nehmen Sie sich Zeit, um zu feiern.

Feiern Sie Ihre Erfolge, Ihr inneres Wachstum, Ihre Leistungen. Feiern Sie sich, den Menschen, der Sie sind.

Zu lange sind Sie zu streng mit sich selbst umgegangen. Andere haben ihre negative Energie — Meinungen, Überzeugungen, Schmerzen — auf Sie übertragen. Das hatte alles nichts mit Ihnen zu tun!

Sie sind ein Kind Gottes. Sie sind schön, Sie sind eine wahre Freude. Sie müssen Ihre Anstrengungen nicht erhöhen, um besser, perfekt oder irgend etwas zu sein, was Sie nicht sind. Ihre Schönheit strahlt aus Ihrem Innern.

Feiern Sie das.

Genießen Sie Ihren Erfolg, genießen Sie das, was Sie erreicht haben. Machen Sie eine Pause, denken Sie nach, freuen Sie sich. Sie haben sich zu lange Ermahnungen angehört, Sie durften sich nicht an Ihren Leistungen erfreuen, um nicht als hochmütig zu gelten.

Feiern ist eine Steigerung des Lobes, des Dankes an den Schöpfer der Schönheit des Universums. Wir dürfen Gutes feiern und uns daran erfreuen, ohne zu befürchten, daß es uns weggenommen wird. Feiern heißt, sich an dem Geschenk der Dankbarkeit zu erfreuen.

Feiern Sie Ihre Beziehungen! Feiern Sie die Lektionen aus der Vergangenheit und die Liebe und Wärme, die Ihnen heute zuteil werden. Genießen Sie die Schönheit anderer und deren Beziehungen zu Ihnen.

Feiern Sie alles, was in Ihrem Leben gut ist. Feiern Sie sich selbst!

■ *Heute will ich mich der Freude am Feiern hingeben.*

Wir beginnen, innerlich geheilt zu werden und Sorge zu tragen für uns selbst. Unser Selbsthilfeprogramm zeitigt erste Resultate in unserem Leben, und wir fühlen uns bereits wohler.

Da schlägt es zu. Das Schuldgefühl.

Sobald wir die Fülle und die Freuden des Lebens erfahren, fühlen wir uns schuldig, weil wir Menschen hinter uns gelassen haben — jene, die sich nicht auf dem Weg der Heilung befinden, die immer noch Schmerzen leiden. Diese »Überlebensschuld« ist ein Symptom der Co-Abhängigheit.

Wir denken an unseren geschiedenen Ehemann, der immer noch trinkt. Wir denken an ein Kind, halbwüchsig oder erwachsen, das immer noch leidet. Wir werden von einem Elternteil angerufen, der seine Sorgen bei uns ablädt. Und wir fühlen uns in den Schmerz der Menschen, die uns nahestehen, hineingezogen.

Wie können wir uns so glücklich, so wohl fühlen, wenn sie immer noch im Unglück verhaftet sind? Können wir uns davon wirklich befreien und ein zufriedenes Leben führen, obwohl die Situation der anderen so schrecklich ist? Ja, das können wir.

Natürlich ist es schmerzlich, Menschen, die wir lieben, zurückzulassen. Setzen Sie dennoch Ihren Weg unbeirrt fort. Haben Sie Geduld. Die Genesung anderer Menschen ist nicht unsere Aufgabe. Wir können sie nicht heilen. Wir können sie nicht glücklich machen.

Wir mögen uns fragen, warum *wir* für ein erfüllteres Leben ausgewählt wurden. Vielleicht erhalten wir darauf nie eine Antwort. Manche Menschen schließen sich dem Heilungsprozeß in ihrem eigenen Tempo an; aber ihre Heilung ist nicht unsere Sache. Die einzige Heilung, die wir wirklich fördern können, ist unsere eigene.

Wir können uns von anderen in Liebe lösen und uns selbst ohne Schuldgefühle lieben.

■ *Heute bin ich bereit, mich durch meine Trauer und meine Schuldgefühle zu arbeiten. Ich werde zulassen, daß ich gesund und glücklich bin, auch wenn jemand, den ich liebe, diesen Weg nicht gewählt hat.*

*Demütig baten wir Gott, unsere Mängel von uns zu nehmen.*

— Siebter Schritt von Al-Anon

Im Sechsten und Siebten Schritt des Programms erreichen wir die Bereitschaft, uns von unseren Charakterfehlern zu lösen — von Problemen, Verhaltensweisen, alten Gefühlen, unverarbeitetem Kummer und Überzeugungen, die verhindern, daß wir die Freuden empfinden, die uns zustehen. Wir bitten Gott, unsere Mängel von uns zu nehmen.

Ist das nicht einfach? Wir müssen keine Verrenkungen machen, um uns zu verändern. Wir müssen die Veränderung nicht erzwingen. Ausnahmsweise müssen wir etwas »nicht selbst tun«. Alles, was wir tun müssen, ist: innerlich bereit und demütig werden. Alles, was wir tun müssen, ist: Gott um das bitten, was wir wollen und brauchen, und Ihm vertrauen, daß er für uns tut, was wir nicht tun können *und nicht tun müssen.*

Wir müssen nicht mit angehaltenem Atem beobachten, wie und wann wir uns verändern. Wir sind nicht allein. Durch dieses wunderbare und erfolgreiche Programm, das Millionen Menschen Gesundheit und Veränderung gebracht hat, werden wir verändert, durch die Arbeit an den Schritten.

■ *Hilf mir heute, Gott, daß ich mich der Heilung und einem Prozeß überlasse, durch den ich verändert werde. Hilf mir, daß ich mich auf den Schritt konzentriere, den ich gerade tun muß. Hilf mir, daß ich meinen Beitrag leiste, mich entspanne und den Rest geschehen lasse.*

## Alles herauslassen — 7. Juli

*Geben Sie sich Ihren Bauchschmerzen hin.*

— Charlotte Davis Kasl

Lassen Sie es heraus. Nur zu. Lassen Sie alles heraus. Wenn wir mit der inneren Heilung beginnen, haben wir vielleicht das Gefühl, es sei nicht in Ordnung, sich zu ärgern und zu beschweren. Wir sagen uns möglicherweise, wenn wir wirklich in einem guten Programm arbeiten würden, hätten wir keinen Grund, uns zu beklagen.

Was heißt das? Dürfen wir keine Gefühle haben? Dürfen wir uns nicht hilflos fühlen? Müssen wir nicht Dampf ablassen oder die unangenehmen, fehlerhaften und häßlichen Aspekte des Lebens aufarbeiten?

Wir können unsere Gefühle herauslassen, Risiken eingehen und uns im Umgang mit anderen verletzlich fühlen. Wir müssen uns nicht ständig zusammennehmen. Dieses Verhalten würde eher in die Abhängigkeit passen als in den Heilungsprozeß.

Wenn wir alles aus uns herauslassen, müssen wir nicht zu Opfern werden. Es bedeutet auch nicht, daß wir uns in unserem Unglück suhlen, daß wir unsere Qualen genießen; nicht, daß wir nicht weiterhin Grenzen setzen; nicht, daß wir nicht gut zu uns selbst sind.

Manchmal ist es wichtig, alles aus sich herauszulassen, um Sorge zu tragen für sich selbst. Wir erreichen so einen Punkt, an dem wir uns ganz ausliefern, um von dort weiterzuarbeiten.

Wenn wir uns offenbaren, geben wir uns im stillen Rechenschaft über unsere Gefühle. Gelegentlich müssen wir das Risiko eingehen, unsere menschlichen Seiten zu zeigen — Ängste, Trauer, Verletzungen, Wut, rasenden Zorn, Lustlosigkeit, fehlenden Glauben.

Wir dürfen unsere menschlichen Schwächen zeigen. Dabei lassen wir den anderen ihre Schwächen. Manchmal erreichen wir unsere Fassung wieder, wenn wir einen Zusammenbruch erlitten haben — wenn wir alles herausgelassen haben.

■ *Heute will ich alles herauslassen, um mir Erleichterung zu verschaffen.*

Bleiben Sie im Fluß.

Lösen Sie sich von Ihrer Angst und Ihrem Kontrollbedürfnis. Schütteln Sie Ihre Unsicherheit ab. Legen Sie all das ab, und tauchen Sie ein in den Fluß des gegenwärtigen Augenblicks, den Fluß Ihres Lebens.

Hören Sie auf, eine Richtung erzwingen zu wollen. Versuchen Sie nicht, gegen den Strom anzuschwimmen, das ist für Ihr Überleben nicht nötig, Lassen Sie den Ast los, an den Sie sich klammern.

Bewegen Sie sich mit dem Fluß, lassen Sie sich von der Strömung tragen.

Vermeiden Sie Stromschnellen. Falls das nicht möglich ist, bleiben Sie gelassen. Innere Gelassenheit wird Sie unversehrt auch durch tosende Wildwasser tragen. Wenn Sie einen Augenblick untertauchen, verlieren Sie nicht den Mut. Sie werden wieder an die Oberfläche getragen werden.

Genießen Sie die Schönheit der Landschaft. Sehen Sie die Dinge in neuem Licht. Die Landschaft, der Sie heute begegnen, werden Sie so nie wieder sehen!

Denken Sie nicht zu viel über die Dinge nach. Der Fluß will erlebt und erfahren werden. Geben Sie gut acht auf sich. Sie sind Teil des Flusses, ein wichtiger Teil. Arbeiten Sie mit dem Fluß. Arbeiten Sie im Fluß. Es ist nicht nötig, daß Sie wild um sich schlagen. Lassen Sie sich vom Fluß dabei helfen, sorgsam mit sich umzugehen. Lassen Sie sich helfen, Grenzen zu setzen, Entscheidungen zu treffen und dorthin zu kommen, wo Sie sein müssen, wenn die Zeit reif ist.

Sie können dem Fluß und sich selbst vertrauen.

■ *Heute lasse ich mich vom Fluß tragen.*

## Zuviel und zuwenig Geld ausgeben 9. Juli

*Ich habe meinen Mann mit meiner Kreditkarte halb wahnsinnig gemacht. Sie gab mir das Gefühl, ihn ein wenig zu beherrschen, in gewisser Weise mit ihm abzurechnen.*

— Anonym

*Zehn Jahre lang kaufte ich für mich nur auf Trödelmärkten ein. Ich habe mir nicht mal neue Schuhe geleistet. Während ich auf alles verzichtete, gab sich mein Mann der Spielleidenschaft hin, spekulierte mit riskanten Anlagegeschäften und machte mit Geld, was er wollte. Als mir klar wurde, daß ich die Dinge verdient hatte, die ich mir wünschte, entschloß ich mich, sie auch zu kaufen, und begriff zum ersten Mal, daß genug Geld dafür vorhanden war. Es ging nicht um meine Bescheidenheit; es ging darum, daß ich mir Entbehrungen auferlegte und die Märtyrerin spielte.*

— Anonym

Zwanghaftes Kaufverhalten oder Geldausgeben verleiht uns das flüchtige Gefühl von Macht und Befriedigung, hat jedoch, wie jedes unkontrollierte Verhalten, vorhersehbare, negative Konsequenzen.

Wenn wir zuwenig Geld ausgeben, kann das dazu führen, daß wir uns als Opfer fühlen.

Es besteht ein Unterschied zwischen vernünftigem Geldausgeben und aufopfernder Entbehrung. Es besteht ein Unterschied zwischen finanzieller Großzügigkeit und Geldverschwendung. Wir können lernen, diesen Unterschied zu erkennen. Wir können den verantwortungsvollen Umgang mit Geld lernen, wodurch eine hohe Selbstachtung und Selbstliebe zum Ausdruck kommt.

■ *Heute will ich bei meinen Geldausgaben eine gesunde Mitte finden. Wenn ich zuviel Geld ausgebe, denke ich darüber nach, was in mir vorgeht. Wenn ich zu sparsam bin oder mir Entbehrungen auferlege, frage ich mich, ob es notwendig ist und ob ich das will.*

Eine Beziehung zu beenden erfordert Mut und Aufrichtigkeit — ob es sich um eine Freundschaft, eine Liebesbeziehung oder eine berufliche Beziehung handelt.

Manchmal mag es einfacher erscheinen, die Beziehung an mangelnder Zuwendung eingehen zu lassen, als das Risiko auf sich zu nehmen, das Ende wirklich herbeizuführen. Manchmal mag es einfacher erscheinen, dem anderen die Verantwortung dafür zuzuschieben, daß er die Beziehung beendet.

Wir sind versucht, uns passiv zu verhalten. Statt zu sagen, wie wir uns fühlen, was wir wünschen oder nicht wünschen und was wir beabsichtigen, beginnen wir die Beziehung zu untergraben, in der Hoffnung, den anderen durch unser Verhalten zu dem heiklen Schritt zu veranlassen.

Das alles sind Methoden, durch die man Beziehungen beenden kann, wenn auch keine sauberen und empfehlenswerten.

Wir, die wir nunmehr Sorge für uns selbst tragen, erkennen, wann der Zeitpunkt gekommen ist, eine Beziehung zu beenden; wir wissen, daß hierfür Ehrlichkeit und Direktheit die besten Mittel sind. Wenn wir der Wahrheit aus dem Wege gehen, obgleich wir sie erkennen, verhalten wir uns weder liebevoll noch gütig oder freundlich.

Wir schonen nicht die Gefühle des anderen, wenn wir die Beziehung sabotieren, statt das Ende oder die Veränderung zu akzeptieren und in diesem Sinne zu handeln. Damit verlängern und erhöhen wir Schmerz und Unbehagen — für den anderen und uns selbst.

Wenn wir uns über die eigenen Gefühle nicht im klaren, wenn wir unschlüssig sind, ist es liebevoller und ehrlicher, das auszusprechen.

Wenn wir wissen, daß der Zeitpunkt gekommen ist, eine Beziehung zu beenden, sagen wir es.

Den Schlußstrich ziehen ist nie leicht; ein Ende wird jedoch nicht leichter durch Unehrlichkeit und Ausflüchte.

Sagen Sie, was gesagt werden muß, aufrichtig und liebevoll, wenn die Zeit dafür gekommen ist. Wenn wir vertrauensvoll in uns hineinhören, werden wir erfahren, was wir wann zu sagen haben.

■ *Heute will ich daran denken, daß Ehrlichkeit und Direktheit meine Selbstachtung steigern. Hilf mir, Gott, daß ich mich von der Angst befreie, meine eigene Stärke geltend zu machen, um in all meinen Beziehungen sorgsam mit mir selbst umzugehen.*

## Alle Bitten an Gott richten — 11. Juli

Tragen Sie Gott alle Ihre Bitten vor.

Keine Bitte ist zu groß; keine zu klein oder zu unbedeutend.

Wie oft engen wir Gott ein, weil wir Ihm nicht all unsere Wünsche und Bedürfnisse vortragen.

Brauchen wir Hilfe, um unser Gleichgewicht zu finden? Um den Tag zu überstehen?

Brauchen wir Hilfe in einer bestimmten Beziehung? Bei einem bestimmten Charakterfehler? Um eine Charakterstärke zu festigen?

Brauchen wir Hilfe, um eine bestimmte Aufgabe, vor der wir stehen, besser zu bewältigen? Brauchen wir Beistand im Hinblick auf unsere Gefühle? Wollen wir eine selbstzerstörerische Überzeugung ändern? Brauchen wir neue Informationen? Einsichten? Rückhalt? Einen Freund?

Gibt es etwas in Gottes Universum, das uns wirklich Freude bringt? Wir können darum bitten. Wir können Gott um alles bitten, was wir uns wünschen. Legen Sie die Bitte in Gottes Hand, vertrauen Sie darauf, daß Er sie hört, und dann lassen Sie los. Überlassen Sie Gott alles Weitere.

Wenn wir um das bitten, was wir wünschen und brauchen, tragen wir Sorge für uns selbst. Vertrauen wir darauf, daß die Höhere Macht, der wir unser Leben und unseren Willen anvertraut haben, sich tatsächlich unserer Person, unserer Wünsche und Bedürfnisse annimmt.

■ *Heute will ich meine Höhere Macht um das bitten, was ich wünsche und brauche. Ich fordere nicht — ich bitte. Dann lasse ich los.*

## Die Angst vor dem Verlassenwerden ablegen — 12. Juli

»Wo bist du, Gott? Warum hast du mich verlassen?«

Viele Menschen haben uns verlassen. Wir haben uns oft einsam gefühlt. Inmitten unserer Kämpfe und Lektionen fragen wir uns, ob auch Gott uns verlasen hat.

Es gibt wunderbare Tage, an denen wir die Gegenwart und den Schutz Gottes spüren, der jeden unserer Schritte und jedes Ereignis lenkt. Und es gibt graue, öde Tage spiritueller Düsterkeit, an denen wir uns fragen, ob überhaupt irgend etwas in unserem Leben gelenkt oder geplant ist. Wir fragen uns, ob Gott wirklich alles weiß, ob Gott sich überhaupt um etwas kümmert.

Ziehen Sie sich an düsteren Tagen in die Stille zurück. Zwingen Sie sich zu Disziplin und Gehorsam, bis Sie Antwort erhalten. Die Antwort wird kommen.

»Ich bin nicht fortgegangen, mein Kind. Ich bin immer da. Hab Vertrauen zu mir. Alles in deinem Leben wird gelenkt und geplant. Ich weiß es, und ich sorge mich um dich. Die Dinge werden so schnell wie möglich zu deinem Besten geschehen. Hab Vertrauen und sei dankbar. Ich bin da. Bald wirst du es sehen und wissen.«

■ *Heute werde ich nicht vergessen, daß Gott mich nicht verlassen hat. Ich kann darauf vertrauen, daß Gott mich führt, mir die Richtung weist und jede Einzelheit meines Lebens liebevoll plant.*

## Gott, wie wir Ihn verstehen — 13. Juli

*Gott ist hintergründig, aber er ist nicht bösartig.*

— Albert Einstein

Innere Heilung ist ein spiritueller Vorgang, der von uns verlangt, daß wir ein tieferes Verständnis von Gott erlangen. Unser Gottesbild mag durch frühe religiöse Erfahrungen oder die Glaubensvorstellungen uns nahestehender Menschen geprägt worden sein. Wir fragen uns, ob Gott so furchterregend und schuldzuweisend ist, wie Menschen es sein können. Vielleicht fühlen wir uns von Gott ebenso zum Opfer gemacht oder verlassen wie von den Menschen unserer Vergangenheit.

Wenn wir versuchen, Gott zu begreifen, kommen wir aufgrund unserer bisherigen Erfahrungen und Erlebnisse oft ganz durcheinander.

Wir können lernen, Gott trotz allem wieder zu vertrauen.

Ich bin in meinem Verständnis für diese Macht, größer als ich selbst, weitergekommen und habe mich verändert. Mein Verständnis hat sich nicht in intellektueller Hinsicht entwickelt, sondern aufgrund meiner *Erfahrungen,* seit ich mein Leben und meinen Willen der Sorge Gottes anheimgegeben habe — so wie ich Gott verstand, oder besser, wie ich Gott *nicht verstand.*

Gott ist wirklich, liebevoll, gut, fürsorglich. Gott will uns all das Gute zuteil werden lassen, mit dem wir zurechtkommen können. Je weiter wir unsere Seele und unser Herz einem positiven Gottesverständnis öffnen, desto mehr werden wir von Gott beschützt.

Je mehr wir Gott dafür danken, daß es ihn gibt, daß es uns gibt, je mehr wir ihm für unsere gegenwärtige Lebenslage danken, desto mehr handelt Gott in unserem Sinne.

Gott hat von Anfang an geplant, in unserem Sinne zu handeln.

Gott ist Schöpfer, Wohltäter und Kraftquell. Gott hat mir in erster Linie gezeigt, daß es nicht annähernd so wichtig ist, daß ich Gott verstehe, als zu wissen, daß Gott mich versteht.

■ *Heute öffne ich mich, um ein tieferes Verständnis von meiner Höheren Macht zu erlangen. Ich bin bereit, mich von alten, einengenden, negativen Glaubensvorstellungen über Gott zu lösen. Egal, wie ich Gott verstehe: Ich bin dankbar, daß Gott mich versteht.*

## Wir sind liebenswert — 14. Juli

*Selbst wenn die wichtigste Bezugsperson in Ihrem Leben Sie zurückweist, so sind Sie dennoch da und ganz in Ordnung.*

— Unabhängig sein

Denken Sie manchmal: Wie soll mich je ein Mensch lieben? Für viele von uns ist das eine tiefsitzende Überzeugung, die zu einer sich selbst erfüllenden Prophezeiung werden kann.

Wenn wir glauben, nicht liebenswert zu sein, untergraben wir möglicherweise unsere Beziehungen zu Kollegen, Freunden, Familienmitgliedern und anderen Menschen, die wir lieben. Diese Überzeugung kann uns veranlassen, Beziehungen zu wählen oder in Beziehungen zu verharren, die uns weniger geben als uns zusteht — weil wir glauben, es nicht besser verdient zu haben. Wir klammern uns verzweifelt an einen bestimmen Menschen, als sei er unsere letzte Chance in der Liebe. Wir werden abweisend und stoßen Menschen von uns. Wir ziehen uns zurück oder reagieren ständig in übertriebener Weise.

Viele von uns haben in der Kindheit und Jugend nicht die bedingungslose Liebe erhalten, die wir verdienten. Viele von uns wurden von den wichtigen Menschen ihres Lebens verlassen oder vernachlässigt. Wir waren zu der Überzeugung gelangt, daß wir nicht geliebt wurden, weil wir nicht liebenswert waren. Wenn wir uns selbst die Schuld zuweisen, so ist das eine verständliche, aber unangebrachte Reaktion. Wenn andere uns nicht oder nicht in angemessener Form lieben konnten, liegt der Fehler nicht bei uns. Jetzt lernen wir, uns vom Verhalten anderer Menschen unabhängig zu machen. Und wir lernen, Verantwortung für unsere Heilung zu übernehmen, ungeachtet der Menschen in unserer Umgebung.

Genauso, wie wir davon überzeugt waren, nicht liebenswert zu sein, können wir nun in der Überzeugung leben, liebenswert zu sein. Diese neue Überzeugung wird die Qualität unserer Beziehungen verbessern, vor allem die Beziehung zu uns selbst. Wir werden die Fähigkeit erlangen, uns von anderen lieben zu lassen, und wir werden uns für die Liebe und Freundschaft, die uns zusteht, öffnen.

■ *Hilf mir heute, Gott, daß ich mir die selbstzerstörerische Überzeugung, nicht liebenswert zu sein, bewußt mache und mich davon löse. Hilf, daß ich heute beginne, mir selbst zu sagen: Ich bin liebenswert. Hilf mir, diese Überzeugung so lange in die Tat umzusetzen, bis sie mir in Fleisch und Blut übergegangen ist und sich in meinen Beziehungen manifestiert.*

## Familienprobleme 15. Juli

*Mit fünfunddreißig wagte ich zum ersten Mal, meiner Mutter zu widersprechen. Ich weigerte mich, an ihren Machtspielen und Manipulationen teilzunehmen. Ich hatte schreckliche Angst und konnte kaum fassen, was ich da tat. Aber ich stellte fest, daß ich nicht gemein sein mußte. Ich mußte keinen Streit anfangen. Ich konnte das, was ich sagen wollte und mußte, zur Sprache bringen, um für mich selbst Sorge zu tragen. Ich erkannte, daß ich mich lieben und achten und mich gleichzeitig um meine Mutter kümmern konnte — so wie ich es wollte: nicht so, wie sie es wollte.*

— Anonym

Wer verstünde wohl besser, unsere Schwachpunkte zu berühren, als Familienmitglieder? Wem sonst geben wir so viel Macht in die Hand?

Beziehungen innerhalb der Familie können äußert provokativ sein.

Ein einziges Telefongespräch kann uns in seelischen und psychischen Aufruhr versetzen, der stundenlang, ja tagelang anhält.

Das wird manchmal noch schlimmer zu Beginn unserer inneren Heilung, weil wir uns die eigenen Reaktionen und unser Unbehagen bewußt machen. Das ist unangenehm, aber gut. Mit diesem Prozeß, in dem wir uns die Dinge bewußt machen und sie akzeptieren, verändern und entwickeln wir uns und finden Heilung.

Diese liebevolle Loslösung von Familienmitgliedern kann Jahre dauern; ebenso der Lernprozeß, auf welche Weise wir effektiv reagieren. Wir können nicht kontrollieren, was andere tun oder versuchen zu tun; wir haben aber eine gewisse Kontrolle darüber, für welche Reaktion wir uns entscheiden.

Hören Sie auf, andere zu *zwingen,* Sie anders zu behandeln. Lösen Sie sich von Strukturen, indem Sie Abstand davon nehmen, andere verändern oder beeinflussen zu wollen.

Die Menschen in unserer Familie müssen mit ihren vorgeformten Verhaltensweisen — besonders dann, wenn sie uns betreffen — selbst zurechtkommen. Wie wir darauf reagieren, wie wir uns selbst schützen, ist unsere Sache.

Wir können unsere Familie lieben und gleichzeitig ihre Bemühungen zurückweisen, uns zu manipulieren, zu kontrollieren oder uns Schuld aufzuladen.

Wir können im Zusammensein mit Familienmitgliedern achtsam mit uns selbst umgehen, ohne uns schuldig zu fühlen. Wir können im Umgang mit ihnen lernen, beharrlich zu sein, ohne in Aggression zu verfallen. Wir können im Umgang mit ihnen die Grenzen setzen, die wir uns setzen wollen und müssen, ohne uns der Familie gegenüber illoyal zu verhalten.

Wir können lernen, unsere Familie zu lieben, ohne auf Selbstliebe und Selbstachtung zu verzichten.

■ *Hilf mir heute, im Zusammensein mit Familienmitgliedern achtsam mit mir selbst umzugehen. Verhilf mir zu der Einsicht, daß ich mein Leben, meinen Tag, meine Gefühle nicht von ihren Problemen bestimmen lassen muß. Verhilf mir zu der Erkenntnis, daß ich gegenüber Familienmitgliedern meine Empfindungen zum Ausdruck bringen kann, ohne mich schuldig oder beschämt fühlen zu müssen.*

## Auf dem Besten bestehen — 16. Juli

Wir verdienen das Beste, was das Leben und die Liebe zu bieten haben. Uns allen fällt aber auch die Aufgabe zu, zu erkennen, was das für unser Leben bedeutet. Jeder muß sich klar darüber werden, was ihm seiner Meinung nach zusteht, was er will und ob er es auch bekommt.

Wir setzen genau da an, wo wir uns jetzt befinden, in unseren gegenwärtigen Lebensumständen. Wir beginnen mit uns selbst.

Was schmerzt uns? Was macht uns wütend? Worüber beklagen

und beschweren wir uns? Verdrängen wir, wie sehr ein bestimmtes Verhalten uns kränkt? Suchen wir nach Entschuldigungen für andere? Werfen wir uns vor, »zu hohe Ansprüche« zu stellen?

Zögern wir aus mancherlei Gründen — in erster Linie aus Angst —, uns mit verletzenden Beziehungsproblemen auseinanderzusetzen? Wissen wir eigentlich, was uns verletzt, und ist uns klar, daß wir das Recht haben, unseren Schmerz zu beenden, wenn wir den Wunsch dazu verspüren?

Wir können die Reise antreten, die uns von der Entsagung zum Verdienst führt. Wir können heute damit beginnen. Wir können auf unserem Weg geduldig und sanft mit uns sein, ausgehend von der Überzeugung, uns stehe nur das Zweitbeste zu, bis zu der sicheren Erkenntnis, daß uns das Beste zusteht und wir dafür Verantwortung tragen.

■ *Heute achte ich darauf, wie ich mich von anderen Menschen behandeln lasse und wie ich mich dabei fühle. Ich achte auch darauf, wie ich andere behandle. Ich zeige keine Überreaktion, indem ich ihre Probleme zu persönlich und zu ernst nehme; ich verleugne aber auch nicht, daß gewisse Verhaltensweisen unangebracht und für mich nicht akzeptabel sind.*

## Liebe in Wort und Tat — 17. Juli

Viele von uns haben keine klaren Vorstellungen davon, was es bedeutet, geliebt und umsorgt zu werden.

Viele wurden von Menschen geliebt und betreut, deren Worte im Widerspruch zu ihren Taten standen.

Vielleicht haben unsere Eltern zwar gesagt: »Ich liebe dich«, uns aber verlassen oder vernachlässigt und somit unser Bild von der Liebe verzerrt. Dieses Verhaltensmuster stellt für uns Liebe dar — die einzige Liebe, die wir kennen.

Manche von uns wurden von Menschen betreut, die unsere Bedürfnisse befriedigten und sagten, sie würden uns lieben — uns aber gleichzeitig mißbrauchten oder sonstwie schlecht behandelten.

Durch solches Verhalten wurde dann unsere Vorstellung von Liebe geprägt.

Manche von uns lebten vielleicht in einer emotional sterilen Umgebung, wo die Menschen zwar behaupteten, uns zu lieben, aber Gefühle oder Zuwendung nicht zuließen. Also wurde das zu unserer Vorstellung von Liebe.

Wir lernen, andere und uns selbst so zu lieben, wie wir geliebt wurden, oder wir lassen zu, daß andere uns so lieben, wie wir geliebt wurden — ob wir uns dabei wohl fühlen oder nicht. Es ist Zeit, daß wir unsere Bedürfnisse wirklich und direkt befriedigen. Ungesunde Liebe mag einige oberflächliche Bedürfnisse befriedigen, nicht aber unser eigentliches Bedürfnis nach Liebe.

Wir können von anderen erwarten, daß ihre Worte und Taten übereinstimmen. Wir müssen uns nicht ausschließlich auf die Wirkung von Worten verlassen und können verlangen, daß Verhalten und Worte zusammenpassen.

Wir können den Mut finden, Widersprüche in Worten und Taten zur Sprache zu bringen — nicht, um jemanden zu beschämen, nicht um Schuld zuzuweisen oder Fehler aufzudecken, sondern um uns dabei zu helfen, in Kontakt mit der Realität und unseren Bedürfnissen zu bleiben.

Wir können Liebe geben und empfangen, wenn Verhalten und Worte einander ergänzen. Wir verdienen es, das Beste zu bekommen und zu geben, was die Liebe zu bieten hat.

■ *Heute bin ich offen dafür, möglichst gesunde Liebe zu geben und zu bekommen. Ich achte auf Widersprüche zwischen Worten und Taten, die mich verwirren und verrückt machen. Wenn das der Fall ist, weiß ich, daß ich nicht verrückt bin, sondern es mit einem Widerspruch zu tun habe.*

Es ist an der Zeit, wütend zu werden — ja, wütend.

Wut kann ein starkes, erschreckendes Gefühl sein. Sie kann aber auch eines sein, das uns zu wichtigen Entscheidungen führt, Entscheidungen, die manchmal schwer zu treffen sind. Sie kann signalisieren, daß andere Menschen oder wir selbst Probleme haben — oder daß es ganz einfach Probleme gibt, die wir anpacken müssen.

Unsere Wut verleugnen wir aus einer Vielzahl von Gründen. Das fängt damit an, daß wir sie zunächst gar nicht in unser Bewußtsein einlassen. Wir müssen aber wissen, daß sie nicht einfach verschwindet; sie nistet sich in den tieferen Schichten ein und wartet darauf, daß wir bereit und stark genug sind, um mit ihr umzugehen.

Wenn wir unsere Wut nicht zulassen und nicht aufnehmen, was sie zur Fürsorge uns selbst gegenüber mitzuteilen hat, fühlen wir uns verletzt, benutzt, gefangen, schuldig und wissen nicht, wie wir diese Fürsorge bewerkstelligen können. Wir ziehen uns zurück, verdrängen, suchen nach Entschuldigungen und stecken den Kopf in den Sand.

Vielleicht strafen wir, haben Rachegedanken, klagen und verstehen die Welt nicht mehr.

Wir sehen anderen immer wieder Verhaltensweisen nach, die uns verletzen. Wir fürchten, verlassen zu werden, wenn wir unsere Wut zum Ausdruck bringen. Wir fürchten, selbst gehen zu müssen, wenn wir ihr freien Lauf lassen.

Wir fürchten uns vor unserer Wut und ihrer Macht. Wir wissen nicht, daß wir das Recht, ja die *Verantwortung* — uns selbst gegenüber — haben, unsere Wut zu spüren und daraus zu lernen.

■ *Gott, hilf meinen verborgenen oder unterdrückten Wutgefühlen, nach außen zu gelangen. Hilf mir, daß ich den Mut finde, mich ihnen zu stellen. Hilf mir, daß ich verstehe, wie ich im Kreise jener Menschen, die mich wütend machen, sorgsam mit mir selbst umgehen kann. Hilf mir, daß ich aufhöre, mir einzureden, mit mir stimme etwas nicht, wenn die Menschen mich ausnutzen und ich darüber in Wut gerate. Ich kann meinen Gefühlen vertrauen, wenn sie mir Probleme signalisieren, die meine Aufmerksamkeit erfordern.*

*Ein Jahr verbrachte ich damit, meinem Mann vorzuhalten und zu beweisen, wie sehr sein Trinken mich verletzte. Als ich begann, innerlich gesund zu werden, erkannte ich, daß ich diejenige war, die erkennen mußte, wie sehr sein Trinken mich verletzt hatte.*

— Anonym

*Monatelang versuchte ich einem Mann, mit dem ich ausging, zu beweisen, wie verantwortungsvoll und gesund ich sei. Dann wurde mir klar, was ich tat. Es war nicht nötig, daß* er *begriff, wie verantwortungsvoll ich war.* Ich *mußte es begreifen.*

— Anonym

Beweisen zu wollen, wie gut wir sind, beweisen zu wollen, daß wir gut genug sind, einem anderen zeigen zu wollen, wie sehr er oder sie uns verletzt, jemandem unser Verständnis entgegenbringen zu wollen, all das sind Warnsignale, daß wir dabei sind, in unsere selbstzerstörerischen Verhaltensweisen zurückzufallen.

Es sind meist Hinweise darauf, daß wir versuchen, jemanden zu kontrollieren, Anzeichen dafür, daß wir nicht glauben, wie gut wir sind; daß wir glauben, nicht gut genug zu sein.

Es sind Warnzeichen, daß wir uns an ein nicht intaktes Beziehungssystem klammern; Signale, die darauf hinweisen, daß wir gleichsam in einer Nebelbank der Verdrängung feststecken oder etwas tun, was nicht gut für uns ist.

Das übersteigerte Bemühen, bei anderen einen Pluspunkt zu machen, kann darauf hinweisen, daß wir diesen Pluspunkt bei uns selbst noch nicht gemacht haben. Sobald wir diesen Punkt bei uns errungen haben, sobald *wir* verstehen, werden wir wissen, was zu tun ist.

Es geht nicht darum, daß andere uns verstehen und ernst nehmen. Es geht nicht darum, daß andere glauben, wir seien gut oder gut genug. Es geht nicht darum, daß andere sehen und glauben, wie verantwortlich oder liebevoll oder kompetent wir sind. Es geht nicht darum, ob anderen klar wird, wie tief uns eine bestimmte Empfindung trifft. *Wir* sind diejenigen, denen das Licht aufgehen muß.

■ *Hilf mir heute, Gott, daß ich mich von meinem Bedürfnis löse, Ergebnisse zu kontrollieren, indem ich die Überzeugungen anderer be-*

*einflusse. Ich werde mich darauf konzentrieren, mich selbst zu akzeptieren, statt anderen einen Aspekt meiner Person beweisen zu wollen. Wenn ich in die Co-Abhängigkeitsfalle tappe und einen meiner Aspekte besonders betone im Zusammensein mit anderen, stelle ich mir die Frage, ob ich mich in diesem Punkt selbst überzeugen muß.*

## Inneren Widerstand loslassen — 20. Juli

Sie müssen es nicht so eilig haben mit dem Fortschritt.

Entspannen Sie sich. Atmen Sie tief durch. Seien Sie da. Seien Sie heute in Einklang mit sich.

Seien Sie offen. Heute ist Schönheit um uns und in uns. Das Heute hat seinen Sinn und seine Bedeutung.

Die Bedeutung des Heute liegt nicht so sehr in dem, *was* uns begegnet, sondern *wie* wir darauf reagieren.

Lassen Sie das Heute geschehen. Wir lernen unsere Lektionen, wir erarbeiten die Dinge, wir verändern uns einfach dadurch, daß wir unser Leben heute erfüllt verbringen.

Sorgen Sie sich nicht um Gefühle, Probleme oder Zuwendungen von morgen. Sorgen Sie sich nicht darum, ob wir morgen uns, dem Leben oder unserer Höheren Macht vertrauen dürfen.

Alles, was wir heute brauchen, wird uns gegeben. Das ist ein Versprechen, das Gott uns gibt.

Spüren Sie die Gefühle von heute. Lösen Sie die Probleme von heute. Erfreuen Sie sich an den Gaben von heute. Vertrauen Sie heute dem Leben und Ihrer Höheren Macht.

Erwerben Sie heute die Fähigkeit, aus dem vollen zu schöpfen. Nehmen Sie die Lektionen an, die Heilung, die Schönheit, die Liebe, die uns heute zur Verfügung stehen.

Haben Sie es nicht so eilig, vorwärtszukommen. Es ist keine Eile geboten. Wir können nichts aufhalten; wir können nur verschieben. Lassen Sie die Gefühle los; atmen Sie in Frieden und Gesundheit.

■ *Heute laufe ich nicht vor mir selbst, meinen Lebensumständen oder meinen Gefühlen davon. Ich öffne mich mir selbst, anderen, mei-*

*ner Höheren Macht und dem Dasein. Ich vertraue darauf, daß ich die nötigen Fähigkeiten im Umgang mit dem Morgen dadurch erwerbe, daß ich mit dem Heute nach bestem Wissen und Gewissen umgehe.*

## Sein ist ausreichend — 21. Juli

Wir sind uns nicht immer klar darüber, was wir erfahren oder warum wir es erfahren.

In Zeiten der Trauer, des Umbruchs, des Übergangs, der Lernprozesse, in Zeiten der Heilung oder der inneren Disziplin ist es schwer, eine Perspektive zu haben.

Wir haben die Lektion noch nicht begriffen. Wir sind mittendrin. Wir haben noch keinen Überblick.

Unser Kontrollbedürfnis kann sich in dem Drang äußern, über alles, was vor sich geht, genau Bescheid wissen zu wollen. Man kann aber nicht alles wissen. Manchmal müssen wir den Dingen ihren Lauf lassen und darauf vertrauen, daß erst der Rückblick uns Klarheit verschafft.

Wenn wir verwirrt sind, so hat das seinen Sinn. Verwirrung ist kein bleibender Zustand. Die Zeit wird kommen, und wir werden klar sehen. Die Lektion, der Sinn, wird sich uns enthüllen — zu gegebener Zeit, zur rechten Zeit.

Alles wird einen vollständigen Sinn ergeben — später.

■ *Heute will ich mich nicht mehr darum bemühen, das zu wissen, was ich nicht weiß; das zu sehen, was ich nicht sehen kann; das zu verstehen, was ich noch nicht verstehe. Ich vertraue darauf, daß es ausreicht, zu sein; ich lege mein Bedürfnis ab, den Lauf der Dinge zu berechnen.*

# Vertrauen wieder erlernen 22. Juli

Viele von uns haben Probleme mit dem Vertrauen.

Manche von uns bemühten sich lange und redlich, unaufrichtigen Menschen zu vertrauen. Immer wieder glaubten wir Lügen und Versprechungen, die nie eingehalten wurden. Manche von uns versuchten, anderen das Unmögliche zu glauben: beispielsweise einem Alkoholiker, daß er mit dem Trinken aufhört.

Manche von uns schenkten unserer Höheren Macht ein Vertrauen, das nicht zweckdienlich war. Wir vertrauten darauf, daß Gott andere Menschen so formen würde, wie es unseren Vorstellungen entsprach, und fühlten uns betrogen, wenn das nicht eintraf.

Manchen von uns wurde beigebracht, dem Leben kein Vertrauen zu schenken, sondern sich mit Kontrollieren und Manipulieren den Weg zu bahnen.

Den meisten von uns wurde fälschlicherweise eingeschärft, kein Vertrauen zu sich selbst zu haben.

Es ist an der Zeit, unsere Probleme in Vertrauensfragen zu lösen. Wir lernen wieder, Vertrauen zu finden. Wir lernen als erstes, uns selbst zu vertrauen. Wenn andere uns beigebracht haben, wir müßten mißtrauisch gegen uns sein, so sind sie im Unrecht. Suchtverhalten und gestörte Beziehungsstrukturen verführen Menschen dazu, die Unwahrheit zu sagen.

Wir können lernen, ein angemessenes Vertrauen in unsere Höhere Macht zu haben — ohne von ihr zu fordern, sie möge andere Menschen dazu bringen, daß sie tun, was wir wollen. Wir bitten unsere Höhere Macht vielmehr um Unterstützung, um sorgsam mit uns selbst umgehen zu können, und um die bestmöglichen Gelegenheiten zur bestmöglichen Zeit.

Wir können dem Prozeß vertrauen — dem Prozeß des Lebens und der inneren Heilung. Wir müssen weder kontrollieren, uns obsessiv verhalten noch andere bevormunden. Wir mögen nicht immer verstehen, wohin wir gehen oder was in uns zur Entfaltung gebracht wird, wir können aber darauf vertrauen, daß etwas Gutes geschieht.

Wenn wir das lernen, sind wir bereit, Vertrauen zu anderen Menschen zu haben. Wenn wir unserer Höheren Macht vertrauen und uns selbst vertrauen, werden wir erkennen, welchen Menschen wir in welchem Maß vertrauen können.

Das war vielleicht schon immer so. Wir haben nur nicht genau zugehört, um dem vertrauen zu können, was wir hörten.

■ *Heute versichere ich mir, daß ich richtiges Vertrauen lernen kann. Ich kann mir, meiner Höheren Macht und meiner inneren Heilung vertrauen. Ich kann auch lernen, anderen in angemessener Form zu vertrauen.*

## Vorantreiben — 23. Juli

Bemühen Sie sich weniger angestrengt darum, daß die Dinge eintreffen.

Tun Sie nicht *so* viel, wenn das Tun Sie ermüdet oder nicht die gewünschten Ergebnisse bringt. Hören Sie auf, zu intensiv über die Dinge nachzudenken. Hören Sie auf, sich Sorgen zu machen. Hören Sie auf, die Dinge zu erzwingen, zu manipulieren, zu bedrängen, *voranzutreiben.*

Geschehnisse herbeiführen zu wollen heißt: Kontrolle ausüben. Wir können positive Schritte tun, um dazu beizutragen, daß die Dinge geschehen. Wir können unseren Teil erfüllen. Aber viele von uns tun weitaus mehr, als nur ihren Beitrag zu leisten. Sie überschreiten die Grenzen der Fürsorge, sie kontrollieren, bevormunden und üben Druck aus.

Kontrolle ist selbstzerstörerisch. Sie klappt nicht. Wenn wir uns zu sehr anstrengen, damit etwas geschieht, können wir tatsächlich verhindern, daß es eintrifft.

Leisten Sie Ihren Beitrag in entspannter, friedlicher Harmonie. Dann lassen Sie los. Lassen Sie einfach los. Falls nötig, zwingen Sie sich, loszulassen. Handeln Sie »als ob«. Verwenden Sie ebensoviel Energie darauf, loszulassen, wie auf Ihre Kontrollversuche. Sie werden weitaus bessere Resultate erzielen.

Etwas trifft nicht ein; es trifft nicht so ein, wie wir es wollten und uns erhofften. Wir können davon ausgehen, daß wir mit Kontrolle kein besseres Ergebnis erzielt hätten.

Lernen Sie, den Dingen ihren Lauf zu lassen, denn das geschieht ohnehin. Und während wir abwarten und sehen, was geschieht, werden wir heiterer und gelassener — das überträgt sich auf die Menschen unserer Umgebung.

■ *Heute höre ich auf, die Dinge erzwingen zu wollen. Statt dessen lasse ich zu, daß sie auf natürliche Weise geschehen. Wenn ich mich dabei ertappe, Ereignisse zu erzwingen oder Menschen zu kontrollieren, halte ich inne und denke darüber nach, wie ich mich davon löse.*

## Verdrängung 24. Juli

Verdrängung ist eine gefährliche Waffe. Unterschätzen Sie nicht, wie sehr unser Blick dadurch getrübt werden kann.

Machen wir uns klar, daß wir — aus welchen Gründen auch immer — Experten darin geworden sind, diese Waffe einzusetzen, um die Realität besser ertragen zu können. Wir haben gelernt, an der Realität nicht mehr zu leiden — nicht, indem wir unsere Lebensumstände veränderten, sondern indem wir vorgaben, sie seien im Grunde ganz anders.

Gehen Sie nicht zu streng mit sich selbst ins Gericht. Ein Teil Ihrer Person war damit beschäftigt, sich eine Phantasiewelt zu erschaffen, während der andere sich darum bemühte, die Wahrheit zu akzeptieren.

Jetzt ist es Zeit, Mut zu fassen. Stellen Sie sich der Wahrheit. Nehmen Sie die Wahrheit in Liebe an.

Wenn wir das schaffen, haben wir einen weiteren Schritt nach vorn getan.

■ *Gott, gib mir den Mut und die Kraft, klar zu sehen.*

Üben Sie jene Verhaltensweisen ein, die mit Ihrer inneren Heilung in Einklang stehen, auch wenn Sie sich dabei nicht wohl fühlen, wenn sie Ihnen noch nicht zur Gewohnheit geworden sind, wenn Sie sie noch nicht ganz verstehen.

Es dauert manchmal Jahre, bis eine innere Veränderung, die der Verstand eingesehen hat, auch von unserem Herzen und unserer Seele begriffen wird. Wir müssen mit der gleichen Ausdauer, Kraft und mit unermüdlichem Fleiß an einem gesunden Verhalten arbeiten, wie wir an unserem Co-Abhängigkeitsverhalten gearbeitet haben. Wir müssen uns zwingen, Dinge zu tun, selbst wenn sie uns nicht natürlich erscheinen. Wir müssen uns vornehmen, für uns selbst Sorge zu tragen, selbst wenn wir unserem Vorsatz zunächst nicht glauben.

Wir müssen daran arbeiten — Tag um Tag, Jahr um Jahr.

Es wäre töricht zu erwarten, wir könnten uns diese neue Lebensweise über Nacht aneignen. Wir müssen vielleicht Monate, Jahre »handeln, als ob«, ehe ein neues Verhalten sich uns einprägt und zur Gewohnheit wird.

Selbst nach Jahren kann es passieren, daß wir in Zeiten von Streß und Überlastung zu altem Denken, Fühlen und Verhalten zurückkehren.

Es gibt vielleicht Gefühlsschichten, die wir erst nach Jahren im Heilungsprozeß bereit sind einzugestehen. Das ist in Ordnung! Wenn die Zeit reif ist, tun wir auch das.

Geben Sie nicht auf! Es braucht Zeit, bis die wahre Selbstliebe in den Kern unseres Wesens eingedrungen ist. Es erfordert unermüdliche Übung. Es bedarf der Zeit und der Erfahrung. Lektionen, Lektionen und immer wieder Lektionen.

Und wenn wir glauben, am Ziel zu sein, stellen wir fest, daß es *noch mehr* zu lernen gibt.

Das ist das Abenteuer der inneren Heilung. Wir hören unser ganzes Leben nicht auf, zu lernen und zu wachsen!

Gehen Sie weiterhin sorgsam mit sich selbst um, was auch immer geschehen mag. Arbeiten Sie eine neue Verhaltensweise immer wieder durch, Tag für Tag. Fahren Sie fort, sich selbst zu lieben, auch wenn Ihnen das nicht natürlich erscheint. Handeln Sie »als ob«, solange es nötig ist, auch wenn Ihnen diese Zeitspanne quälend lange vorkommt.

Eines Tages wird es geschehen. Sie werden aufwachen und feststellen, daß das, worum Sie gekämpft haben, an dem Sie so fleißig gearbeitet haben, zu dem Sie sich gezwungen haben, endlich zur Annehmlichkeit geworden ist. Es hat Eingang gefunden in Ihre Seele.

Dann fahren Sie fort, Neues und Besseres zu lernen.

■ *Heute will ich an meinen gesunden Verhaltensweisen arbeiten, auch wenn sie mir nicht natürlich erscheinen. Ich zwinge mich, die einzelnen Stufen durchzuarbeiten, auch wenn ich mich dabei nicht wohl fühle. Ich arbeite daran, mich selbst zu lieben, bis ich es wirklich tue.*

## Die eigene Stärke geltend machen — 26. Juli

Begreifen Sie? Wir müssen uns weder vom Leben, von Menschen, Situationen, der Arbeit, unseren Freunden, unseren Liebesbeziehungen, unserer Familie noch von uns selbst, unseren Gefühlen, unseren Gedanken oder Umständen zum Opfer machen lassen.

Wir sind keine Opfer. Wir müssen keine Opfer sein. So einfach ist das!

Selbstverständlich ist das Eingeständnis und Akzeptieren unserer Machtlosigkeit wichtig. Aber dies ist nur ein erster Schritt, eine Einführung in den Prozeß der Heilung. Später kommt eine Phase, in der wir unsere eigene Stärke geltend machen und verändern, was wir verändern können. Das ist ebenso wichtig wie das Eingeständnis und das Annehmen unserer Machtlosigkeit. Und es gibt eine Reihe von Dingen, die wir verändern können.

Wir können über unsere innere Stärke verfügen, wo wir auch sind, wohin wir auch gehen und mit wem wir zusammen sind. Wir müssen nicht mit gebundenen Händen dastehen oder hilflos im Staub kriechen und uns allem, was auf uns zukommt, unterwerfen. Wir haben viele Möglichkeiten. Wir können unsere Stimme erheben; ein Problem lösen; uns durch das Problem motivieren, etwas Gutes für uns zu tun.

Wir können unser Wohlbefinden steigern. Wir können uns entfernen. Wir können zurückkehren und unsere eigenen Bedingungen stellen. Wir können unsere Sache vertreten. Wir können uns weigern, von anderen kontrolliert und manipuliert zu werden.

Wir können tun, was wir tun müssen, um Sorge zu tragen für uns selbst. Das ist die Schönheit, die Belohnung, der Siegeskranz, die uns in diesem Prozeß der inneren Heilung zuteil werden. Darum geht es bei der ganzen Sache!

Wenn wir nichts gegen unsere Situation tun können, so sind wir doch imstande, wenigstens unsere Einstellung dazu zu ändern. Wir können die Arbeit im Innern leisten; können mutig unsere Angelegenheiten in Angriff nehmen, um nicht zu Opfern gemacht zu werden. Wir haben einen Zauberschlüssel zum Leben geschenkt bekommen.

Wir sind nicht Opfer, wenn wir es nicht sein wollen.

Freiheit und Freude sind unser Lohn für die schwere Arbeit, die wir geleistet haben.

■ *So oft es nötig ist, erinnere ich mich heute daran, daß ich kein Opfer bin und mich von nichts zum Opfer machen lassen muß. Ich bemühe mich sehr darum, die alte Opferhaltung abzulegen, sei es, daß ich eine Grenze setze oder eine andere verstärke, sei es, daß ich mich entferne, mich mit meinen Gefühlen befasse oder mir gebe, was ich brauche. Hilf mir, Gott, daß ich das Bedürfnis, Opfer zu sein, loslasse.*

## Loslassen — 27. Juli

Hören Sie auf, sich so sehr um die Kontrolle der Dinge zu bemühen. Es ist nicht Ihre Aufgabe, Menschen, Ergebnisse, Umstände oder das Leben zu kontrollieren. Vielleicht konnten wir in der Vergangenheit kein Vertrauen fassen und die Dinge nicht geschehen lassen. Jetzt können wir es. So, wie das Leben sich entfaltet, ist es gut. Lassen Sie zu, daß es sich entfaltet.

Hören Sie auf, sich so sehr darum zu bemühen, es besser zu machen, besser zu sein, mehr zu sein. So, wie wir sind und wie wir die Dinge tun, ist es für heute genug.

So, wie wir gestern waren und wie wir gestern die Dinge getan haben, war es für diesen Tag gut genug.

Gehen Sie weniger streng mit sich um. Lassen Sie los. Hören Sie auf, sich so verbissen zu bemühen.

■ *Heute will ich loslassen. Ich will nicht mehr versuchen, alles zu kontrollieren. Ich will mich nicht mehr zwingen, besser zu sein und es besser zu machen; ich will mich einfach so sein lassen, wie ich bin.*

## Angst — 28. Juli

An einem schönen Sommertag machten mein zehnjähriger Sohn und ich auf dem St. Croix River eine Fahrt mit einem Waverunner. Ein Waverunner ist ein kleines Wasserfahrzeug, das aussieht wie ein Motorrad auf Wasserskiern.

Wir zogen Schwimmwesten an und begaben uns in ein spannendes Abenteuer, das mir zugleich Angst einjagte: aufregend war die Fahrt, solange ich mich dem Spaß überließ; Angst bekam ich, als ich mir Gedanken machte über all die schrecklichen Dinge, die passieren *könnten.*

Igendwann traf das ein, wovor ich mich am meisten gefürchtet hatte. Wir kippten um. Mein Sohn und ich trieben im tiefen Wasser. Der Waverunner tanzte vor mir auf den Wellen wie eine Schildkröte mit Hilfsmotor in Rückenlage.

»Keine Panik«, sagte mein Sohn ganz ruhig.

»Was ist, wenn wir ertrinken?« entgegnete ich.

»Wir können nicht ertrinken«, sagte er. »Wir tragen Schwimmwesten. Siehst du! Das Wasser trägt uns.«

»Das Ding ist gekentert«, sagte ich. »Wie wollen wir es wieder umdrehen?«

»Wir tun, was der Bootsverleiher gesagt hat«, antwortete mein Sohn. »Wir drehen es in der angegebenen Pfeilrichtung.«

Mühelos drehten wir das Fahrzeug um.

»Und wenn wir es nicht schaffen, raufzuklettern?« fragte ich.

»Wir schaffen es«, antwortete mein Sohn. »Waverunner sind so gebaut, daß man im Wasser einsteigen kann.«

Ich beruhigte mich, und als wir dann weiterfuhren, fragte ich mich, warum ich solche Angst gehabt hatte. Vielleicht weil mir das Vertrauen in meine Fähigkeit, Probleme zu lösen, fehlte. Vielleicht, weil ich einmal beinahe ertrunken wäre, als ich keine Schwimmweste trug.

Aber du bist auch damals nicht ertrunken, versicherte mir eine leise, innere Stimme. Du hast überlebt.

Keine Panik.

Probleme sind da, um gelöst zu werden. Das Leben ist da, um gelebt zu werden. Wenn uns auch manchmal das Wasser bis zum Hals steht — wenn wir gelegentlich untertauchen und Wasser schlukken —, werden wir nicht ertrinken. Wir tragen eine Schwimmweste — haben sie immer getragen. Diese Schwimmweste heißt »Gott«.

■ *Heute will ich daran denken, sorgsam mit mir selbst umzugehen. Und wenn mir das Wasser bis zum Hals steht, ist Gott da, um mich zu halten — selbst wenn meine Ängste mich das vergessen machen wollen.*

## Spaß haben — 29. Juli

Haben Sie Spaß. Seien Sie etwas lockerer. Freuen Sie sich des Lebens!

Wir müssen nicht trübsinnig und todernst sein. Wir müssen nicht zu tiefschürfend, zu kritisch, zu sehr in Anspruch genommen sein von unseren eigenen Belangen und den strengen Vorschriften, die andere — und häufig wir selbst — uns gemacht haben.

Das ist das Leben, keine Trauerfeier. Haben Sie Spaß am Leben. Treten Sie in das Leben ein. Nehmen Sie teil. Experimentieren Sie. Gehen Sie ein Wagnis ein. Seien Sie spontan. Seien Sie nicht ständig auf der Hut, ob Sie auch alles richtig machen.

Machen Sie sich weniger Sorgen darum, was andere denken oder sagen. Was sie denken und sagen ist ihre Sache, nicht unsere. Haben

Sie weniger Angst, Fehler zu machen. Seien Sie nicht unsicher und zurückhaltend. Seien Sie weniger gehemmt.

Es ist nicht Gottes Absicht, daß wir gehemmt, zurückhaltend und über die Maßen beherrscht sind. Diese Gebote wurden von anderen erlassen, und wir haben sie befolgt.

Wir wurden als ganze Menschen erschaffen. Wir wurden mit Gefühlen, Wünschen, Hoffnungen, Träumen, ausgestattet. In jedem von uns steckt ein lebensfrohes, aufgewecktes Kind, das Spaß am Leben hat! Lassen Sie es herauskommen! Wecken Sie es auf! Gönnen Sie ihm etwas Spaß — nicht nur zwei Stunden am Samstagabend. Nehmen wir das Kind bei der Hand, lassen wir es teilhaben am Geschenk des Lebens, an unserem Menschsein — seien wir so, wie wir sind!

Wir haben mit so vielen Geboten gelebt. Mit so viel Scham. Das ist einfach nicht notwendig. Wir wurden gleichsam einer Gehirnwäsche unterzogen. Jetzt ist es Zeit, daß wir uns befreien, loslassen und ein erfülltes Leben als ganze Menschen führen.

Keine Sorge. Wir werden unsere Lektionen lernen, wenn es notwendig ist. Wir haben Disziplin gelernt. Es wird nichts schiefgehen. Wir beginnen einfach, Freude am Leben zu haben. Wir werden beginnen, unser ganzes Ich zu genießen und zu erleben. Wir können Vertrauen in uns haben. Wir haben Grenzen gesetzt. Wir haben unser Selbsthilfe-Programm als Fundament. Wir können es uns leisten, zu experimentieren und Erfahrungen zu machen. Wir stehen mit uns selbst und mit unserer Höheren Macht in Verbindung. Wir werden gelenkt. Ein steifes, lebloses Objekt läßt sich allerdings nicht lenken. Es bleibt unbeweglich.

Haben Sie Spaß. Seien Sie etwas lockerer. Verletzen Sie auch einmal eine Regel. Gott bestraft uns nicht. Und wir können aufhören, uns zu bestrafen. So lange wir hier auf Erden sind, wollen wir leben.

■ *Heute will ich Spaß am Leben haben. Ich werde mich etwas lokkern, weil ich weiß, daß ich mir damit nicht schade, daß ich nicht auseinanderbreche. Hilf mir, Gott, daß ich mich von meinen Hemmungen, meiner Angepaßtheit und Repression befreie. Hilf mir, daß ich das Leben genieße, indem ich mich ganz dem Menschsein und dem Leben zuwende.*

Seit meiner Kindheit befinde ich mich in einer widersprüchlichen Beziehung zu einem wichtigen Teil meiner Person: meiner Gefühlswelt. Ständig habe ich versucht, Gefühle entweder zu mißachten oder sie gewaltsam zu verdrängen. Ich habe versucht, unnatürliche Gefühle zu erzeugen und meine spontanen Gefühle zu unterdrücken.

Ich habe geleugnet, wütend zu sein, obgleich ich voller Zorn war. Ich habe mir eingeredet, mit mir müsse etwas nicht stimmen, weil ich wütend war, obwohl die Wut eine vernünftige und begründete Reaktion auf eine bestimmte Situation darstellte.

Ich habe so getan, als schmerzte etwas nicht, obwohl ich sehr darunter litt. Ich habe mir eingeredet, daß jemand »mir nicht weh tun wollte« ... »Er weiß es nicht besser ...«; »Ich muß mehr Verständnis aufbringen.« Dabei lag das Problem darin, daß ich dem anderen bereits zuviel Verständnis entgegenbrachte und für mich kaum Verständnis und Mitgefühl übrig hatte.

Es waren nicht nur die großen Gefühle, mit denen ich auf Kriegsfuß stand; ich kämpfte mit dem ganzen Gefühlsspektrum meiner Person. Ich versuchte spirituelle, geistige Energie einzusetzen und sogar körperlichen Druck auszuüben, um das nicht zu spüren, was ich spüren muß, um gesund und lebendig zu sein.

Meine Versuche, Gefühle zu kontrollieren, blieben zwar erfolglos, dennoch wurde emotionale Kontrolle für mich zum Überlebensprinzip. Diesem Verhalten ist es zu danken, daß ich viele Jahre und Situationen überstanden habe, in denen ich über keine besseren Alternativen verfügte. Mittlerweile habe ich ein gesünderes Verhalten gelernt — ich habe gelernt, meine Gefühle zu akzeptieren.

Wir sollen Gefühle haben. Unsere innere Störung hat zum Teil damit zu tun, daß wir diese Tatsache verleugnen oder verdrehen wollen. Unser Heilungsprozeß besteht unter anderem auch darin, daß wir lernen, im Fluß zu bleiben mit unseren Gefühlen und hinzuhören, was sie uns sagen wollen.

Wir sind für unser Verhalten verantwortlich, ohne unsere Gefühle kontrollieren zu müssen. Wir können sie geschehen lassen. Wir können lernen, den emotionalen Bereich unseres Ichs anzunehmen, ihn zu erfahren und uns daran zu erfreuen.

■ *Heute will ich aufhören, meine Emotionen zu erzwingen und zu kontrollieren. Statt dessen werde ich den emotionalen Aspekten meiner Person Macht und Freiheit einräumen.*

## Das, was wir wollen, loslassen — 31. Juli

> *Für jene von uns, die einerseits Kontrolle ausübten, anderseits sich unterwarfen, ist das Loslassen nicht einfach.*
> — Unabhängig sein

Wir lernen, wie wichtig es ist, zu erkennen, was wir wollen und brauchen. Wo liegt die Schwachstelle dieses Konzepts? Bei unseren klar geäußerten, bislang aber unerfüllt gebliebenen Wünschen und Bedürfnissen. Wir haben uns auf das Wagnis eingelassen, unsere Wünsche und Bedürfnisse nicht mehr zu verleugnen, und damit begonnen, sie zu akzeptieren. Das Problem dabei ist, daß der Wunsch oder das Bedürfnis weiterhin unbefriedigt geblieben ist.

Das ist frustrierend, schmerzlich und ärgerlich und kann zu zwanghaften Verhaltensweisen führen.

Nachdem wir unsere Bedürfnisse erkannt haben, ist ein nächster Schritt fällig, um unsere Wünsche und Bedürfnisse auch zu befriedigen. Dieser Schritt ist insofern paradox, als er verlangt, daß wir uns den eigenen Wünschen und Bedürfnissen abwenden, nachdem wir uns gewissenhaft darum bemüht haben, sie zu identifizieren.

Wir lassen sie los — in mentaler, emotionaler, spiritueller und physischer Hinsicht. Manchmal bedeutet das, sie *völlig aufzugeben.* Es ist nicht immer einfach, diesen Standpunkt einzunehmen, in aller Regel ist er jedoch notwendig.

Wie oft habe ich einen Wunsch oder ein Bedürfnis verleugnet, anschließend Schritt für Schritt meine Bedürfnisse identifiziert, nur um mich dann verärgert, frustriert und herausgefordert zu fühlen, weil ich das Gewünschte nicht bekam und nicht wußte, wie ich es bekommen könnte. Wenn ich einen Plan verfolge oder starken Einfluß darauf nehme, den Wunsch zu erfüllen, das Bedürfnis zu stillen, wird alles nur noch schlimmer. Der Versuch, diesen Prozeß zu kontrollieren, führt zu nichts. Ich habe gelernt, daß ich loslassen muß.

Manchmal muß ich bis zu einem Punkt gehen, an dem ich sage: »Ich will es nicht. Mir ist klar, daß mir die Sache wichtig ist, aber ich habe keinen Einfluß darauf, sie zu bekommen. Jetzt ist es mir nicht mehr wichtig, ob ich sie habe oder nicht. Ich werde auch ohne sie glücklich sein, da die Hoffnung, ich könnte sie vielleicht doch bekommen, mich krank macht. Je mehr ich hoffe und versuche, etwas zu kriegen, desto enttäuschter bin ich, wenn ich es nicht kriege.

Ich weiß nicht, warum Wünsche sich erst auf diese Weise erfüllen.

Ich weiß nur, daß diese Einstellung bei mir klappt. Ich habe bisher keine Lösung gefunden, um den Gedanken des Loslassens zu umgehen.

Oft bekommen wir das, was wir wirklich wollen und brauchen, und häufig bekommen wir noch Besseres. Indem wir loslassen, tragen wir dazu bei, daß unsere Wünsche Wirklichkeit werden.

■ *Heute will ich mich darum bemühen, Wünsche und Bedürfnisse, die mir Enttäuschung bereiten, loszulassen. Ich werde sie auf einer Liste mit meinen Zielen eintragen, dann bemühe ich mich, sie loszulassen. Ich vertraue darauf, daß Gott mir meine Herzenswünsche zu Seiner Zeit und auf Seine Weise erfüllt.*

# *August*

*Wir lernen die Zauberformel: Wenn du das Beste aus dem machst, was du hast, wird mehr daraus.*

— Unabhängig sein

Sagen Sie so lange danke, bis Sie es meinen.

Danken Sie Gott, dem Leben und dem Universum für jeden Menschen, der Ihnen unterwegs begegnet, für alles, was Ihnen beschert wird.

Durch Dankbarkeit erschließt sich die Fülle des Lebens. Sie läßt das, was wir haben, genügend sein und macht daraus mehr. Sie verwandelt Ablehnung in Bejahung, Chaos in Ordnung, Verwirrung in Klarheit. Eine Mahlzeit wird zum Festessen, ein Haus zu einem Heim, ein Fremder wird zum Freund. Dankbarkeit macht aus Problemen Geschenke, aus Versagen Erfolge, läßt das Unerwartete zum rechten Zeitpunkt geschehen und verwandelt Fehler in wichtige Erfahrungen. Dankbarkeit kann aus einer bloßen Existenz ein erfülltes Leben gestalten und zusammenhanglose Situationen zu wichtigen und nützlichen Lektionen erklären. Dankbarkeit gibt der Vergangenheit Sinn, bringt heute Frieden und erzeugt eine Vision für das Morgen.

Dankbarkeit stellt die Dinge richtig.

Dankbarkeit verwandelt negative Energie in positive Energie. Keine Situation und kein Sachverhalt ist zu unbedeutend oder zu wichtig, als daß sie nicht von Dankbarkeit erfüllt werden könnten. Beginnen wir damit, das Prinzip der Dankbarkeit darauf anzuwenden, wer wir *heute* sind und was wir *heute* haben, und lassen wir den Zauber wirken.

Sagen Sie so lange danke, bis Sie es meinen. Wenn Sie es lange genug sagen, werden Sie davon überzeugt sein.

■ *Heute will ich das verwandelnde Licht der Dankbarkeit auf alle meine Lebensumstände lenken.*

Um von dem Ort, an dem wir uns gerade befinden, zum nächsten zu gelangen, müssen wir auch bereit sein, einen Zwischenhalt einzulegen.

Eine der schwierigsten Aufgaben der inneren Heilung besteht darin, sich von allem Alten und Vertrauten zu lösen, das man nicht mehr mag. Wir müssen bereit sein, mit leeren Händen dazustehen und zu warten, daß Gott sie anfüllt.

Das gilt auch für unsere Gefühle. Wir sind vielleicht verbittert und voll Wut. In gewisser Hinsicht sind uns diese Gefühle zur Gewohnheit geworden. Wenn wir uns mit unserem Kummer schließlich auseinandersetzen und uns davon befreien, fühlen wir uns eine Zeitlang leer. Wir stehen zwischen dem Schmerz und der Freude, gelassen zu sein und die Dinge zu akzeptieren.

Dieser Zustand des Dazwischenseins läßt sich zudem auf unsere Beziehungen anwenden. Um uns auf Neues vorzubereiten, müssen wir uns zunächst von Altem trennen. Das löst Ängste und Gefühle der Leere und Verlassenheit aus. Wir kommen uns grenzenlos einsam vor und fragen uns, was mit uns nicht stimmt, da wir den sprichwörtlichen Spatz in der Hand fortfliegen ließen, ohne die Taube auf dem Dach überhaupt zu Gesicht bekommen zu haben.

Ein solches Zwischenstadium existiert in einer Reihe weiterer Lebensbereiche — etwa dann, wenn wir den Beruf oder die Wohnung wechseln und unsere Ziele ändern. Wir legen etwas Altes ab und sind nicht sicher, wodurch wir es ersetzen sollen. Dabei handelt es sich vornehmlich um Verhaltensweisen, die uns bislang beschützt und gute Dienste geleistet haben, wie zum Beispiel andere bevormunden und kontrollieren.

In diesem Zwischenstadium befällt uns Trauer, weil wir etwas losgelassen oder verloren haben; die Unsicherheit, Angst und Ratlosigkeit vor dem, was vor uns liegt, bedrängt uns. Das sind ganz normale Empfindungen. Akzeptieren Sie sie, spüren Sie sie, und lassen Sie dann los.

Wir befinden uns in keiner angenehmen, aber notwendigen Zwischenphase. Sie wird nicht ewig dauern. Die Zeit ist nicht verloren. Wir haben auf unserer Reise von einem Ort zum nächsten nur einen

Zwischenaufenthalt eingelegt. Wir haben die Endstation noch nicht erreicht.

Auch jetzt stehen wir nicht still, auch jetzt machen wir Fortschritte.

■ *Heute will ich den Ort, an dem ich stehe, als den für mich idealen akzeptieren. Ich befinde mich auf einer Zwischenstation und bemühe mich um das Vertrauen, daß dieser Aufenthalt nicht ohne Sinn ist; ich steuere von hier den nächsten Ort an, an dem mich Gutes erwartet.*

## In Beziehungen die eigene Stärke geltend machen — 3. August

*Viel von dem, was ich meine Co-Abhängigkeit nenne, ist nichts anderes als Angst und Panik; denn ich fühlte mich über eine so lange Strecke meines Lebens mißbraucht und gefangen und wußte nicht, wie ich in Beziehungen Sorge tragen sollte für mich selbst.*

— Anonym

Wir fallen immer wieder in die alte Gewohnheit zurück, unsere Ansprüche hinter die der anderen zu stellen — ob es nun der Vorgesetzte, der oder die neue Geliebte oder ein Kind ist.

Wenn wir das tun, erleben wir Gefühle und Gedanken, die wir »Co-Abhängigkeits-Verrücktheiten« nennen. Wir sind wütend, fühlen uns schuldig, ängstlich, verwirrt und neigen zu Obsessionen. Wir fühlen uns abhängig und bedürftig oder benehmen uns übertrieben streng und verstärken unsere Kontrollbemühungen. In Zeiten hoher Belastung kehren wir zu altgewohnten Verhaltensweisen zurück. Und bei denjenigen unter uns, die mit Co-Abhängigkeits- und schweren Kindheitsproblemen zu tun haben, überträgt sich der Streß auf ihre Beziehungen.

Wir müssen nicht in unserer Co-Abhängigkeit verharren. Wir müssen uns weder schämen oder schuldig fühlen, noch anderen die Schuld für unseren Zustand geben. Wir sollten einfach daran denken, unsere eigene Stärke geltend zu machen.

Das erreichen wir mit Übung und nochmals Übung. Üben Sie, Ihre Kraft dafür einzusetzen, daß Sie sorgsam mit sich selbst umgehen, mit wem Sie es auch zu tun haben, wo Sie auch sind oder was Sie auch tun. Genau darum geht es bei unserer inneren Heilung, nicht darum, daß wir andere zu kontrollieren versuchen, daß wir eine abweisende Haltung einnehmen, sondern daß wir für unsere eigenen Belange eintreten.

Der Gedanke daran mag Ängste und bange Fragen auslösen. Das ist normal! Lassen Sie sich davon nicht beirren. Die Antworten und die Kraft, die Ihnen zur Heilung verhelfen, kommen aus Ihnen selbst.

Beginnen Sie noch heute, über diese innere Stärke zu verfügen. Beginnen Sie an der Stelle, wo Sie sind. Beginnen Sie, indem Sie in Ihrer gegenwärtigen Situation, nach Ihren besten Fähigkeiten, Sorge tragen für sich selbst.

■ *Heute will ich mich darauf konzentrieren, daß ich die Kraft besitze, auf mich selbst zu achten. Ich lasse mich dabei nicht von Ängsten oder falschen Scham- und Schuldgefühlen behindern.*

## Verletzlichkeit — 4. August

> *Ich habe festgestellt, je verletzlicher ich mich mache, desto besser habe ich mich in der Hand.*
>
> — Anonym

Viele von uns glauben, wir dürften nur unsere starke, selbstsichere Seite zeigen. Wir glauben, der Welt ein Gesicht präsentieren zu müssen, das *stets* Höflichkeit, Vollkommenheit, Ruhe, Kraft und Beherrschung ausstrahlt.

Es ist gewiß nichts dagegen einzuwenden, sich beherrscht, ruhig und stark zu geben. Wir alle haben aber noch eine andere Seite — den Bereich, in dem wir uns bedürftig fühlen, Angst bekommen, Zweifel haben und wütend werden, den Bereich, der nach Fürsorge und Liebe hungert und die Zusicherung braucht, daß die Dinge in Ordnung kommen. Wenn wir diese Bedürfnisse zum Ausdruck bringen, sind wir keineswegs vollkommen und unangreifbar, wir machen uns vielmehr verletzlich. Aber auch diese Seite muß von uns angenommen werden.

Wenn wir uns öffnen, verletzlich machen, fördern wir den Aufbau dauerhafter Beziehungen. Wenn wir unsere Verletzlichkeit eingestehen und auch zeigen, rücken wir den Menschen näher und machen es ihnen leichter, sich uns nahe zu fühlen. Die Liebe und die bejahende Einstellung uns selbst gegenüber verstärkt sich. Wir tragen selbst zu unserer inneren Heilung bei. Wir machen uns für andere zugänglich.

■ *Heute will ich mich anderen gegenüber verletzlich machen, wenn keine Gefahr besteht und es mir angebracht erscheint.*

## Einstellungen zu Geld — 5. August

Unser Leben und unsere Geschichte ist oftmals so schmerzerfüllt, daß es uns ungerecht erscheint, wenn wir uns nun nicht nur mit unserer inneren Heilung beschäftigen, sondern auch noch in finanzieller Hinsicht Eigenverantwortung übernehmen müssen.

Das Gefühl ist verständlich; die Einstellung ist ungesund. Viele glauben, daß das Leben im allgemeinen und bestimmte Menschen im besonderen ihnen eine Art Bußgeld schulden — nach allem, was sie bisher durchgemacht haben.

Für unser eigenes Wohlbefinden, um geistigen Frieden und Freiheit zu finden, brauchen wir in bezug auf Geld gesunde Grenzen; erst dann wissen wir, was wir anderen geben und was wir von ihnen annehmen können.

Haben wir das Gefühl, andere schulden uns etwas? Glauben wir, andere schulden uns etwas, weil wir weniger Geld haben als sie? Glauben wir, bewußt oder unbewußt, daß sie uns Geld »schulden« wegen der emotionalen Schmerzen, die wir in unseren Beziehungen zu ihnen oder zu einer anderen Person erleiden mußten?

Bußgelder werden von Behörden erhoben, nicht in zwischenmenschlichen Beziehungen.

Ungesunde Grenzen hinsichtlich dessen, was wir von anderen annehmen, führen zu ungesunden Beziehungen.

Blicken wir nach innen. Der Schlüssel liegt in unserer Einstellung. Es geht darum, welche Grenze wir setzen, was wir zulassen, wenn wir Geld annehmen. Stellen Sie sich der Herausforderung, Verantwortung für sich selbst zu übernehmen.

■ *Heute will ich mich um klare, gesunde Grenzen im Hinblick auf den Empfang von Geld bemühen. Ich untersuche meine bisherige finanzielle Lage genau und prüfe, ob ich Geld aus falschen Motiven angenommen habe. Wenn ich Vorfälle aufdecke, die keine gesunde Eigenverantwortung widerspiegeln, bemühe ich mich darum, Schaden wiedergutzumachen und genau zu überlegen, wie ich das am besten bewerkstellige.*

## Probleme lösen — 6. August

Probleme sind da, um gelöst zu werden!

Manche von uns verwenden mehr Zeit darauf, sich damit zu beschäftigen, daß sie ein Problem haben, als darauf, das Problem zu lösen. »Warum passiert das ausgerechnet mir?« ... »Ist das Leben nicht schrecklich?« ... »Warum mußte das so kommen?« ... »Ach du liebe Güte. Das ist ja furchtbar« ... »Warum hat es Gott (das Universum, eine Firma, eine Person oder das Leben) auf mich abgesehen?«

Probleme sind vermeidbar. Manche Probleme sieht man kommen. Andere überfallen uns unerwartet. Der Gedanke, daß Probleme immer wieder auftauchen, darf uns nicht in Erstaunen versetzen.

Die gute Nachricht ist, daß es für jedes Problem eine Lösung gibt. Manchmal ergibt sich die Lösung sofort. Dann wieder läßt sie längere Zeit auf sich warten. Manchmal ist sie damit verbunden, daß wir loslassen. Manchmal liegt es an uns, das Problem zu lösen; in anderen Fällen liegt es nicht an uns. Manchmal können wir einen wirklichen Beitrag leisten, um das Problem zu lösen; dann wieder müssen wir uns nach vergeblichem Kampf auf den Beistand unserer Höheren Macht verlassen.

Manchmal gehört das Problem einfach zum Leben. Manchmal ist ein Problem deshalb wichtig, weil wir aus ihm und seiner Lösung

Lehren ziehen. Manchmal bewirken Probleme Gutes in unserem Leben, führen uns in eine neue, bessere Richtung im Vergleich zu jener, die wir vor dem Auftauchen des Problems eingeschlagen hätten.

Manchmal sind Probleme einfach da; manchmal sind sie ein Warnzeichen, daß wir den falschen Weg gehen.

Wir können lernen, Probleme als zwangsläufigen Bestandteil unseres Lebens anzunehmen. Wir können lernen, Probleme zu lösen. Wir können lernen, unserer Fähigkeit zu vertrauen, Probleme zu lösen. Wir können lernen zu erkennen, welche Probleme uns in eine neue Richtung führen und welche einfach nur gelöst werden müssen.

Wir können lernen, uns mit der Lösung zu beschäftigen statt mit dem Problem; wir können lernen, uns auf eine positive Lebenseinstellung und auf den unausweichlichen Fluß von Problem und Lösung zu konzentrieren.

■ *Heute lerne ich, Lösungen zu vertrauen, statt mich von Problemen zum Opfer machen zu lassen. Ich verwende Probleme nicht, um zu beweisen, daß ich hilflos bin oder daß man mir Böses antun will. Ich werde meine Probleme nicht herausstellen, um zu beweisen, wie furchtbar das Leben ist. Ich lerne, dem Fluß von Problem und Lösung zu vertrauen. Hilf mir, Gott, die Probleme zu lösen, die ich heute lösen kann. Hilf mir, die anderen loszulassen. Hilf mir, an meine Fähigkeit zu glauben, Probleme anzupacken und zu lösen. Für jedes Problem gibt es eine Lösung.*

## Nein sagen — 7. August

Es gibt ein Wort, das vielen Menschen nur schwer über die Lippen will; eines der kürzesten Wörter unserer Sprache: *Nein.* Sagen Sie es laut: *Nein.*

*Nein* — so einfach auszusprechen und doch so schwer. Wir befürchten, die Zuneigung unserer Lieben zu verlieren. Schuldgefühle überkommen uns. Wir glauben, daß »gute« Mitarbeiter, Kinder, Eltern, Ehepartner oder Christen nie nein sagen.

Das Problem ist, daß wir unseren Selbstwert herabsetzen und die

Zuneigung der Menschen verlieren, denen wir gefallen wollen, wenn wir nicht lernen, nein zu sagen. Außerdem strafen wir die anderen mit unseren versteckten Ressentiments.

Wann sagen wir nein? Wenn »nein« das ist, was wir wirklich meinen.

Wenn wir lernen, nein zu sagen, müssen wir uns nicht mehr in Lügen flüchten. Wir gewinnen das Vertrauen anderer, und wir gewinnen Selbstvertrauen. Wenn wir das sagen, was wir wirklich meinen, erweisen wir uns einen guten Dienst.

Wenn wir Angst haben, nein zu sagen, lassen wir uns ein wenig Zeit. Wir legen eine Pause ein, üben das Wort und sagen dann nein. Wir müssen keine langen Erklärungen für unsere Entscheidung abgeben.

Wenn wir nein sagen können, können wir ja zum Guten sagen. Unser Nein und unser Ja wird ernst genommen. Wir erlangen Kontrolle über uns selbst. Und wir erfahren ein Geheimnis: Es ist gar nicht so schwer, »nein« zu sagen.

■ *Heute will ich nein sagen, wenn ich nein meine.*

## Ja sagen — 8. August

Gestern befaßten wir uns damit, das Neinsagen zu lernen. Heute geht es um ein anderes wichtiges Wort: *Ja.*

Wir können lernen, ja zu sagen, zu Dingen, die uns guttun; ja zu unseren Wünschen — die uns und andere betreffen.

Wir lernen ja zur Freude zu sagen. Ja zum Besuch bei Freunden, ja zur Hilfe von außen; ja, um einer Selbsthilfegruppe beizutreten.

Wir können lernen, ja zu sagen zu gesunden Beziehungen, zu Menschen und Aktivitäten, die uns guttun.

Wir können lernen, ja zu sagen zu uns selbst, zu unseren Wünschen und Bedürfnissen, zu unserem Instinkt und zur Führung durch unsere Höhere Macht.

Wir können lernen ja zu sagen, wenn wir der Meinung sind, einem anderen helfen zu müssen. Wir können lernen, ja zu sagen zu unseren Gefühlen. Wir können lernen ja zu sagen, wenn wir einen Spaziergang machen, einen Mittagsschlaf halten wollen, wenn jemand unseren Rücken massieren soll oder wenn wir uns selbst einen Strauß Blumen kaufen.

Wir können lernen, ja zu sagen zu einer Arbeit, die richtig für uns ist.

Wir können lernen, zu allem ja zu sagen, was uns guttut und fördert. Wir können lernen, ja zu sagen, zum Besten, was das Leben und die Liebe uns zu bieten haben.

■ *Heute will ich ja sagen zu allem, was gut und richtig ist.*

## Um das bitten, was wir brauchen — 9. August

Entscheiden Sie, was Sie wollen und brauchen, und wenden Sie sich dann an die Person, die den Wunsch erfüllen kann, und sprechen Sie die Bitte aus.

Es ist ein gewisser Energieaufwand nötig, bevor wir bekommen, was wir wollen und brauchen. Zunächst müssen wir das benennen, was wir wollen, ehe wir uns dann selbst davon überzeugen, daß es uns zusteht. Wenn wir uns an jemanden wenden, der unsere Bitte abschlägt, müssen wir die Enttäuschung verkraften und Überlegungen anstellen, welchen Schritt wir als nächsten tun.

Manchmal ist es gar nicht so schwer, das zu bekommen, was wir wollen und brauchen. Manchmal müssen wir nur darum bitten.

Wir können uns an einen Menschen oder an unsere Höhere Macht wenden und um das bitten, was wir brauchen.

Da es mitunter Mühe kostet, das zu bekommen, was wir wünschen und brauchen, begehen wir den Fehler zu glauben, es müsse immer mühsam sein. Wir scheuen Auseinandersetzungen oder Hindernisse; unsere Angst macht es uns oft viel schwerer, das Gewünschte zu bekommen, als eigentlich nötig wäre.

Wir geraten in Wut, bevor wir eine Bitte aussprechen, da wir der Überzeugung sind, ohnehin nie das zu bekommen, was wir wollen, oder rüsten uns zum bevorstehenden »Kampf«. Wenn wir dann unseren Wunsch vortragen, sind wir so wütend, daß wir fordern, statt zu bitten. Unsere Wut setzt einen Machtkampf in Gang, der sich zunächst nur in unserem Kopf abspielt.

Oder wir regen uns so sehr auf, daß wir nicht bitten — oder wir vergeuden weit mehr Energie als nötig im Kampf gegen uns selbst, nur um später festzustellen, daß der Betreffende oder unsere Höhere Macht uns bereitwillig das gibt, was wir haben wollen.

Manchmal müssen wir um die Erfüllung eines Wunsches kämpfen, uns darum bemühen und abwarten. Manchmal wird uns ein Wunsch erfüllt, wenn wir danach fragen oder einfach erklären, daß wir etwas Bestimmtes haben wollen.

Bitten Sie um die Erfüllung eines Wunsches. Wenn die Antwort nein ist, beziehungsweise nicht so lautet, wie wir sie uns vorstellten, *dann* können wir immer noch entscheiden, welchen Schritt wir als nächsten tun.

■ *Heute hüte ich mich davor, eine unnötig schwierige Situation hinsichtlich meiner Wünsche und Bedürfnisse gegenüber anderen Menschen oder meiner Höheren Macht heraufzubeschwören. Wenn ich etwas brauche, werde ich zunächst darum bitten, bevor ich darum kämpfe.*

## Nicht mehr perfekt sein wollen — 10. August

*Auf meiner Reise durch die innere Heilung lerne ich mehr und mehr, daß ich wesentlich rascher vorankomme, wenn ich mich und meine Eigenheiten annehme — sozusagen über mich und meine Art lächle —, als wenn ich mich beschimpfe und versuche, perfekt zu sein. Vielleicht geht es im Grunde wirklich um eine liebevolle, heitere, fürsorgliche Selbstbejahung.*

— Anonym

Hören Sie auf, von sich und den Menschen Ihrer Umgebung Perfektion zu erwarten.

Mit unserem Perfektionswahn bereiten wir uns und anderen großen Verdruß. Wir beschwören Situationen herauf, in denen sich andere nicht wohl fühlen mit uns. Auch wir selbst haben keine Freude an uns. Die Erwartung, alles müsse perfekt sein, verkrampft die Menschen oft so sehr, daß sie und wir mehr Fehler machen als sonst, weil wir nervös auf etwaige Fehlerquellen fixiert sind.

Das soll nicht heißen, daß wir unangemessene Verhaltensweisen akzeptieren mit der Entschuldigung: »Niemand ist perfekt.« Das soll nicht heißen, daß wir keine Grenzen setzen und keine vernünftigen Erwartungshaltungen gegenüber anderen und uns selbst haben.

Unsere Erwartungen müssen allerdings sinnvoll sein. Vollkommenheit zu erwarten ist nicht sinnvoll.

Alle Menschen machen Fehler. Je weniger verunsichert und eingeschüchtert sie sind, und je weniger sie sich unter Druck gesetzt fühlen, durch die Erwartung, perfekt sein zu müssen, desto weniger Fehler machen sie.

Das Streben nach dem Vortrefflichen, der Klarheit im Schöpferischen, dem Glücksgefühl des Erfolgserlebnisses und dem Besten, was wir vollbringen können, geschieht nicht in der einengenden, negativen, angsterzeugenden Atmosphäre des Perfektionsdranges.

Denken Sie daran, Ihre Grenzen einzuhalten. Haben Sie vernünftige Erwartungen. Bemühen Sie sich, Ihr Bestes zu geben. Ermutigen Sie andere, das gleiche zu tun. Seien Sie sich klar darüber, daß wir und andere Fehler begehen; daß wir und andere Lernerfahrungen hinter uns bringen müssen.

Auch unsere Fehler und Unvollkommenheiten machen die Einzigartigkeit unserer Person aus, wie bei einem Kunstwerk. Finden Sie Gefallen daran. Lächeln Sie darüber. Nehmen Sie Ihre Fehler und sich selbst an.

Spornen wir andere und uns selbst an, das Beste zu tun, was wir alle tun können. Lieben und umsorgen wir uns selbst und andere, ermuntern wir uns, so zu sein, wie wir sind. Erkennen wir weiterhin, daß wir nicht *bloß* Menschen sind — daß wir dazu bestimmt und erschaffen wurden, Menschen zu sein.

■ *Hilf mir heute, Gott, mich von meinem Verlangen nach Perfektion zu lösen und von anderen nicht mehr zu erwarten, sie müßten perfekt sein. Mit dieser Haltung dulde ich keineswegs Mißbrauch oder schlechte Behandlung, sondern baue eine sinnvolle, ausgeglichene Erwartungshaltung auf. Ich erzeuge eine gesunde Atmosphäre der Liebe, der Bejahung und der Fürsorge in meiner Umgebung und in mir. Ich vertraue darauf, daß diese Einstellung in mir und anderen Menschen das Beste zutage fördert.*

## Heilung 11. August

Lassen Sie heilende Energie durch Ihren Körper fließen.

Wir sind umgeben von der heilenden Energie Gottes, des Universums und des Lebens. Sie ist uns zugänglich, sie wartet darauf, daß wir uns ihrer bedienen, daß wir sie in uns aufnehmen. Sie erwartet uns bei unseren Gruppentreffen, in den Worten eines Gebets, in einer sanften Berührung, einem freundlichen Wort, einem positiven Gedanken. Heilende Energie ist in der Sonne, dem Wind, dem Regen und in allem Guten.

Lassen Sie die heilende Energie an sich herankommen. Locken Sie sie an. Nehmen Sie sie auf. Lassen Sie sich davon durchdringen. Atmen Sie ihr goldenes Licht ein. Und atmen Sie wieder aus. Lösen Sie sich von Angst, Wut, Verletzung, Zweifel. Lassen Sie heilende Energien an sich heran- und durch sich hindurchfließen.

Sie brauchen nur darum zu bitten, nur daran zu glauben.

■ *Heute will ich um die heilende Energie von Gott und dem Universum bitten und sie annehmen. Ich lasse sie zu mir und durch mich hindurch und aus mir heraus zu anderen fließen. Ich bin Teil davon und eins mit dem kontinuierlichen Kreislauf der Heilung.*

## Direktheit 12. August

Mit direkten Menschen zusammenzusein macht Freude.

Wir müssen nicht raten, was sie *wirklich* denken oder fühlen, da ihre Gedanken ehrlich sind und sie ihre Gefühle offen zum Ausdruck bringen.

Wir müssen nie rätseln, ob sie mit uns zusammen sind, weil sie es gern tun oder weil Schuld- beziehungsweise Pflichtgefühle eine Rolle dabei spielen.

Wir brauchen uns keine Sorgen zu machen, ob sie uns irgendwann übelnehmen, etwas für uns getan zu haben; denn direkte Menschen tun im allgemeinen Dinge, die ihnen Freude machen.

Wir sind nicht im Ungewissen über den Stand unserer Beziehungen; eine ehrliche Frage genügt, und sie werden uns eine ehrliche Antwort geben.

Wir brauchen uns keine Sorgen zu machen, wenn sie verärgert sind, weil sie offen mit ihrem Ärger umgehen und ihn rasch aufarbeiten.

Wir müssen uns keine Gedanken darüber machen, ob sie hinter unserem Rücken über uns sprechen; das, was gesagt werden muß, sagen sie uns direkt.

Wir müssen uns nicht fragen, ob wir uns auf sie verlassen können, denn direkte Menschen sind vertrauenswürdig.

Wäre es nicht schön, wenn wir alle direkt wären?

■ *Heute will ich mich von meiner Vorstellung lösen, es sei irgendwie gut oder wünschenswert, indirekt zu sein. Statt dessen werde ich mich um Aufrichtigkeit, Direktheit und Klarheit in meiner Kommunikation bemühen. Ich beginne, in meinen Beziehungen direkt zu sein.*

## Freunde — 13. August

Unterschätzen Sie den Wert einer Freundschaft nicht. Pflegen Sie Ihre Freundschaften.

Freunde sind ein großes Glück. Freundschaften geben uns Gelegenheit, Freude zu lernen und zu erkennen, wieviel Spaß wir mit Freunden haben können.

Freunde können ein Trost sein. Wer kennt uns besser, wer kann uns mehr Rückhalt geben als ein guter Freund? Mit Freunden können wir ungezwungen umgehen. Die Wahl unserer Freunde spiegelt oft die Probleme wider, die wir selbst zu bearbeiten haben. Wenn wir dem anderen Unterstützung geben und sie auch erhalten, wird es beiden leichter fallen, sich zu entwickeln.

Manche Freundschaften kommen und gehen, nehmen einen zyklischen Verlauf. Manche verlaufen im Sand, wenn eine Person der anderen entwächst. Alle Freundschaften sind Prüfungen ausgesetzt, und gelegentlich sind wir dazu aufgefordert, die im Heilungsprozeß eingeübten Verhaltensweisen auf sie anzuwenden.

Manche Freundschaften dauern ein Leben lang. Aus manchen Freundschaften entstehen Liebesbeziehungen, und umgekehrt können aus Liebesbeziehungen Freundschaften werden.

■ *Heute will ich mich einem Freund zuwenden. Ich mache mir bewußt, welchen Trost, welches Glück und welch bleibende Werte ich in meinen Freundschaften finde.*

## Die eigene Stärke geltend machen — 14. August

Im Leben vieler gibt es einen Menschen, der ihr Selbstvertrauen und ihre Fähigkeit, sorgsam mit sich selbst umzugehen, auf eine harte Probe stellt.

Beim Klang einer Stimme, in der Gegenwart einer bestimmten Person vergessen wir alles, was wir über die Wirklichkeit wissen: unsere innere Stärke, unsere Direktheit, unsere Offenheit; wir vergessen, was wir über die Wahrheit wissen und glauben; wir vergessen die Bedeutung unserer Person.

Wir überlassen diesem anderen Menschen unsere Macht. Das Kind in uns ist starken Gefühlswallungen ausgesetzt — Liebe, Angst und Wut. Wir fühlen uns hilflos und gefangen, sind nicht imstande, einen klaren Gedanken zu fassen. Es beginnt ein inneres Tauziehen zwischen der Wut und unserem Bedürfnis, geliebt und akzeptiert zu werden, oder zwischen unserem Verstand und unserem Herzen.

Wir sind vielleicht so verliebt oder so eingeschüchtert, daß wir in alte Überzeugungen zurückfallen und unfähig sind, in gesunder Weise auf diesen bestimmten Menschen zu reagieren.

Wir zappeln am Angelhaken.

Dennoch können wir diesen Bann brechen.

Wir beginnen, uns über die Menschen Klarheit zu verschaffen, denen wir uns so hilflos ausgeliefert fühlen, und akzeptieren diese Tatsache.

Sodann zwingen wir uns zu einer veränderten äußeren Reaktion auf diese Person, auch wenn diese neue Reaktion uns fremd erscheint und unangenehm ist.

Wir überprüfen unsere Motivationen. Wollen wir einen anderen kontrollieren oder beeinflussen? Wir können andere nicht ändern, wir können lediglich damit aufhören, unsere Rolle in dem Spiel weiterzuspielen. Ein gutes Mittel hierzu ist das Loslassen und das Ablegen aller Kontrollbedürfnisse.

Der nächste Schritt besteht darin, daß wir lernen, unsere eigene Stärke geltend zu machen, um so zu sein, wie wir sind, ohne die Beeinflussung anderer. Wir lernen, unsere innere Kraft auch mit schwierigen Menschen in Anspruch zu nehmen. Das wird nicht über Nacht geschehen. Wir können aber noch heute damit beginnen, unsere selbstzerstörerischen Reaktionen auf Menschen, von denen wir uns abhängig gemacht haben, zu verändern.

■ *Hilf mir, Gott, die Beziehungen zu erkennen, in denen ich meine Stärke eingebüßt habe. Hilf mir, davon loszukommen und meine innere Kraft wieder geltend zu machen.*

## Raum für Gefühle lassen — 15. August

Wir müssen anderen und uns selbst genügend Raum für Gefühle und den Prozeß des Aufarbeitens unserer Gefühle geben.

Wir sind Menschen, keine Roboter. Wichtige Aspekte unserer Person — wer wir sind, wie wir uns entwickeln, wie wir leben — sind im Zentrum unserer Emotionen verankert. Wir haben Gefühle, manchmal schwierige, zerstörerische, explosive Gefühle, die bewältigt werden müssen.

Wenn wir uns diesen Gefühlen stellen und sie aufarbeiten, wachsen wir und andere. Menschen brauchen in all ihren Beziehungen — ob Liebesbeziehung, Freundschaft, familiäre Beziehung oder Geschäftsbeziehung — Freiräume, um die eigenen Gefühle aufzuarbeiten.

Es wäre verfehlt, wenn wir für diesen Prozeß weder Zeit noch Raum beanspruchen würden. Wir würden uns und unsere Beziehungen zum Scheitern verurteilen, wenn wir dafür in unserem Leben keine Gelegenheit fänden.

Wir brauchen Zeit, um mit Gefühlen ins reine zu kommen. Wir brauchen den Raum und die Freiheit, diese Gefühle aufzuarbeiten — in der schwierigen, zuweilen etwas chaotischen Art und Weise, mit der Menschen mit ihrer Gefühlswelt umgehen.

So ist das Leben. Das ist Wachstum. Und so ist es in Ordnung.

Wir können unseren Gefühlen Platz einräumen. Wir können den Menschen Zeit und Freiraum geben für die Arbeit an ihren Gefühlen. Wir müssen weder uns noch anderen strenge Zügel anlegen. Bei dieser Arbeit sollten wir allerdings darauf achten, unsere Energien gezielt einzusetzen. Nicht alle unsere Gefühle sind es wert, übertriebene Aufmerksamkeit zu erhalten.

Lassen Sie Ihre Gefühle fließen, und vertrauen Sie darauf, wohin der Fluß sie trägt.

■ *Ich kann meinen Verhaltensweisen vernünftige Grenzen setzen und gleichzeitig Raum für Emotionen lassen.*

## Retten wir uns selbst — 16. August

Märtyrer sind nicht sonderlich beliebt.

Was empfinden wir in Gegenwart von Märtyrern? Schuld, Zorn, Enge, und wir sind darauf bedacht, möglichst schnell das Weite zu suchen.

Viele von uns sind zu der Überzeugung gekommen, daß unsere Wünsche nur dann erfüllt werden, wenn wir uns Entbehrungen auferlegen, nicht sorgsam mit uns selbst umgehen, uns zu Opfern machen lassen und unnötig leiden.

Wir haben jedoch die Aufgabe, unsere Fähigkeiten und unsere Stärken zu erkennen, zu entwickeln und zu nutzen.

Wir haben die Aufgabe, unseren Schmerz und Überdruß zu erkennen und angemessene Schritte dagegen zu unternehmen.

Wir haben außerdem die Aufgabe, unseren Mangel zu erkennen und dafür Sorge zu tragen, daß wir an der Lebensfülle teilhaben. Das beginnt in unserem Innern, wenn wir unsere Ansicht über unseren Selbstwert ändern, wenn wir unseren Mangel beheben und so mit uns umgehen, wie wir es verdienen.

Das Leben ist schwer, wir müssen es nicht noch schwerer machen, indem wir uns vernachlässigen. Durch Leiden wird uns nicht Ruhm und Ehre zuteil, sondern ausschließlich Leiden. Unser Schmerz wird nicht erst dann aufhören, wenn ein Retter naht, sondern dann, wenn wir Verantwortung für uns selbst übernehmen und unserem Schmerz ein Ende bereiten.

■ *Heute will ich mein eigener Retter sein. Ich höre auf zu warten, bis jemand kommt, der sich um meine Angelegenheiten kümmert und meine Probleme für mich löst.*

## Heilsame Gedanken — 17. August

Denken Sie heilsame Gedanken.

Wenn Sie Zorn oder Ressentiments spüren, bitten Sie Gott, daß er Ihnen hilft, diese Gefühle zuzulassen, daraus zu lernen, und sie loszulassen. Bitten Sie Gott, die Menschen zu segnen, auf die Sie wütend sind.

Bitten Sie Ihn darum, daß Er auch Sie segnet.

Wenn Sie Angst empfinden, bitten Sie Ihn, die Angst zu nehmen. Wenn Sie unglücklich sind, zwingen Sie sich zu Dankbarkeit. Wenn Sie sich benachteiligt fühlen, nehmen Sie zur Kenntnis, daß auch für Sie von allem reichlich vorhanden ist.

Wenn Sie sich schämen, versichern Sie sich, daß es in Ordnung ist, so zu sein, wie Sie sind. Sie sind gut genug.

Wenn Sie Ihren Fortschritt oder Ihre gegenwärtige Position im Leben anzweifeln, versichern Sie sich, daß alles in Ordnung ist; Sie sind genau an der Stelle, an der Sie sein sollen. Überzeugen Sie sich davon, daß sich auch die anderen an der für sie richtigen Stelle befinden.

Wenn Sie an die Zukunft denken, sagen Sie sich, daß sie gut sein wird. Wenn Sie in die Vergangenheit zurückblicken, bedauern Sie nichts.

Wenn Sie ein Problem feststellen, sagen Sie sich, daß eine Lösung zur rechten Zeit auftaucht, daß sich auch in diesem Problem ein Geschenk verbirgt.

Wenn Sie sich gegen Gefühle oder Gedanken wehren, üben Sie eine bejahende Haltung ein. Wenn Sie ein Mißbehagen empfinden, machen Sie sich bewußt, daß es ein vorübergehender Zustand ist. Wenn Sie einen Wunsch oder ein Bedürfnis erkennen, machen Sie sich klar, daß beides erfüllt wird.

Wenn Sie sich Sorgen um Ihre Lieben machen, bitten Sie Gott, sie zu beschützen. Wenn Sie sich Sorgen um sich selbst machen, bitten Sie Ihn, das gleiche für Sie zu tun.

Denken Sie liebevoll an andere. Denken Sie liebevoll an sich selbst.

Achten Sie dann darauf, wie Ihre Gedanken die Realität verwandeln.

■ *Heute will ich heilsame Gedanken denken.*

## Den Augenblick achten — 18. August

*Der innere Abstand erfordert ein Leben in der Gegenwart — im Hier und Jetzt. Wir lassen das Leben geschehen, statt es zu zwingen oder kontrollieren zu wollen. Wir verzichten darauf, der Vergangenheit nachzutrauern und uns vor der Zukunft zu ängstigen. Wir machen das Beste aus jedem Tag.*

— Unabhängig sein

Im gegenwärtigen Augenblick sind wir genau da, wo wir sein müssen und wo wir hingehören.

Wie oft vergeuden wir unsere Zeit und Energie mit dem Wunsch, anders zu sein, als wir sind, etwas anderes zu tun oder woanders zu sein. Wir wünschen, unsere gegenwärtigen Umstände wären anders.

Wir versetzen uns unnötig in Verwirrung und verzetteln uns, wenn wir glauben, der gegenwärtige Augenblick sei falsch. Denn wir sind genau an dem Ort, wo wir jetzt sein müssen. Unsere Gefühle, Gedanken, Umstände, Anforderungen, Aufgaben — alles geschieht nach Plan.

Wir verderben die Schönheit des Augenblicks, wenn wir uns etwas anderes wünschen.

Kehren Sie zu sich zurück. Kehren Sie zurück zum gegenwärtigen Augenblick. Wir verändern die Dinge nicht, wenn wir ihm entfliehen. Wir verändern die Dinge, wenn wir uns dem Augenblick hingeben und ihn annehmen.

Manche Augenblicke sind leichter anzunehmen als andere.

Um diesem Vorgang zu vertrauen, ihm ganz zu vertrauen, ohne an der Vergangenheit zu hängen oder zu weit in die Zukunft blicken zu wollen, bedarf es eines starken Glaubens. Geben Sie sich dem Augenblick hin. Schlagen Sie mit der Faust auf den Tisch, wenn Sie wütend sind. Halten Sie die Grenze ein, die Sie sich gesetzt haben. Überlassen Sie sich Ihrer Trauer, wenn Sie traurig sind. Tauchen Sie ein. Folgen Sie Ihrer Intuition. Haben Sie Geduld, wenn Sie warten. Gehen Sie voll Freude an eine Aufgabe, die vor Ihnen liegt. Gehen Sie in den Augenblick hinein; der Augenblick ist richtig.

Wir befinden uns an dem Platz, wo wir hingehören. Morgen gelangen wir an den Ort, für den wir bestimmt sind. Und dieser Ort wird gut sein.

Der Plan wurde liebevoll für uns ausgearbeitet.

■ *Hilf mir, Gott, mein Bedürfnis abzulegen, ein anderer zu sein als der, der ich heute bin. Hilf mir, ganz in den gegenwärtigen Augenblick einzutauchen. Ich werde mich diesen Augenblicken — den schwierigen und den leichten — hingeben im Vertrauen auf den Ablauf der Dinge. Ich werde aufhören, diesen Prozeß kontrollieren zu wollen; statt dessen werde ich mich entspannen und mich den Erfahrungen überlassen.*

## Sich von Scham lösen — 19. August

Scham ist ein dunkles, mächtiges Gefühl, das uns behindert. Natürlich bewahrt uns Scham auch vor einem unangemessenen Verhalten. Aber viele von uns haben gelernt, auch bei gesunden Verhaltensweisen, die zu unserem Besten sind, Scham zu empfinden.

In nicht intakten Familien sind gesunde Verhaltensweisen von Scham belastet, etwa: Gefühle zur Sprache bringen, Entscheidungen treffen, sorgsam mit uns selbst umgehen, uns freuen, Erfolge genießen oder uns wohl fühlen mit uns selbst.

Wir wagen nicht, um das zu bitten, was wir wollen und brauchen, wir sind zu keiner direkten und ehrlichen Kommunikation fähig, wir scheuen uns, Liebe zu geben und anzunehmen, da diese Bereiche mit Scham besetzt sind.

Manchmal tarnt sich die Scham als Angst, Wut, Gleichgültigkeit oder als Bedürfnis, wegzulaufen und sich zu verstecken. Wenn wir uns als schlechte Menschen vorkommen, handelt es sich dabei in der Regel um Scham.

Im Heilungsprozeß lernen wir, die Erscheinungsformen der Scham ausfindig zu machen. Sobald wir sie erkennen, können wir beginnen, uns von ihr zu befreien. Wir können uns lieben und annehmen — und jetzt damit anfangen.

Wir haben ein Recht auf unser Leben, ein Recht, so zu sein, wie wir sind. Und wir müssen uns niemals von Schamgefühlen etwas anderes weismachen lassen.

■ *Heute will ich der Scham in meinem Leben entgegentreten und sie besiegen.*

---

## Aufrichtigkeit in Beziehungen — 20. August

---

Wir können aufrichtig und direkt umgehen mit unseren Grenzen in Beziehungen und den grundsätzlichen Voraussetzungen einer bestimmten Beziehung.

Vermutlich spiegelt kein anderer Lebensbereich unsere Einzigartigkeit und Individualität stärker wider als unsere Beziehungen. Manche von uns befinden sich in einer festen Zweierbeziehung. Andere sind im Begriff, eine Beziehung aufzubauen. Wieder andere haben keine Beziehung. Manche leben mit jemandem zusammen oder haben den Wunsch danach. Manche würden gerne neue Menschen kennenlernen. Manche gehen später neue Beziehungen ein. Manche bleiben in der Beziehung, in der sie seit langem sind.

Wir haben auch Freundschaften, Beziehungen zu Kindern, zu Eltern und zu anderen Verwandten. Wir haben berufliche Beziehungen — Beziehungen zu Kollegen am Arbeitsplatz.

Bei all diesen Kontakten müssen wir aufrichtig und direkt sein. Die grundsätzlichen Voraussetzungen unserer Beziehungen sind der Bereich, den wir aufrichtig und direkt behandeln wollen. Wir können unsere Beziehungen klar definieren, und wir können von anderen verlangen, daß sie ihre Vorstellung von einer Beziehung ehrlich und unmittelbar zum Ausdruck bringen.

Es verwirrt uns, wenn wir nicht wissen, wo wir stehen — ob im Beruf, in einer Freundschaft, mit Verwandten oder in einer Liebesbeziehung. Wir haben das Recht, in unserer Definition direkt zu sein — offen zu sagen, was wir von unserer Beziehung wollen. Eine Beziehung verbindet zwei gleichwertige Menschen, die jeweils fähig sein müssen, die Beziehung für sich zu beschreiben. Beide haben das Recht auf umfassende Information.

Aufrichtigkeit ist ein Grundprinzip.

Wir können Grenzen setzen. Wenn jemand eine engere Beziehung wünscht als wir, können wir uns klar und aufrichtig äußern, bis zu welchem Grad wir beteiligt sein möchten. Wir können dem anderen sagen, was er von uns erwarten kann, was wir zu geben bereit sind. Wie der andere damit umgeht, ist seine Sache. Ob wir uns in diesem Punkt dem anderen öffnen oder nicht, ist unsere Sache.

Wir können Grenzen setzen und Freundschaften definieren, wenn hierüber Unklarheit herrscht.

Wir können uns auch Kindern gegenüber klar äußern, wenn diese Beziehungen getrübt sind und die von uns als wichtig erachteten Grundvoraussetzungen mißachtet wurden. Wir müssen unsere Liebesbeziehungen definieren und zum Ausdruck bringen, womit die beiden Beteiligten zu tun haben werden. Wir haben das Recht, klare Antworten zu verlangen und sie zu erhalten. Wir haben das Recht, unsere eigenen Definitionen zu geben und unsere eigenen Erwartungen zu haben. Genau wie der andere auch.

Aufrichtigkeit und Direktheit sind die einzig möglichen Verfahrensweisen. Manchmal wissen wir nicht, was wir in einer Beziehung wollen. Manchmal weiß es der andere nicht. Doch je früher wir eine Beziehung mit Hilfe des anderen definieren können, desto früher können wir uns für einen richtigen Kurs entscheiden.

Je klarer unsere Definition einer Beziehung ausfällt, desto sorgsamer können wir in dieser Beziehung mit uns selbst umgehen. Wir haben ein Recht auf unsere Grenzen, Wünsche und Bedürfnisse. Genau wie der andere. Wir können niemanden in eine Beziehung drängen, niemanden zwingen, sich in einem von uns gewünschten Maß daran zu beteiligen. Wir alle haben das Recht, uns keine Zwänge auferlegen zu lassen.

Information ist ein wichtiges Mittel; und die Information über das Wesen einer Beziehung — ihre Grenzen und Definitionen — befähigt uns, in dieser Beziehung Sorge zu tragen für uns selbst.

Beziehungen bauen sich allmählich auf, doch an einem bestimmten Punkt können wir eine klare Definition erwarten, welche Bedeutung diese Beziehung hat und wo ihre Grenzen liegen. Wenn die Definitionen der Beteiligten zu weit voneinander abweichen, steht es uns frei, aufgrund fundierter Informationen neue Entscheidungen über unser künftiges Verhalten zu treffen, damit es uns gutgeht.

■ *Heute will ich mich um Klarheit und Direktheit in meinen Beziehungen bemühen. Wenn ich im Augenblick undurchsichtige und falsch definierte Beziehungen habe, denen ich ausreichend Zeit gegeben habe, sich zu festigen, beginne ich, diese Beziehungen neu zu überdenken. Hilf mir, Gott, daß ich meine Angst ablege, das Wesen meiner gegenwärtigen Beziehungen zu definieren und zu verstehen. Schenke mir Klarheit — führe mich zu klarem, gesundem Denken. Hilf mir, daß ich weiß: Meine Wünsche sind legitim. Hilf mir, daß ich weiß: Ein bestimmter Wunsch ist auch dann legitim, wenn er nicht erfüllt wird; er ist lediglich zum gegenwärtigen Zeitpunkt nicht erfüllbar. Hilf mir, daß ich lerne, nicht auf das zu verzichten, was ich will und brauche. Ich will vernünftige, gesunde Entscheidungen darüber treffen, wie und wo ich meinen Wunsch erfüllt bekomme.*

Viele von uns halten die Vorstellung, auf Distanz zu gehen, zunächst für fragwürdig und zweifelhaft. Wir setzen Distanz mit Desinteresse gleich und glauben, durch Kontrolle, Sorge und Zwang den Grad unserer Zuneigung zeigen zu müssen.

Wir glauben, daß Kontrolle, Sorge und Zwang irgendwie das von uns gewünschte Resultat herbeiführen. Solches Verhalten bewirkt gar nichts. Auch wenn wir im Recht sind: Es bringt nichts, Kontrolle auszuüben. Dadurch kann das Resultat, das wir uns erhoffen, sogar verhindert werden.

Erst wenn wir das Prinzip der inneren Loslösung auf die Menschen unserer Umgebung anwenden, beginnen wir allmählich die Wahrheit zu erkennen. Sich loslösen, sich möglichst liebevoll loslösen, ist ein Beziehungsverhalten, das zum Erfolg führt.

Wir lernen noch etwas. Innere Distanz wirkt sich auf alle unsere Beziehungen förderlich aus; öffnet Türen, so daß wir bestmögliche Resultate erzielen können; vermindert unsere Frustration und befreit uns und andere für ein Leben in Frieden und Harmonie.

Distanz bedeutet, daß wir uns um uns selbst und um andere kümmern. Sie bewirkt, daß wir die bestmöglichen Entscheidungen frei treffen können; befähigt uns, die Grenzen zu errichten, die wir gegenüber anderen Menschen brauchen; läßt unsere Gefühle zu. Wir hören auf zu reagieren und beginnen, positiv zu agieren. Durch solches Verhalten werden andere ermuntert, das gleiche zu tun.

Distanz gibt unserer Höheren Macht die Chance, sich einzuschalten und mitzuwirken.

■ *Heute vertraue ich liebevoll dem Prozeß der inneren Loslösung. Ich begreife, daß ich nicht nur loslasse; ich lasse los und überlasse es Gott, das Seine zu tun. Ich liebe andere, aber ich liebe auch mich selbst.*

## Verantwortung für Familienmitglieder

## 22. August

*Ich erinnere mich noch heute daran, wie meine Mutter sich ans Herz griff, drohte, einen Herzanfall zu bekommen und zu sterben — und mir die Schuld an allem gab.*

— Anonym

Der Gedanke, wir seien verantwortlich für die Gefühle anderer, hat seinen Ursprung oft in der Kindheit; er wurde von unserer eigenen Familie in die Welt gesetzt. Man hat uns zu verstehen gegeben, daß wir mit unserem Verhalten die Mutter oder den Vater unglücklich machen, womit der Gedanke verbunden war, wir seien gleichermaßen verantwortlich dafür, sie glücklich zu machen. Die Überzeugung, wir müßten für das Glück oder Unglück unserer Eltern Verantwortung tragen, kann verzerrte Macht- und Schuldgefühle in uns hervorrufen.

Wir haben keineswegs so große Macht über unsere Eltern — weder über ihre Gefühle noch über den Verlauf ihres Lebens. Und wir brauchen nicht zuzulassen, daß sie diese Macht über uns haben.

Unsere Eltern machten ihre Sache so gut, wie sie konnten. Dennoch müssen wir nicht eine Überzeugung von ihnen akzeptieren, die ungesund ist. Sie sind zwar unsere Eltern, aber sie haben nicht immer recht. Sie sind zwar unsere Eltern, aber ihre Überzeugungen und ihre Verhaltensweisen sind nicht immer gesund und in unserem besten Interesse.

Es steht uns frei, unsere Überzeugungen zu prüfen und auszuwählen.

Lösen Sie sich von Schuldgefühlen. Lösen Sie sich von übertriebenen und unangebrachten Verantwortungsgefühlen gegenüber Eltern und anderen Familienmitgliedern. Wir brauchen uns, unsere Gefühle, unser Verhalten, unser Leben nicht von ihren destruktiven Überzeugungen beherrschen zu lassen.

■ *Heute will ich damit beginnen, mich von allen selbstzerstörerischen Überzeugungen zu befreien, die meine Eltern an mich weitergegeben haben. Ich werde nach geeigneten Gedanken und Grenzen stre-*

*ben, um herauszufinden, wieviel Macht und Verantwortung ich tatsächlich in meiner Beziehung zu meinen Eltern habe.*

## Sorge tragen für sich selbst — 23. August

> *Wann sind wir liebenswert? Wann fühlen wir uns sicher? Wann werden wir all den Schutz, die Fürsorge und Liebe bekommen, die wir so sehr verdienen? Wir bekommen das alles, wenn wir anfangen, es uns selbst zu geben.*
>
> — Unabhängig sein

Der Gedanke, uns das zu geben, was wir wollen und brauchen, kann verwirrend sein, zumal dann, wenn wir viele Jahre nicht gewußt haben, daß wir ungestraft sorgsam mit uns selbst umgehen können. Wir können aufhören, unsere Kraft auf andere und deren Verantwortungen zu konzentrieren; statt dessen können wir diese Kraft für uns und unsere Verantwortungen verwenden. Dieses Verhalten können wir uns aneignen und in die tägliche Praxis übertragen.

Wir entspannen uns, atmen tief durch und lösen uns von unseren Ängsten, um soweit wie möglich zur Ruhe zu kommen. Dann fragen wir uns: Was muß ich heute oder jetzt in diesem Augenblick tun, um Sorge zu tragen für mich selbst?

Was muß ich und was will ich tun?

Wodurch kommen Liebe und Selbstverantwortung zum Ausdruck? Bin ich der Überzeugung, andere seien für mein Glück verantwortlich? Dann gilt es zunächst, das System meiner Überzeugungen zu korrigieren. Ich bin für mich selbst verantwortlich.

Fühle ich mich unsicher und besorgt wegen eines Verantwortungsbereiches, den ich vernachlässigt habe? Dann muß ich mich von meinen Ängsten befreien und diese Verantwortung wahrnehmen.

Fühle ich mich überfordert, habe ich mich nicht in der Hand? Möglicherweise muß ich zu dem ersten der Zwölf Schritte des Al-Anon-Programms zurückkehren.

Habe ich zuviel gearbeitet? Vielleicht muß ich mir Zeit nehmen und etwas tun, was mir Spaß macht.

Habe ich meine Arbeit oder meine täglichen Aufgaben vernachlässigt? Dann muß ich mich disziplinieren und zu meiner Alltagsroutine zurückfinden.

Es gibt kein Patentrezept, keine Formel, keinen Leitfaden für den sorgsamen Umgang mit sich selbst. Wir alle haben einen Ratgeber, und dieser Ratgeber ist in uns selbst. Wir stellen uns die Frage: Was muß ich tun, um liebevoll und verantwortlich mit mir selbst umzugehen? Dann vernehmen wir die Antwort. Es ist nicht allzu schwierig, Sorge zu tragen für sich selbst. Das größte Problem dabei ist: der Antwort zu vertrauen und den Mut zu haben, demgemäß zu handeln, sobald wir sie erhalten haben.

■ *Heute will ich mich darauf konzentrieren, sorgsam mit mir selbst umzugehen. Ich habe Vertrauen zu mir und meiner Höheren Macht, die mich in diesem Prozeß führt.*

---

## Achter Schritt — 24. August

---

*Wir machten eine Liste aller Personen, denen wir Schaden zugefügt hatten, und wurden willig, ihn bei allen wiedergutzumachen.*

— Achter Schritt von Al-Anon

Der Achte Schritt des Al-Anon-Programms spricht nicht davon, daß wir uns bestrafen sollen; vielmehr will er uns von Schuld, Ängstlichkeit und Zwietracht befreien.

Wir beginnen damit, daß wir eine Liste all derer erstellen, denen wir früher, als wir sozusagen um unser Überleben kämpften, Schmerzen zugefügt haben. Vermutlich haben wir bei uns selbst mehr Schaden angerichtet als bei anderen, deshalb setzen wir uns an die erste Stelle der Liste.

Wir neigen dazu, gegenüber allem, was wir je getan haben, und allen Menschen, mit denen wir überhaupt in Kontakt gekommen sind, Schuldgefühle zu empfinden. Diese Schuldzuweisung ist nicht gerechtfertigt.

Schriftliche Notizen helfen uns zu klären, ob wir uns grundlos für etwas strafen. Wir müssen im Innern offen sein für Unterweisungen, wenn wir an diesem Schritt arbeiten, um alles aus uns heraus und zu Papier zu bringen.

Ist die Liste erstellt, bemühen wir uns, den Schaden bei jedem auf der Liste wiedergutzumachen, weil uns das im Heilungsprozeß weiterbringt. Etwas wiedergutmachen heißt nicht, daß man sich schuldig und beschämt fühlt und sich bestraft; es geht vielmehr darum, unseren Stolz und unsere Abwehrhaltung abzulegen und Sorge zu tragen für uns selbst, so gut wir es können. Wenn wir Verantwortung für unser Verhalten übernehmen, steigern wir unsere Selbstachtung. Wir erlangen die Bereitschaft, die Beziehungen zu uns selbst, zu anderen und zu unserer Höheren Macht wiederherzustellen.

■ *Heute will ich mich einem aufrichtigen Verständnis für die Menschen öffnen, denen ich Schaden zugefügt habe. Hilf mir, Gott, meine Abwehrhaltung und meinen Stolz zu überwinden. Mach, daß ich bereit bin, Schaden wiedergutzumachen bei jenen, die ich verletzt habe, um meine Beziehungen zu mir selbst und anderen zu verbessern.*

## Bereit sein zur Wiedergutmachung — 25. August

Der Achte Schritt spricht von einem Sinneswandel, einer heilsamen inneren Einsicht.

Diese Haltung kann eine ganze Reihe von Verbesserungen in unseren Beziehungen zu anderen und zu uns selbst bewirken. Sie zeigt an, daß wir jene Umbarmherzigkeit aufgeben, die uns mit am meisten daran hindert, Liebe zu geben und zu empfangen.

Im Achten Schritt erstellen wir eine Liste all der Menschen, denen wir Schaden zugefügt haben, und nehmen ihnen gegenüber eine versöhnliche Haltung ein, die Haltung der Liebe.

Deshalb müssen wir nicht hektisch vom einen zum anderen laufen und lauthals verkünden: »Tut mir leid!« Wir machen unsere Liste nicht, um Schuldgefühle in uns zu wecken, sondern um unsere innere Heilung zu fördern. Bevor wir tatsächlich Wiedergutmachung leisten oder angemessene Schritte hierfür in Erwägung ziehen, verändern wir unsere Einstellung. Hier beginnt die Heilung — in uns selbst.

Unsere Einstellung kann den Energiefluß ändern; kann die innere Dynamik ändern; kann den Prozeß in Gang setzen, bevor wir überhaupt den Mund aufmachen und sagen, daß uns etwas leid tut.

Sie öffnet uns das Tor zur Liebe. Sie öffnet das Tor zur Energie der Liebe und der Heilung. Sie befähigt uns, negative Gefühle und Energien loszulassen, und öffnet das Tor zu positiven Kräften.

Diese Energie kann Kontinente überspannen, und sie beginnt in uns.

Wie oft wünschten wir, jemand, der uns weh getan hat, möge unsere Verletzung zur Kenntnis nehmen und sagen: »Es tut mir leid.« Wie oft wünschten wir, der Betreffende möge uns sehen, uns hören und den positiven Energiefluß der Liebe in unsere Richtung lenken? Wie oft sehnten wir uns nach einem geringfügigen Sinneswandel, einem Anflug von Versöhnlichkeit in Beziehungen, in denen unerledigte Probleme und schlechte Gefühle vorherrschend waren? Unzählige Male.

Anderen ergeht es ebenso. Das ist kein Geheimnis. Die heilende Energie beginnt in uns. Unser Wille zur Wiedergutmachung mag dem anderen gelegen kommen oder auch nicht; er mag bereit sein, eine Angelegenheit auf sich beruhen zu lassen oder auch nicht.

Wir aber werden dadurch geheilt. Wir werden liebesfähig.

■ *Heute will ich an einem Sinneswandel arbeiten, wenn Unbarmherzigkeit, Trotz, Schuld oder Bitterkeit in mir sind. Ich bin bereit, mich von diesen Gefühlen zu lösen und sie durch die heilende Energie der Liebe zu ersetzen.*

---

## **Wiedergutmachung** — **26. August**

*Wir machten bei diesen Menschen alles wieder gut — wo immer es möglich war —, es sei denn, wir hätten dadurch sie oder andere verletzt.*

— Neunter Schritt von Al-Anon

Bei der Wiedergutmachung müssen wir uns klar darüber sein, wofür wir uns entschuldigen und wie wir dies sinnvoll tun. Mit unserer Wiedergutmachung übernehmen wir die Verantwortung für unser

Verhalten. Wir müssen uns vergewissern, daß dieser Schritt sich weder gegen uns richtet noch andere verletzt.

Manchmal müssen wir uns für etwas, das wir getan haben, oder für die Rolle, die wir in einer Problemsituation spielten, direkt entschuldigen.

Dann wieder müssen wir uns darum bemühen, unser Verhalten einem Menschen gegenüber zu verändern, statt bloß zu sagen: »Tut mir leid«.

Es gibt Zeiten, in denen alles nur schlimmer wird, wenn wir ein Fehlverhalten zur Sprache bringen und uns dafür entschuldigen.

Bei der Wiedergutmachung kommt es auf die Wahl des richtigen Zeitpunkts an, auf Feingefühl und Intuition. Sobald wir bereit sind, können wir loslassen und unsere Wiedergutmachung in friedlicher, konsequenter, harmonischer Form leisten. Wenn nichts richtig oder angebracht erscheint, wenn wir den Eindruck haben, unser Vorhaben könne eine Krise oder einen Aufruhr hervorrufen, so wollen wir diesem Gefühl vertrauen.

Die innere Einstellung der Ehrlichkeit, Offenheit und Bereitschaft sind die Faktoren, auf die es hier ankommt. Wir wollen uns darum bemühen, unsere Beziehungen in Frieden und Harmonie zu klären.

Wir verdienen es, mit uns und anderen in Frieden zu leben.

■ *Heute will ich offen dafür sein, jede Form von Wiedergutmachung zu leisten, die ich andern schuldig bin. Bei Wiedergutmachungen, die mir nicht klar sind, werde ich auf göttliche Unterweisung warten. Ich werde handeln, sobald ich innerlich geführt werde. Hilf mir, Gott, daß ich meine Angst davor überwinde, auf Menschen zuzugehen und Verantwortung für mein Verhalten zu tragen. Hilf mir zu erkennen, daß ich meine Selbstachtung dadurch nicht verliere. Im Gegenteil: Ich festige sie dadurch.*

## Verzögerungstaktik 27. August

Wenn wir die Dinge verzögern, sie vor uns herschieben, so schaden wir damit uns selbst. Dieses Verhalten ruft Angst, Schuldgefühle, Mißstimmungen hervor und das nagende Bewußtsein, daß es an der Zeit ist, die Aufgaben anzugehen.

Nicht immer verzögern wir Dinge, wenn wir etwas auf die lange Bank schieben. Wenn wir etwas vor der Zeit tun, so kann das unter Umständen genauso selbstzerstörerisch sein, wie wenn wir zu lange damit warten.

Wir können lernen, diesen Unterschied zu erkennen. Hören Sie auf Ihre innere Stimme. Was ist längst überfällig, was ruft Angst hervor und rumort in Ihrem Innern?

Gibt es etwas in Ihrem Leben, dem Sie ausweichen, eben weil Sie sich nicht damit konfrontieren wollen? Ruft dieser Aufschub Angst in Ihnen hervor?

Wut, Angst oder Hilflosigkeit sind oft die Ursache für Verzögerungen. Manchmal wird das Aufschieben aber auch einfach zur Gewohnheit.

Haben Sie Vertrauen zu sich, und hören Sie auf Ihre innere Stimme und Ihre Höhere Macht. Achten Sie auf Zeichen und Signale. Wenn der Zeitpunkt gekommen ist, etwas zu tun, tun Sie es. Wenn die Zeit noch nicht reif ist, warten Sie ab, bis es soweit ist.

■ *Hilf mir, Gott, mit den Dingen meines Lebens rechtzeitig und harmonisch umzugehen. Hilf mir, daß ich mich auf die göttliche Zeiteinteilung und Ordnung einstimme und ihr vertraue.*

## Sorge tragen für sich selbst am Arbeitsplatz 28. August

Es ist in Ordnung, im Berufsleben sorgsam mit sich selbst umzugehen. Es ist nicht bloß in Ordnung, es ist unumgänglich.

Das bedeutet, daß wir mit unseren Gefühlen in anmessener Form umgehen; wir übernehmen auch hier Eigenverantwortung. Wir nehmen innerlich Abstand, wenn dies erforderlich ist. Wir setzen Grenzen, wenn dies nötig ist.

Wir verhandeln über Konflikte; wir versuchen, unsere Angelegenheiten von den Angelegenheiten anderer zu trennen; wir erwarten weder von uns noch von anderen Perfektion.

Wir befreien uns von unserem Kontrollbedürfnis in Bereichen, die wir nicht kontrollieren können. Statt dessen streben wir nach Frieden und der Fähigkeit, die Dinge zu bewältigen, danach, unsere innere Stärke geltend zu machen, so zu sein, wie wir sind.

Weder lassen wir uns mißbrauchen, noch mißbrauchen oder benutzen wir andere. Wir arbeiten daran, unsere Ängste abzubauen und ein gesundes Selbstvertrauen aufzubauen. Wir wollen aus unseren Fehlern lernen und verzeihen uns, wenn wir Fehler machen.

Wir wollen uns nicht überfordern, indem wir Aufgaben übernehmen, die uns aller Voraussicht nach überfordern oder für die wir nicht geeignet sind. Wenn wir uns dennoch in einer solchen Situation befinden, gehen wir mit den Problemen verantwortlich um.

Wir stellen Überlegungen an, wo unsere Verantwortungen liegen, und halten uns daran, wenn keine anderen Vereinbarungen getroffen werden. Wir lassen Raum für gute und weniger gute Tage.

Wir sind freundlich und liebenswürdig zu Menschen, wann immer das möglich ist; sind jedoch entschlossen und standhaft, wenn es erforderlich ist. Wir akzeptieren unsere Stärken und vertrauen ihnen. Wir akzeptieren unsere Schwächen und Grenzen, auch die Grenzen unserer Fähigkeiten.

Wir bemühen uns, Dinge nicht zu kontrollieren und zu verändern, die uns nichts angehen. Wir konzentrieren uns auf unsere Verantwortung und die Veränderungen, die wir vornehmen können.

Wir setzen vernünftige Ziele. Wir beziehen uns mit ein. Wir bemühen uns um Gleichgewicht.

Gelegentlich lassen wir unserem Ärger freien Lauf, tun das jedoch in angemessener Form und im Sinne eines sorgsamen Umgangs mit uns selbst — nicht, um uns selbst zu sabotieren. Wir bemühen uns, häßlichen Klatsch und andere Verhaltensweisen, die uns selbst schaden, zu vermeiden.

Wir hüten uns vor Konkurrenzdenken, bemühen uns um gute Zusammenarbeit und einen Geist der Liebenswürdigkeit. Wir wissen, daß wir einige Kollegen sympathisch finden und andere nicht, sind aber bestrebt, Harmonie und Einklang mit allen zu finden. Wir leugnen nicht unsere Gefühle gegenüber einer bestimmten Person, bemühen uns jedoch, ein gutes Arbeitsklima zu schaffen und beizubehalten.

Wenn wir etwas nicht wissen, geben wir zu, es nicht zu wissen. Wenn wir Hilfe brauchen, bitten wir direkt darum. Wenn uns Panik befällt, gehen wir mit ihr gesondert um und versuchen zu verhindern, daß sie sich auf unsere Arbeit und unser Verhalten überträgt.

Wir bemühen uns um einen verantwortlichen Umgang mit uns selbst, indem wir in angemessener Form das verlangen, was wir für unsere Arbeit brauchen, und uns nicht vernachlässigen.

Wenn wir im Team arbeiten, bemühen wir uns, die Fähigkeiten für eine gesunde Zusammenarbeit zu erlernen.

Wenn eine Situation kompliziert wird, oder wenn wir mit einer Person zusammenarbeiten, die suchtkrank ist oder mit anderen tiefgreifenden Störungen zu tun hat, erschweren wir die Dinge nicht dadurch, daß wir das Problem verdrängen. Wir akzeptieren die Situation und versuchen, in aller Ruhe herauszufinden, was letzten Ende gut für uns selbst ist.

Wir lösen uns von unserem Hang, am Arbeitsplatz Opfer oder Retter zu sein. Wir wissen, daß wir keine Situation ertragen müssen, die uns unglücklich macht. Statt die gegebenen Strukturen oder uns selbst zu sabotieren, planen wir eine positive Lösung, wissend, daß wir stets Verantwortung für uns selbst tragen.

Wir legen unsere Opferbereitschaft ab und festigen unsere Überzeugung, daß uns das Beste zusteht. Wir üben uns im Akzeptieren, im Vertrauen und in Dankbarkeit.

Tag für Tag bemühen wir uns, das Gute zu genießen, die Probleme zu lösen, die wir lösen können, und unsere Arbeit als Geschenk einzubringen.

■ *Heute will ich darauf achten, welche heilsamen Verhaltensweisen ich einüben kann, um meinen Arbeitsalltag zu verbessern. Ich will bei der Arbeit sorgsam mit mir selbst umgehen. Hilf mir, Gott, daß ich mich von meiner Opferbereitschaft am Arbeitsplatz löse. Hilf mir, offen für all das Gute zu sein, das mir in meinem Beruf zuteil wird.*

## Energie für sich selbst einsetzen 29. August

*Lernen Sie, Ihre Energie für sich einzusetzen.*

— Charlotte Davis Kasl

Es gibt viele Gründe dafür, warum wir die Kunst erlernt und perfektioniert haben, unsere Energie an andere abzugeben. Wir haben uns in der Jugend daran gewöhnt, Gefühle zu verdrängen, weil sie uns damals überfordert hätten, und wir keine Maßnahmen kannten, sie zu verarbeiten.

Viele unserer Zwänge, unserer starken Fixierungen auf andere, haben jene »außerkörperliche« Erfahrung gefördert, die wir Co-Abhängigkeit nennen.

Wir reagieren zwanghaft, wir reden ohne Pause, wir sind unsicher. Wir versuchen zu kontrollieren, zu bevormunden, uns übermäßig um andere zu kümmern. Unsere Energie strömt geradezu aus uns heraus und verteilt sich auf alle möglichen Menschen.

Unsere Energie gehört uns. Unsere Gefühle, Gedanken, Probleme, Liebe, Sexualität, unsere mentalen, körperlichen, spirituellen, sexuellen, schöpferischen und emotionalen Kräfte gehören uns.

Wir können auch hier lernen, gesunde Grenzen zu ziehen. Wir können lernen, unsere Energie bei uns zu behalten und sie für unsere Belange einzusetzen.

Wenn unsere Energie in ungesunder Weise aus uns strömt, sollten wir uns nach den Gründen fragen: Was schmerzt uns, wovor weichen wir aus, wem müssen wir uns stellen, womit müssen wir umgehen?

Dann handeln wir danach. Wir können zu uns zurückkehren und in uns selbst leben.

■ *Heute behalte ich meine Energie in mir. Ich beschäftige mich mit meinen Grenzen und halte sie ein. Hilf mir, Gott, daß ich mein Bedürfnis aufgebe, vor mir selbst fortzulaufen. Hilf mir, daß ich mich um meine Belange kümmere, um mein Leben in Harmonie verbringen zu können.*

## Unser Bestes akzeptieren 30. August

Wir müssen nie etwas besser machen, als wir dazu imstande sind — niemals.

Wir tun für den gegebenen Augenblick unser Bestes, dann lassen wir los. Wenn wir etwas wiederholen müssen, geben wir wieder unser Bestes.

Wir können nie mehr tun oder etwas besser machen, als wir jetzt dazu in der Lage sind. Wir strafen uns selbst und machen uns krank, wenn wir mehr erwarten als unser Bestes für den jeweiligen Augenblick.

Sich um vorzügliche Leistungen zu bemühen, ist eine positive Eigenschaft.

Sich um Perfektion zu bemühen, ist selbstzerstörerisch.

Wurde früher von uns verlangt oder von uns erwartet, daß wir *mehr* tun oder *mehr* geben oder *mehr* sein sollten? Wurde uns früher keine Anerkennung entgegengebracht?

Es kommt eine Zeit, in der wir das Gefühl haben, unser Bestes getan zu haben. Wenn es soweit ist, lassen wir los.

Es gibt Tage, an denen unser Bestes weniger ist, als wir erhofften. Lassen Sich auch diese Zeiten zu. Beginnen Sie morgen von neuem. Wir arbeiten die Dinge durch, bis unser Bestes besser wird.

Zuzeiten ist konstruktive Kritik angebracht; wenn Kritik aber alles ist, was wir uns zu geben haben, geben wir uns auf.

Wenn wir uns selbst bestärken und loben, werden wir nicht faul. Damit befähigen wir uns, unser Bestes zu geben, zu tun und zu sein.

■ *Heute will ich mein Bestes tun, dann lasse ich los. Hilf mir, Gott, daß ich aufhöre, Selbstkritik zu üben, damit ich allmählich meine Fortschritte würdigen kann.*

In den vielen Jahren meiner inneren Heilung habe ich vieles verdrängt. Das war eine Schutzmaßnahme, ein Überlebensmechanismus, eine Bewältigungsstrategie und bisweilen beinahe mein Verderben; Freund und Feind zugleich.

Als Kind bediente ich mich der Verdrängung, um mich und meine Familie zu schützen. Ich schützte mich davor, allzu schmerzhafte Dinge zu sehen, zu starke Empfindungen zu spüren. Die Verdrängung half mir, viele traumatische Situationen unbeschadet zu überstehen, wenn ich keine andere Möglichkeit für mein Überleben sah.

Der negative Aspekt dieser Verdrängung bestand darin, daß ich den Kontakt zu mir selbst und zu meinen Gefühlen verlor. Ich erlangte die Fähigkeit, an schlimmen Situationen beteiligt zu sein, ohne überhaupt zu wissen, daß ich Schmerzen litt. Ich war in der Lage, großen Schmerz und mißbräuchliche Verhaltensweisen auszuhalten, ohne die leiseste Ahnung, daß das nicht normal sein könnte.

Ich lernte, mich an meinem eigenen Mißbrauch zu beteiligen.

Die Verdrängung schützte mich vor Schmerz, machte mich aber auch blind für meine Gefühle und Bedürfnisse. Sie war wie eine warme Decke, die ich über mich breitete und unter der ich beinahe erstickte.

Irgendwann begann ich mich zu besinnen. Ich begann, mir meine Schmerzen, Gefühle und Verhaltensweisen allmählich bewußt zu machen. Ich begann, mich und die Welt so zu sehen, wie wir waren. Hätte man mir damals die Decke gewaltsam entrissen, hätte mich der Schock der Entblößung vernichtet, so sehr hatte ich meine Vergangenheit verdrängt. Ich mußte mir die Einsichten, Erinnerungen, den Prozeß der Bewußtmachung und der Heilung sehr behutsam aneignen.

Bei diesem Prozeß kam mir das Leben zu Hilfe. Das Leben ist ein gütiger Lehrmeister. Im Verlauf meiner inneren Heilung ereigneten sich Dinge, kamen Menschen auf mich zu, die mir vor Augen führten, was ich immer noch verdrängte; die mir zu verstehen gaben, wo ein tieferes Eindringen in meine Vergangenheit erforderlich war, und die mir halfen, mit diesen Einblicken umzugehen.

Noch heute bediene ich mich der Verdrängung und überwinde

sie — wenn nötig. Wenn die Stürme der Veränderungen losbrausen, vertraute Strukturen durcheinanderbringen und mich auf das Neue vorbereiten, verkrieche ich mich eine Weile unter meiner warmen Decke. Manchmal verstecke ich mich kurzfristig darunter, wenn jemand, der mir sehr nah ist, ein Problem hat. Erinnerungen tauchen auf aus verdrängten Erfahrungen; Erinnerungen, die heraufgeholt, gefühlt und akzeptiert werden müssen, damit mein Heilungsprozeß fortschreiten kann.

Manchmal schäme ich mich, weil es so lange dauert, bis ich mich zur Bejahung der Realität durchringe. Es ist mir peinlich, daß mir der Nebel der Verdrängung erneut die Sicht trübt.

Dann geschieht etwas, und ich erkenne, daß ich mich vorwärts bewege. Diese Erfahrung war nötig, hatte einen Bezug, war kein Fehler, sondern ein wichtiger Bestandteil meiner inneren Heilung.

Wir befinden uns auf einer aufregenden Reise. Aber ich begreife, daß ich mich gelegentlich in die Verdrängung flüchte, um Engpässe und schwierige Stellen überwinden zu können. Ich bin mir durchaus klar darüber, daß die Verdrängung mein Freund und zugleich mein Feind ist. Ich achte auf Warnzeichen: nebulöse, verwirrte Gefühle ... Trägheit ... zwanghaftes Verhalten ... Hektik ... wenn ich das vermeide, was mir hilft.

Ich respektiere wirklich unser aller Bedürfnis, die Verdrängung wie eine warme Decke zu benutzen, in die wir uns hüllen, wenn wir seelisch frieren. Es ist nicht meine Aufgabe, anderen Leuten ihre Decke zu entreißen oder andere zu beschämen, weil sie sich in ihre Decke hüllen. Das würde sie nur noch mehr frieren lassen und bewirken, daß sie sich enger in ihre Decke wickeln. Es wäre gefährlich, ihnen die schützende Decke wegzureißen. Die Menschen könnten an Unterkühlung sterben, so wie ich fast gestorben wäre.

Ich habe gelernt, daß ich denen, die sich in ihre Schutzdecke hüllen, am besten helfe, wenn ich ihnen das Gefühl der Wärme und Geborgenheit gebe. Je geborgener und sicherer sie sich fühlen, desto bereitwilliger trennen sie sich von ihrer Decke. Ich muß ihre Verdrängungen nicht unterstützen oder sie darin bestärken. Ich kann direkt sein. Wenn andere einen bestimmten Sachverhalt verdrängen und ihre Handlungsweisen mir schaden, muß ich nicht bei ihnen bleiben. Ich kann ihnen den Rücken kehren und mich um mein eigenes Wohlergehen kümmern. Wenn ich zu lange mit einem Menschen zusammen bin, der mir Schaden zufügt, werde ich unweigerlich meine Dekke wieder hervorholen.

Ich fühle mich zu warmherzigen Menschen hingezogen. In Gesellschaft herzlicher Menschen brauche ich mich nicht in meine Decke zu hüllen.

Es ist mir ein Anliegen, eine warmherzige Atmosphäre zu schaffen, in der keine Decken gebraucht werden, und falls doch, dann nur für kurze Zeit. Ich vertraue darauf, daß Menschen zur Selbstbesinnung kommen und in ihrem Leben Fortschritte machen.

■ *Hilf mir, Gott, daß ich mich vertrauensvoll jenem Prozeß öffne, der mich von all dem heilt, was ich in der Vergangenheit verdrängt habe. Hilf mir, nach Bewußtheit und Bejahung zu streben; hilf mir aber auch, Güte und Mitgefühl zu empfinden für mich selbst und andere in Zeiten, da ich mich in Verdrängungen flüchte.*

September

## Geduld — 1. September

Manchmal bekommen wir das, was wir wollen, ohne Umschweife. Dann wieder fragen wir uns, ob unsere Wünsche je in Erfüllung gehen.

Wir erlangen Erfüllung in der bestmöglichen Weise und zum frühestmöglichen Zeitpunkt. Doch manche Dinge brauchen Zeit. Manchmal müssen wir zuerst einige Lektionen lernen, die uns darauf vorbereiten, das Gute akzeptieren zu können, das uns zusteht. Die Dinge werden in uns und in anderen ausgearbeitet. Innere Blokkaden werden beseitigt. Eine solide Grundlage wird geschaffen.

Haben Sie Geduld. Entspannen Sie sich, und haben Sie Vertrauen. Lassen Sie los. Dann lassen Sie noch etwas mehr los. Das Gute ist für uns vorgesehen. Wir werden es zu gegebener Zeit erhalten. Wir werden alles bekommen, wonach unser Herz sich sehnt.

Entspannen Sie sich, und haben Sie Vertrauen.

■ *Heute will ich meine Wünsche und Bedürfnisse erkennen; dann bin ich bereit, sie loszulassen. Ich werde meine Energie darauf verwenden, mein Leben heute zu leben, damit ich meine Lektionen so schnell wie möglich meistere. Ich werde darauf vertrauen, daß das, was ich wünsche und brauche, auf mich zukommt. Ich werde mein Bedürfnis ablegen, Einzelheiten kontrollieren zu wollen.*

## Sich liebevoll von Kindern lösen — 2. September

> *Es ist eine Sache, mich von meinem Ehemann zu distanzieren und ihn die Folgen tragen zu lassen. Aber wie löse ich mich von meinen Kindern? Ist es bei Kindern nicht anders? Haben wir nicht Pflichten als Eltern?*
>
> — Ein Al-Anon-Mitglied

Unseren Kindern gegenüber haben wir andere Verantwortungen als gegenüber Erwachsenen. Für unsere Kinder sind wir finanziell verantwortlich; wir haben die Pflicht, für ihr materielles und körperliches Wohl zu sorgen.

Wir müssen unsere Kinder zur Selbsthilfe anleiten — angefangen vom Schnürsenkelbinden bis zu späteren sozialen Planungen. Sie brauchen unsere Liebe und Führung. Die Grenzen, die wir einmal gesetzt haben, müssen ihnen ständig vor Augen geführt werden. Sie brauchen eine gefestigte, verläßliche Umgebung, in der sie heranwachsen können. Sie brauchen Hilfe, um Werte zu erkennen.

Wir sind aber nicht dazu da, unsere Kinder zu kontrollieren. Im Gegensatz zur herkömmlichen Meinung bewirkt Kontrolle nichts. Disziplin und Pflege bewirken etwas — wenn sie miteinander verknüpft sind. Scham und Schuld hemmen die Lernprozesse unserer Kinder und unsere Bemühungen, sie anzuleiten. Wir müssen auf unsere Kinder eingehen und sie für ihre Handlungsweise so zur Verantwortung ziehen, wie es ihrem Alter entspricht. Wir müssen nur unser Bestes tun.

Wir können Kinder ihrem eigenen Lernprozeß überlassen; wir können unseren eigenen Prozeß zulassen. Und wir können während dieses Prozesses sorgsam mit uns selbst umgehen.

Streben Sie nach Ausgleich. Streben Sie nach Wahrheit. Streben Sie nicht nach Kontrolle, sondern danach, Ihre Stärke geltend zu machen als Menschen, die auch Eltern sind.

■ *Hilf mir heute, Gott, ein angemessenes Gleichgewicht in der Verantwortung für meine Kinder zu finden. Hilf mir, meine elterliche Pflicht dadurch auszuüben, daß ich sie hege und pflege und zur Disziplin anleite, statt sie zu kontrollieren.*

## Wortgewalt — 3. September

*Ich weiß, daß ich kontrolliere, aber das tut mein Mann auch. Möglicherweise mehr als ich. Jedesmal, wenn ich im Begriff war, ihn zu verlassen, jedesmal, wenn ich drauf und dran war zu gehen, fand er genau die richtigen Worte, um mich zurückzuholen. Und er wußte, wie ich reagieren würde. Er sagte genau das, was ich hören mußte, um zu bleiben, wo er mich haben wollte. Er wußte, was er tat, und er wußte, was ich tun würde. Ich weiß das deshalb, weil er es mir gesagt hat, als wir beide anfingen, uns zu ändern und innerlich gesund zu werden.*

— Anonym

Manche reagieren hochsensibel auf Worte.

Ein »Ich liebe dich« zur rechten Zeit; der richtige Moment für »Es tut mir leid«; eine Entschuldigung im richtigen Tonfall; ein Streicheln übers Haar; ein Dutzend Rosen; ein Kuß; eine Grußkarte; ein paar Worte; ein Liebesversprechen, das erst noch eingehalten werden muß — all das kann uns in einen Strudel von Verdrängungen stürzen. Worte können bewirken, daß wir verdrängen, daß wir belogen, benutzt oder mißbraucht werden.

Es gibt Menschen, die uns vorsätzlich durch Schmeicheleien beeinflussen, uns kontrollieren und manipulieren. Sie wissen, wie empfänglich wir sind für die richtigen Worte zum richtigen Zeitpunkt. Legen Sie also Ihre Naivität ab. Solche Menschen wissen genau, was sie tun. Sie kennen ihre Wirkung auf uns.

Wir dürfen Worten nicht immer Bedeutung beimessen, auch wenn die Worte genau das ausdrücken, was wir hören wollen, auch wenn sie *uns guttun,* auch wenn die Worte unseren Schmerz lindern.

Früher oder später werden wir erkennen, wann ein Verhalten nicht mit den Worten eines Menschen übereinstimmt und ob wir zulassen, daß wir kontrolliert, manipuliert, betrogen werden. Früher oder später werden wir erkennen, daß es sich um billige Schmeicheleien handelt, wenn das Verhalten des Betreffenden nicht mit seinen Worten übereinstimmt.

Wir können von den Menschen unserer Umgebung fordern, daß ihre Taten dem entsprechen, was sie sagen. Wir können lernen, uns nicht durch billiges Gerede manipulieren oder beeinflussen zu lassen.

Wir können zwar nicht kontrollieren, was andere tun, können aber unsere eigenen Verhaltens- und Handlungsweisen bestimmen. Wir brauchen uns nicht von geschickt gewählten, ausgeklügelten Schmeicheleien blenden lassen — auch wenn die Worte genau das ausdrücken, was wir hören wollen, auch wenn sie unseren Schmerz lindern.

■ *Heute werde ich mich nicht durch Worte verletzen lassen. Gott, verhilf mir zu Selbstvertrauen, um die Wahrheit zu erkennen, auch dann, wenn ich betrogen werde. Hilf mir, Beziehungen zu pflegen, in denen Wort und Tat einander entsprechen. Hilf mir zu glauben, daß ich diese Übereinstimmung und Wahrheit von den Menschen — ihrem Verhalten, ihren Worten — erwarten kann, die mir am Herzen liegen.*

## Richtung finden — 4. September

*Ich habe so viel Zeit damit verbracht, auf alle anderen zu reagieren und einzugehen, daß mein Leben keine Richtung hatte. Das Leben, die Probleme und Wünsche anderer Menschen bestimmten den Verlauf meines Lebens. Als ich dann erkannte, daß es gut für mich war, über meine Wünsche nachzudenken und sie zu erkennen, ereigneten sich nach und nach erstaunliche Dinge in meinem Leben.*
— Anonym

Jeder von uns hat sein eigenes Leben zu leben, ein Leben voll Bedeutung und Sinn. Wir können unserer Höheren Macht helfen, unserem Leben Sinn und Richtung zu geben, indem wir uns Ziele setzen.

Wir können Ziele jährlich, monatlich oder in Krisenzeiten auch täglich setzen. Ziele geben eine Richtung und ein bestimmtes Tempo vor; Ziele verhelfen uns zu einem Leben, das zu bewältigen ist und den Kurs nimmt, den wir uns selbst ausgesucht haben.

Wir können helfen, unserem Leben durch Ziele eine Richtung zu geben.

■ *Heute will ich darauf achten, meinem Leben eine bestimmte Richtung zu geben, anstatt es von anderen kontrollieren zu lassen.*

## Zehnter Schritt — 5. September

*Wir setzten die Inventur bei uns fort, und wenn wir unrecht hatten, gaben wir es sofort zu.*
— Zehnter Schritt von Al-Anon

Wir haben uns bis zu diesem Schritt vorgearbeitet und bewahren und verbessern unsere Selbstachtung dadurch, daß wir regelmäßig an diesem Schritt arbeiten.

Dieser Schritt vereinigt jene inneren Prozesse, die wir in den Schritten vier bis neun durchlaufen haben. Dieser Schritt ist weder eine Strafaktion, noch kritisieren und analysieren wir uns ständig selbst. Vielmehr bewahren wir durch ihn unsere Selbstachtung und die harmonische Beziehung zu uns selbst und anderen. Damit bleiben wir auf dem richtigen Weg.

Taucht ein Thema oder ein Problem auf, das unsere Aufmerksamkeit erfordert, verschaffen wir uns Klarheit darüber, besprechen es mit einer Person unseres Vertrauens und mit Gott. Wir akzeptieren es. Wir sind bereit, es loszulassen. Wir bitten Gott, es von uns zu nehmen. Durch die Bereitschaft, alles wiedergutzumachen und, wenn nötig, sorgsam mit uns selbst umzugehen, erleben wir eine innere Wandlung. Wir unternehmen angemessene Schritte, um das Problem zu bewältigen. Dann lösen wir uns von Schuld und Scham.

Das ist eine einfache Formel, wie wir Sorge tragen können für uns selbst. So ändern wir uns. So werden wir verändert. Der Prozeß der inneren Heilung setzt ein, durch den wir Selbstverantwortung und Selbstachtung erreichen.

Wenn wir das nächste Mal etwas tun, was uns unangenehm ist, wenn wir wieder einmal den Boden unter den Füßen verlieren oder die Richtung nicht erkennen, müssen wir weder Zeit noch Energie damit vergeuden, daß wir uns schämen. Wir können den Zehnten Schritt tun. Wir lassen den Prozeß geschehen, der dadurch in Gang kommt, und schreiten voran in unserem Leben.

■ *Hilf mir, Gott, daß ich mir diesen Schritt und andere Schritte zur gewohnheitsmäßigen Reaktion auf das Leben und meine Angelegenheiten mache. Schenke mir die Erkenntnis, daß ich ungehindert leben und dabei Experimente und Erfahrungen zulassen kann. Wenn ich vom Kurs abkomme, oder wenn ein Sachverhalt auftaucht, der meine ganze Aufmerksamkeit in Anspruch nimmt, hilf mir dann, damit umzugehen, indem ich am Zehnten Schritt arbeite.*

## Das Gute am Zehnten Schritt — 6. September

Der Zehnte Schritt lautet: »Wir setzten die Inventur bei uns fort, und wenn wir unrecht hatten, gaben wir es sofort zu.« Es ist nicht die Rede davon, daß wir das außer acht lassen sollen, was in unserem Leben richtig ist. Es heißt, daß wir die Inventur bei uns fortsetzen und uns weiterhin im Auge behalten.

Wenn wir eine Inventur vornehmen, achten wir auf viele Dinge. Wir suchen nach Gefühlen, die unsere Aufmerksamkeit erfordern. Wir achten darauf, ob wir uns selbst wieder so geringschätzen. Wir achten auf alte Denk-, Gefühls- und Verhaltensmuster. Wir achten auf Fehler, die der Korrektur bedürfen.

Ein wichtiger Teil unserer Inventur sollte sich damit beschäftigen, was wir richtig machen, und mit allem, was in unserer Umgebung gut ist.

Zu unserer Co-Abhängigkeit gehört eine zwanghafte Fixierung auf das, was falsch ist und was wir falsch machen könnten — in Wirklichkeit oder nur in unserer Einbildung. Nun wollen wir lernen, uns auch auf das, was richtig ist, zu konzentrieren.

Prüfen Sie sich furchtlos und mit einer liebevollen, positiven Einstellung. Was haben Sie heute richtig gemacht? Haben Sie sich heute anders verhalten als noch vor einem Jahr? Sind Sie auf einen anderen zugegangen, haben Sie sich ihm geöffnet und ausgesetzt? Dafür können Sie sich beglückwünschen.

Hatten Sie einen schlechten Tag, sind aber gut damit umgegangen? Haben Sie eine dankbare und bejahende Haltung eingeübt? Sind Sie ein Wagnis eingegangen, haben Sie Ihre eigene Stärke geltend gemacht oder Grenzen gesetzt? Haben Sie Verantwortung für sich selbst übernommen in einer Weise, die früher nicht möglich gewesen wäre?

Haben Sie sich Zeit für ein Gebet oder eine Meditation genommen? Haben Sie Gott vertraut? Haben Sie zugelassen, daß jemand etwas für Sie tut?

Auch an unseren schlimmsten Tagen finden wir eine Sache, die wir richtig gemacht haben. Wir finden etwas, das uns hoffnungsvoll stimmt. Wir finden etwas, auf das wir uns freuen können. Wir können uns ganz realistisch vorstellen, was die Zukunft bringen mag.

■ *Hilf mir, Gott, mein Bedürfnis abzulegen, in negativen Gedanken und Einstellungen zu erstarren. Ich kann die negative Energie in mir und in meiner Umgebung in eine positive umwandeln. Ich will das Gute so lange bestätigen, bis es in mich eindringt und wirklich vorhanden ist. Ich bemühe mich auch darum, eine angenehme Eigenschaft bei jemandem zu finden, der mir wichtig ist, und gehe das Wagnis ein, ihm oder ihr davon zu berichten.*

## Anderen gegenüber machtlos sein — 7. September

Hören wir auf, andere Menschen zu entschuldigen.

Hören wir auf, uns selbst zu entschuldigen.

Es ist zwar unser Ziel, ein gesundes Mitgefühl zu entwickeln, zu verzeihen, zu akzeptieren und zu lieben, gleichzeitig aber streben wir danach, die Wirklichkeit so zu sehen, wie sie ist, und die Menschen für ihr Verhalten verantwortlich zu machen. Auch können wir uns selbst für unser Verhalten verantwortlich machen und gleichzeitig Mitgefühl und Verständnis für uns aufbringen.

Mit dem Eingeständnis unserer Machtlosigkeit bekennen wir uns nicht zu einer verantwortungslosen Haltung. Wir sagen, wir haben keine Macht darüber, was andere tun, getan haben oder tun werden. Wir haben den Wunsch, ein bisher ineffektives, auf bloßer Willensanstrengung und Kontrolle basierendes Leben aufzugeben. Und wir treten eine spirituelle, mentale und emotionale Reise an, in der wir Verantwortung für uns selbst übernehmen.

Wir sind keine Opfer. Wir sind nicht hilflos. Wenn wir die eigene Machtlosigkeit dort, wo es angebracht ist, akzeptieren, sind wir fähig, unsere wahre Stärke geltend zu machen und Sorge zu tragen für uns selbst.

■ *Heute suche ich nicht nach Entschuldigungen für mein Verhalten oder das Verhalten eines anderen. Ich lasse Konsequenzen und Verantwortlichkeiten dort, wo sie hingehören.*

## Dem Schmerz Einhalt gebieten — 8. September

*Manche meiner Gefühle waren so lange auf Eis gelegt, daß sie Gefrierbrand bekamen.*

— Unabhängig sein

Der Schmerz, den wir empfinden, hat vielerlei Ursachen. Jene unter uns, die sich von schweren Kindheitsproblemen und Co-Abhängigkeitssymptomen befreien, tragen ganze Lagerstätten ungelöster Schmerzen aus der Vergangenheit mit sich herum. Manchmal tragen wir seit der frühen Kindheit bis zum heutigen Tag Gefühle in uns, die wir nicht zulassen, weil sie zu sehr weh tun oder weil wir damals keine Unterstützung und Erlaubnis erhielten, um mit ihnen umgehen zu können.

Es gibt andere Ursachen des Schmerzes in unserem Leben, die genauso unvermeidlich sind. Da ist die Trauer und der Kummer, wenn wir Veränderungen — auch positive — durchmachen, wenn wir uns von einem wichtigen Aspekt unseres Lebens trennen und ins Unbekannte aufbrechen.

Es schmerzt, wenn wir beginnen, Gefühle zuzulassen, unseren Schutzschild der Verleugnung abzulegen.

Es gibt einen Schmerz, der uns zu besseren Entscheidungen für die Zukunft führt.

Wir haben viele Möglichkeiten, diesem Schmerz ein Ende zu bereiten. Einige davon haben wir bereits ausprobiert. Zwanghafte und suchterzeugende Verhaltensweisen bringen Schmerzen zum Stillstand — allerdings nur vorübergehend. Vielleicht haben wir Alkohol, andere Suchtmittel, Beziehungen oder Sex dazu benutzt, um unseren Schmerz zu beenden.

Wir reden zwanghaft oder fixieren uns auf andere Menschen und ihre Bedürfnisse, um unseren Schmerz zu lindern.

Vielleicht wenden wir uns einer Religion zu, um schmerzlichen Gefühlen auszuweichen.

Wir flüchten uns in hektische Betriebsamkeit, um bloß keine Zeit für unsere Gefühle zu haben. Wir können unseren Schmerz aber auch mit Geld, Sport oder Essen betäuben.

Uns bietet sich eine Vielzahl von Fluchtmöglichkeiten. Einige davon haben wir vielleicht als Überlebensstrategien benutzt, um irgendwann festzustellen, daß sie nur ein Notbehelf waren — kurzfristige Betäubungsmittel, die das Problem nicht lösen konnten. Unser Schmerz hat damit nicht aufgehört; er wurde nur vorübergehend zugedeckt.

Heute stehen uns weitaus bessere Maßnahmen zur Verfügung, um unseren Schmerz zum Stillstand zu bringen. Wir können ihm begegnen und ihn spüren. Mit Hilfe unserer Höheren Macht können wir den Mut aufbringen, den Schmerz zu spüren, loszulassen und durch ihn innerlich zu wachsen — zugunsten einer neuen Entscheidung, eines besseren Lebens.

Wir können Verhaltensweisen ablegen, die Schmerzen verursachen. Wir können die Entscheidungen treffen, uns aus Situationen fernzuhalten, die einen ähnlichen Schmerz noch einmal erzeugen. Wir können die Lektion lernen, die unser Schmerz uns nahebringt.

Selbst wenn wir uns vor Schmerzen krümmen: Auch darin liegt eine Lektion. Vertrauen Sie diesem Gedanken. In uns wird etwas ausgearbeitet. Die Antwort kommt nicht, wenn wir zu Suchtmitteln greifen oder uns sonstwie zwanghaft verhalten; die Antwort erhalten wir, wenn wir unsere Gefühle spüren.

Es erfordert Mut, innezuhalten und das zu fühlen, was wir fühlen müssen. Allem Anschein nach haben wir in unserem Inneren oft mehrere Schmerzschichten eingelagert. Kummer tut weh. Trauer tut weh. Verlust tut weh. Es nützt aber nichts, das zu verdrängen, was bereits vorhanden ist; es nützt nichts, ein Leben lang alte und neue festverschnürte Schmerzpakete in unserer Seele einzulagern.

Der Schmerz geht vorüber, dauert nicht länger als nötig, bis wir davon befreit sind. Wir können uns darauf verlassen, daß es gut ist, Schmerz zu empfinden. Wir können bereit werden, die unausweichlich schmerzhaften Gefühle voll und ganz zuzulassen und anzunehmen.

Überlassen wir uns dem Fluß, auch wenn die Strömung uns durch unangenehme Gefühle trägt. Innere Loslösung, Freiheit, Gesundheit und gute Gefühle erwarten uns auf der anderen Seite.

■ *Heute bin ich offen und bereit, das zu fühlen, was ich fühlen muß. Ich bin bereit, meine zwanghaften Verhaltensweisen abzulegen. Ich will nichts mehr verdrängen. Ich will fühlen, was ich fühlen muß, um geheilt und gesund zu werden.*

## Perspektive — 9. September

Allzuoft bemühen wir uns um eine klare Perspektive, ehe die Zeit dafür reif ist.

Das macht uns verrückt.

Wir wissen nicht immer, warum Dinge so geschehen, wie sie geschehen. Wir wissen nicht immer, wie eine bestimmte Beziehung sich entwickelt. Wir verstehen nicht immer den Grund unserer Gefühle — warum wir einen bestimmten Weg geführt werden, was in uns ausgearbeitet wird und was wir lernen; warum wir Rückfälle erleiden, warum wir warten, warum wir durch eine Zeit innerer Disziplin gehen mußten oder warum eine Tür verschlossen war. Uns ist nicht immer klar, wie sich unsere gegenwärtige Situation im großen Plan des Gesamtgeschehens entwickeln wird. Das muß so sein.

Die Perspektive ergibt sich im Rückblick.

Wir können uns heute stundenlang den Kopf über die Bedeutung einer Sache zerbrechen, deren Erkenntnis in einem Jahr möglicherweise blitzschnell über uns kommt.

Lassen Sie los. Wir können uns von unserem Bedürfnis lösen, die Dinge ganz und sofort erfassen, kontrollieren zu wollen.

Jetzt ist es Zeit, einfach zu sein; zu fühlen; hindurchzugehen; die Dinge geschehen zu lassen; zu lernen. Was immer es ist, das in uns ausgearbeitet wird — wir lassen den Dingen ihren Lauf.

Im Rückblick werden wir erkennen. Für heute genügt es, einfach dazusein. Wir haben erfahren, daß sich alles in unserem Leben zum Guten wendet. Wir können darauf vertrauen, daß es geschieht, auch wenn wir den Stellenwert nicht erkennen können, den die Ereignisse von heute im großen Zusammenhang haben.

■ *Heute will ich die Dinge geschehen lassen, ohne alles verstehen zu wollen. Wenn mir heute keine Klarheit zuteil wird, vertraue ich darauf, daß ich sie später im Rückblick gewinne. Ich habe ganz einfach Vertrauen in die Wahrheit, daß alles gut ist, daß die Dinge sich so entfalten, wie es sein soll, und sich in meinem Leben alles zum Guten wendet — auf bessere Weise, als ich es mir vorstellen kann.*

## Sich selbst anerkennen — 10. September

Wer von uns sehnt sich nicht nach Zuneigung? Wir wünschen, daß andere Menschen uns nett, freundlich, gütig und liebenswert finden. Die meisten von uns wollen Anerkennung von außen.

Manche von uns bemühen sich seit ihrer Kindheit um Anerkennung, suchen die Zuneigung anderer zu gewinnen, wollen, daß andere gut von ihnen denken. Wir fürchten vielleicht, von anderen verlassen zu werden, wenn sie unser Verhalten mißbilligen. Oft suchen wir Anerkennung bei Menschen, die sie nicht geben können. Und wir wissen nicht, daß wir liebenswert sind und lernen können, Anerkennung durch uns selbst zu erhalten.

Um glücklich zu sein, um ständig so zu leben, wie es im Sinne unserer Höheren Macht ist, und um eine harmonische Lebensform zu finden, müssen wir uns von unserem extrem ausgeprägten Bedürfnis nach Anerkennung lösen. Durch unbefriedigte Bedürfnisse nach Anerkennung und Liebe, die aus der Vergangenheit herrühren, gewinnen heute andere Menschen Macht über uns. Diese Bedürfnisse können uns daran hindern, in unserem eigenen Interesse zu handeln und uns selbst treu zu bleiben.

Wir können uns selbst anerkennen. Letztlich ist das die einzige Anerkennung, die zählt.

■ *Heute löse ich mich von meinem Bedürfnis nach Anerkennung und meinem Verlangen nach Zuneigung. Ich ersetze diese Haltungen durch den Wunsch, mich selbst anzuerkennen. Ich freue mich über das Erstaunen, das mich dabei erfaßt. Die Menschen, auf die es ankommt — zu denen auch ich zähle —, bringen mir Achtung entgegen, wenn ich mir selbst treu bin.*

## Konflikt und Loslösung — 11. September

In einer Beziehung gibt es die wunderbaren Zeiten, in denen für beide Partner alles glatt läuft und keiner sich zu sehr mit dem Gedanken des inneren Abstands befassen muß. Doch es gibt auch schwierige Zeiten, in denen sich der andere in der Krise befindet oder sich verändert — und wir uns lösen müssen.

Dann gibt es die anstrengenden Phasen, in denen beide Partner mit der Bewältigung schwieriger Probleme zu kämpfen haben. Beide sind bedürftig, und keiner hat etwas zu geben.

Es gibt Zeiten, in denen es schwerfällt, sich loszulösen und Sorge zu tragen für sich selbst.

In solchen Augenblicken ist es hilfreich, sich das Problem klarzumachen: Beide Beteiligte sind in einem Prozeß der Aufarbeitung und Heilung begriffen. Keiner hat viel zu geben, zumindest nicht im Moment. Und beide fühlen sich hochgradig bedürftig.

Das ist das Problem.

Was ist die Lösung?

Möglicherweise gibt es keine perfekte Lösung. Abstand nehmen ist auch hier die beste Methode, die jedoch Schwierigkeiten bereitet, wenn wir selbst Rückhalt brauchen. Der Partner verlangt vielleicht selbst nach Rückhalt, statt ihn uns zu geben.

Wir können uns dennoch um Loslösung bemühen. Wir können unsere Gefühle durcharbeiten. Wir können diese vorübergehende Phase in der Beziehung hinnehmen und aufhören, vom anderen etwas zu fordern, was er augenblicklich nicht geben kann.

Wir müssen aber auch nicht von uns selbst erwarten, daß wir in dieser Zeit sehr viel geben können.

Kommunikation ist nützlich. Das Problem zu erkennen und ohne Scham oder Schuldzuweisung darüber zu sprechen, ist ein Beginn. Andere Hilfen ausfindig zu machen oder andere Methoden auszuarbeiten, um unsere Bedürfnisse zu befriedigen, ist ratsam.

Wir sind auch dann dafür verantwortlich, sorgsam mit uns selbst umzugehen, wenn wir uns in einer gut funktionierenden Beziehung befinden. Wir können davon ausgehen, daß selbst in einer liebevollen und gesunden Beziehung unterschiedliche Bedürfnisse und Probleme aufeinanderprallen.

All dies gehört zum Kreislauf der Liebe, der Freundschaft und der Familie.

In einer gesunden Beziehung dauert die Krise nicht ewig. Wir finden unser Gleichgewicht wieder. Der Partner ebenfalls. Hören wir auf damit, uns verrückt zu machen, von ihm eine ausgeglichene Haltung zu erwarten, über die er im Moment einfach nicht verfügt.

Wir sprechen Dinge aus. Wir arbeiten Dinge durch. Unsere Erwartungen an uns selbst, an andere und an unsere Beziehungen bewegen sich innerhalb gesunder und vernünftiger Grenzen.

Eine gute Beziehung wird Tiefpunkte verkraften. Manchmal brauchen wir solche Phasen, um innerlich zu wachsen und daraus zu lernen.

Manchmal sind Menschen nicht für uns da, an die wir uns im

Normalfall wenden können. Also finden wir einen anderen Weg, um Sorge zu tragen für uns selbst.

■ *Heute denke ich daran, daß es in meinen besten Beziehungen Tiefpunkte gibt. Wenn der Tiefpunkt allerdings die Norm ist, werde ich darüber nachdenken, ob die Beziehung sinnvoll ist. Wenn der Tiefpunkt ein vorübergehender Zustand ist, bemühe ich mich um Verständnis für mich selbst und die andere Person. Hilf mir, Gott, daran zu denken, daß die Hilfe und der Rückhalt, die ich wünsche und brauche, nicht nur von einem Menschen kommt. Hilf mir, offen zu sein für gesunde Maßnahmen, durch die ich Sorge tragen kann für mich selbst, wenn jene Menschen, die mir normalerweise Rückhalt geben, nicht verfügbar sind.*

---

## Heilung — 12. September

---

> *Wir müssen lernen, in unserem langsamen, zeitraubenden Heilungsprozeß Geduld zu bewahren. Wir müssen zu der Erkenntnis gelangen, daß viele Schritte unternommen werden müssen auf jenem Weg, der von Kummer und Leid zu heiterer Gelassenheit führt, die uns dadurch wiedergeschenkt wird … In unserer emotionalen Rekonvaleszenz erwarten uns folgende Phasen: unerträglicher Schmerz, tiefe Trauer, leere Tage, Widerstand gegen Trost, Desinteresse am Leben, allmähliches Nachgeben … bis dann ein neues Verhaltensmuster entsteht und wir die unwiderstehliche Herausforderung des Lebens annehmen.*
>
> — Joshua Loth Liebman

Wir befinden uns in einem allmählich verlaufenden Prozeß, einem Heilungsprozeß, einem spirituellen Prozeß — er ist eher ein Weg als ein Ziel.

Genauso, wie die Co-Abhängigkeit sich verselbständigt und progressiv verläuft, nimmt auch unsere innere Heilung ihren Fortgang. Eins führt zum anderen, und die Dinge — wie auch wir selbst — werden besser.

Wir können uns entspannen, unseren Teil tun und den Rest geschehen lassen.

■ *Heute vertraue ich diesem Prozeß und der Reise, die ich angetreten habe.*

## Zeiten der Umorientierung — 13. September

Veränderung ist nicht nur eine rundum mühsame und schlecht belohnte Arbeit. Es gibt Zeiten der Freude und Ruhe, Zeiten, in denen wir erfolgreich praktizieren, was wir gelernt haben. Es gibt Phasen der Veränderung, in denen wir darum kämpfen, etwas Neues zu lernen oder ein bestimmtes Problem zu überwinden.

Das sind Zeiten, in denen sich die Dinge, die wir im Heilungsprozeß eingeübt haben, in unserem Leben niederzuschlagen beginnen. Diese Phasen der Veränderung sind intensiv und sehr nützlich.

Es gibt auch Zeiten, in denen wir gewissermaßen »umprogrammiert« werden: Dieser Prozeß findet tief in unserem Innern statt. Wir trennen uns von alten Überzeugungen und Verhaltensweisen. In dieser Phase fühlen wir uns ängstlich oder verwirrt. Unsere früheren Verhaltensweisen oder Denkmuster mögen zwar nicht geklappt haben, aber immerhin waren sie bequem und vertraut.

In einer solchen Phase sind wir verletzlich, einsam und bedürftig — als reisten wir ohne Landkarte durch ein fremdes Land; wir haben das Gefühl, als habe noch niemand vor uns dieses Territorium betreten.

Wir begreifen vielleicht nicht, was in uns ausgearbeitet wird. Wir wissen nicht, wohin wir oder ob wir überhaupt geführt werden.

Wir werden geführt. Wir sind nicht allein. Unsere Höhere Macht tut ihr Bestes, um eine echte Veränderung in uns herbeizuführen. Vor uns sind andere diesen Weg gegangen. Wir werden zu jemandem geführt, der uns helfen kann, zu jemandem, der die Wegzeichen aufstellt, die wir zu unserer Orientierung brauchen.

Wir werden darauf vorbereitet, so viel Freude und Liebe zu empfangen, wie unser Herz aufnehmen kann.

Wir befinden uns im Prozeß der inneren Heilung. Wir können ihm vertrauen, auch wenn wir ihn nicht begreifen. Wir sind genau da, wo wir sein müssen; wir machen genau die Erfahrungen, die wir machen müssen. Und der Ort, an den wir uns begeben, ist ein besserer Ort als jeder andere, an dem wir zuvor waren.

■ *Gott, hilf mir heute, daran zu glauben, daß die Veränderungen, die ich durchmache, zum Guten führen. Hilf mir zu glauben, daß der Weg, den ich gehe, mich an einen Ort des Lichts, der Liebe und der Freude bringt.*

## Was ist gut für mich? 14. September

Wenn wir unsere Seele erforschen, um kleinere oder größere Entscheidungen im Alltag zu treffen, lernen wir, uns zu fragen: Ist das gut für mich? ... Will ich das wirklich? ... Ist es das, was ich brauche? ... Stimmt diese Richtung für mich? ... Oder begebe ich mich unter die Kontrolle und den Einfluß anderer, wie ich es manchmal mit mir geschehen lasse?

Die Frage, ob etwas gut für uns ist, verweist nicht auf eine ungesunde egoistische Haltung. Solches Denken wäre ein Rückfall in die alten Muster. Die Frage, ob etwas gut für uns ist, verweist auf ein gesundes Verhalten, dessen wir uns nicht schämen müssen und das aller Voraussicht nach auch den Interessen anderer entgegenkommen wird.

Wir befinden uns nicht auf dem Weg egoistischer Selbstsucht, wenn wir fragen, ob etwas Bestimmtes uns guttut. Wir weichen nicht von Gottes vorgesehenem Plan ab, wenn wir uns das fragen. Vielmehr leisten wir einen Beitrag, unser Leben dem höchsten Ziel und Sinn zuzuführen; wir berufen uns auf die eigene innere Stärke, um unsere Selbstachtung zu wahren.

■ *Heute beginne ich, in meinem eigenen Interesse zu handeln. Ich tue das im Wissen, daß nicht jeder in meiner Umgebung Gefallen an meinen Entscheidungen findet. Ich tue es im Wissen, daß die Frage, ob etwas gut für mich ist, mir letztlich hilft, wirkliche Verantwortung für mein Leben und meine Entscheidungen zu tragen.*

*Wir sind zähe Geschöpfe. In mancher Hinsicht sind wir aber auch sehr zerbrechlich. Wir können Veränderungen und Verluste hinnehmen, doch das geschieht in unserem eigenen Tempo und auf unsere eigene Art und Weise. Und nur wir selbst und Gott können Tempo und Zeit bestimmen.*

— Unabhängig sein

Das Leben besteht nicht nur aus schweren, anstrengenden Zeiten. Sie sind *Teil* des Lebens, des Wachstums und des Fortkommens.

Was wir mit schweren Zeiten oder Konflikten anfangen, ist unsere Entscheidung. Wir können die Energie schwerer Zeiten darauf verwenden, unsere Probleme aus- und durchzuarbeiten. Wir können sie dazu verwenden, unsere Fähigkeiten und unsere Spiritualität zu verfeinern. Wir können diese Situationen aber auch durchstehen, indem wir leiden, Bitterkeit in uns aufstauen und uns der eigenen Entwicklung und Veränderung verschließen.

Schwere Zeiten können uns formen und dazu motivieren, unser Bestes zutage zu fördern. Wir können diese Zeiten nutzen, um zu höheren Stufen des Bewußtseins, der Liebe und des Wachstums zu gelangen.

Wir haben die Wahl. Werden wir unsere Gefühle zulassen? Werden wir einen spirituellen Ansatz finden, zu dem auch die Dankbarkeit gehört? Werden wir das Leben und unsere Höhere Macht fragen, was wir lernen und tun sollen? Oder werden wir Konflikte dazu hernehmen, alte, negative Überzeugungen zu bekräftigen? Werden wir sagen: Ich erlebe nie etwas Gutes … Ich bin nur ein Opfer … Den Menschen kann man nicht trauen … Das Leben ist nicht lebenswert?

Wir brauchen nicht immer negative Kräfte oder innere Belastungen, um Wachstum und Veränderung herbeizuführen. Wir müssen nicht Streß erzeugen, suchen oder anziehen. Wenn er aber da ist, können wir lernen, ihn so zu lenken, daß er für unsere Entwicklung förderlich ist, ihn so einzusetzen, daß wir das Gute im Leben erreichen.

■ *Gott, laß meine schweren Zeiten zu Phasen der Heilung werden.*

Unsere spirituellen Prinzipien mögen noch so gefestigt sein, mitunter überkommt uns das unwiderstehliche Verlangen, eine andere Person zu bestrafen oder Vergeltung zu üben.

Wir sinnen auf Rache.

Wir wollen einem anderen so weh tun, wie er uns weh getan hat. Wir wollen sehen, wie das Leben sich an ihm rächt. Und wir stehen dem Schicksal dabei tatkräftig zur Seite.

Das sind normale Gefühle, die wir allerdings nicht in die Tat umsetzen müssen. Diese Gefühle gehören zu unserer Wut; aber es ist nicht unsere Aufgabe, Vergeltung zu üben.

Wir können zulassen, daß wir die Wut spüren. Es hilft, einen Schritt weiter zu gehen und die anderen Gefühle wahrzunehmen — den Schmerz, das Leid, die Qual. Unser Ziel besteht jedoch darin, die Gefühle freizusetzen, mit ihnen fertig zu werden und sie gleichsam aus der Welt zu schaffen.

Wir können die andere Person zur Rechenschaft ziehen. Wir können die andere Person zur Verantwortung ziehen. Aber es liegt nicht in unserer Verantwortung zu richten. Rachegedanken in die Tat umzusetzen, bringt uns nicht weiter, sondern es blockiert uns und hält uns auf.

Wenden Sie sich davon ab. Hören Sie auf, dieses Spiel mitzumachen. Befreien Sie sich davon. Lernen Sie Ihre Lektion. Danken Sie dem anderen, daß er Ihnen eine wertvolle Lehre erteilt hat. Ziehen Sie einen Schlußstrich. Legen Sie das Thema beiseite, und nehmen Sie sich die Lektion zu Herzen.

Eine bejahende Haltung ist hilfreich. Ebenso das Verzeihen — nicht eines, das den anderen dazu ermutigt, uns erneut zu verletzen, sondern ein Verzeihen, das den anderen losläßt und ihm freistellt, einen getrennten Weg zu gehen — während wir von unserem Zorn und Groll befreit werden. So eröffnet sich die Möglichkeit, daß wir unseren eigenen Weg gehen.

■ *Heute nehme ich mir vor, so wütend zu sein, wie ich sein muß, mit dem Ziel, meine Probleme mit anderen zu bereinigen. Sobald ich meine Verletzung und Wut losgelassen habe, bemühe ich mich um ein ge-*

*sundes Verzeihen — ein Verzeihen mit Grenzen. Ich begreife, daß Grenzen, gepaart mit einer versöhnlichen Haltung und Mitgefühl, mich vorwärtsbringen.*

## Neues Beziehungsverhalten 17. September

Wir befassen uns eingehend mit neuem Beziehungsverhalten: Andere so sein lassen, wie sie sind, ohne Überreaktion, ohne sich persönlich gekränkt zu fühlen, und dabei die eigene Stärke geltend machen, um sich selbst sorgsam zu behandeln. Wir nehmen uns vor, unser Kontrollbedürfnis abzulegen, den Blick auf unsere Eigenverantwortung zu richten, uns nicht zu Opfern zu machen, indem wir uns auf andere fixieren und uns dabei selbst vernachlässigen. Wir sprechen davon, gesunde Grenzen zu setzen und beizubehalten, etwas direkt anzusprechen und Verantwortung zu übernehmen für das, was wir wünschen und brauchen.

Dieses Verhalten hilft uns gewiß im Umgang mit abhängigen Menschen, und es eignet sich nicht nur für sogenannte »dysfunktionale Beziehungen«. Es ist *unser neues Beziehungsverhalten.* Es hilft uns in schwierigen, angespannten Beziehungen und auch in gesunden Beziehungen, die zeitweilig größeren Belastungen ausgesetzt sind.

Mit diesem neuerworbenen Verhalten eignen wir uns gesunde Techniken an, mit deren Hilfe wir die Qualität *aller* unserer Beziehungen verbessern.

Im Beisein anderer Mitmenschen gehen wir sorgsam mit uns selbst um — wir lernen, uns um uns selbst zu kümmern und zu lieben. Je gesünder wir werden, desto gesünder werden unsere Beziehungen. Und wir werden unser Bedürfnis nach gesundem Verhalten nie ablegen.

■ *Heute denke ich daran, mein neues Verhalten in all meinen Beziehungen anzuwenden — bei Freunden und Arbeitskollegen ebenso wie in meiner Liebesbeziehung. Ich bemühe mich darum, auch in schwierigen Beziehungen Sorge zu tragen für mich selbst, und finde heraus, welche Techniken am geeignetsten sind. Weiterhin überlege ich mir Möglichkeiten, wie meine gesunden Beziehungen von meinen neuen Fähigkeiten profitieren können.*

## Gutes geschehen lassen 18. September

*Früher waren meine Beziehungen schlecht. Im Beruf brachte ich keine Glanzleistungen. Ich war in die Beziehungsmuster meiner nicht intakten Familie verstrickt. Aber wenigstens wußte ich, was ich zu erwarten hatte!*

— Anonym

Ich wünsche mir, daß die zweite Hälfte meines Lebens so gut wird, wie die erste schlecht war. Manchmal fürchte ich, daß das nicht eintrifft. Manchmal fürchte ich, daß es eintreffen *könnte.*

Das Gute kann uns angst machen. Veränderung, auch die Veränderung zum Guten, kann erschreckend sein. In gewisser Weise können Veränderungen zum Guten beängstigender sein als schwere Zeiten.

Die Vergangenheit, zumal die Vergangenheit vor dem Beginn unseres Heilungsprozesses, ist uns auf angenehme Weise vertraut geworden. Wir wußten, was wir in unseren Beziehungen zu erwarten hatten. Die Dinge waren vorhersehbar. Es gab immer Wiederholungen des gleichen Musters — bestimmte Verhaltensweisen und Schmerzerfahrungen traten stets nach dem gleichen Schema auf. Es war zwar nicht das, was wir wollten, aber wir wußten wenigstens, was passieren würde.

Das ist anders, wenn wir Verhaltensmuster ändern und den Weg der inneren Heilung beschreiten.

Wir konnten in den meisten Bereichen unseres Lebens ziemlich genaue Vorhersagen treffen: daß einige Beziehungen Schmerz verursachen werden; daß wir Entbehrungen ertragen müssen.

Jedes Jahr war in etwa die Wiederholung des vorangegangenen. Manchmal wurde es ein wenig schlimmer, machmal ein wenig besser, aber es trat keine wesentliche Änderung ein. Nicht bis zu jenem Zeitpunkt, als wir schließlich in den Heilungsprozeß eintraten.

Damit veränderten sich die Dinge. Und je weiter wir in diesem wunderbaren Prozeß vorankommen, desto mehr verändern wir uns, desto schneller wechseln unsere Lebensumstände. Wir beginnen, Neuland zu erforschen.

Jetzt verändern sich die Dinge zum Guten. Sie werden immer besser. Allmählich haben wir Erfolg in der Liebe, im Beruf, im Leben. Einen Tag nach dem anderen breitet sich das Gute aus, und das Schlechte weicht aus unserem Leben.

Wir wollen nicht länger Opfer des Lebens sein. Wir haben gelernt, unnötige Krisen und Erschütterungen zu vermeiden.

Das Leben wird gut.

»Wie gehe ich mit dem Guten um?« fragte eine Frau. »Es ist mühsamer und befremdlicher als der Schmerz und das Unglück.«

»Genauso, wie wir mit schwierigen und leidvollen Erfahrungen umgegangen sind«, entgegnete ich. »Einen Tag nach dem anderen.«

■ *Hilf mir heute, Gott, daß ich mich von meinem Bedürfnis löse, Krisen und Schmerzen anzuziehen. Hilf mir, daß ich mich so rasch wie möglich durch traurige Gefühle und Probleme arbeite. Hilf mir, meine innere Balance in Frieden, Freude und Dankbarkeit zu finden. Hilf mir, ebenso fleißig daran zu arbeiten, das Gute zu akzeptieren, wie ich in der Vergangenheit daran gearbeitet habe, das Schmerzhafte und Schwierige zu akzeptieren.*

## Entschuldigungen — 19. September

Gelegentlich fühlen wir uns mit unseren Handlungsweisen nicht wohl. Das ist menschlich. Darum gibt es die Worte: »Es tut mir leid.« Sie überbrücken einen Abgrund. Wir müssen sie jedoch nicht sagen, wenn wir nichts falsch gemacht haben. Schamgefühle können uns dazu verleiten, daß wir uns für alles entschuldigen, was wir tun, für jedes Wort, das wir sagen, dafür, daß wir leben und so sind, wie wir sind.

Wir müssen uns nicht entschuldigen, weil wir uns der eigenen Person annehmen, mit Gefühlen umgehen, Grenzen setzen, Spaß haben oder weil wir im Begriff sind, innerlich gesund zu werden.

Wir müssen keine andere Richtung einschlagen, wenn das nicht in unserem Interesse liegt. Doch manchmal bekräftigt eine Entschuldigung andere Gefühle und dient dazu, die Sachverhalte einer Situation oder Beziehung zu klären. Wir sagen: »Es tut mir leid, daß wir diesen Krach hatten. Es tut mir leid, wenn das, was ich tun mußte, um meinen Standpunkt zu vertreten, dich verletzt hat; so war es nicht gemeint.«

Wenn wir eine Entschuldigung ausgesprochen haben, müssen wir sie nicht ständig wiederholen. Wenn jemand eine nochmalige Entschuldigung zum selben Sachverhalt von uns verlangt, ist das seine Sache; wir müssen uns davon nicht beirren lassen.

Wir können lernen, unsere Entschuldigungen ernst zu nehmen, und sollten sie nicht aussprechen, wenn sie keine Gültigkeit besitzen. Wenn wir uns wohl fühlen in unserer Haut, wissen wir, wann wir uns zu entschuldigen haben und wann nicht.

■ *Heute versuche ich, in meinen Entschuldigungen klar und aufrichtig zu sein und dabei Verantwortung für mein Handeln zu übernehmen, nicht für das der anderen. Hilf mir, Gott, daß ich erkenne, wofür ich mich entschuldigen muß und was nicht in meiner Verantwortung liegt.*

## Spontaneität — 20. September

Wir lernen, uns gehenzulassen. Wir lernen, spontan zu sein.

Spontaneität mag einige von uns erschrecken. Wir haben Angst, die Kontrolle zu verlieren, sobald wir einmal loslassen. Wir halten uns noch immer an die Gebote der Co-Abhängigkeit, die Spontaneität zu verbieten: Sei gut; sei rechtschaffen; sei perfekt; sei stark; freue dich nicht; und *verliere nie die Beherrschung.*

Wir assoziieren Spontaneität mit süchtigem, zwanghaftem, selbstzerstörerischem oder leichtfertigem Verhalten.

Darum geht es nicht. Zur positiven Spontaneität gehört, daß wir uns frei darüber äußern, wer wir sind — in einer Form, die Spaß macht, gesund ist, uns nicht verletzt und die Rechte anderer nicht beschneidet.

In dem Maße, wie unser Selbstbewußtsein größer wird und unsere Selbstachtung zunimmt, lernen wir, spontan und frei zu sein. Spontaneität entsteht dann, wenn wir uns selbst mehr vertrauen, fester an uns glauben und fähiger werden, gesunde Grenzen zu setzen.

Spontaneität ist verbunden mit unserem Spieltrieb und unserer Fähigkeit zu Intimität. Für all diese wünschenswerten Eigenschaften müssen wir unser Bedürfnis ablegen, uns selbst und andere zu kontrollieren, so daß wir den gegenwärtigen Augenblick ganz und innerlich befreit erleben können.

Lassen Sie die Zügel etwas lockerer. Was ist schon dabei, wenn Sie einen Fehler machen? Was ist schon dabei, wenn Sie unrecht haben? Schmunzeln Sie über Ihre Unzulänglichkeiten. Gestehen Sie sich kleine Schwächen und Verletzlichkeiten zu. Gehen Sie ein Wagnis ein!

Wir können spontan sein, ohne uns oder andere zu verletzen. Jeder wird von unserer Spontaneität profitieren.

■ *Heute werfe ich alte Normen über Bord und freue mich, so zu sein, wie ich bin. Ich erfreue mich am Geschenk des Lebens, an meiner Person und an anderen Menschen.*

## Sich nicht unter Druck setzen — 21. September

Eins nach dem anderen.

Mehr müssen wir nicht tun. Nicht zwei Dinge auf einmal, sondern eine Sache in aller Ruhe.

Eine Aufgabe nach der anderen. Ein Gefühl nach dem anderen. Einen Tag nach dem anderen. Ein Problem nach dem anderen. Einen Schritt nach dem anderen.

*Ein Vergnügen nach dem anderen.*

Entspannen Sie sich. Setzen Sie sich nicht unter Druck. Gehen Sie die Dinge ruhig an. Tun Sie eins nach dem anderen.

Sehen Sie, wie alles klappt?

■ *Heute gehe ich in aller Ruhe eine Sache nach der anderen an. Im Zweifelsfall erledige ich das zuerst, was wichtig ist.*

## Vertrauen in uns selbst — 22. September

Viele von uns glauben, daß sie strikte Gesetze befolgen und nach einem Lehrbuch leben müßten, wenn sie die Worte Gottes oder unserer Höheren Macht beachten.

Heute sind viele von uns anderer Meinung. Die strikten Gesetze, die endlosen Instruktionen, die Ermahnungen zur Perfektion sind nicht die Worte, die unsere Höhere Macht uns zuflüstert.

Die Worte Gottes sind oft die stillen, kleinen Eingebungen, die wir Intuition oder Instinkt nennen, die uns unterweisen und führen.

Es steht uns frei, so zu sein, wie wir sind, auf uns zu hören und uns zu vertrauen. Es steht uns frei, auf die sanften, liebevollen Worte einer Höheren Macht zu achten; Worte, die jedem von seiner inneren Stimme zugeflüstert werden.

■ *Hilf mir heute, Gott, daß ich mich von jenen strengen Geboten frei mache, die auf Scham basieren. Ich gebe mir die Freiheit, zu lieben, zuzuhören und zu vertrauen.*

## Toleranz — 23. September

Üben wir Toleranz.

Dulden wir unsere Eigenarten, unsere Gefühle, unsere Reaktionen, unsere Unzulänglichkeiten, unser Menschsein. Dulden wir unsere Hochs und Tiefs, unser Zögern bei Veränderung, unser kämpferisches und gelegentlich linkisches Wesen.

Tolerieren wir unsere Ängste, unsere Fehler, unsere natürliche Neigung, uns vor Problemen und leidvollen Erfahrungen zu drücken. Tolerieren wir unsere Scheu vor Nähe, uns zu exponieren, verletzlich zu sein.

Tolerieren wir unseren Hang, uns überlegen zu fühlen oder uns zuweilen zu schämen. Tolerieren wir unsere Art des Fortschritts — zwei Schritte vor und einen zurück.

Tolerieren wir unseren intuitiven Wunsch nach Kontrolle und wie widerstrebend wir lernen, uns wirklich loszulösen. Tolerieren wir die Art, in der wir unseren Wunsch nach Liebe zum Ausdruck bringen, oder wie wir andere von uns stoßen. Tolerieren wir unseren Hang zu zwanghaften Verhaltensweisen, tolerieren wir, daß wir gelegentlich unser Gottvertrauen verlieren und mitunter nicht mehr ein noch aus wissen.

Es gibt Dinge, die wir nicht tolerieren. Wir dulden kein mißbräuchliches oder schädigendes Verhalten anderen oder uns selbst gegenüber.

Wir üben gesunde, liebevolle Toleranz gegenüber uns selbst. Damit lernen wir Toleranz gegenüber anderen. Und wir gehen einen Schritt weiter. Wir lernen, daß unsere Toleranz gegenüber allem, was zum Menschsein dazugehört, uns und anderen Schönheit verleiht.

■ *Heute bin ich tolerant mit mir. Davon ausgehend übe ich angemessene Toleranz gegenüber anderen.*

## Die eigenen Bedürfnisse eingestehen — 24. September

Wir können uns als Menschen annehmen, die Bedürfnisse haben — wir brauchen Trost, Liebe, Verständnis, Freundschaft, gesunde Nähe. Wir brauchen positiven Rückhalt, jemanden, der uns zuhört, jemanden, der uns etwas gibt. Wir sind nicht schwach, weil wir diese Dinge brauchen. Diese Bedürfnisse machen uns zu gesunden Menschen. Wenn wir dafür sorgen, daß sie gestillt werden — und daran glauben, dies auch verdient zu haben —, sind wir glücklich.

Es gibt Zeiten, in denen wir zusätzlich noch ganz besondere Bedürfnisse haben. In solchen Zeiten brauchen wir mehr, als wir geben können. Auch das ist in Ordnung.

Wir können unsere Bedürfnisse und unsere bedürftige Seite akzeptieren als Teil unseres Gesamtwesens. Wir können Verantwortung dafür übernehmen. Das macht uns weder schwach noch unzulänglich und bedeutet nicht, daß wir uns in ungesunder Abhängigkeit befinden. Unsere Bedürfnisse werden dadurch überschaubar und lenkbar; sie beherrschen uns nicht mehr; wir erlangen Kontrolle über sie. Wir fangen an, uns um die Befriedigung unserer Bedürfnisse zu kümmern.

■ *Heute akzeptiere ich meine Bedürfnisse und meine bedürftige Seite. Ich habe es verdient, daß meine Bedürfnisse befriedigt werden und lasse zu, daß dies geschieht.*

## Frieden schließen mit der Vergangenheit — 25. September

*Selbst Gott kann die Vergangenheit nicht ändern.*

— Agathon

An der Vergangenheit festzuhalten, entweder durch Schuldgefühl, Sehnsucht, Verdrängung oder Ressentiment, ist eine Vergeudung wertvoller Energie — Energie, die darauf verwendet werden kann, das Heute und das Morgen anders zu gestalten.

»Ich lebte in der Vergangenheit«, sagte eine Frau in der Selbsthilfegruppe. »Entweder versuchte ich, sie zu verändern, oder ich ließ mich von ihr beherrschen. Meist geschah beides.

Ich fühlte mich ständig schuldig für Dinge, die geschehen waren; Dinge, die ich getan hatte; Dinge, die andere mir angetan hatten — und obwohl ich den meisten Schaden wiedergutgemacht hatte, saßen meine Schuldgefühle sehr tief. Alles war irgendwie mein Fehler. Nie konnte ich einfach loslassen.

Jahrelang hielt ich an meiner Wut fest und redete mir ein, sie sei gerechtfertigt. Vieles verdrängte ich. Manchmal versuchte ich, meine Vergangenheit völlig zu vergessen, hörte jedoch nie wirklich auf, darin herumzustochern; meine Vergangenheit war wie eine dunkle Wolke, die mir überallhin folgte und die ich nicht loszuwerden vermochte. Vermutlich hatte ich Angst, mich davon zu lösen, fürchtete mich vor der Gegenwart, fürchtete mich vor der Zukunft.

Ich bin nun seit Jahren in der Selbsthilfegruppe, und es hat beinahe ebenso viele Jahre gedauert, bis ich die richtige Einstellung zu meiner Vergangenheit finden konnte. Ich begreife, daß ich sie nicht vergessen kann; ich muß mich davon heilen. Ich muß meine Gefühle, die ich immer noch habe — primär meine Wut —, spüren und sie dann loslassen.

Ich muß aufhören, mir selbst die Schuld für schmerzhafte Vorfälle zu geben, und darauf vertrauen, daß alles nach Plan geschah und alles wirklich seine Ordnung hatte und bis heute hat. Ich habe gelernt, nichts mehr zu bedauern, sondern dankbar zu sein.

Wenn ich an die Vergangenheit denke, danke ich Gott für die Erinnerung und meine Heilung. Wenn etwas auftaucht, das Wiedergutmachung erfordert, leiste ich sie und lasse dann die ganze Sache auf sich beruhen. Ich habe gelernt, meine Vergangenheit mit verständnisvollen Augen zu betrachten, und ich vertraue darauf, daß meine Höhere Macht auch in der Vergangenheit alle Dinge in der Hand hatte.

Von einigen der schlimmsten Erfahrungen, die ich gemacht habe, bin ich geheilt worden. Ich habe Frieden mit mir geschlossen, habe begriffen, daß ich fähig bin, anderen Menschen in ihrem Heilungsprozeß beiseite zu stehen, weil ich mich von bestimmten Problemen befreit habe. Ich habe erkannt, daß die schlimmsten Dinge dazu beigetragen haben, meinen Charakter zu festigen und einige meiner subtileren Eigenschaften stärker herauszuarbeiten.

Ich habe gelernt, dankbar zu sein für meine gescheiterten Beziehungen, da sie mich zu dem Menschen gemacht haben, der ich heute bin, und an den Ort geführt haben, an dem ich heute stehe.

Ich habe gelernt zu akzeptieren — ohne Schuld, Wut, Vorwurf oder Scham. Ich habe weiterhin gelernt, die Jahre zu akzeptieren, die ich mit Gefühlen von Schuld, Wut, Scham und Vorwürfen zugebracht habe.«

Wir können über die Vergangenheit nicht gebieten, aber wir können sie transformieren, wenn wir zulassen, davon geheilt zu werden, und sie in Liebe akzeptieren. Ich weiß das, weil ich diese Frau bin, die eben zu Wort kam.

■ *Heute beginne ich, dankbar für meine Vergangenheit zu sein. Ich kann nicht ändern, was geschehen ist, aber ich kann die Vergangenheit umwandeln, indem ich jetzt meine ganze Kraft einsetze, sie zu akzeptieren, mich davon zu heilen und daraus zu lernen.*

Es geht hier nicht um ein naives Geborgenheitsgefühl oder darum, in einer Scheinwelt zu leben und zu lieben. Unsere Aufgabe besteht darin, ein Gefühl der Sicherheit zu erlangen und gleichzeitig zu lernen, in einer unsicheren Welt zu leben und zu lieben.

Wir wollen uns nicht zu lange mit den Gefahren dieser Welt beschäftigen, denn dadurch stärken wir nur die negativen Kräfte. Genausowenig wollen wir sie mißachten oder so tun, als existierten sie nicht.

Wenn wir uns in die Sonne legen, wissen wir um die Gefahren, die von ihr ausgehen. Wir wissen, daß schädliche Strahlen zu Sonnenbrand führen. Also ergreifen wir Maßnahmen, um uns zu schützen und gleichzeitig die Annehmlichkeiten des Sonnenbads zu genießen.

Genau dies ist auch unsere Aufgabe im Heilungsprozeß.

Stellen Sie sich vor, Sie sitzen unter einem Sonnenschirm, dessen Stoff nicht zu dick ist, so daß er Licht durchläßt, und nicht zu dünn, so daß Sie keinen Gefahren ausgesetzt sind.

Nehmen Sie an, Sie werden gleichsam von einem Sonnenschirm geschützt und achten darauf, daß Ihr Schirm das Gute durchläßt. Es gab eine Zeit in Ihrem Leben, da war der Stoff Ihres Schirms zu dick: das Gute, das Sie sich wünschten, konnte sie nicht erreichen. Inzwischen haben Sie ihn so verändert, daß das Gute zu Ihnen durchdringen kann.

Übertragen Sie das Bild des Sonnenschirms auf Ihr Leben. Stellen Sie sich vor, daß der Schirm Sie beschützt. Er spendet Ihnen Liebe und Trost und bewahrt Sie vor schädlichen Strahlen und negativer Energie.

Sie können sich frei und sicher bewegen — jetzt, da Sie um Ihren Schutz wissen. Gehen Sie, wohin Sie gehen müssen. Das Böse wird ferngehalten; das Gute dringt bis zu Ihnen vor. Sie müssen keine großen Anstrengungen unternehmen, um sich zu schützen. Sie können sich entspannen und das Leben genießen im Vertrauen darauf, daß Sie in Sicherheit sind. Gehen Sie ohne Angst, denn Sie sind umhüllt von Liebe und können sich geborgen fühlen. So wird es immer sein.

■ *Heute stelle ich mir vor, von einem Schirm beschützt zu sein, der die negativen und schädlichen Strahlen von mir fernhält, der aber auch so konstruiert ist, daß das Gute mich erreicht.*

## Kurzfristige Rückschläge — 27. September

Manchmal scheinen sich die Dinge zu Beginn unseres Heilungsprozesses eine Zeitlang zu verschlimmern. Unsere Finanzen, unsere Beziehungen oder unsere Gesundheit verschlechtern sich.

Diese Rückschläge gehen vorüber; sie sind ein normaler Bestandteil unserer Heilung.

Arbeiten Sie unbeirrt an Ihrer inneren Veränderung weiter, und bald werden die Dinge einen günstigeren Verlauf nehmen. Bald werden die Aussichten besser sein, als sie es je waren. Sie haben festeren Boden unter den Füßen als zuvor.

■ *Hilf mir, Gott, daß ich Dir und meiner inneren Heilung vertraue, auch wenn ich Rückschläge erleide. Hilf mir, nicht zu vergessen, daß die Probleme kurzfristig sind und ich auf festerem Boden stehen werde, wenn sie gelöst sind.*

## Gebet — 28. September

Hier einige meiner Lieblingsausdrücke im Gebet:

Hilfe. Bitte.
Zeige mir. Führe mich. Verändere mich.
Bist du da?
Warum hast du das getan?
Danke.

■ *Heute will ich Gott sagen, was ich Ihm sagen möchte, und auf Seine Antwort hören. Ich weiß, daß ich Gott vertrauen kann.*

Wir dürfen Geld nicht zum Mittelpunkt unseres Lebens machen. Das bringt uns nicht die Fülle, die wir suchen. Meist führt diese Haltung nicht einmal zu finanzieller Stabilität.

Geld ist wichtig. Es steht uns zu, unserer Leistung entsprechend bezahlt zu werden. Wir bekommen die Bezahlung, die den Wert unserer Leistung ausdrückt, wenn wir daran glauben, sie verdient zu haben. Unsere Pläne scheitern jedoch häufig, wenn wir dem Geld oberste Priorität geben.

Was wollen wir wirklich tun? Wohin glauben wir geführt zu werden? Was sagt unsere Intuition? Wofür fühlen wir uns bestimmt? Was finden wir *spannend?* Suchen Sie nach dem richtigen Weg, ohne sich mit Geldsorgen zu belasten.

Überdenken Sie die finanziellen Aspekte. Setzen Sie vernünftige Grenzen im Hinblick darauf, wieviel Geld Ihnen zusteht. Gehen Sie in Ihrer Erwartungshaltung davon aus, klein anzufangen und sich dann nach oben zu arbeiten. Wenn Sie sich zu einem Beruf hingezogen fühlen, ergreifen Sie ihn.

Gibt es etwas, das Sie aus tiefstem Herzen nicht tun wollen, etwas, das Ihnen gegen den Strich geht? Zwingen Sie sich, es dennoch zu tun »aus finanziellen Überlegungen«? Das ist leider ein Verhalten, mit dem Sie sich ins eigene Fleisch schneiden. Es funktioniert nicht. Damit machen wir uns unglücklich, und mit dem Geld klappt es meist auch nicht.

Ich habe begriffen, daß die Geldfrage sich von selbst regelt, wenn ich mir auch in beruflichen Angelegenheiten treu bleibe. Manchmal bekomme ich weniger Geld, als ich mir gewünscht habe; manchmal bin ich angenehm überrascht, weil es mehr ist, als ich erwartet habe. Ich bin zufrieden, und ich habe *genügend.*

Geld verdient unsere Aufmerksamkeit; es kann aber nicht im Vordergrund unserer Interessen stehen, wenn wir spirituelle Sicherheit und Seelenfrieden suchen.

■ *Heute schenke ich Geldfragen Beachtung, ohne sie zu meinen Hauptinteressen zu machen. Hilf mir, Gott, mir selbst treu zu sein und darauf zu vertrauen, daß die Frage des Geldes sich regelt.*

## Kein Opfer 30. September

Sie sind kein Opfer.

Wie tief wir doch manchmal von der Vorstellung geprägt sind, Opfer zu sein! Unsere Gefühle, unglücklich und hilflos zu sein, sind uns zur Gewohnheit geworden! Diese Opferrolle haftet uns an wie ein schwerer, grauer Umhang; dadurch ziehen wir das auf uns, was uns zu Opfern macht, und fühlen uns noch mehr gedemütigt. Eine solche Haltung kann so sehr zur Gewohnheit werden, daß wir uns auch dann als Opfer fühlen, wenn uns Gutes widerfährt!

Sie haben einen neuen Wagen bekommen? Ja, seufzen wir, aber er läuft nicht so gut, wie ich dachte, und er war wahnsinnig teuer …

Sie haben eine so nette Familie! Ja, seufzen wir, aber es gibt auch Probleme. Wir haben schwere Zeiten durchgemacht …

Aber im Beruf sind Sie doch erfolgreich! Ach, seufzen wir, der Erfolg fordert einen hohen Preis. All die zusätzlichen Sorgen …

Ich habe festgestellt, daß wir eine ungeheure, beinah geniale Fähigkeit besitzen, in jeder Situation, ja selbst den wunderbarsten Umständen, etwas Negatives zu entdecken, wenn wir es darauf abgesehen haben.

Mit gesenktem Kopf und hochgezogenen Schultern schlurfen wir durchs Leben und nehmen unsere Schicksalsschläge hin.

Schluß damit. Legen Sie den grauen Umhang der Verzweiflung, der Negativität und der Opferrolle ab. Werfen Sie ihn ab; der Wind soll ihn forttragen.

Wir sind keine Opfer. Wir mögen zu Opfern gemacht worden sein. Wir mögen zugelassen haben, daß wir zu Opfern gemacht wurden. Wir mögen Situationen, die uns zu Opfern machten, ausgesucht, erzeugt und angezogen haben. Aber wir sind keine Opfer.

Wir können unsere Stärke geltend machen. Wir müssen uns nicht selbst zu Opfern machen. Wir müssen nicht zulassen, daß andere uns zu Opfern machen. Wir müssen weder in traurigen noch in glücklichen Situationen nach Unglück und Leid suchen.

Wir sind frei, im Licht unserer Selbstverantwortung zu stehen.

Setzen Sie eine Grenze? Gehen Sie mit Ihrer Wut um! Sagen Sie »nein« oder »Schluß damit!« Ziehen Sie sich aus einer Beziehung zurück! Verlangen Sie das, was Sie brauchen. Treffen Sie Entscheidungen, und übernehmen Sie die Verantwortung dafür. Erforschen Sie verschiedene Möglichkeiten. Geben Sie sich, was Sie brauchen! Stehen Sie aufrecht, mit erhobenem Kopf, und melden Sie Ihre Ansprüche an.

Fordern Sie Verantwortung für sich selbst!

Und lernen Sie, das Gute zu genießen.

■ *Heute will ich mich weigern, wie ein Opfer zu denken, zu sprechen oder zu handeln. Statt dessen werde ich mit Freuden Verantwortung für mich selbst übernehmen und mich dem Guten und Richtigen in meinem Leben zuwenden.*

# Oktober

In unserem Heilungsprozeß lernen wir ein neues Verhalten. Es heißt: Sei so, wie du bist.

Das kann für manche von uns erschreckend sein. Was würde geschehen, wenn wir unsere Gefühle zuließen, wenn wir sagten, was wir meinten, wenn wir zu unseren Überzeugungen stehen und unseren Bedürfnissen Wert beimessen würden? Was würde geschehen, wenn wir unsere Maske, mit der wir uns anpassen, fallen ließen? Was würde geschehen, wenn wir es wagten, wir selbst zu sein?

Dürften wir weiterhin mit Zuneigung rechnen? Oder würde man uns den Rücken kehren? Würden wir andere damit verärgern?

Es kommt eine Zeit, in der wir bereit sind, dieses Wagnis einzugehen. Wir erkennen, daß wir uns selbst befreien müssen, wenn wir weiterhin innerlich wachsen und ganz bei uns sein wollen. Es ist Zeit, daß wir uns nicht länger von anderen und deren Erwartungen beherrschen lassen, daß wir uns selbst treu sind — ungeachtet der Reaktionen anderer.

Wir werden das begreifen. Manche Menschen mögen sich von uns abwenden, doch solchen Beziehungen wäre ohnehin ein baldiges Ende beschieden gewesen. Andere bleiben und lieben und respektieren uns um so mehr, weil wir das Wagnis eingegangen sind, so zu sein, wie wir sind. Wir beginnen, Intimität herzustellen und Beziehungen aufzubauen, die *funktionieren.*

Wir entdecken, daß der, der wir sind, schon immer genug war. Wir sind nämlich so, wie wir sein sollen.

■ *Heute erhebe ich für mich den Anspruch, ich selbst zu sein.*

## Mit der eigenen Familie zurechtkommen

**2. Oktober**

Es gibt viele Möglichkeiten, um gegenüber der Familie die eigenen Belange zu wahren. Manche Menschen beschließen, die Verbindung zu Familienmitgliedern für einen bestimmten Zeitraum abzubrechen. Manche nehmen sich vor, die Verbindung zu Familienmitgliedern aufrechtzuerhalten und sich andere Verhaltensweisen zuzulegen. Manche entfernen sich eine Zeitlang und kehren langsam und unter anderen Voraussetzungen wieder zurück.

Es gibt kein Patentrezept, wie wir mit den Mitgliedern unserer Familie umgehen sollen. Es liegt bei jedem einzelnen, den für ihn passenden Weg zu wählen.

Neu ist für uns der Gedanke, daß wir *die Wahl haben.* Wir können die Grenzen setzen, die wir gegenüber Familienmitgliedern setzen müssen. Wir können einen Weg wählen, der für uns richtig ist, ohne uns schuldig oder verpflichtet zu fühlen und ohne von irgendeiner Seite eine unerwünschte Einflußnahme zu dulden.

Unser Ziel ist die liebevolle Loslösung von Familienmitgliedern. Unser Ziel ist es, Sorge zu tragen für uns selbst, uns selbst zu lieben und ein gesundes Leben zu führen — trotz der Dinge, die Familienmitglieder tun oder nicht tun. Wir bestimmen, welche Grenzen oder Entscheidungen hierfür nötig sind.

Es ist in Ordnung, nein zu unserer Familie zu sagen, wenn wir das wünschen. Es ist in Ordnung, ja zu sagen zu unserer Familie, wenn das unserer Vorstellung entspricht. Es ist in Ordnung, sich vorübergehend zurückzuziehen, und es ist in Ordnung, als veränderter Mensch wiederzukehren.

■ *Hilf mir, Gott, den Weg zu gehen, der für mich im Umgang mit meiner Familie der geeignete ist. Hilf mir zu verstehen, daß in diesem Prozeß nichts »richtig« oder »falsch« ist. Hilf mir, daß ich mich um Vergebung bemühe und mich liebevoll löse. Ich weiß, daß niemals von mir verlangt wird, ich solle zugunsten familiärer Verhältnisse mich selbst vernachlässigen und meine Gesundheit aufs Spiel setzen.*

## Unbehagen durchstehen — 3. Oktober

*Geben Sie sich dem Schmerz hin. Lernen Sie dann, sich dem Guten hinzugeben. Das Gute existiert, und eine Menge davon steht für Sie bereit.*

— Unabhängig sein

Unser Ziel besteht darin, daß wir uns wohl fühlen, Frieden und Einklang finden. Wir wollen mit uns und unserer Umgebung in Harmonie leben. Manchmal erfordert das unsere Bereitschaft, Unannehmlichkeiten auf uns zu nehmen, sie zu empfinden und durchzustehen.

Ich spreche hier nicht von Sucht nach Unglück und Schmerz. Ich spreche nicht davon, sich unnötiges Leid anzutun. Ich spreche von dem berechtigten Unbehagen, das wir zuweilen bei der Heilung spüren müssen.

Einen Tag nach einer Operation ist der Schmerz am stärksten. Die Arbeit, die wir in unserem Heilungsprozeß leisten, ist mit einer Operation in den emotionalen, geistigen und spirituellen Bereichen unseres Wesens zu vergleichen. Wir entfernen Teile, die entzündet und krank sind.

Das tut weh.

Wir sind stark genug, um Unbehagen und vorübergehende emotionale Schmerzen zu ertragen. Sobald wir bereit sind, dieses Unbehagen, diesen Schmerz zu ertragen, haben wir fast den Punkt der Befreiung erreicht.

■ *Heute stelle ich mich meinem Unbehagen und vertraue darauf, daß diese Auseinandersetzung heilsame und befreiende Wirkungen hat. Hilf mir, Gott, daß ich offen bin, all das zu fühlen, was ich fühlen muß, um innerlich gesund zu werden. Während ich diesen Schritt unternehme, vertraue ich darauf, daß ich von mir selbst, meinen Freunden und meiner Höheren Macht umsorgt und beschützt werde.*

Manchmal reicht das Geld hinten und vorne nicht, geschweige denn dafür, uns irgendeinen Luxus zu leisten.

Man rät uns, einen Haushaltsplan aufzustellen, und wir können nur lachen. Die Kosten für unseren Lebensunterhalt übersteigen unser Einkommen, da hilft auch kein Plan.

Wir überdenken die Situation, schütteln den Kopf und sagen: »Keine Chance.«

Viele von uns mußten solche Situationen durchstehen. Kein Grund zur Panik; kein Grund zur Verzweiflung.

Panik und Verzweiflung führen zu falschem Urteil und verzweifelten Schritten. Es ist Zeit, die Angst durch Zuversicht und Vertrauen zu ersetzen. Es ist Zeit, darauf zu vertrauen, daß Gott sich unserer Bedürfnisse annimmt.

Leben Sie Tag für Tag, und achten Sie auf jeweils ein Bedürfnis. Setzen Sie Ihre Überlebensstrategien positiv ein. Erkennen Sie, daß Ihre Möglichkeiten nicht durch Ihre Vergangenheit oder Ihre gegenwärtigen Umstände eingeschränkt sind.

Prüfen Sie alle Hindernisse, die den Geldfluß in Ihrem Leben behindern. Gibt es eine Einstellung, die Sie verändern, ein Problem, das Sie lösen, eine Lektion, die Sie lernen müssen?

Vielleicht lautet die Lektion einfach: glauben. In der Bibel steht, Jesus sei über das Wasser gewandelt. Es heißt, daß auch seine Jünger über das Wasser gehen konnten, bis zu dem Augenblick, in dem sie Angst bekamen — da sanken sie ein.

Wir können in Zeiten der Geldnot lernen, »auf dem Wasser zu wandeln«. Wenn Sie einen Haushaltsplan erstellen, und das Geld reicht nicht — tun Sie Ihr Bestes, und dann lassen Sie los. Vertrauen Sie Ihrer Großen Quelle, daß sie sich Ihrer Bedürfnisse annimmt. Wenn ein Notfall eintritt und das Bargeld nicht reicht: Schauen Sie auf das, was jenseits Ihrer Brieftasche ist. Wenden Sie sich Ihrer Quelle zu. Fordern Sie eine göttliche Zuteilung, einen unbegrenzten Vorrat von allem, was Sie brauchen.

Leisten Sie Ihren Beitrag. Bemühen Sie sich, im Denken und Handeln, um eine verantwortliche Haltung gegenüber finanziellen Dingen. Bitten Sie um göttliche Weisheit. Hören Sie auf die göttliche

Unterweisung. Dann lassen Sie Ihre Ängste und Ihr Kontrollbedürfnis los.

Wir wissen, daß Geld zum Leben gehört; aber ebenso gehört unsere Höhere Macht zum Leben.

■ *Gott, bringe mir alle Blockaden und Schranken zu Bewußtsein, die mit Geld zu tun haben. Hilf mir, daß ich in finanzieller Hinsicht gut auf mich achtgebe. Bei Geldknappheit baue ich meine Angst ab und lerne, in finanziellen Dingen »auf dem Wasser zu wandeln«. Ich bediene mich dieser Haltung nicht in unverantwortlicher Weise. Ich leiste meinen Beitrag: Ich löse mich von meiner Angst und vertraue darauf, daß Du alles andere besorgst.*

## Wissen 5. Oktober

Lernen Sie, sich zur Wahrheit führen zu lassen.

Wir werden das, was wir wissen müssen, dann wissen, wenn wir es wissen müssen. Wir brauchen uns nicht zu schämen, daß wir unsere Einsichten in dem uns angemessenen Tempo erlangen. Wir müssen Verständnis und Bewußtheit nicht erzwingen, wenn die Zeit dafür noch nicht reif ist.

Möglicherweise sahen die Menschen unserer Umgebung eine bestimmte Wahrheit in unserem Leben, die wir verdrängten, lange bevor wir bereit waren, sie anzunehmen und damit umzugehen. Das ist unsere Angelegenheit und unser Recht! Unser innerer Prozeß gehört zu uns, und wir werden unsere Wahrheiten zur rechten Zeit erkennen: wenn wir bereit sind, wenn wir die Lernerfahrung vollendet haben.

Das für die innere Entwicklung beste Konzept, das wir für uns und andere erarbeiten können, besteht darin, daß jeder seinen eigenen Prozeß durchläuft. Wir können Rückhalt und Ermutigung geben und erhalten, während wir uns in diesem Prozeß befinden. Wir können anderen zuhören und sagen, was wir denken. Wir können Grenzen setzen und in angemessener Weise auf uns selbst achtgeben. Wir gestehen uns und anderen stets das Recht zu, daß sich jeder in seinem eigenen Tempo entwickelt, ohne verurteilt zu werden, und mit großem Vertrauen darauf, daß alles gut und planmäßig verläuft.

Wenn wir bereit sind, wenn die Zeit reif ist, und wenn unsere Höhere Macht bereit ist — dann werden wir wissen, was wir wissen müssen.

■ *Heute gebe ich mir und anderen die Freiheit, nach eigenem Tempo und eigenem Ermessen zu innerem Wachstum und Veränderung zu gelangen. Ich vertraue darauf, Einsichten zu gewinnen und Gelegenheit zu haben, mit diesen Einsichten zur rechten Zeit umzugehen.*

## Sorge tragen für sich selbst — 6. Oktober

Es ist gesund, vernünftig und liebevoll, auf die Gefühle und Bedürfnisse anderer Rücksicht zu nehmen und auf sie einzugehen. Das ist etwas anderes als Bevormundung. Bevormundung ist ein selbstzerstörerisches und durchaus beziehungsfeindliches Verhalten — ein Verhalten, das auf uns zurückschlägt, uns Ärger bringt und zum Opfer macht, weil letztlich all unsere unterdrückten Gefühle, Wünsche und Bedürfnisse irgendwann nach außen gelangen.

Manche Menschen scheinen emotionale Bevormundung wie ein Magnet anzuziehen. Wir können lernen, uns dagegen zur Wehr zu setzen. Wir sind besorgt um andere; ihr Wohl liegt uns am Herzen. Dennoch können wir großen Wert auf unsere Bedürfnisse und Gefühle legen. Innere Heilung bedeutet nicht zuletzt, daß wir lernen, unseren Gefühlen, Wünschen und Bedürfnissen Aufmerksamkeit zu schenken und diesen Regungen Bedeutung beizumessen, da wir allmählich begreifen, daß deren Mißachtung deutliche, vorhersehbare und gewöhnlich unliebsame Folgen hat.

Seien Sie im Verlauf dieses Lernprozesses geduldig und gütig im Umgang mit sich selbst. Haben Sie Verständnis mit sich, wenn Sie in die alten Verhaltensweisen emotionaler Bevormundung zurückfallen und sich wieder selbst vernachlässigen.

Machen Sie aber noch heute damit Schluß. Wir müssen uns nicht für andere verantwortlich fühlen. Wir müssen uns keine Schuldgefühle aufladen, weil wir uns nicht für andere verantwortlich fühlen. Wir können lernen, uns damit zufrieden zu geben, Verantwortung für unsere eigenen Bedürfnisse und Empfindungen zu übernehmen.

■ *Heute untersuche ich, ob ich in die alte Verhaltensweise zurückgefallen bin, Verantwortung für die Gefühle und Bedürfnisse anderer zu übernehmen und dabei meine eigenen außer acht zu lassen. Ich werde meine innere Stärke geltend machen und meine Verantwortung wahrnehmen, um Wert zu legen auf mich selbst.*

## Naivität ablegen — 7. Oktober

Wir können liebevolle, vertrauenswürdige Menschen sein, ohne uns deshalb benutzen oder mißbrauchen zu lassen. Wir müssen nicht zulassen, daß Menschen mit uns machen, was sie wollen. Nicht alle Forderungen haben ihre Berechtigung! Nicht alle Bitten müssen mit ja beantwortet werden!

Das Leben gibt uns Prüfungen auf. Menschen suchen nach unseren wunden Punkten. Vielleicht weisen die Prüfungen, die uns das Leben auferlegt, einen gemeinsamen Nenner auf. Vielleicht stellen wir fest, daß wir an einer bestimmten Schwachstelle durch Familie, Freunde, Arbeitskollegen und Nachbarn immer wieder auf die Probe gestellt und verwundet werden. Möglicherweise wollen das Leben, die Menschen und unsere Höhere Macht uns eine besondere Lehre erteilen.

Wenn wir die Lektion lernen, stellen wir fest, daß die Probleme in diesem Bereich sich verringern. Wir haben unsere Kraft eingesetzt, wir haben eine Grenze gezogen, wir haben die Lektion begriffen. Vielleicht ist es notwendig, daß wir auf bestimmte Menschen mit Wut reagieren, Menschen, die unsere Geduld auf eine zu harte Probe gestellt haben. Das ist in Ordnung. Zu gegebener Zeit können wir unsere Wut loslassen und sie gegen Dankbarkeit eintauschen. Diese Menschen haben uns beigebracht, was wir nicht wollen, was wir nicht tolerieren und wie wir unsere Kraft einsetzen.

Wir sind ihnen dankbar, daß wir das begriffen haben.

Wie groß ist unsere Bereitschaft zur Toleranz? Wie weit lassen wir andere an uns heran? Welche Bedeutung messen wir unserer Wut, unserer Intuition bei? Wo verlaufen unsere Grenzen? Haben wir überhaupt welche? Sollten wir keine haben, befinden wir uns in Schwierigkeiten.

Es gibt Zeiten, in denen wir unser Vertrauen nicht anderen, sondern uns schenken und die Menschen unserer Umgebung in ihre Schranken verweisen.

■ *Heute öffne ich mich einem neuen Bewußtsein für die Bereiche, in denen ich gesündere Grenzen brauche. Ich revidiere meine naive Meinung, daß ein anderer immer recht hat. Statt dieser Einstellung vertraue ich mir selbst, höre auf mich, setze gesunde Grenzen und behalte sie bei.*

## Warten lernen — 8. Oktober

> *Ich beginne zu erkennen, daß Warten eine Kunst ist, daß wir mit Warten manches erreichen. Warten kann eine sinnvolle Aktion sein; und die Zeit ist ein wertvoller Faktor dabei. Wenn Sie zwei Jahre warten, können Sie etwas erreichen, an das Sie heute nicht herankommen würden, so sehr Sie sich anstrengen, so viel Geld Sie dafür ausgeben, so oft Sie mit dem Kopf auch gegen die Wand rennen mögen …*
>
> — Dennis Wholey

Die im Leben und in der Liebe wirklich glücklichen Menschen sind solche, die gezielt warten können. Nur wenige verstehen es, zu warten oder sich in Geduld zu üben. Doch Warten stellt eine große Kraft dar, die uns viel Gutes bringt.

Wir bekommen nicht immer das, was wir wollen, zu dem Zeitpunkt, an dem wir es wollen. Aus mancherlei Gründen ist das, was wir gerne tun, haben, sein oder erreichen würden, zum gegenwärtigen Zeitpunkt nicht greifbar. Manches von dem, was wir heute nicht tun oder haben können, *können* wir in Zukunft haben. Wir würden uns heute verrückt machen, wenn wir versuchten, das zu erreichen, was später ganz natürlich und mühelos auf uns zukommt.

Wir können darauf vertrauen, daß alles nach einem großen Plan verläuft. Warten ist keine vergeudete Zeit. Etwas wird ausgearbeitet — in uns, in anderen, im Universum.

In der Zeit des Wartens müssen wir unser Leben nicht auf ein Minimum reduzieren. Wir können unsere Aufmerksamkeit anderen Dingen zuwenden; wir können inzwischen eine bejahende und dankbare Haltung einüben; wir können darauf vertrauen, daß unser Leben, während wir warten, lebenswert ist — und in diesem Sinne leben.

Werden Sie mit Ihrer Frustration und Ungeduld fertig — aber lernen Sie die Kunst des Wartens. Nicht jeder Wunsch kann in Erfüllung gehen. Häufig aber werden Wünsche auch wahr — besonders unsere Herzenswünsche —, wenn wir lernen zu warten.

■ *Heute bin ich bereit, die Kunst der Geduld zu lernen. Wenn ich mich machtlos fühle, weil ich warte, daß etwas eintrifft, ohne daß ich den Zeitpunkt bestimmen kann, konzentriere ich mich auf die Kraft, die mir zuteil wird, wenn ich warten lerne.*

## Sich selbst öffnen — 9. Oktober

Wenn wir lernen, behutsam aufzudecken, wer wir sind, öffnen wir uns der Liebe und Intimität in unseren Beziehungen.

Viele von uns haben sich hinter einem Schutzwall verkrochen, der andere daran hindert, uns zu verletzen, aber auch verhindert, daß sie uns richtig sehen. Wir scheuen uns vor Preisgabe. Wir scheuen uns, anderen unsere Gedanken, Gefühle, Ängste, Schwächen und zuweilen auch unsere Stärken einzugestehen.

Wir wollen nicht, daß andere sehen, wer wir wirklich sind.

Wir haben Angst, daß andere uns bewerten, verurteilen, sich von uns abwenden, uns ihre Zuneigung entziehen. Wir wissen nicht genau, ob wir so, wie wir sind, in Ordnung sind, und wir wissen nicht genau, wie wir uns anderen zeigen sollen.

Verletzlich sein kann Angst erzeugen, zumal dann, wenn wir mit

Menschen zusammengelebt haben, die uns benutzten, mißbrauchten, manipulierten oder uns Anerkennung versagten.

Nach und nach lernen wir das Wagnis einzugehen, uns zu öffnen. Wir zeigen anderen unser wahres Ich. Wir suchen uns vertrauenswürdige Menschen aus und beginnen, uns nach und nach zu öffnen.

Manchmal halten wir uns bedeckt, weil wir glauben, diese Haltung nütze der Beziehung, oder andere würden uns deshalb mehr Sympathie entgegenbringen. Das ist ein Trugschluß. Wenn wir uns abkapseln, hilft das weder uns selbst noch dem anderen noch der Beziehung. Ein solches Verhalten geht ins Auge. Wahre Intimität und Nähe kann nur dann bestehen, wir können uns nur dann selbst lieben und in einer Beziehung zufrieden sein, wenn wir uns so zeigen, wie wir sind.

Das heißt nicht, daß wir unentwegt alles über uns ausplaudern. Auch das kann ein selbstzerstörerisches Verhaltensmuster sein. Wir können lernen, uns selbst zu vertrauen, wem wir wann, wo und wieviel von uns preisgeben.

Darauf zu vertrauen, daß die Menschen uns lieben und Sympathie entgegenbringen, wenn wir genau so sind, wie wir sind, ruft Angst hervor. Doch nur auf diese Weise können wir in Beziehungen das erreichen, was wir erreichen wollen. Es ist von entscheidender Bedeutung, daß wir unser Bedürfnis ablegen, andere zu kontrollieren: ihre Meinungen, ihre Gefühle uns gegenüber oder den Verlauf einer Beziehung.

Behutsam lernen wir, uns zu öffnen — wie eine Blume. Wir öffnen uns, wenn die Sonne scheint und uns Wärme spendet.

■ *Heute werde ich das Wagnis eingehen, mich einem Menschen zu öffnen, bei dem ich mich sicher fühle. Ich gebe einige meiner Schutzmechanismen auf und riskiere, verletzlich zu sein — auch wenn mir etwas anderes beigebracht wurde, auch wenn ich mir selbst etwas anderes eingeredet habe. Ich offenbare mich in einer Weise, die Selbstverantwortung, Selbstliebe, Direktheit und Aufrichtigkeit widerspiegelt. Gott, nimm mir die Angst davor, mich anderen zu öffnen. Hilf mir, daß ich mich so annehme, wie ich bin, und mein Bedürfnis ablege, mich so zu verhalten, wie ich glaube, daß andere mich gerne hätten.*

## Offene Rechnungen aus destruktiven Beziehungen

**10. Oktober**

Manchmal ist es gut zu wissen, daß wir für Beziehungen, die uns unglücklich machen, eine Rechnung präsentiert bekommen.

Eine solche Beziehung verstärkt meist unsere Hilflosigkeit oder Opferrolle.

Vielleicht stillt die Beziehung unser Verlangen, gebraucht zu werden, und hebt unser Selbstwertgefühl, weil wir eine andere Person kontrollieren oder uns ihr moralisch überlegen fühlen.

Manche von uns fühlen sich befreit von finanzieller oder anderweitiger Verantwortung, indem sie eine bestimmte Beziehung aufrechterhalten.

»Mein Vater verging sich sexuell an mir, als ich ein kleines Mädchen war«, sagte eine Frau. »Ich verbrachte zwanzig Jahre damit, ihn deshalb emotional und finanziell zu erpressen. Ich bekam Geld von ihm, wann immer ich wollte, und mußte nie finanzielle Eigenverantwortung tragen.«

Die Erkenntnis, daß wir für eine Beziehung die Rechnung in Form unserer Co-Abhängigkeit präsentiert bekommen, ist kein Grund zur Scham. Das bedeutet lediglich, daß wir die Blockaden, die unser inneres Wachstum behindern, in uns selbst suchen müssen.

Wir können Verantwortung tragen für die Rolle, die wir als Opfer gespielt haben. Wenn wir bereit sind, die Rechnung ehrlich und furchtlos zu prüfen, und danach loslassen, werden wir die Heilung finden, die wir suchen. Wir erklären uns außerdem bereit, die positiven, heilsamen Abrechnungen aus Beziehungen, die wir wirklich wollen und brauchen, anzunehmen.

■ *Heute bin ich bereit, mir die Abrechnungen anzusehen, die ich dafür erhalten habe, daß ich ungesunde Beziehungen beibehalte oder destruktive Beziehungssysteme unterstützt habe. Ich bin bereit, meinen Wunsch nach Aufrechterhaltung solch ungesunder Strukturen aufzugeben; ich bin bereit, mir selbst zu begegnen.*

Wie leicht ist es, anderen die Schuld für unsere Probleme zu geben. »Schau, was er macht ...«; »Seit Stunden warte ich auf dich ...«; »Warum ruft sie nicht an?«; »Wie glücklich wäre ich, wenn er sich ändern würde ...«

Oft sind unsere Vorhaltungen berechtigt. Wir fühlen uns verletzt und frustriert. In solchen Augenblicken glauben wir, wir könnten uns von Schmerz und Frustration befreien, wenn wir die andere Person dazu bringen, das zu tun, was wir wollen, oder wenn wir das von uns gewünschte Ergebnis erzwingen. Doch diese für uns schädlichen Trugschlüsse legen die Macht über unser Leben in die Hände anderer. Das nennen wir *Co-Abhängigkeit*.

Die Befreiung von unseren Schmerzen und Frustrationen, die vielleicht durchaus berechtigt sind, geschieht dann, wenn wir unsere eigenen Gefühle anerkennen. Wir spüren die Wut, den Kummer; dann lassen wir diese Gefühle los und finden zur Ruhe — in uns selbst. Wir wissen, daß unser Glück nicht von einem anderen Menschen abhängt, auch wenn wir uns das früher eingeredet haben. Das nennen wir *Akzeptieren.*

Sodann erkennen wir, daß wir unsere Situation zwar gern verändert sehen würden, daß unser Leben aber vielleicht aus einem bestimmten Grund seinen Lauf nimmt. Vielleicht ist ein tieferer Sinn im Spiel, ein Plan, der besser ist, als wir ihn uns hätten ausdenken können. Das nennen wir *Glauben.*

Nun beschließen wir, was zu tun ist, was wir unternehmen können, um Sorge zu tragen für uns selbst. Das nennen wir *innere Heilung.*

Es ist leicht, mit dem Finger auf andere zu zeigen; lohnender ist es, sich an die eigene Brust zu schlagen.

■ *Heute werde ich meinen Schmerz und meine Frustration bewältigen, indem ich mit meinen Gefühlen umgehe.*

## Der sanfte Umgang mit sich selbst in Zeiten des Kummers — 12. Oktober

Es kostet Kraft, mit Veränderungen und Verlusten zurechtzukommen. Der Kummer zehrt an uns, manchmal bis an den Rand der Erschöpfung. Manche Menschen haben das Bedürfnis, in dieser Phase der Umwandlung, in dieser Zeit des Leidens, sich zu »verpuppen«.

Wir fühlen uns müder als sonst. Unsere Leistungsfähigkeit ist herabgesetzt. Wir ziehen uns vielleicht in die Geborgenheit unseres Schlafzimmers zurück.

Kummer wiegt schwer. Er kann uns zu Boden drücken.

Es ist in Ordnung, wenn wir in Zeiten der Veränderung und des Leidens Nachsicht mit uns üben. Dabei wollen wir selbstverständlich die Regeln unserer inneren Heilung beibehalten. Aber wir können Rücksicht auf uns nehmen. Wir müssen von uns nicht mehr erwarten, als wir in dieser Zeit leisten können. Wir brauchen von uns nicht einmal so viel zu verlangen, wie es normal wäre und unserer Erwartung entspräche.

Wir brauchen mehr Ruhe, mehr Schlaf, mehr Trost. Wir sind bedürftiger und haben weniger zu geben. Es ist in Ordnung, wenn wir uns und unsere veränderten Bedürfnisse in Zeiten von Kummer, Streß und Erneuerung akzeptieren.

Es ist in Ordnung, wenn wir in Zeiten der Umwandlung einen Kokon um uns spinnen. Wir können uns diesem Prozeß hingeben und darauf vertrauen, daß eine neue, aufregende Kraft in uns entsteht.

Es dauert nicht lang, bis uns Flügel wachsen und wir uns in die Lüfte schwingen.

■ *Hilf mir, Gott, in Zeiten des Leidens, der Veränderung und des Verlusts meine veränderten Bedürfnisse anzunehmen.*

*Ich erkenne, daß ich aus unterschiedlichen Gründen einen Großteil meines Lebens damit zugebracht habe, mich nach der Form statt nach Inhalten zu richten. Es war mir wichtig, daß meine Frisur perfekt saß, daß ich die richtigen Kleider trug, tadellos geschminkt war, im richtigen Haus wohnte, es mit dem richtigen Mobiliar ausstattete, daß ich den richtigen Job und den richtigen Mann hatte. Die äußere Form anstelle des Inhalts bestimmte in vielen Lebensbereichen mein Verhalten. Jetzt nähere ich mich endlich der Wahrheit. Es ist der Inhalt, auf den es ankommt.*

— Unabhängig sein

Es ist nichts Verwerfliches dabei, so gut wie möglich aussehen zu wollen. Ob wir uns darum bemühen, unser inneres Ich, eine Beziehung oder unser Leben zu gestalten — wir brauchen eine feste Vorstellung davon, wie das Ganze aussehen soll.

Die Form ist die Voraussetzung für den Inhalt. Doch bei vielen von uns ersetzte die Form den Inhalt. Wir haben uns auf die Form fixiert, um Ängste oder Minderwertigkeitsgefühle zu kompensieren. Wir haben uns auf die Form fixiert, weil wir nicht wußten, wie wir uns mit dem Inhalt beschäftigen sollten.

Form ist das Gefäß, Inhalt die Substanz, mit der wir es füllen. Das Gefäß unserer Person füllen wir mit der Substanz unserer Persönlichkeit; wir füllen das Gefäß unseres Lebens, indem wir uns dem Leben stellen und daran teilhaben, so gut wir können.

Jetzt lernen wir, darauf zu achten, wie die Dinge funktionieren und wie wir sie empfinden — nicht nur, wie sie aussehen.

■ *Heute beschäftige ich mich mit dem Inhalt meines Daseins. Ich fülle das Gefäß meines Lebens mit einer echten Substanz — meinem Ich. Ich befasse mich mit dem Inhalt meiner Beziehungen, statt mit ihrem äußeren Schein. Ich beschäftige mich mit den eigentlichen Lebensprozessen, nicht mit Zierat.*

*Es gab eine Zeit in meinem Leben, in der mich bereits die Tatsache zu leben so sehr ängstigte und überforderte, daß ich ernsthaft in Erwägung zog, für die nächsten fünf Jahre einen Plan für jeden Tag meines Lebens zu erstellen. Darin wollte ich alle Hausarbeiten aufzählen, die ich zu tun hatte, und wann ich sie zu tun hatte; ich wollte sogar die Ruhezeiten eintragen. Ich wollte Ordnung schaffen in einem meiner Meinung nach unvorstellbaren Chaos. Ich brauchte das Gefühl, die Dinge kontrollieren zu können.*

— Unabhängig sein

Kontrolle ist eine direkte Antwort auf unsere Angst, Panik und Hilflosigkeit. Sie ist eine direkte Antwort auf Überforderung und Mißtrauen.

Wir vertrauen weder uns selbst, unserer Höheren Macht, dem Plan, dem Universum, noch dem Lebensprozeß. Statt Vertrauen zu haben, verfallen wir wieder in Kontrollverhalten.

Diesem Kontrollbedürfnis können wir abhelfen, indem wir mit unserer Angst umgehen. Unsere Angst besiegen wir durch Vertrauen — Vertrauen zu uns selbst, zu unserer Höheren Macht, zur Liebe und zur Unterstützung, die aus dem Universum kommen, dem Großen Plan. Diesen Vorgang nennen wir Leben und innere Heilung.

Wenn die Dinge nicht so funktionieren, wie wir uns das vorstellen, können wir darauf vertrauen, daß Gott für uns etwas Besseres vorgesehen hat.

Wir können darauf vertrauen, dorthin zu gelangen, wo wir ankommen müssen, zu sagen, was wir sagen müssen, zu tun, was wir tun müssen, zu wissen, was wir wissen müssen, zu sein, wer wir sein müssen, und all das zu werden, was wir werden können — zu einer Zeit, die für uns bestimmt ist, zu einer Zeit, da wir bereit sind — kurzum, wenn die Zeit reif ist.

Wir können darauf vertrauen, daß unsere Höhere Macht uns die Unterweisung zuteil werden läßt, die wir brauchen.

Wir können vertrauen, daß wir sie vernehmen und entsprechend reagieren.

Wir können darauf vertrauen, daß uns alles, was wir für diese Reise brauchen, mitgegeben wird. Wir werden nicht alles sofort bekommen, was für den ganzen Weg nötig ist. Wir bekommen heute das, was wir heute brauchen, und morgen das, was wir morgen brauchen. Es war nie vorgesehen, daß wir alles, was wir für die ganze Unternehmung benötigen, von Anfang an mit uns schleppen; die Last wäre zu schwer. Die Absicht war stets, die Reise so mühelos wie möglich zu gestalten.

Haben Sie Vertrauen zu sich selbst. Wir müssen nicht alles planen, kontrollieren und vorher festlegen. Der Plan und die Reihenfolge sind bereits festgelegt. Wir müssen nur an der Ausführung mitwirken.

Der Weg wird klar vor uns liegen, und wir werden reichlich versorgt sein, einen Tag nach dem anderen.

Haben Sie Vertrauen in das Heute.

■ *Heute vertraue ich darauf, daß ich alles erhalte, was ich brauche, um mich durch den heutigen Tag zu bringen. Ich vertraue darauf, daß morgen das gleiche geschieht.*

## Sich vom Chaos befreien — 15. Oktober

Aus Unrast entsteht keine gute Arbeit.

Unrast, Angst, Wut oder Traurigkeit mögen als Motivationen dienen. Diese Gefühle sind manchmal dazu da, uns zum Handeln zu zwingen. Doch wirklich gute Arbeit leisten wir nur dann, wenn wir Nervosität und Hektik durch inneren Frieden ersetzen.

Wir werden unsere Aufgabe weder früher noch besser erledigen, wenn wir sie in Bedrängnis, Angst, Wut oder Trauer tun.

Befreien Sie sich von Unrast. Füllen Sie die Leere mit geistigem Frieden. Wir müssen nicht unsere ganze Kraft einbüßen, unsere gottgegebene Energie — oder unseren Frieden —, um die heute anfallende Arbeit zu bewältigen. Wir werden die nötige Kraft haben, um zu tun, was wir tun müssen, wenn die Zeit dafür gekommen ist.

Sorgen Sie zunächst für Frieden. Machen Sie sich dann erst an die Arbeit. Sie erfüllen Ihre Aufgabe mühelos und zur rechten Zeit.

■ *Heute sorge ich zunächst für Frieden und richte meine Arbeitsleistung und mein Leben an diesem Grundsatz aus.*

## Aufrichtig sein mit sich selbst — 16. Oktober

Die Beziehung zu uns selbst ist die wichtigste Beziehung, die es aufrechtzuerhalten gilt. Die Qualität dieser Beziehung bestimmt die Qualität unserer anderen Beziehungen. Wenn wir uns selbst deutlich machen können, was wir fühlen, können wir es auch anderen deutlich machen.

Wenn wir unsere Wünsche und Bedürfnisse akzeptieren können, sind wir auch bereit, für ihre Erfüllung zu sorgen.

Wenn wir akzeptieren, was wir denken, wenn wir glauben und akzeptieren, was für uns wichtig ist, übertragen wir diese Haltung auf andere.

Wenn wir lernen, uns selbst ernst zu nehmen, tun das andere auch.

Wenn wir lernen, über uns selbst zu lachen, sind wir bereit, mit anderen zu lachen.

Wenn wir gelernt haben, uns selbst zu vertrauen, sind wir vertrauenswürdig und bereit, Vertrauen in andere zu haben.

Wenn wir dankbar dafür sein können, wer wir sind, haben wir zur Selbstliebe gefunden.

Wenn wir zur Selbstliebe gefunden haben und unsere Wünsche und Bedürfnisse akzeptieren, sind wir bereit, Liebe zu geben und zu empfangen.

Wenn wir gelernt haben, auf eigenen Beinen zu stehen, sind wir bereit, neben einem Partner zu stehen.

■ *Heute beschäftige ich mich damit, eine gute Beziehung zu mir selbst zu haben.*

## Gefühle und Kapitulation — 17. Oktober

Wenn wir uns im Innern völlig ausliefern, ist das eine persönliche *und* spirituelle Erfahrung.

Diese »Kapitulation« vollzieht sich nicht nur in unserem Kopf. Wir erzwingen oder beherrschen sie nicht durch Willenskraft. Es geht um eine tiefe Erfahrung, die wir machen.

Eine bejahende Haltung, durch die wir uns völlig ausliefern, ist nicht wie ein Programm, das reibungslos abläuft — denn oft beinhaltet sie eine ganze Reihe unangenehmer Gefühle: Wut, Zorn und Trauer, gefolgt von Erleichterung und Erlösung. Wenn wir uns ergeben, erleben wir unsere Frustration und Wut gegen Gott, gegen andere Menschen, gegen uns und das Leben. Dann erreichen wir den inneren Kern von Schmerz und Trauer, jener schweren seelischen Last, die zutage gefördert werden muß, bevor wir uns wohl fühlen können. Oftmals ist damit die Heilung und Befreiung von Gefühlen in den tiefen Schichten unserer Seele verbunden.

Indem wir unsere Waffen strecken, kommen die Dinge in Gang. Unsere Zukunftsängste und Unsicherheiten werden frei.

Wir werden beschützt. Wir werden geführt. Gutes wurde für uns geplant. Der nächste Schritt muß nun getan werden. Die innere Kapitulation ist der Vorgang, der es uns ermöglicht voranzukommen. Damit nimmt uns die Höhere Macht bei der Hand.

Vertrauen Sie darauf, daß alles zur rechten Zeit geschieht, und bauen Sie auf die Freiheit, die Sie erwartet, wenn Sie sich durch diese spirituelle Erfahrung gekämpft haben.

■ *Ich öffne mich dem Prozeß der inneren Kapitulation in meinem Leben. Ich lasse alle unangenehmen und starken Gefühle zu, die nach außen kommen müssen.*

---

## Das Regelbuch wegwerfen — 18. Oktober

---

Viele von uns glauben, sie brauchten ein Regelbuch, ein Mikroskop und eine Garantie, um das Leben zu meistern. Wir fühlen uns unsicher und verängstigt. Wir wollen genau wissen, was die Zukunft bringt und wie wir handeln sollen.

*Wir haben weder zu uns noch zum Leben Vertrauen.*

*Wir haben kein Vertrauen in den Großen Plan.*

*Wir wollen Kontrolle ausüben.*

»Ich habe schreckliche Fehlentscheidungen getroffen, die mich beinahe vernichtet hätten. Das Leben hat mich wirklich erschüttert.

Wie kann ich mir selbst vertrauen? Wie kann ich dem Leben und meinen Instinkten vertrauen, nach all dem, was ich erlebt habe?« fragte eine Frau in unserer Gruppe.

Verständlicherweise fürchten wir, erneuten Schicksalsschlägen ausgesetzt zu sein, wenn wir bedenken, wie es vielen von uns ergangen ist, als sie sich im Abgrund ihrer Co-Abhängigkeit befanden. Wir brauchen keine Angst zu haben. Wir können unserem Selbst, unserem Weg und unserer Intuition Glauben schenken.

Natürlich wollen wir vermeiden, die gleichen Fehler wieder zu begehen. Wir sind nicht mehr dieselben Menschen, die wir gestern oder letztes Jahr waren. Wir haben gelernt, sind gewachsen, haben uns verändert. Wir haben damals getan, was wir tun mußten. Wenn wir einen Fehler gemacht haben, dürfen wir uns davon nicht abhalten lassen, zu leben und das Heute ganz zu erleben.

Wir sind zu der Einsicht gekommen, daß wir unsere Erfahrungen — auch unsere Fehler — brauchen, um dorthin zu gelangen, wo wir heute sind. Ist uns eigentlich klar, daß unser Leben sich genauso entfalten mußte, wie es dann auch tatsächlich geschehen ist, damit wir uns, unsere Höhere Macht und unsere neue Lebensweise finden konnten? Oder bezeichnen wir manchmal immer noch die Vergangenheit als Fehler?

Wir können unsere Vergangenheit loslassen und jetzt Vertrauen zu uns haben. Wir brauchen uns nicht wegen der eigenen Vergangenheit zu bestrafen. Wir brauchen kein Regelbuch, kein Mikroskop, keine Garantie. Alles, was wir wirklich brauchen, ist ein Spiegel. Wir können in den Spiegel sehen und sagen: »Ich vertraue dir. Egal, was auch geschieht, du kannst auf dich achtgeben. Und alles, was auf dich zukommt, wird gut sein, besser als du glaubst.«

■ *Ab heute höre ich auf, mich an die schmerzlichen Lektionen der Vergangenheit zu klammern. Ich öffne mich den positiven Lektionen, die das Heute und das Morgen für mich bereithalten. Ich vertraue darauf, daß ich jetzt für mich sorgen kann und sorgen werde. Ich vertraue darauf, daß der Plan gut ist, auch wenn ich ihn nicht kenne.*

*Was sind Co-Abhängige? Die Antwort ist leicht. Sie sind die liebenswertesten, fürsorglichsten Menschen, die ich kenne.*

— Unabhängig sein

Bei der Inventur unserer Person sollten wir nicht nur die negativen Seiten benennen. Sich nur mit dem Schlechten zu befassen, ist ein Kernthema unserer Co-Abhängigkeit.

Fragen Sie aufrichtig, furchtlos: »Was ist an mir *gut?* Was sind meine guten Seiten?«

»Bin ich ein liebevoller, fürsorglicher Mensch?« Auch wenn wir unsere Selbstliebe vernachlässigt haben, als wir uns um andere kümmerten, ist gesunde Fürsorge nach wie vor ein Gewinn.

»Gibt es etwas, das ich besonders gut kann?«; »Habe ich einen starken Glauben?«; »Bin ich immer für andere da?«; »Arbeite ich gut in einem Team?«; Besitze ich Führungsqualitäten?«; »Kann ich gut mit Worten oder mit Gefühlen umgehen?«

»Habe ich Humor?«; »Gelingt es mir, Leute aufzuheitern?«; »Gelingt es mir, andere zu trösten?«; »Habe ich die Fähigkeit, aus nichts etwas zu machen?«; »Sehe ich immer das Gute in den Menschen?«

Das alles sind vorteilhafte Charaktereigenschaften. Obwohl wir sie in der Vergangenheit vielleicht extrem und zu unserem Nachteil eingesetzt haben, ist das nicht tragisch. Jetzt sind wir auf dem Weg, den Ausgleich zu schaffen.

Es geht nicht darum, unsere Persönlichkeit zu verleugnen. Es geht darum, unsere negativen Aspekte zu akzeptieren, zu verändern, zu bearbeiten und umzuwandeln und auf unsere positiven Aspekte zu bauen. Wir alle haben Vorzüge; wir müssen uns nur mit ihnen beschäftigen, sie zutage fördern und stärken.

Co-Abhängige sind besonders liebevolle, fürsorgliche Menschen. Nun lernen wir, uns selbst ein wenig Aufmerksamkeit und Fürsorge zukommen zu lassen.

■ *Heute konzentriere ich mich auf meine guten Eigenschaften. Ich lasse einen Teil der Fürsorge, die ich der Welt zukommen ließ, mir selbst zukommen.*

## Sich in Liebe lösen 20. Oktober

Menschen, die wir lieben, tun mitunter Dinge, die uns nicht gefallen oder mit denen wir nicht einverstanden sind. Wir reagieren. Sie reagieren. Und ehe wir's uns versehen, reagiert jeder auf jeden, und das Problem eskaliert zum Streit.

Wann müssen wir uns lösen? Wenn wir aus den Reaktionen der Wut, der Angst, der Schuld oder Scham nicht mehr herauskommen. Wenn wir in ein Machtspiel verstrickt sind — und versuchen, andere zu kontrollieren oder sie zu etwas zu zwingen, das sie nicht wollen. Wenn unsere Reaktion anderen nicht hilft, und auch das Problem nicht löst. Wenn unsere Reaktion uns schadet.

Oft ist es Zeit, sich zu lösen, wenn die innere Loslösung am wenigsten möglich scheint.

Der erste Schritt dorthin besteht in der Erkenntnis, daß Reagieren und Kontrollieren nichts nützt. Der nächste Schritt verlangt, daß wir zur Ruhe kommen, unsere Kräfte zentrieren und das innere Gleichgewicht wiederherstellen.

Gehen Sie spazieren. Verlassen Sie das Zimmer. Besuchen Sie eine Gesprächsgruppe. Nehmen Sie ein langes, heißes Bad. Rufen Sie einen Freund an. Rufen Sie Gott an. Atmen Sie tief durch. Finden Sie Frieden. Von diesem Ort des Friedens und der Mitte kommt eine Antwort, eine Lösung.

■ *Heute werde ich im Inneren kapitulieren und darauf vertrauen, daß die Antwort nahe ist.*

## Finanzielle Verantwortung 21. Oktober

»Als ich von meiner Suchtkrankheit allmählich geheilt wurde, mußte ich mein finanzielles Chaos mit kalter Nüchternheit angehen; es war wirklich ein Chaos«, sagte eine Frau.

»Zunächst hatte ich keine Möglichkeit, viel Geld zu verdienen, aber mir lag daran, alte Schulden zu begleichen. Ich mußte Rechnungen bezahlen, die seit Jahren offenstanden. Und ich mußte versuchen, den laufenden Zahlungsaufforderungen nachzukommen. Ich hatte eine Menge Geld ausgegeben, bevor ich nüchtern wurde. Doch ganz allmählich bereinigte sich meine finanzielle Situation. Ich bekam wieder Kredit bei meiner Bank. Ich hatte ein Scheckbuch. Ich hatte etwas Geld auf dem Konto.

Dann heiratete ich einen Alkoholiker und begann etwas über meine Co-Abhängigkeit zu erfahren — ich ging den steinigen Weg. Ich verlor mich, meine Gefühle, meine Gesundheit, und all die Fortschritte, die ich in meinen finanziellen Angelegenheiten erzielt hatte, wurden wieder rückgängig gemacht. Mein Mann und ich hatten ein gemeinsames Bankkonto, und er hob so lange Geld ab, bis die Bank uns das Konto sperrte. Ich ließ zu, daß er ständig mit einer Kreditkarte einkaufte, und auch dadurch ruinierte er uns.

Wir borgten immer wieder Geld, um das sinkende Schiff noch über Wasser zu halten — sehr viel auch von meinen Eltern. Als ich in den Heilungsprozeß eintrat, um von meiner Co-Abhängigkeit befreit zu werden, stand ich erneut vor dem finanziellen Ruin. Ich war wütend, aber das half auch nichts. Ich mußte ernsthaft darangehen, meine Finanzen zu ordnen, wenn ich diesen Bereich meines Lebens je wieder in den Griff kriegen wollte.

Langsam, sehr langsam begann ich mich aus diesem Durcheinander herauszuarbeiten. Es schien unmöglich! Ich wollte die Sache gar nicht erst anpacken, so überwältigend und hoffnungslos sah alles aus. Aber ich tat es dennoch. Und jeden Tag bemühte ich mich nach besten Kräften, Verantwortung für mein Leben zu übernehmen.

Ich beschloß, mich von meinem Mann zu trennen und mich — so gut ich konnte — noch vor der Scheidung finanziell gegen ihn abzusichern. Die zweite Entscheidung bestand darin, daß ich mich den finanziellen Problemen in meinem Leben stellte und anfing, sie zu ordnen.

Es war schwer. Ich hatte mehr als fünfzigtausend Dollar Schulden, und meine Einkommensverhältnisse hatten sich drastisch verschlechtert. Ich litt; meine Selbstachtung hatte den Nullpunkt erreicht; ich hatte keine Kraft. Ich wußte nicht, wie ich mit diesem Alptraum je fertig werden sollte. Aber es gelang. Langsam, allmählich, mit Hilfe einer Höheren Macht, begann Ordnung einzukehren und das Chaos zu verschwinden.

Ich gab nicht mehr aus, als ich verdiente. Ich zahlte kleine Raten an meine Gläubiger. Ich gab auf, was ich nicht schaffen konnte, und konzentrierte mich auf das, was ich schaffen konnte.

Inzwischen sind acht Jahre vergangen. Ich bin schuldenfrei, was ich nie für möglich gehalten hätte. Ich lebe in gesicherten Verhältnissen, habe Geld auf der Bank. Ich bin wieder kreditwürdig geworden. Und ich habe die feste Absicht, diesen Status beizubehalten.

Ich bin nie wieder bereit, meine finanzielle Sicherheit für die Liebe oder eine Suchtkrankheit aufs Spiel zu setzen. Die Hilfe Gottes und die Zwölf Schritte werden mich davor bewahren.«

Einen Tag nach dem anderen können wir unsere Gesundheit wiedererlangen — in geistiger, emotionaler, spiritueller, körperlicher und finanzieller Hinsicht. Die Dinge mögen sich verschlechtern, bevor sie besser werden — denn endlich stellen wir uns der Realität, statt sie unter den Teppich zu kehren. Sobald wir die Entscheidung getroffen haben, in finanziellen Angelegenheiten Verantwortung für uns selbst zu übernehmen, sind wir auf dem richtigen Weg.

■ *Hilf mir, Gott, mich daran zu erinnern, daß das, was heute hoffnungslos scheint, morgen oft schon gelöst werden kann, auch wenn ich die Lösung noch nicht sehe. Wenn ich zugelassen habe, daß ich durch die Probleme anderer finanziellen Schaden erlitten habe, dann hilf mir, meine Grenzen hinsichtlich des Geldes instand zu setzen oder neu zu errichten. Hilf mir zu begreifen, daß ich keine Veranlassung habe, mir durch die Verantwortungslosigkeit anderer Menschen in finanziellen Dingen, durch ihre Sucht, Krankheiten oder sonstigen Probleme Schaden zufügen zu lassen. Hilf mir, mein Leben weiterzuführen, ungeachtet meiner gegenwärtigen finanziellen Lage, im Vertrauen darauf, daß die Dinge sich zum Guten wenden, wenn ich bereit bin, alte Schulden zu begleichen und Verantwortung zu übernehmen.*

Haben Sie Vertrauen zu sich. Vertrauen Sie Ihrem Wissen.

Manchmal ist es schwer, an der eigenen Wahrheit festzuhalten und dem zu vertrauen, was wir wissen, zumal dann, wenn andere uns vom Gegenteil überzeugen wollen.

In einem solchen Fall geben sie uns gern das Gefühl, wir seien schuldig und müßten uns schämen. Sie haben ihre eigenen Vorstellungen. Sie sind in ihre eigenen Verdrängungsmechanismen verstrickt. Sie würden uns gerne davon überzeugen, daß wir nicht wissen, was wir sehr wohl wissen; sie wollen unser Selbstvertrauen erschüttern; sie wollen uns auf eine falsche Fährte lokken.

Wir haben keinen Grund, unsere Wahrheit, unsere innere Stärke zu verlieren, nur weil andere uns dazu drängen. Das wäre Co-Abhängigkeit.

Es ist gefährlich, den Lügen Glauben zu schenken. Wenn wir aufhören, uns auf unsere Wahrheit zu verlassen, wenn wir unsere Instinkte unterdrücken, wenn wir uns einreden, mit uns müsse aufgrund unserer Gefühle oder unserer Überzeugungen etwas nicht stimmen, versetzen wir unserem eigenen Ich und unserer Gesundheit einen schweren Schlag.

Wenn wir jenen wichtigen Teil unserer Persönlichkeit verraten, der die Wahrheit kennt, verlieren wir unsere Mitte. Wir verlieren unser seelisches Gleichgewicht. Wir sind beschämt, verängstigt und verwirrt. Wenn wir zulassen, daß ein anderer uns den Boden unter den Füßen wegzieht, finden wir uns nicht mehr zurecht.

Das heißt nicht, daß wir nie unrecht haben; wir haben nur nicht *immer* unrecht.

Seien Sie offen. Stehen Sie zu Ihrer Wahrheit. Vertrauen Sie dem, was Sie wissen. Und lassen Sie sich nicht ein auf Verdrängungen, sinnlose Verhaltensweisen, Zwänge oder Nötigung — dadurch würden Sie nur von Ihrem Weg abkommen.

Bitten Sie darum, die Wahrheit klar erkennen zu können — nicht mit Hilfe der Person, die versucht, Sie zu manipulieren oder zu überzeugen, sondern mit Hilfe Ihres eigenen Wesens und Ihrer Höheren Macht.

■ *Heute vertraue ich meiner Wahrheit, meiner Intuition und meiner Fähigkeit, die Realität richtig zu sehen. Ich lasse nicht zu, daß ich durch Schikanen, Manipulationen, Tricks, unaufrichtige oder unlautere Absichten ins Wanken gerate.*

## Morgengedanken — 23. Oktober

Jeden Morgen beim Erwachen erhalten wir eine wichtige Botschaft.

In den ersten wachen Minuten am Morgen werden wir am wenigsten abgelenkt, sind offen und empfänglich. Wenn der Tag dann richtig beginnt, hören wir nicht mehr so aufmerksam in uns hinein.

Welches Gefühl durchflutet uns beim Erwachen? Eines, das wir möglicherweise im Verlauf des Tages verdrängen werden? Sind wir wütend, frustriert, fühlen wir uns verletzt oder verwirrt? Diesen Empfindungen wollen wir nachgehen, wir wollen sie durcharbeiten.

Welcher erste Gedanke, welche Idee kommt Ihnen beim Erwachen in den Sinn? Gilt es, einen Termin einzuhalten? Wünschen Sie sich einen Tag zu Ihrem Vergnügen? Einen Ruhetag?

Fühlen Sie sich krank und wollen sich pflegen? Sind Sie in schlechter Gemütsverfassung? Gilt es, einen Sachverhalt zu klären?

Müssen Sie eine Aussprache herbeiführen? Beunruhigt Sie etwas? Haben Sie bei einer Sache ein besonders gutes Gefühl?

Kommt Ihnen der Gedanke, sich einen Wunsch zu erfüllen? Wollen Sie etwas tun, das Ihnen Freude bereitet?

Legen Sie Ihre Unruhe ab. Sie haben es nicht so furchtbar eilig. Bleiben Sie noch ein wenig liegen, hören Sie in sich hinein und nehmen Sie die Botschaft auf.

Wir können heilsame Ziele für den Tag festlegen, wenn wir die Morgenbotschaft in uns aufnehmen.

■ *Hilf mir, Gott, daß ich aufhöre, mich dem harmonischen Fluß des Lebens zu widersetzen. Hilf mir, daß ich lerne, der Strömung zu folgen und Hilfe und Rückhalt anzunehmen, die Du mir anbietest.*

## Sich der Liebe öffnen 24. Oktober

Öffnen wir uns der Liebe, die uns zur Verfügung steht.

Wir dürfen unsere Quellen der Liebe nicht versiegen lassen. Gott hält eine unbegrenzte Fülle von dem bereit, was wir brauchen; dazu zählt auch die Liebe.

Wenn wir offen sind für die Liebe, werden wir sie bekommen. Sie mag aus den erstaunlichsten Quellen kommen. Nicht zuletzt kommt sie aus uns selbst.

Wir öffnen uns der Liebe und machen uns bewußt, daß sie schon die ganze Zeit für uns da war. Wir spüren die Liebe von Freunden und nehmen sie dankbar an. Wir nehmen die Liebe an, die uns von der Familie entgegengebracht wird, und erfreuen uns daran.

Wir sind auch bereit, die Liebe aus unserer Partnerbeziehung anzunehmen. Wir müssen Liebe nicht von unaufrichtigen Menschen annehmen — Menschen, die uns ausbeuten oder mit denen wir keine Beziehung haben wollen.

Es gibt eine Menge guter Liebe für uns — Liebe, die unser Herz heilt, die unsere Bedürfnisse stillt und unseren Geist erhebt.

Wir haben uns selbst zu lange verleugnet. Wir sind zu lange Märtyrer gewesen. Wir haben so viel gegeben und uns zuwenig zukommen lassen. Wir haben unsere Schuld beglichen. Es ist Zeit, den Kreislauf von Geben und Nehmen fortzusetzen, indem wir zulassen, daß uns Liebe zuteil wird.

■ *Heute öffne ich mich der Liebe, die ich aus dem Weltall empfange. Ich nehme sie an und freue mich darüber.*

## Vergangenheit loslassen 25. Oktober

> *... und alle Tage waren in dein Buch geschrieben, die noch werden sollten und von denen keiner da war.*
> — Psalm 139, 16

Manche Menschen glauben, daß jeder unserer Tage bereits vor der Geburt nach göttlicher Ordnung geplant wird. Gott wußte alles, sagen sie, und plante genau, was geschehen sollte.

Andere gehen davon aus, daß wir an der Planung unseres Lebens — welche Ereignisse stattfinden, welchen Menschen wir begegnen, welche Verhältnisse wir antreffen — mitgewirkt haben, sie *gewählt* haben, um unsere Aufgaben zu erfüllen und die Lektionen zu lernen, die uns auferlegt sind.

Wie unsere Philosophie auch lauten mag, die Auslegung kann auch heißen: Unsere Vergangenheit ist weder Zufall noch Irrtum. Wir folgten stets unserer Bestimmung, begleitet von den für uns wichtigen Menschen. Wir können unsere Geschichte annehmen — mit ihren Schmerzen, ihren Mängeln, ihren Fehlern, selbst mit ihrem Unglück. Sie ist ausschließlich unsere Geschichte; sie ist ausschließlich für uns vorgesehen.

Heute befinden wir uns genau dort, wo wir sein müssen. Unsere gegenwärtigen Umstände sind genau so, wie sie sein müssen.

■ *Heute lasse ich meine Schuld und meine Angst vor meinen vergangenen und gegenwärtigen Umständen los. Ich vertraue darauf, daß der Ort, an dem ich war, und der Ort, an dem ich jetzt bin, richtig für mich sind.*

## **Klarheit** — **26. Oktober**

*Ich weiß ganz genau, daß ich Gott vertrauen kann. Und trotzdem vergesse ich es manchmal.*

Wenn wir mitten in einer Erfahrung sind, vergessen wir leicht den großen Plan. Wir sehen nur den gegenwärtigen Augenblick.

Wenn wir den Fernsehapparat einschalten und uns nur zwei Minuten eines Programms ansehen, erkennen wir wenig Sinn darin, da der Ausschnitt aus dem Zusammenhang gerissen ist.

Wenn wir einem Weber nur wenige Minuten bei seiner Tätigkeit zusehen und nur ein kleines Stück des Stoffmusters erkennen, an dem er arbeitet, erblicken wir darin keine Schönheit. Wir sehen nichts als ein paar bunte, willkürlich ineinander verwobene Fäden.

Wie oft betrachten wir das Leben aus einem zu engen Blickwinkel — vor allem dann, wenn wir schwere Zeiten durchstehen müssen.

Umfassendere Perspektiven tun sich uns auf, sobald jene verwirrenden, schwierigen *Lehrzeiten* abgeschlossen sind. Schwerwiegende Ereignisse geben uns später zu erkennen, daß wir wichtige Erfahrungen gemacht haben.

In schwierigen Zeiten, selbst wenn wir völlig orientierungslos sind, können wir darauf vertrauen, daß etwas Wichtiges in uns ausgearbeitet wird. Einsicht und Klarheit kommen erst dann, wenn wir unsere Lektion gemeistert haben.

Der Glaube ließe sich mit einem Muskel vergleichen, der trainiert werden muß, damit er kräftig wird. Durch die wiederholte Erfahrung, daß wir dem vertrauen müssen, was wir nicht sehen können, aber allmählich lernen, Vertrauen zu haben in die Lösung der Probleme, wird unser Glaube gestärkt, wie jener Muskel.

■ *Heute vertraue ich darauf, daß die Ereignisse in meinem Leben kein Zufall sind. Meine Erfahrungen sind keine Fehler. Weder meine Höhere Macht noch das Leben bestraft mich. Ich mache durch, was ich durchmachen muß, um Wertvolles zu lernen, etwas, das mich auf die Freude und Liebe, die ich suche, vorbereitet.*

---

## Elfter Schritt — 27. Oktober

---

> *Wir suchten durch Gebet und Besinnung die bewußte Verbindung zu Gott — wie wir Ihn verstanden — zu vertiefen. Wir baten ihn nur, uns Seinen Willen erkennbar werden zu lassen und uns die Kraft zu geben, ihn auszuführen.*
>
> — Elfter Schritt von Al-Anon

»... baten ihn nur, uns Seinen Willen erkennbar werden zu lassen und uns die Kraft zu geben, ihn auszuführen« bedeutet, daß wir täglich darum bitten, daß uns der Plan für diesen Tag offenbart wird. Auch bitten wir unsere Quelle um die Kraft, die wir brauchen, um ihn auszuführen. Beide Bitten werden uns erfüllt.

Wir bitten nicht andere Leute, uns ihren Willen erkennbar werden zu lassen. Wir bitten Gott. Dann vertrauen wir darauf, daß wir die Kraft haben, den Willen Gottes auszuführen.

Gott verlangt niemals von uns, etwas zu tun, wofür er uns nicht gerüstet hat. Er verlangt niemals etwas, das wir nicht schaffen. Wir besitzen die Kraft, das zu tun, was wir tun müssen. Wir müssen nie mehr tun, als wir tun können, oder Dinge tun, die uns überfordern. Es steht uns frei, uns Sorgen zu machen, aber es ist unnötig. Wir haben die Wahl.

Ich habe in schlechten und in guten Zeiten gelernt, daß dieser Schritt mich weiterbringt. Wenn ich nicht weiß, was ich als nächstes tun soll: Gott weiß es. Wenn wir an diesem Schritt arbeiten, einen Tag nach dem anderen, kommen wir an Orte, die wir alleine nie erreicht hätten. Einfache Schritte täglich — unternommen in Abstimmung mit dem Willen Gottes — führen zur Erfüllung des Großen Plans in unserem Leben.

■ *Heute bitte ich Gott darum, mir zu zeigen, was er von mir will. Ich bitte ihn, daß er mir die Kraft gibt, seinen Willen durchzuführen; dann mache ich mich an die Arbeit. Hilf mir, Gott, daß ich mich von meiner Angst befreie, mein Leben einen Tag nach dem anderen zu verbringen. Hilf mir, darauf zu vertrauen, daß aus einem einfach und vertrauensvoll gelebten Leben ein prächtiges, einzigartiges Mosaik entsteht. Ich stehe unter göttlicher Anleitung, ich werde geführt und umsorgt.*

## Meditation und Gebet — 28. Oktober

Der Elfte Schritt empfiehlt uns zu meditieren, um unsere bewußte Verbindung mit Gott zu vertiefen.

Meditation ist frei von Zwangsverhalten und Besorgnis, diesen beiden Aspekten der Angst. Meditieren heißt: Wir öffnen unseren Geist und erschließen unsere spirituelle Energie für die Verbindung mit Gott.

Um uns mit Gott zu verbinden, wollen wir uns entspannen, so gut wir können, und unseren bewußten und unbewußten Geist einem Höheren Bewußtsein öffnen — zu dem jeder von uns Zugang hat.

In der alltäglichen Hektik mag es als Zeitverschwendung erscheinen, wenn wir unser Tempo verlangsamen, innehalten und eine Pause zur inneren Besinnung einlegen. Das ist jedoch ebensowenig eine

Zeitverschwendung wie das Anhalten an einer Tankstelle, um Benzin nachzufüllen, wenn der Tank unseres Autos fast leer ist. Es ist eine notwendige, nützliche und zeitsparende Aktion. Meditation gibt uns viel mehr Kraft und Zeit wieder, als wir sie in den wenigen Minuten für unsere Verbindung mit Gott aufwenden.

Meditation und Gebet sind für unsere innere Heilung von hohem Nutzen. Dennoch müssen wir geduldig sein. Es wäre unklug, sofortige Antworten, Einsichten oder Inspirationen zu erwarten.

Doch die Lösungen sind in Sicht. Sie konkretisieren sich, sobald wir unseren Beitrag geleistet haben — in Meditation und Gebet — und alles andere loslassen.

Ob wir morgens beim Erwachen, während einer Kaffeepause oder am Abend beten und meditieren, bleibt uns überlassen.

Wenn sich unsere bewußte Verbindung verbessert, wird auch unser unbewußter Kontakt stärker. In zunehmendem Maß werden wir uns auf Gottes Harmonie und Seinen Willen einstimmen. Wir werden diese Seelenverbindung, die Verbindung zu Gott, finden und beibehalten.

■ *Heute nehme ich mir Zeit für Meditation und Gebet. Ich entscheide, wann und wie lange ich mich ihnen widmen will. Ich bin ein Kind und Geschöpf Gottes — einer Höheren Macht, die mir zuhört und mit mir spricht. Hilf mir, Gott, daß ich mich von meinen angstvollen Fragen befreie, ob Du mich hörst und Dich um mich sorgst. Hilf mir, zu wissen, daß Du da bist und daß ich imstande bin, mich in das spirituelle Bewußtsein zu versenken.*

## Akzeptieren — 29. Oktober

Heute wartet ein Zauberwort auf uns. Dieses Wort heißt Akzeptieren.

Wir sind aufgefordert, viele Dinge anzunehmen: uns selbst, so wie wir sind; unsere Gefühle, Bedürfnisse, Wünsche, Entscheidungen und unser gegenwärtiges Dasein; andere Menschen, so wie sie sind; den Stand unserer Beziehungen mit ihnen. Probleme; Segnungen; finanzielle Dinge; den Ort, wo wir leben; unsere Arbeit, unsere Aufgaben, unsere Leistungen.

Eine Abwehrhaltung bringt uns nicht weiter, sie schafft Unerwünschtes nicht aus der Welt. Wir müssen auch unseren inneren Widerstand annehmen. Indem wir ihn annehmen, verändern und brechen wir ihn.

»Akzeptieren« ist jene Zauberformel, die eine Veränderung ermöglicht. Sie wirkt nicht ewig; sie gilt für den jeweiligen Augenblick.

»Akzeptieren« ist die magische Handlung, die unsere gegenwärtige Situation gut macht; sie bringt Frieden und Zufriedenheit und öffnet das Tor zu Wachstum, Veränderung und Fortschritt.

Sie richtet das Licht positiver Energie auf alles, was wir haben und sind. Dadurch wird der Rahmen geschaffen, innerhalb dessen wir alles Nötige unternehmen können, um Sorge zu tragen für uns selbst.

Dieses Akzeptieren gibt dem Positiven Kraft und läßt Gott wissen, daß wir uns seinem Plan beugen. Wir haben die heutige Lektion gelernt und sind bereit, uns weiterführen zu lassen.

■ *Heute werde ich die Dinge akzeptieren. Ich lege mein Bedürfnis ab, mich gegen mich und meine Umgebung zur Wehr zu setzen. Ich ergebe mich. Ich will Zufriedenheit und Dankbarkeit zeigen. Ich mache Fortschritte, indem ich freudig akzeptiere, dort zu sein, wo ich heute bin.*

## Selbstwert — 30. Oktober

Wir führen wirklich unser eigenes Leben.

Das bedrückende Gefühl, jeder außer uns habe ein Leben — ein bedeutungsvolles Leben, ein wertvolles Leben, ein besseres Leben —, ist eine Altlast aus der Vergangenheit. Diese Einstellung ist überdies selbstzerstörerisch und bedarf der Korrektur.

Unser Leben ist sinnvoll. Geben Sie sich dem Leben hin, und Sie werden seinen Sinn erkennen.

■ *Heute werde ich mein Leben leben und es als mein eigenes schätzen.*

*Mein Gott aber wird ausfüllen all euren Mangel nach seinem Reichtum in Herrlichkeit …*

— Brief des Paulus an die Philipper 4, 19

Dieser Bibelspruch hat mir viele Male geholfen. Er hat mir geholfen, wenn ich mich gefragt habe, woher mein nächster Freund, ein bißchen Weisheit, Einsicht oder ein Essen kommen soll.

Alles, was ich heute brauche, wird mir gegeben.

Menschen, Arbeit, Besitz — all das, was uns zur Verfügung steht: Es ist nicht unser Ursprung, nicht unsere Erfüllung.

Wir haben Zugang zu einer reichen Quelle, einer Quelle, die uns immer und sofort versorgt: Gott und sein Universum.

Wir haben die Aufgabe, uns in Einklang mit unserer Quelle zu bringen. Wir haben die Aufgabe, an unsere wahre Quelle zu glauben und uns ihr zuzuwenden. Wir haben die Aufgabe, uns von Angst, negativem und kleinmütigem Denken, von inneren und äußeren Begrenzungen zu befreien.

Alles, was wir brauchen, wird uns zuteil. Machen Sie dies zu Ihrem Wahlspruch in allen Lebenslagen und allen Notsituationen.

Lehnen Sie Angst ab. Lehnen Sie kurzsichtiges und kleinmütiges Denken ab. Öffnen Sie sich der Fülle.

Genießen Sie ein Verlangen, da es Teil unserer Beziehung zu Gott und seinem Universum ist. Gottes Plan sieht vor, daß alle unsere Bedürfnisse befriedigt werden. Gott hat die Bedürfnisse in uns erschaffen, und Gott kann sie stillen.

Kein Bedürfnis ist zu klein oder zu groß. Wenn wir unsere Bedürfnisse schätzen, dann tut es Gott auch.

Unsere Aufgabe besteht darin, die Verantwortung für unsere Bedürfnisse anzuerkennen; zuzulassen, daß Gott sie befriedigt; davon überzeugt zu sein, daß wir es verdient haben, wenn er unseren Bedürfnissen — und Wünschen — nachkommt. Unsere Aufgabe besteht darin, daß wir loslassen — im Glauben.

Sie besteht in gesundem Geben — nicht aus Bevormundung, Schuld- und Pflichtgefühlen und Co-Abhängigkeit, sondern aus einer gesunden Beziehung zu uns selbst heraus, zu Gott und zur gesamten Schöpfung Gottes.

Unsere Aufgabe besteht einfach darin, so zu sein, wie wir sind, und es gerne zu sein.

■ *Heute mache ich mir die Überzeugung zu eigen, daß all meine heutigen Bedürfnisse befriedigt werden. Ich werde eintreten in eine harmonische Beziehung mit Gott und seinem Universum, wissend, daß ich wichtig bin und daß es auf mich ankommt.*

# *November*

## Verwandlung durch Leiden — 1. November

Wir bemühen uns darum, zu akzeptieren — unsere Person, unsere Vergangenheit, andere Menschen und unsere gegenwärtigen Umstände. Eine bejahende Haltung bringt Frieden, Heilung und Freiheit — die Freiheit, Sorge zu tragen für uns selbst.

All dies geschieht nicht auf einmal. Bevor wir wirklich fähig sind, die Dinge zu akzeptieren, durchleben wir Phasen der Verdrängung, der Wut, des »Herumfeilschens« und der Trauer. Wir nennen diese Phasen *Leidensprozeß*. Leiden ist frustrierend und verwirrend. Wir schwanken zwischen Trauer und Verdrängung. Unsere Verhaltensweisen schwanken von einem Extrem ins andere. Die Menschen unserer Umgebung verstehen uns nicht. Wir verstehen uns selbst und unser Verhalten nicht und trauern den Verlusten nach. Aber eines Tages werden die Dinge klarer. Der Nebel hebt sich, und wir erkennen, daß wir darum gekämpft haben, uns einer bestimmten Realität zu stellen und sie zu akzeptieren.

Keine Sorge. Wir bewegen uns genau im richtigen Tempo durch diesen Prozeß. Haben Sie Verständnis mit sich selbst und anderen für die sehr menschliche Art und Weise, mit der wir Übergangszeiten erleben.

■ *Heute akzeptiere ich die besondere Art und Weise, in der ich Veränderungen erlebe. Ich akzeptiere den Leidensprozeß und seine verschiedenen Phasen: Hierin kommt zum Ausdruck, wie ich Verluste und Veränderungen verarbeite.*

## Trauerarbeit — 2. November

Mit unserer Bereitschaft, Verluste wirklich zu betrauern, willigen wir vollständig ein in den Prozeß unserer inneren Heilung. Experten wie Patrick Carnes nennen die Zwölf Schritte »ein Programm zur Aufarbeitung unserer Verluste, ein Programm zur Aufarbeitung unserer Trauer«.

Wie gehen wir mit der Trauer um?

Ungeschickt. Mangelhaft. Wir setzen ihr Widerstand entgegen. Mit Wut und Kompromißversuchen. Bis wir uns schließlich unserem Schmerz überlassen.

Die Trauerarbeit vollzieht sich nach Elisabeth Kübler-Ross in fünf Stufen: Wir verdrängen, sind wütend, feilschen herum, trauern und akzeptieren schließlich. So leiden wir; so akzeptieren wir; so vergeben wir; so reagieren wir auf die vielen Veränderungen, die das Leben für uns bereithält.

Dieser Fünf-Stufen-Prozeß sieht auf dem Papier ganz geordnet aus, im Leben jedoch verläuft er keineswegs so. Wir durchleben diese Phasen nicht voneinander getrennt. Meist quälen wir uns hindurch; zeternd und um uns schlagend bewegen wir uns vorwärts und rückwärts — bis wir jenen harmonischen Zustand erreichen, den wir *Annehmen* nennen.

Wenn wir über »unerledigte Dinge« aus unserer Vergangenheit sprechen, beziehen wir uns gewöhnlich auf Verluste, bei denen die Trauerarbeit noch nicht abgeschlossen ist. Wir reden davon, daß wir irgendwo im Leidensprozeß steckengeblieben sind. Menschen mit einer schlimmen Kindheit und Co-Abhängige bleiben meist in der Verdrängung stecken. Diese Verdrängung durchzuarbeiten, ist die erste und gefährlichste Phase der Trauerarbeit und zugleich der erste Schritt, um die Dinge irgendwann zu akzeptieren.

Wir lernen, die Trauerarbeit und ihre Funktion für den Heilungsprozeß zu verstehen. Selbst positive Veränderungen sind oft mit Verlusten und folglich Schmerzen verbunden. Wir lernen, uns und anderen zu helfen, wenn wir diese Vorgänge verstehen und uns mit ihnen vertraut machen. Wir lernen, unsere Verluste wirklich zu betrauern, unseren Schmerz zu spüren, zu akzeptieren und zu verzeihen, um erneut Freude und Liebe zu empfinden.

■ *Hilf mir heute, Gott, daß ich mich der Trauerarbeit an meinen Verlusten widme. Hilf mir, daß ich den Prozeß der Trauerarbeit durchlaufe und alle Phasen akzeptiere, um inneren Frieden und eine bejahende Haltung in meinem Leben zu erlangen. Hilf mir dabei, behutsam mit mir und anderen umzugehen, während wir durch diesen sehr menschlichen Heilungsprozeß gehen.*

Verdrängungen sind ein fruchtbarer Boden für jenes Verhalten, das wir Co-Abhängigkeit nennen: Kontrolle ausüben, sich auf andere fixieren und sich selbst vernachlässigen. Solange wir bestimmte Dinge verdrängen, können sich Krankheiten, zwanghafte oder suchterzeugende Verhaltensweisen einstellen.

Verdrängungen können verwirrend sein, da sie einem Schlafzustand gleichen. Wir werden uns ihrer erst wirklich bewußt, wenn sie hinter uns liegen. Solange wir uns — oder andere — *zwingen, der Wahrheit entgegenzutreten,* erreichen wir meist nichts. Wir stellen uns den Tatsachen erst dann, wenn *wir dazu bereit sind.* So verfährt jeder Mensch. Selbst wenn wir uns die Wahrheit einen kurzen Augenblick eingestehen, wollen wir nicht wissen, was wir wissen, bis wir uns sicher, geborgen und hinreichend vorbereitet fühlen, um die Wahrheit zu bewältigen.

Es hilft, mit Freunden zu sprechen, die uns wirklich kennen, lieben, unterstützen, ermuntern und bestätigen.

Wir helfen uns, wenn wir behutsam, liebevoll mit uns selbst umgehen; wenn wir die Bitte an unsere Höhere Macht richten, uns in und durch einen Umwandlungsprozeß zu führen.

Akzeptieren beginnt mit Verdrängen. Der erste Schritt, durch den wir uns des Verdrängten bewußt werden, besteht darin, zu akzeptieren, daß wir verdrängen. Erst dann sind wir fähig, den Weg auf behutsame Weise fortzusetzen, bis wir einmal nichts mehr zu verdrängen brauchen.

■ *Hilf mir, Gott, daß ich mich heute sicher und geborgen fühle, um zu akzeptieren, was ich akzeptieren muß.*

Wenn wir wütend sind — und gelegentlich den anderen die Schuld in die Schuhe schieben —, so ist das ein natürlicher und notwendiger Vorgang, um Verluste und Veränderungen — die Trauerarbeit also — anzunehmen. Wir geben uns und anderen die Freiheit, wütend zu sein, während wir weniger verdrängen und mehr akzeptieren.

Wenn wir dabei sind, mit unseren Verlusten und Verdrängungen fertig zu werden, weisen wir vielleicht uns selbst, unserer Höheren Macht oder anderen Schuld zu. Eine bestimmte Person mag ihren Teil dazu beigetragen haben, daß wir einen Verlust erleiden mußten, es kann sich aber auch um Unbeteiligte handeln. Wir hören uns sagen: »Wenn er nur das und das getan hätte ... Wenn ich mich nur anders verhalten hätte ... Warum hat Gott es nicht anders eingerichtet? ...« Wir wissen, daß Schuldzuweisungen sinnlos sind. Unsere Devisen lauten: *Verantwortung für sich selbst tragen* und *sich selbst Rechenschaft geben,* nicht aber Schuldzuweisung. Demzufolge sind innere Kapitulation und Eigenverantwortung die einzigen Konzepte, die unsere weitere Entwicklung fördern. Und um das zu erreichen, müssen wir unsere Wut zulassen und uns gelegentliche Schuldzuweisungen zugestehen.

Es ist ratsam, sich im Umgang mit anderen vor Augen zu halten, daß auch sie Phasen der Wut durchmachen, um zu einer bejahenden Haltung zu finden. Wenn wir anderen und uns selbst verbieten, Wut und Scham zu empfinden, verzögert sich die Trauerarbeit.

Vertrauen wir uns und dem Leidensprozeß. Unsere Wut dauert nicht ewig. Wir müssen sie nur eine Weile zulassen, um zu überdenken, was hätte sein können, um dann schließlich die Dinge so zu akzeptieren, wie sie sind.

■ *Hilf mir, Gott, daß ich meine Wut und die anderer Menschen akzeptiere; denn sie ist ein normaler Bestandteil jenes Prozesses, durch den wir zu einer bejahenden Haltung und zu innerem Frieden finden. Hilf mir, daß ich mich innerhalb dieses Rahmens um meine persönliche Verantwortung bemühe.*

*Die Beziehung klappte einfach nicht, obwohl ich es mir so sehr wünschte. Ich dachte immer, wenn ich mich hübscher mache, wenn ich versuchen würde, eine liebevolle, freundliche Frau zu sein, dann würde er mich lieben. Ich stellte mich auf den Kopf, um besser zu sein, obwohl ich so, wie ich war, in Ordnung war. Aber ich begriff nicht, was ich tat, bis ich allmählich Fortschritte machte und die Realität akzeptierte.*

— Anonym

Eine äußerst frustrierende Phase auf dem Weg zu einer bejahenden Haltung ist die des »Feilschens«. Die Verdrängung ist gewissermaßen auch ein Segen. In der Wut liegt eine gewisse Kraft. Beim Feilschen aber schwanken wir zwischen der Erkenntnis, daß wir etwas verändern müssen, und der Überzeugung, daß dies nicht möglich ist.

Immer wieder schöpfen wir Hoffnung, die sich immer wieder zerschlägt.

Viele von uns haben sich alle erdenkliche Mühe gegeben, um mit der Realität »zu verhandeln«. Manche von uns haben Dinge getan, die im Rückblick absurd erscheinen.

»Wenn ich versuche, ein besserer Mensch zu sein, dann wird es nicht passieren ... Wenn ich hübscher aussehe, den Haushalt ordentlicher führe, wenn ich schlanker werde, öfter lächle, mich mehr bemühe, meine Augen schließe und bis zehn zähle, schreie ... dann werde ich diesen Verlust, jene Veränderung nicht ertragen müssen.«

Es gibt zahllose Geschichten von Al-Anon-Mitgliedern und ihren Versuchen, mit dem Alkoholiker und seinen Trinkgewohnheiten gleichsam zu feilschen: »Wenn ich es ihm zu Hause hübsch mache, hört er auf zu trinken ... Wenn ich ihr eine Freude mache und ihr das neue Kleid kaufe, wird sie nicht trinken ... Wenn ich meinem Sohn einen neuen Wagen kaufe, wird er nicht mehr zur Flasche greifen.«

Auch die Menschen mit einer schlimmen Kindheit treffen angesichts ihrer Verluste insgeheim eine Vereinbarung: »Wenn ich ein ganz braves Kind bin, werden Mama und Papa mich lieben und anerkennen, nicht mehr trinken und für mich so da sein, wie ich es mir wünsche.« Wir machen große und kleine Versuche, manchmal verrückte Dinge, um jenen Schmerz abzuwenden, zu beenden oder schon im Keim zu ersticken, der sich einstellt, wenn wir die Realität akzeptieren müssen.

Es gibt keinen anderen Weg, als die Dinge so zu akzeptieren, wie sie sind. Das ist unser Ziel. Doch unterwegs versuchen wir vielleicht, eine Art Handel abzuschließen. Wenn wir unsere Versuche, mit der Realität zu feilschen, als das erkennen, was sie sind — nämlich Teil des Leidensprozesses —, kommen wir leichter mit unserem Leben zurecht.

■ *Heute lasse ich mir und anderen die Freiheit, Verluste wirklich zu betrauern. Ich werde mir selbst Rechenschaft geben, aber ich gebe mir auch die Freiheit, menschlich zu sein.*

## Lebensfreude — 6. November

Tun Sie etwas, das Ihnen Spaß macht.

Entspannen Sie sich ohne Schuldgefühle, ohne sich Gedanken darüber zu machen, ob die Arbeit liegenbleibt.

Nehmen Sie die Zuneigung der Menschen an, die Sie lieben. Lassen Sie Ihre Liebe zu anderen zu. Lassen Sie das Gefühl der Nähe zu.

Haben Sie Spaß an der Arbeit, denn auch sie kann Freude bereiten.

Gönnen Sie sich ein Vergnügen, genießen Sie es.

Was würde Ihnen guttun? Was würde Ihnen gefallen? Gibt es ein positives Vergnügen? Genießen Sie es.

Es geht nicht ausschließlich darum, dem Schmerz Einhalt zu gebieten. Es geht darum, zu lernen, wie wir unser Wohlbefinden steigern.

Viel Vergnügen für diesen heutigen Tag.

■ *Heute mache ich etwas zu meinem Vergnügen, etwas, woran ich mich erfreue, etwas nur für mich. Ich übernehme die Verantwortung für mein Wohlbefinden.*

## Beziehungen — 7. November

Jede Beziehung, die wir eingehen, hält ein Geschenk für uns bereit.

Manchmal besteht das Geschenk in einem Verhalten, das wir erwerben: Loslösung, Selbstachtung — die Selbstsicherheit, Grenzen zu ziehen oder unsere Kraft anderweitig positiv einzusetzen.

Manche Beziehungen leiten die Heilung in uns ein — befreien uns von den Problemen aus der Vergangenheit oder der Gegenwart.

Manchmal lernen wir die wichtigsten Lektionen durch jene Menschen, von denen wir am wenigsten Hilfe erwartet hätten. Beziehungen lehren uns etwas über die Liebe zu uns selbst und zu anderen. Vielleicht lernen wir auch etwas darüber, wie wir Liebe von anderen entgegennehmen.

Manchmal wissen wir nicht genau, welche Lektion wir lernen. Aber wir können uns darauf verlassen, daß die Lektion und auch das Geschenk tatsächlich existiert. Wir müssen keine Kontrolle ausüben. Wir werden den ganzen Zusammenhang erst verstehen, wenn die Zeit reif ist. Wir können uns darauf verlassen, daß das Geschenk genau das ist, was wir brauchen.

■ *Heute bin ich für alle meine Beziehungen dankbar. Ich öffne mich der Lektion und dem Geschenk, das mir durch jeden Menschen in meinem Leben zuteil wird. Ich vertraue darauf, daß auch ich ein Geschenk im Leben anderer Menschen bin.*

## Sich selbst treu sein — 8. November

*Dies vor allem: Sei dir selber treu. Und so folgt, wie auf den Tag die Nacht: Du kannst nicht falsch sein gegen irgendwen.*

— William Shakespeare

Sei dir selber treu. Ein wichtiger Grundsatz für jene von uns, die sich von der Flut der Bedürfnisse und Gefühle anderer mitreißen lassen.

Hören wir auf uns selbst. Was brauchen wir? Werden diese Bedürfnisse befriedigt? Was fühlen wir? Was müssen wir tun, um uns der eigenen Gefühle anzunehmen? Was vermitteln uns diese Gefühle, welche Richtung zeigen sie an, die wir einschlagen müssen?

Was wollen wir tun oder sagen? Was sagt unsere Intuition? Haben Sie Vertrauen zu Ihren Eingebungen — auch wenn sie im Augenblick noch keinen Sinn ergeben oder den Erwartungen und Regeln anderer Menschen widersprechen sollten.

Die Anforderungen anderer und unsere eigenen nebulösen Erwartungen an uns selbst — sowie Botschaften von unserer Verantwortung anderen gegenüber — können ein unüberschaubares Durcheinander schaffen.

Wir können uns sogar einreden, es sei ein richtiges und wünschenswertes Verhalten, anderen Menschen zu gefallen, gegen unsere Natur anzugehen und unaufrichtig zu sein.

Das ist ein Irrtum. Vereinfachen Sie. Kehren Sie zu den Ursprüngen zurück. Lösen Sie sich aus der Konfusion. Wenn wir uns selbst achten und respektieren, werden wir gegenüber den Menschen unserer Umgebung wahrhaftig sein, selbst wenn wir im Augenblick ihr Mißfallen erregen.

Sei dir selber treu. Einfache Worte beschreiben eine große Aufgabe, die uns auf den richtigen Weg zurückbringen kann.

■ *Heute will ich mich respektieren, schätzen und lieben. Wenn ich nicht weiß, was ich tun soll, bleibe ich mir selbst treu. Ich befreie mich vom Zugriff anderer und der Erwartungshaltung, die sie mir gegenüber haben.*

## Liebe annehmen — 9. November

Viele von uns haben sich zu eifrig darum bemüht, daß ihre Beziehungen funktionieren; mitunter Beziehungen, die keine Chance hatten, weil die andere Person nicht verfügbar war oder sich weigerte, mitzuwirken.

Um diese Distanz zu überbrücken, verdoppeln wir unsere Anstrengungen. Wir investieren unsere ganze Kraft in die Beziehung. Damit kann die tatsächliche Situation eine gewisse Zeit verschleiert werden. Irgendwann aber werden wir müde. Und sobald wir aufhören, unsere Kräfte einzusetzen, stellen wir fest, daß es keine Beziehung gibt; oder wir sind so erschöpft, daß wir das Interesse daran verloren haben.

Wenn wir unsere ganze Kraft in eine Beziehung investieren, so ist das keine Liebe, Hingabe oder Zuneigung. Das ist selbstzerstörerisches und beziehungsfeindliches Verhalten. Damit entsteht die Illusion einer Beziehung, die eigentlich gar keine ist. So kann der andere die Verantwortung für sein Verhalten ablehnen. Schließlich fühlen wir uns als Opfer, weil unsere Bedürfnisse nicht befriedigt wurden.

Auch in guten Beziehungen kommt es gelegentlich vor, daß der eine Partner mehr gibt als der andere. Das ist normal. Doch wenn immer wir diejenigen sind, die sich stärker engagieren, fühlen wir uns müde, erschöpft, vernachlässigt und wütend.

Wir können lernen, einen vernünftigen Beitrag zu leisten und es dann der Beziehung überlassen, ihre Eigendynamik zu entwickeln. Müssen immer wir anrufen? Ergreifen immer wir die Initiative? Sind immer wir die Gebenden? Sprechen immer wir über unsere Gefühle, bemühen immer wir uns um Intimität?

Sind immer wir diejenigen, die warten, die hoffen, die an der Beziehung arbeiten?

Wir können loslassen. Wenn die Beziehung bestehen soll, wird sie bestehen, und sie wird zu dem werden, wozu sie bestimmt ist. Wir unterstützen diesen Prozeß nicht, wenn wir versuchen, ihn zu kontrollieren. Wir helfen weder uns noch dem anderen noch der Beziehung, wenn wir sie erzwingen wollen oder die ganze Arbeit tun.

Lassen Sie los. Warten Sie ab. Hören Sie auf, sich Sorgen zu machen, ob etwas geschieht. Beobachten Sie, was geschieht, und bemühen Sie sich, es zu verstehen, wenn Ihnen danach zumute ist.

■ *Heute höre ich auf, meine ganze Kraft in meine Beziehung zu investieren. Ich mache mir und meinem Partner ein Geschenk, das sich darin ausdrückt, daß von beiden Engagement gefordert ist. Ich akzeptiere den natürlichen Grad an Intimität, den meine Beziehung erreicht, sobald ich meinen Beitrag leiste und es der anderen Person überlasse, den ihren zu bestimmen. Ich kann darauf vertrauen, daß meine Beziehung eine Stufe erreicht, die richtig für sie ist. Ich muß nicht die ganze Arbeit leisten; ich muß nur meinen Beitrag leisten.*

*In den 60er Jahren bewarb ich mich um einen Posten in einer großen Firma, für den ich gute Qualifikationen mitbrachte. Der Personalchef besprach mit mir die Einzelheiten des Beschäftigungsverhältnisses und fragte nach meinen Gehaltswünschen. Nach kurzem Überlegen nannte ich ihm die Summe von $ 400 monatlich. Ich wollte keine zu großen Ansprüche stellen und forderte gerade so viel, um davon leben zu können. Ich bekam die Stelle und die von mir geforderte Summe. Als ich zu einem späteren Zeitpunkt kündigte, sagte mir der Personalchef, er wäre bereit gewesen, jede Gehaltsforderung von mir zu akzeptieren. Hätte ich 600 oder 700 Dollar im Monat verlangt — was zu damaliger Zeit ein Spitzengehalt war —, hätte ich es bekommen. Ich hatte mich auf das beschränkt, was ich glaubte, wert zu sein.*

— Anonym

Welche Einstellung haben wir zum Geld?

Glauben wir, daß Geld etwas Schlechtes oder Sündiges sei? Geld ist weder gut noch schlecht. Geld ist ein Zahlungsmittel, eine Notwendigkeit. Damit decken die Menschen ihre Grundbedürfnisse und leisten sich Luxusgüter; Geld ist das Zahlungsmittel, mit dem wir für unsere Arbeitsleistung entlohnt werden. Die Liebe zu Geld kann jedoch ebenso schädlich sein, wie die Liebe zu jedem anderen materiellen Gut. Wir können vom Gedanken an Geld besessen sein; wir können es als Flucht vor Beziehungen und Gefühlen benutzen; wir können es zwanghaft benutzen, um ein vorübergehendes Machtgefühl auszukosten. Geld ist einfach Geld.

Glauben wir, in Gelddingen zu kurz zu kommen? Viele von uns wuchsen auf mit dem Gedanken, in diesem Bereich benachteiligt zu sein: Geld reicht nicht. Es wird nie reichen. Wenn wir etwas davon bekommen, hüten wir es und häufen es an, weil stets die Gefahr lauert, in Not zu geraten.

Es herrscht keine Geldknappheit. Wir müssen unsere Energie nicht damit vergeuden, daß wir es jenen neiden, die genug davon haben. Wir leiden nicht unter Geldnot.

Wieviel Geld steht uns zu? Viele von uns beschneiden sich selbst, weil sie glauben, es stünde ihnen kaum etwas zu.

Geld ist nichts Schlechtes. Geld ist nicht knapp, nur in unseren Gedanken und in unserer Einstellung herrscht ein Mangel daran.

Wir werden das bekommen, was wir unserer Ansicht nach verdient haben.

Wir können unsere Überzeugungen ändern, indem wir uns versichern, daß die Dinge einen positiven Verlauf nehmen, indem wir uns klare Vorstellungen machen, Ziele ins Auge fassen und Pläne in die Tat umsetzen.

■ *Heute will ich meine Überzeugungen in bezug auf Geld überprüfen. Ich beginne damit, mich von allen selbstzerstörerischen Ansichten zu trennen, die den finanziellen Bereich meines Lebens einschränken oder blockieren.*

---

## Disziplin — 11. November

---

Kinder brauchen Disziplin, um sich geborgen zu fühlen; das gleiche gilt für Erwachsene.

Disziplin heißt zu wissen, daß unser Verhalten logische Folgen hat. Disziplin heißt, Verantwortung für unser Verhalten und seine Konsequenzen zu übernehmen.

Disziplin bedeutet, auf das zu warten, was wir erreichen wollen.

Disziplin bedeutet, bereitwillig auf das hinzuarbeiten, was wir uns wünschen.

Disziplin bedeutet, neue Verhaltensweisen zu lernen und anzuwenden.

Disziplin umfaßt die Erledigung unserer Alltagspflichten, ob es darum geht, heilsame Verhaltensweisen einzuüben oder den Abwasch hinter uns zu bringen.

Disziplin heißt, darauf zu vertrauen, daß wir unsere Ziele erreichen, selbst wenn wir sie nicht sehen können.

Disziplin kann zermürbend sein. Wir fühlen uns ängstlich, verwirrt, unsicher. Erst später erkennen wir den Sinn. Doch diese Klarsicht stellt sich meistens so lange nicht ein, wie wir noch streng Disziplin üben. In dieser Phase haben wir das Gefühl, gar keine Fortschritte zu machen.

Und doch finden sie statt.

In den Zeiten, da wir unsere innere Disziplin schulen, sind die Aufgaben einfach: zuhören, vertrauen und gehorchen.

■ *Höhere Macht: Hilf mir, daß ich mich der Disziplin unterwerfe. Hilf mir, dankbar zu sein, daß Du Dich meiner annimmst, um diese Zeiten der Disziplin und des Lernens in meinem Leben zuzulassen. Hilf mir zu wissen, daß durch Disziplin und Lernprozesse etwas Wichtiges in mir erarbeitet wird.*

## Richtiges Timing — 12. November

Warten Sie, bis die Zeit reif ist. Es ist selbstzerstörerisch, Dinge auf die lange Bank zu schieben; aber ebenso selbstzerstörerisch ist es, zu früh zu handeln, bevor die Zeit reif ist.

Manchmal geraten wir in Panik und handeln aus Angst. Manchmal handeln wir übereilt aus Rache, oder um jemand zu strafen. Wir handeln oder äußern uns zu früh, um damit Kontrolle zu gewinnen oder einen anderen zum Handeln zu zwingen. Manchmal agieren wir zu früh, um Gefühle des Unbehagens oder der Angst loszuwerden.

Ein zu früh unternommener Schritt kann ebenso unergiebig sein wie ein zu spät unternommener. Er kann auf uns zurückwirken und dann größere Probleme aufwerfen, als er hätte lösen sollen. Wenn wir warten, bis die Zeit reif ist — was manchmal nur eine Frage von Minuten oder Stunden ist —, verschwindet meistens das Unbehagen, und wir können das tun, was zu tun ist.

Wir lernen, effektiv zu sein.

Unsere Antworten werden kommen. Unsere Unterweisung wird sich ergeben. Wir beten; vertrauen; warten. Wir lassen los. Wir werden geführt.

■ *Heute will ich mein Bedürfnis nach Kontrolle ablegen und warten, bis die Zeit reif ist. Wenn die Zeit reif ist, werde ich handeln.*

## Sorge tragen für sich selbst 13. November

Wir müssen nicht darauf warten, daß andere uns zu Hilfe kommen. Wir sind keine Opfer. Wir sind nicht hilflos.

Wenn wir falsche Denkweisen ablegen, erkennen wir, daß kein Ritter auf dem weißen Pferd angesprengt kommt, keine gütige Großmutter auf einer Wolke sitzt und über uns wacht, um uns zu Hilfe zu eilen.

Lehrer werden uns begegnen, aber sie werden uns nicht retten. Sie werden uns Lehren erteilen. Menschen, die uns mögen, werden uns begegnen, aber sie werden uns nicht retten. Sie werden uns mögen. Hilfe wird kommen, aber Hilfe ist keine Rettung.

Wir sind unsere eigenen Retter.

Unsere Beziehungen werden sich drastisch verbessern, wenn wir aufhören, andere retten zu wollen, und aufhören, unsere Rettung von anderen zu erwarten.

■ *Heute lasse ich die Ängste und Selbstzweifel los, die mich daran hindern, für meine Interessen einzutreten. Ich kann sorgsam mit mir selbst umgehen und zulassen, daß andere sich genauso behandeln.*

## Wut herauslassen 14. November

Es ist in Ordnung, wütend zu sein, aber es ist schädlich, ständig Groll zu hegen. Egal, was wir als Kinder gelernt haben, egal, welches Rollenverständnis wir uns angeeignet haben – wir können lernen, mit unserer Wut in einer für uns und unsere Mitmenschen gesunden Weise umzugehen. Wir dürfen unsere Wutgefühle zulassen. Wir können uns mit ihnen auseinandersetzen, sie anerkennen, sie spüren, ausdrücken, loslassen und damit fertig sein.

Wir können lernen, zuzuhören, was die Wut uns zu verstehen gibt über unsere Wünsche und Bedürfnisse im Hinblick auf unser eigenes Wohl.

Manchmal können wir uns auch Gefühlen der Wut hingeben, die

unangebracht sind. Gefühle sind nur Gefühle; sie enthalten keine Moral — nur unser Verhalten unterliegt moralischen Kategorien. Wir können wütend sein, ohne andere oder uns selbst zu verletzen oder zu mißbrauchen. Wir können lernen, mit Wut so umzugehen, daß unsere Beziehungen keinen Schaden nehmen, sondern im Gegenteil Nutzen daraus ziehen.

Wenn wir unsere Gefühle der Wut heute nicht spüren, werden wir uns ihnen morgen stellen müssen.

■ *Heute will ich meine Wut spüren. Ich werde meine Wut in passender Form zum Ausdruck bringen, ohne mich schuldig zu fühlen. Dann bin ich damit fertig.*

## Vorzüge der inneren Heilung 15. November

Unsere innere Heilung hat zweierlei Gewinn, einen, der sich unmittelbar ergibt, und einen, der sich erst mit der Zeit einstellt.

Zu den kurzfristigen Gewinnen gehören jene Dinge, die wir heute tun können und die uns umgehend ein erhöhtes Wohlbefinden vermitteln.

Wir wachen am Morgen auf, lesen ein paar Minuten in unserem Meditationsbuch und fühlen uns gehobener Stimmung. Wir können an einem Schritt des Al-Anon-Programms arbeiten und spüren oft sofort einen Unterschied in unserer Stimmung und der Art, wie wir mit unserem Alltag zurechtkommen. Wir können unsere Selbsthilfegruppe aufsuchen und uns erfrischt fühlen; wir sprechen mit einem Freund und finden Trost; oder wir praktizieren eine neue Verhaltensweise, etwa den Umgang mit *unseren* Gefühlen; oder wir tun ganz einfach etwas Gutes für uns selbst und fühlen uns erleichtert.

Der Heilungsprozeß hält aber auch noch andere Vorzüge bereit, die wir nicht unmittelbar spüren im täglichen oder monatlichen Ablauf. Dies sind die langfristigen Gewinne, die größeren Fortschritte, die wir in unserem Leben machen.

Mit den Jahren erleben wir eine enorme Bereicherung. Wir können sehen, wie wir unseren Glauben stärken, bis wir schließlich jeden Tag Verbindung mit einer Höheren Macht aufnehmen, die ebenso real für uns ist wie die Beziehung zu einem guten Freund.

Wir können zusehen, wie wir zu innerer Schönheit finden, wenn wir Scham, Schuld, Groll, Selbsthaß und andere negative Staus aus der Vergangenheit abbauen.

Wir können beobachten, wie die Qualität unserer Beziehungen zu Familie, Freunden und Ehepartnern sich verbessert. Wir stellen fest, daß wir uns immerzu entwickeln und allmählich auch fähiger werden zu Intimität und Nähe, zu Geben und Nehmen.

Wir sehen, daß wir im Beruf innerlich wachsen, daß unsere Fähigkeit, ein kreativer, starker, produktiver Mensch zu sein, stärker wird, und wir können unsere Gaben und Talente in einer Form nutzen, die uns und anderen zugute kommt.

Wir entdecken Freude und Schönheit in uns selbst, anderen und in unserem Leben.

Der langfristige Fortschritt verläuft stetig, allerdings mitunter langsam; er steigert sich allmählich und ist mit einigen Vorwärts- und Rückwärtsbewegungen verbunden. Wenn wir Tag für Tag unsere neuen, heilsamen Verhaltensweisen einüben und die direkten Gewinne zusammentun, ergeben sich daraus die Belohnungen für die Zukunft.

■ *Heute will ich dankbar sein für die kurzfristigen und langfristigen Belohnungen der inneren Heilung. Falls ich gerade erst in diesen Prozeß eingetreten bin, glaube ich daran, daß ich langfristigen Nutzen erziele. Wenn ich schon eine Weile an mir arbeite, halte ich inne, um nachzudenken, und bin dankbar für den Fortschritt insgesamt, den ich bereits erzielt habe.*

## Die Opferfalle — 16. November

Die Überzeugung, das Leben müsse schwer und mühsam sein, ist eine Haltung, die Märtyrer hervorbringt.

Wir können unsere negative Lebenseinstellung ändern und auch die Frage, ob wir die Macht besitzen, unseren Schmerz zu beenden und Sorge zu tragen für uns selbst, positiv beantworten.

Wir sind nicht hilflos. Wir können unsere Probleme lösen. Wir haben die Macht — nicht, um andere zu verändern oder zu kontrollieren, sondern um die Probleme zu lösen, denen wir gegenüberstehen.

Wenn wir mit jedem Problem, das uns begegnet, »beweisen« wollen, daß das Leben schwer ist und wir hilflos sind — so ist das Co-Abhängigkeit. Das ist die Opferfalle.

Das Leben muß nicht schwer sein. Im Gegenteil, es kann unbeschwert sein. Das Leben ist gut. Wir müssen es nicht »verschlimmern«. Wir müssen uns nicht auf der Schattenseite des Lebens aufhalten.

Wir haben Macht, größere Macht, als wir wissen, selbst in schwierigen Zeiten. Und die schwierigen Zeiten sind kein Beweis dafür, daß das Leben schlecht ist; sie gehören zu den Höhen und Tiefen des Lebens und stellen sich später oft als gut heraus.

Wir können unsere Haltung ändern; wir können uns ändern; manchmal können wir unsere Situation ändern.

Das Leben ist eine Herausforderung. Manchmal bringt es mehr Schmerz, als wir glauben ertragen zu können; manchmal bringt es mehr Freude, als wir uns vorgestellt haben.

Alles gehört zum Ganzen, und das Ganze ist gut.

Wir sind keine Opfer des Lebens. Wir können lernen, uns nicht mehr als Opfer des Lebens zu sehen. Wenn wir unsere Überzeugung aufgeben, das Leben müsse schwer und mühsam sein, erleichtern wir uns das Leben erheblich.

■ *Hilf mir heute, Gott, meine Überzeugung aufzugeben, das Leben müsse schwer, furchtbar oder ungerecht sein. Hilf mir, diese Überzeugung durch eine gesündere, realistischere Sicht auf die Dinge zu ersetzen.*

*Vertraue auf Gott und tu etwas.*

— Mary Lyon

Es ist wichtig, daß wir die Trauer als Zwischenaufenthalt zwischen gestern und morgen sehen. Doch wir dürfen uns nicht von unserer Trauer oder unserem Schmerz beherrschen lassen.

Es gab Zeiten, in denen wir genügend getrauert, uns der Last, Mühsal und Enge einer Situation lange genug hingegeben haben. Es wird Zeit, auszubrechen. Es wird Zeit, etwas zu unternehmen.

Wir werden wissen, wann die Zeit gekommen ist, die Trauerarbeit zu beenden. Es wird Zeichen in und um uns geben. Die Last ermüdet uns. Ein Gedanke nimmt Gestalt an; eine Gelegenheit ergibt sich. Auch wenn Sie denken: »Nein, es klappt ja doch nicht … zuviel Aufwand …« Tun Sie es dennoch. Versuchen Sie etwas. Gehen Sie aus sich heraus. Raffen Sie sich auf. Tun Sie etwas Ungewöhnliches, etwas anderes, etwas Besonderes.

Eine neue Aktivität trägt vielleicht dazu bei, den Umwandlungsprozeß auszulösen. Gehen Sie abends zwei Stunden später zu Bett als sonst! Treffen Sie eine Verabredung, um etwas für sich zu tun, das anders ist als das, was Sie gewöhnlich tun. Besuchen Sie jemanden, den Sie seit Jahren nicht gesehen haben. Tun Sie etwas, um den neuen Energiefluß in Gang zu bringen.

Wir haben vielleicht gar nicht das Bedürfnis, aus unserer Trauer auszubrechen. Es mag sicherer, einfacher sein, in unserem Kokon eingesponnen zu bleiben. Fangen Sie an, sich zu befreien.

Prüfen Sie die Festigkeit Ihres Schutzpanzers. Drücken Sie dagegen. Drücken Sie ein wenig stärker. Möglicherweise ist die Zeit gekommen, die Hülle abzustreifen.

■ *Heute vertraue ich Gott und dem fortschreitenden Prozeß meiner inneren Heilung, werde aber auch selbst etwas zur Steigerung meines Wohlbefindens unternehmen.*

Lassen Sie sich verwöhnen und lieben. Lassen Sie zu, daß Menschen für Sie da sind. Lassen Sie sich umarmen, wenn Ihnen körperliche Nähe guttut. Lassen Sie zu, daß Ihnen jemand zuhört, Sie unterstützt und ermutigt, wenn Sie Zuspruch brauchen. Schöpfen Sie Trost aus der Gegenwart eines Menschen, wenn Sie Trost brauchen. Lassen Sie zu, daß ein anderer Ihnen emotionalen Rückhalt gibt und sich um Sie kümmert.

Wir sind lange im Hintergrund gestanden, haben uns um die Bedürfnisse anderer gekümmert und behauptet, wir hätten keine eigenen. Wir haben das Verlangen nach Zuwendung zu lange zurückgehalten.

Jetzt ist die Zeit gekommen, um diese Bedürfnisse zuzulassen, sie zu erkennen und zu begreifen, daß wir das Recht haben, sie zu befriedigen.

Welche Bedürfnisse haben wir? Was würde uns guttun? In welcher Form möchten wir uns gern von anderen umsorgt und unterstützt wissen? Je klarer unsere Vorstellung über unsere Bedürfnisse, desto größer die Chance, sie zu befriedigen.

Zärtlichkeit. Ein offenes Ohr. Rückhalt. Zuspruch. Die körperliche und emotionale Gegenwart von Menschen, die uns mögen. Klingt das gut? Verlockend?

Jemand sagte einmal zu mir: »Die achtziger Jahre waren ein Ich-Jahrzehnt. Vielleicht werden die neunziger ein Du-Jahrzehnt.«

Ich antwortete spontan: »Laß uns die neunziger Jahre zu einem Ich-und-Du-Jahrzehnt machen.«

Egal, wie lange wir an unserer inneren Heilung arbeiten — unser Bedürfnis nach Zuwendung und Liebe bleibt immer bestehen.

■ *Heute öffne ich mich, um meine Bedürfnisse nach Zuwendung zu erkennen. Ich öffne mich den Bedürfnissen meiner Mitmenschen. Ich kann damit beginnen, eine aufmerksame, liebevolle Haltung mir gegenüber einzunehmen und Verantwortung für meine Bedürfnisse in meinen Beziehungen zu übernehmen.*

Warum kämpfen wir so sehr gegen unsere Gefühle an? Warum arbeiten wir so eifrig daran, unsere Emotionen zu verleugnen, besonders wenn es um andere Menschen geht? Es sind doch *nur* Gefühle!

Im Verlauf eines Tages verleugnen wir manchmal unsere frustrierte Reaktion auf Menschen, die uns einen Dienst erweisen wollen.

Wir verdrängen Gefühle der Frustration, Wut oder Verletzung wenn wir auf einen Freund reagieren.

Wir verdrängen Angst- oder Wutgefühle gegen unsere Kinder.

Wir verdrängen eine ganze Menge Gefühle gegen unseren Ehe- oder Lebenspartner.

Wir unterdrücken Gefühle, die Menschen in uns hervorrufen, für die wir arbeiten oder die für uns arbeiten.

Manchmal sind Gefühle eine direkte Reaktion auf andere. Manchmal lösen Menschen etwas Tieferes in uns aus — bringen eine alte Trauer oder Frustration wieder zum Vorschein.

Woher unsere Gefühle auch kommen mögen, es sind unsere Gefühle. Sie gehören uns. Und oft ist nichts weiter nötig, als sie anzunehmen, um sie loszuwerden.

Wir brauchen unser Verhalten nicht von unseren Gefühlen kontrollieren zu lassen. Wir müssen nicht auf jedes Gefühl reagieren, das in uns aufsteigt. Wir müssen aber auch nicht unangebrachte Verhaltensweisen dulden.

Es hilft, über unsere Gefühle mit einem Menschen unseres Vertrauens zu sprechen. Manchmal müssen wir unsere Gefühle gegenüber dem Menschen zum Ausdruck bringen, der sie in uns ausgelöst hat. Das kann zu Intimität und Nähe führen. Am wichtigsten aber ist es, daß *wir* sie uns klarmachen. Wenn wir zulassen, daß wir unsere Gefühle erleben, daß wir sie akzeptieren, loslassen, werden wir wissen, was wir als nächstes zu tun haben.

■ *Heute denke ich daran, daß Gefühle ein wichtiger Teil meines Lebens sind. Ich werde für meine Gefühle im Familienleben, in Freundschaften, in der Liebe und am Arbeitsplatz offen sein. Ich werde meine Gefühle zulassen, ohne ein Werturteil über mich abzugeben.*

Viele von uns wurden einer Art »Gehirnwäsche« unterzogen, die uns zu der Überzeugung führte, wir könnten das, was wir vom Leben wollen, nicht bekommen. Das ist eine Opferhaltung, geboren aus Entbehrung und Angst.

Wenn wir unsere Wünsche und Bedürfnisse erkennen und sie niederschreiben, kommt eine ganze Reihe von Ereignissen in Gang. Damit zeigen wir an, daß wir Verantwortung für uns selbst übernehmen und Gott die Freiheit geben, unsere Wünsche und Bedürfnisse zu erfüllen.

Die Überzeugung, daß uns eine Veränderung in unserem Wesen, in einer Beziehung, daß uns eine neue Dimension in einer existierenden Beziehung, daß uns Besitz, Gesundheit, ein bestimmter Lebensstandard, Liebe oder Erfolg zusteht, stellt eine große Kraft dar, die diese Wünsche in die Realität allmählich umsetzt.

Wenn wir uns einen Wunsch bewußt machen, ist das oft die Voraussetzung dafür, daß Gott für seine Erfüllung sorgt!

Hören Sie auf sich. Haben Sie Vertrauen. Geben Sie dem Guten in Ihrem Leben eine Chance, und schenken Sie Ihren Wünschen und Bedürfnissen Beachtung. Schreiben Sie sie auf. Bekräftigen Sie Ihre Wünsche, indem Sie daran denken. Beten Sie um Erfüllung Ihrer Wünsche. Dann lassen Sie los. Überlassen Sie alles Weitere Gott und achten darauf, was geschieht.

Die Resultate fallen vielleicht besser aus, als Sie denken.

■ *Heute schenke ich meinen Wünschen und Bedürfnissen Aufmerksamkeit. Ich will mir Zeit nehmen, sie aufzuschreiben, dann lasse ich sie los. Ich beginne daran zu glauben, daß mir das Beste zusteht.*

Ich saß im Wagen, blickte auf das Schild am Eingang des Supermarkts: »Bis Freitag geschlossen«. Es war Mittwoch. Zu Hause warteten zwei hungrige Kinder auf mich; ich hatte kein Geld, nur die Kreditkarte für den Supermarkt.

Ich legte den Kopf auf das Lenkrad. Ich wußte nicht mehr weiter.

Ich war als alleinerziehende, seit kurzem geschiedene Mutter mit zwei Kindern lange Zeit stark, tapfer, zuversichtlich gewesen. Ich hatte mich beherzt darum bemüht, dankbar zu sein für das, was ich besaß, mir finanzielle Ziele zu stecken und an meiner Überzeugung zu arbeiten, daß mir das Beste zusteht.

Ich hatte viele Entbehrungen auf mich genommen und mich mit meiner Armut abgefunden. Jeden Tag arbeitete ich am Elften Schritt des Al-Anon-Programms. Ich bemühte mich redlich im Gebet, Gott möge mir Seinen Willen erkennbar werden lassen und mir die Kraft geben, ihn durchzuführen. Ich glaubte zu tun, was ich in meinem Leben tun mußte. Ich flüchtete mich nicht in billige Ausreden. Ich tat mein Bestes und machte alle Anstrengungen.

Aber nie reichte das Geld. Das Leben war in vieler Beziehung ein Kampf, doch der finanzielle Kampf schien aussichtslos.

Geld ist nicht alles im Leben, aber Geld braucht man, um gewisse Probleme zu lösen. Ich hatte es satt, dieses »Loslassen« und »Loslassen« und »Loslassen«. Ich hatte es satt, »so zu tun, als ob« ich genug Geld hätte. Ich hatte es satt, jeden Tag daran zu arbeiten, mich von dem Schmerz und der Angst zu befreien, nicht genug zu haben. Ich war es leid, mich angestrengt zu bemühen, glücklich zu sein, ohne je genug zu haben. Im Grunde jedoch war ich die meiste Zeit zufrieden. In der Armut hatte ich zu mir selbst gefunden. Aber jetzt, da ich meine Seele und mein Selbst gefunden hatte, wollte ich auch ein wenig Geld haben.

Während ich im Wagen saß und versuchte, meine Fassung wiederzufinden, hörte ich Gottes lautlose Stimme, die meiner Seele begütigend zuflüsterte:

»Du brauchst dir nie wieder Geldsorgen zu machen, Kind. Es sei denn, du willst dir Sorgen machen. Ich habe dir versprochen, daß ich mich um dich kümmere. Und ich werde es tun.«

Großartig, dachte ich. Vielen Dank. Und ich glaube dir. Ich vertraue dir. Aber sieh doch, ich habe kein Geld. Ich habe nichts zu essen. Und der Supermarkt ist geschlossen. Du hast mich im Stich gelassen.

Und wieder hörte ich Seine Stimme in meiner Seele: »Du mußt dir nie wieder Sorgen um Geld machen. Du brauchst keine Angst zu haben. Ich habe dir versprochen, all deine Bedürfnisse zu erfüllen.«

Ich fuhr nach Hause, rief eine Freundin an und borgte mir Geld. Ich haßte es, Geld zu borgen, hatte aber keine andere Wahl. Mein Zusammenbruch im Auto hatte mir Erleichterung verschafft, brachte aber keinerlei Lösung — an diesem Tag. Im Briefkasten lag natürlich auch kein Scheck.

Aber ich konnte Essen für diesen Tag kaufen. Und für den nächsten. Und den dritten. In den nächsten sechs Monaten verdoppelte sich mein Einkommen. In neun Monaten verdreifachte es sich. Nach diesem Tag hatte ich immer noch schwere Zeiten durchzustehen, aber ich war nie wieder völlig mittellos.

Heute habe ich genügend Geld. Manchmal mache ich mir auch jetzt noch Geldsorgen, da es mir anscheinend zur Gewohnheit geworden ist. Aber ich weiß jetzt, daß es nicht nötig ist, und ich weiß, daß es nie nötig war.

■ *Hilf mir, Gott, zu erkennen, was für mich in meinem Leben heute richtig ist — alles andere werde ich Dir anvertrauen. Hilf mir, daß ich mich von meinen Geldängsten befreie. Hilf mir, diesen Bereich Dir zu überlassen. Befreie mein Leben von Blockaden und Barrieren gegen meinen finanziellen Erfolg.*

## Die magische Kraft einer dankbaren und bejahenden Einstellung — 22. November

»Dankbarkeit« und »Akzeptieren« sind zwei Zauberworte. Egal, wie wir sind, wo wir stehen oder was wir haben: Eine dankbare und bejahende Einstellung hilft immer.

Wir erlangen dadurch vielleicht eine so tiefe Zufriedenheit, daß wir erkennen: Unsere gegenwärtigen Umstände sind gut. Wir meistern unsere Situation und wenden uns anderen Aufgaben zu.

Wenn wir unglücklich sind, keinen Ausweg, keine Hoffnung sehen, versuchen wir es mit einer dankbaren und bejahenden Einstellung. Wenn wir erfolglos versucht haben, unsere gegenwärtigen Umstände zu verändern, und das Gefühl haben, mit dem Kopf gegen eine Mauer zu rennen, versuchen wir es mit einer dankbaren und bejahenden Einstellung.

Wenn wir das Gefühl haben, in einem schwarzen Loch zu stecken, aus dem das Dunkel nie weicht, versuchen wir es mit einer dankbaren und bejahenden Einstellung.

Wenn wir uns fürchten und unsicher sind, versuchen wir es mit einer dankbaren und bejahenden Einstellung.

Wenn wir alles andere ausprobiert haben und nichts zu funktionieren scheint, versuchen wir es mit einer dankbaren und bejahenden Einstellung.

Wenn wir vergeblich gekämpft haben, versuchen wir es mit einer dankbaren und bejahenden Einstellung.

Wenn alles fehlschlägt, gehen Sie zurück zu den Grundprinzipien.

Dankbar sein und akzeptieren — das funktioniert.

■ *Hilf mir heute, Gott, meinen inneren Widerstand aufzugeben. Hilf mir zu erkennen, daß der Schmerz einer Situation gelindert wird, wenn ich ihn akzeptiere. Ich werde die Prinzipien der Dankbarkeit und des Akzeptierens in meinem Leben und all meinen gegenwärtigen Umständen anwenden.*

## Gesunde Sexualität — 23. November

Viele Bereiche unseres Lebens bedürfen der Heilung.

Ein wichtiger Bereich ist unsere Sexualität. Unsere Gefühle und Überzeugungen hinsichtlich der eigenen Sexualität, unsere Fähigkeit, die Sexualität zu pflegen, zu schätzen und zu genießen, die Fähigkeit, uns sexuell zu achten, die Fähigkeit, sexuelle Scham und

Verwirrung abzulegen — all dies mag durch Co-Abhängigkeit beeinträchtigt oder durcheinandergeraten sein.

Möglicherweise ist unsere sexuelle Energie blockiert. Oder wir haben gelernt, daß wir allein über die Sexualität mit anderen Menschen in Verbindung treten können. Unsere Sexualität hat möglicherweise keinen Bezug zum Rest unserer Person; für uns hat Sex vielleicht nichts mit Liebe zu tun — mit Liebe, die wir uns selbst und anderen entgegenbringen.

Manche von uns wurden als Kinder sexuell mißbraucht. Manche waren vielleicht in sexuelles Suchtverhalten verwickelt — in ein zwanghaftes Sexualverhalten, das außer Kontrolle geriet und Scham erzeugte.

Manche von uns gerieten in sexuelle Co-Abhängigkeit: achteten nicht auf ihre sexuellen Neigungen oder Abneigungen; ließen sich auf sexuelle Handlungen ein, weil der Partner es so wünschte; trennten ihre Sexualität zusammen mit ihren anderen Gefühlen ab; versagten sich die gesunde Freude an der eigenen Person als sexuellem Wesen.

Unsere Sexualität ist Bestandteil unseres Daseins: Sie verdient gesunde Aufmerksamkeit und Zuwendung. Sie ist ein Teil von uns, den wir in unsere Gesamtheit integrieren müssen; Sie ist ein Teil von uns, dessen wir uns nicht zu schämen brauchen.

Es ist in Ordnung und gesund, wenn wir uns der sexuellen Energie öffnen und von Störungen geheilt werden. Sie gehört zu unserer Kreativität und unserem Wesen. Dennoch dürfen wir uns oder unsere Beziehungen nicht von unserer sexuellen Energie kontrollieren lassen. Wir können um unsere Sexualität gesunde, angemessene Grenzen ziehen und beibehalten. Wir können entdecken, welche Auswirkungen das auf unser Leben hat.

Wir können uns daran erfreuen, menschliche Wesen zu sein, denen die Gabe sexueller Kraft zuteil wurde — ohne diese Gabe zu mißbrauchen oder zu mißachten.

■ *Heute beginne ich, meine Sexualität in meine Persönlichkeit zu integrieren. Hilf mir, Gott, meine Ängste und meine Scham bezüglich meiner Sexualität loszulassen. Zeige mir die Probleme, denen ich mich im Hinblick auf meine Sexualität stellen muß. Hilf mir, in diesem Lebensbereich für Heilung offen zu sein.*

## Sich ausliefern 24. November

Sich ausliefern heißt: »In Ordnung, Gott. Ich tue, was immer Du willst.« An den Gott unserer inneren Heilung glauben heißt, daß wir endlich darauf vertrauen, uns bereitwillig auszuliefern.

■ *Heute will ich mich meiner Höheren Macht hingeben. Ich vertraue darauf, daß Gottes Plan für mich gut ist, auch wenn er sich von dem unterscheidet, was ich erhofft oder erwartet habe.*

## Bewußtsein 25. November

Wenn wir uns ein Problem, eine Situation oder ein Gefühl zum ersten Mal bewußt machen, reagieren wir vielleicht verunsichert oder ängstlich. Es gibt keinen Grund, sich vor dieser Bewußtmachung zu fürchten. Nicht im geringsten.

Indem wir uns die Dinge bewußt machen, unternehmen wir den ersten Schritt zu positiver Veränderung und innerem Wachstum; den ersten Schritt in Richtung Problemlösung oder Bedürfnisbefriedigung; den ersten Schritt in eine bessere Zukunft. Damit fassen wir unsere nächste Lektion ins Auge.

Mit unserer Bewußtmachung schenken wir dem Leben und unserer Höheren Macht mehr Aufmerksamkeit und bereiten uns auf Veränderungen vor. Der Vorgang des *Sichveränderns* beginnt mit der Bewußtmachung. Bewußtmachung, Akzeptieren, Verändern — das ist ein Kreislauf. Wir können die kurzfristig unangenehmen Begleiterscheinungen der Bewußtwerdung akzeptieren, weil wir dadurch an einen besseren Ort gelangen. Wir sind fähig, das vorübergehende Unbehagen zu akzeptieren, weil wir Gott und uns selbst vertrauen können.

■ *Heute bin ich dankbar für alles, was ich bewußt erlebe. Ich strahle Dankbarkeit, Frieden und Würde aus, wenn ich dem Leben Aufmerksamkeit schenke. Ich besinne mich darauf, daß ich die kurzfristig unangenehmen Begleiterscheinungen der Bewußtmachung getrost auf mich nehmen kann, da ich darauf vertraue, daß meine Höhere Macht den inneren Fortschritt gewährleistet.*

## Selbstkritik ablegen — 26. November

Seht doch, wie weit wir es gebracht haben!

Es ist gut, sich auf die vor uns liegende Aufgabe zu konzentrieren, auf das, was zu tun bleibt. Es ist wichtig, innezuhalten und sich darüber zu freuen, was wir erreicht haben.

Gewiß, die Veränderung mag sich langsam vollziehen. Veränderung kann sehr mühsam sein. Ja, wir haben auch Rückschritte gemacht. Aber wir sind genau da, wo wir hingehören. Wir sind genau da, wo wir sein müssen.

Und wir sind weit gekommen.

Manchmal haben wir Sprünge gemacht, manchmal nur kleine Schritte, manchmal haben wir dabei um uns geschlagen und geschrien, manchmal haben wir die Ärmel hochgekrempelt und zugepackt. Wir haben gelernt; sind gewachsen; haben uns verändert.

Seht doch, wie weit wir gekommen sind!

■ *Heute will ich meinen Fortschritt anerkennen. Ich lasse zu, daß ich mich über das Erreichte freue.*

## Vertrauen in uns selbst — 27. November

Für viele von uns geht es nicht darum, ob wir einem anderen wieder vertrauen können; es geht darum, ob wir unserem eigenen Urteil wieder vertrauen können.

»Der letzte Fehler, den ich gemacht habe, hat mich beinahe um den Verstand gebracht«, sagte eine Frau in der Gruppe, die einen Sexsüchtigen geheiratet hatte. »Ich kann es mir nicht leisten, einen solchen Fehler noch einmal zu machen.«

Viele von uns haben Menschen vertraut, die sie betrogen, mißbraucht, manipuliert oder anderweitig ausgebeutet haben. Wir hielten diese Menschen für charmant, freundlich, anständig. Vielleicht warnte uns eine leise Stimme: »Vorsicht — da stimmt etwas nicht.« Oder wir fühlten uns wohl im Vertrauen, das wir dieser Person entgegenbrachten, und waren entsetzt, als wir feststellten, daß unsere Intuition uns betrogen hatte.

Solche Erfahrungen können uns jahrelang verfolgen. Unser Vertrauen in andere wurde erschüttert, schlimmer noch: unser Vertrauen in uns selbst wurde erschüttert.

Wie konnte etwas sich so gut anfühlen, so harmonisch fließen und sich als totaler Fehler entpuppen? fragen wir uns. Wie kann ich je wieder meiner Entscheidungsfähigkeit vertrauen, wenn sie sich als so unzulänglich erweist?

Vielleicht erhalten wir darauf nie eine Antwort. Ich glaube, daß ich bestimmte »Fehler« machen mußte, um wichtige Lektionen zu lernen, von denen ich nicht mit Gewißheit sagen könnte, ob ich sie ohne diese Fehler gelernt hätte. Wir dürfen unser Selbstvertrauen nicht von unserer Vergangenheit beeinträchtigen lassen. Wir dürfen nicht zulassen, daß der Faktor Angst für uns lebensbestimmend wird.

Wenn wir in geschäftlichen Dingen oder in der Liebe immer die falschen Entscheidungen treffen, müssen wir ergründen, warum wir uns selbst immer wieder Schaden zufügen.

Doch die meisten von uns machen Fortschritte. Wir lernen. Durch unsere Fehler wachsen wir. Unsere Beziehungen werden Schritt für Schritt besser. In geschäftlichen Dingen treffen wir die bessere Wahl. Im Umgang mit Freunden und Kindern kommen wir häufiger zu richtigen Entscheidungen. Wir ziehen Nutzen aus unseren Fehlern. Wir ziehen Nutzen aus unserer Vergangenheit. Und wenn wir Fehler gemacht haben, mußten wir sie machen, um daraus zu lernen.

■ *Heute werde ich keine Angst mehr davor haben, mir selbst zu vertrauen — obwohl ich in der Vergangenheit Fehler gemacht habe. Ich begreife, daß diese Ängste nichts anderes bewirken, als mein Urteilsvermögen in Frage zu stellen. Ich erkenne meine Vergangenheit, ja selbst meine Fehler an, indem ich die Dinge akzeptiere und dankbar bin. Ich bemühe mich darum, aus meinen Fehlern zu lernen. Ich versu-*

*che, auch all meine richtigen Entscheidungen in Betracht zu ziehen. Ich werde ein wachsames Auge haben auf Verbesserungen und den allgemeinen Fortschritt in meinem Leben.*

## Zurück zu den Schritten — 28. November

Gehen Sie zu den Schritten des Al-Anon-Programms zurück. Nehmen Sie sich einen Schritt vor.

Wenn wir nicht wissen, was wir als nächstes tun sollen, wenn wir verwirrt, aus dem Gleichgewicht, verstört, am Ende unserer Weisheit angelangt, überfordert, voll Eigensinn, Wut oder Verzweiflung sind, arbeiten wir die Schritte wieder durch.

In welcher Situation wir uns auch befinden — die Arbeit an einem Al-Anon-Schritt wird uns helfen. Nehmen Sie sich einen Schritt vor, vertrauen Sie Ihrer Intuition, und arbeiten Sie an ihm.

Was heißt das: an einem Schritt arbeiten? Denken Sie darüber nach. Meditieren Sie darüber. Grübeln Sie nicht nach über die Verwirrung, das Problem oder eine Situation, die Verzweiflung oder Wut hervorruft, sondern konzentrieren Sie sich auf den Inhalt des jeweiligen Schrittes.

Denken Sie darüber nach, wie sich dieser Schritt auf Ihre Situation anwenden läßt. Halten Sie daran fest. Klammern Sie sich so fest daran, wie Sie sich an Ihre Verwirrung oder Ihr Problem geklammert haben.

Die Schritte stellen eine Lösung dar. Sie funktionieren. Wir können uns darauf verlassen, daß sie funktionieren.

Wir können uns darauf verlassen, daß die Schritte uns zum Guten führen.

Wenn wir nicht wissen, welchen Schritt wir als nächsten tun sollen, nehmen wir uns einen der Zwölf Schritte vor.

■ *Heute konzentriere ich mich darauf, die Zwölf Schritte zur Lösung meiner Probleme und zur Aufrechterhaltung meiner inneren Harmonie einzusetzen. Ich arbeite an einem Schritt, so gut ich es vermag. Ich lerne, den Schritten zu vertrauen und mich auf sie zu verlassen statt auf meine Schutzmechanismen und mein Co-Abhängigkeitsverhalten.*

Der Zwölfte Schritt besagt, daß wir, nachdem wir ein geistiges Erwachen erlebt haben, diese Botschaft an andere weitergeben. Unsere Botschaft besteht in der Hoffnung, der Liebe, dem Trost, der Gesundheit — in einer besseren Lebensweise, die wirklich realisierbar ist.

Wie erreichen wir das? Nicht mit Rettungsversuchen. Nicht durch Kontrolle. Nicht durch Zwangsverhalten. Nicht, indem wir uns zu Missionaren aufspielen.

Wir geben die Botschaft auf vielerlei Weise weiter: leise, subtil und doch wirkungsvoll. Wir setzen die Arbeit an unserer inneren Heilung fort und werden zum lebendigen Anschauungsobjekt für Hoffnung, Selbstliebe, Trost und Gesundheit. Diese Verhaltensweisen vermitteln eine starke Botschaft.

Wenn wir jemanden zum Besuch eines Gruppentreffens einladen (nicht ihn zwingen oder es von ihm verlangen), so ist das eine ziemlich wirksame Möglichkeit, die Botschaft auch weiterzutragen.

Wenn wir unsere Gruppe besuchen und uns darüber verständigen, wie die innere Heilung bei uns vorangeht, so ist auch das eine gute Methode, die Botschaft weiterzugeben.

Wenn wir sind, wie wir sind, und es unserer Höheren Macht überlassen, unsere Handlungen zu lenken, so geben wir ebenfalls die Botschaft weiter. Oft stellen wir fest, daß wir damit die Botschaft wirksamer weitergeben, als wenn wir uns darum bemühen würden, jemanden verändern zu wollen oder zur Arbeit an sich selbst zu überreden, zu zwingen.

Andere bevormunden und kontrollieren ist kein Weg, die Botschaft weiterzugeben. Diese Verhaltensweisen führen lediglich zur Co-Abhängigkeit.

Die wirksamste Form der Hilfe für andere liegt in unserer Selbsthilfe. Wenn wir unsere eigene Arbeit tun und ehrlich und offen damit umgehen, haben wir größeren Einfluß auf andere als durch jede noch so gut gemeinte »Geste der Hilfsbereitschaft«. Wir können andere nicht ändern; wenn wir uns aber ändern, ändern wir damit vielleicht die Welt.

■ *Heute bemühe ich mich, die Botschaft so weiterzugeben, daß sie wirksam wird. Ich lasse ab von meinem Bedürfnis, Menschen zu »helfen«. Statt dessen konzentriere ich mich darauf, mir zu helfen und mich zu verändern. Wenn sich die Gelegenheit ergibt, einen anderen an meinem Fortschritt teilhaben zu lassen, so ergreife ich sie in aller Ruhe. Hilf mir, Gott, anderen Menschen Trost, Zuversicht und Hoffnung zu geben. Wenn ich dazu bereit bin, kann ich ein Medium sein, das anderen hilft. Ich brauche das nicht zu erzwingen; es wird auf ganz natürliche Weise geschehen.*

## Abstand — 30. November

Mein Sohn brachte einmal eine Wüstenspringmaus mit nach Hause. Wir setzten sie in einen Käfig. Es dauerte nicht lange, und die Wüstenspringmaus war ihrem Käfig entflohen. Die nächsten sechs Monate huschte das Tier verschreckt durchs Haus. Und die ganze Familie hinterher — um ihrer habhaft zu werden.

»Da ist sie! Fang sie!« kreischten wir jedesmal, wenn einer von uns das Tier erspähte. Mein Sohn und ich ließen alles liegen und stehen, rannten durchs Haus und warfen uns auf das Tier, um es einzufangen — vergeblich.

Ich machte mir ständig Sorgen. »Das ist nicht richtig«, dachte ich. »Ich kann die Maus nicht im Haus herumlaufen lassen. Wir müssen sie fangen. Wir müssen *irgend etwas* tun.«

Eine kleine Maus hielt die ganze Familie auf Trab.

Eines Tages saß ich im Wohnzimmer und sah, wie die Maus den Flur entlang huschte. Hektisch begann ich mit der gewohnten Jagd. Doch dann überlegte ich es mir anders.

Nein, sagte ich mir. Ich habe es satt. Wenn das Tier in den Winkeln und Ritzen dieser Wohnung hausen will, soll es das ruhig tun. Ich bin es leid, mir deshalb Sorgen zu machen. Ich habe es satt, ständig auf Jagd zu gehen. Es ist zwar kein normaler Zustand, aber so soll es wohl sein.

Ich ließ die Wüstenspringmaus vorbeilaufen, ohne auf sie zu reagieren. Ich fühlte mich nicht ganz wohl mit meiner neuen Art zu reagieren — nicht zu reagieren —, aber ich hielt mich daran.

Bald fühlte ich mich wohler mit diesem neuen Verhalten und dachte mir nichts mehr dabei. Ich hatte den Kampf mit der Wüstenspringmaus aufgegeben.

Wenige Wochen, nachdem ich meine neue Einstellung zum ersten Mal in die Tat umgesetzt hatte, lief die Maus wie so oft an mir vorbei, ohne daß ich sonderlich Notiz von ihr nahm. Das Tier hielt inne, drehte sich um und beäugte mich. Prompt verfiel ich in meine alte Gewohnheit und wollte mich darauf stürzen. Sie entkam, wie immer. Ich holte tief Luft.

»Na schön«, sagte ich. »Mach, was du willst.« Und diesmal meinte ich es wirklich.

Eine Stunde später trippelte die Wüstenspringmaus auf mich zu, kauerte sich vor mich hin und wartete. Behutsam nahm ich sie hoch und setzte sie in ihren Käfig, wo sie seither ganz zufrieden lebt. Die Moral von der Geschichte? *Wirf dich nicht auf Wüstenspringmäuse.* Sie sind ohnehin ängstlich, und die Jagd verschreckt sie nur noch mehr und macht uns alle verrückt.

Abstand gewinnen ist die Lösung.

■ *Heute will ich mich mit meiner neuen Reaktion — nicht zu reagieren — begnügen. Ich fühle mich wohl dabei.*

# *Dezember*

Wir brauchen Zuwendung, wir brauchen Menschen, die uns Rückhalt geben.

Viele von uns mußten Rückhalt und Zuwendung so lange entbehren, daß sie dieses Bedürfnis gar nicht wahrnehmen. Wir haben gelernt, abzublocken und uns daran zu hindern, das zu bekommen, was wir wünschen und brauchen.

Wir bemühen uns nicht darum, unsere Bedürfnisse zu befriedigen. Vielleicht befinden wir uns in Beziehungen zu Menschen, die nicht imstande oder nicht bereit sind, unsere Bedürfnisse zu befriedigen. Oder die Menschen unserer Umgebung warten darauf und waren sogar froh, von uns angetippt zu werden, um entsprechend zu reagieren.

Ehe wir dazu fähig sind, müssen wir vielleicht etwas aufgeben. Wir müssen uns von unserer Märtyrer- oder Opferrolle trennen. Wenn wir unsere Wünsche und Bedürfnisse artikulieren, damit andere sie erfüllen können, ersparen wir uns, Menschen zu einem späteren Zeitpunkt zu bestrafen oder sie abzuweisen, weil sie uns enttäuscht haben.

Es gilt, die eigenen Ängste abzulegen, um dann die Intimität erleben zu können, wenn wir zulassen, geliebt und unterstützt zu werden. Möglicherweise müssen wir auch lernen — einen Tag nach dem anderen — glücklich und zufrieden zu sein.

Lernen wir, andere für uns dasein zu lassen.

■ *Heute will ich offen sein, um festzustellen, was ich von Menschen brauche. Ich werde direkt um das bitten, was ich will. Ich werde andere für mich dasein lassen.*

Wir sollten uns davor hüten, unsere Bedürfnisse auf Eis zu legen oder darauf zu warten, daß ein anderer uns Erfüllung bringt, unser Leben verbessert. Es wäre verfehlt, zu erwarten, daß ein Mensch absolut unseren Wunschvorstellungen entspricht. Das führt zu Ressentiments, Feindseligkeit, ungesunder Abhängigkeit und einem Chaos, das wir später wieder bereinigen müssen.

Wenn wir eine bestimmte Beziehung ins Auge fassen oder mit unserer Entscheidung in einer Beziehung noch etwas warten wollen, sollten wir in der Zwischenzeit unser Leben auf ganz normale Weise fortsetzen.

Das kann schwer sein. Es erscheint uns natürlicher, unser Leben auf Eis zu legen, dann nämlich, wenn wir an Co-Abhängigkeits-Überzeugungen festhalten: »Dieser Mensch kann mich glücklich machen ...«; »Ein bestimmter Mensch muß etwas Bestimmtes tun, damit ich glücklich werde ...«

Solches Denken setzt unsere ohnehin geringe Selbstachtung herab, nährt Selbstzweifel und fördert unsere Neigung, uns selbst zu vernachlässigen.

In eine solche Situation geraten wir aus verschiedenen Gründen; etwa dann, wenn wir auf einen Brief oder auf Arbeit warten, auf einen Menschen oder auf ein Ereignis.

Wir brauchen unser Leben nicht auf Eis zu legen. Damit schaden wir uns nur selbst. Führen Sie Ihr Leben weiter. Nehmen Sie das Leben so, wie es ist, einen Tag nach dem anderen.

Gibt es etwas, das ich jetzt tun kann zu meinem eigenen Wohl — um mein Selbstwertgefühl zu steigern, um meine Bedürfnisse in angemessener, gesunder Form zu befriedigen?

Wie kann ich meine innere Stärke geltend machen, damit ich sorgsam mit mir selbst umgehe, ungeachtet dessen, was ein anderer tut oder nicht tut?

Was geschieht, wenn ich mich von den Abhängigkeiten befreie und damit anfange, Sorge für mich selbst zu tragen?

Manchmal erhalten wir die gewünschte Antwort sofort. Dann wieder müssen wir eine Weile warten. Manchmal klappen die Dinge nicht so, wie wir es uns erhofft haben. Aber sie wenden sich stets zum Guten, und das Resultat ist meist besser, als wir erwartet haben.

Unterdessen haben wir bewiesen, daß wir uns selbst liebevoll begegnen; denn wir haben unser eigenes Leben geführt und anderen die Kontrolle darüber entzogen. Diese Haltung kommt uns zehnfach zugute, da wir es — wenn wir uns selbst wirklich lieben — unserer Höheren Macht und anderen Menschen freistellen, uns die Liebe zukommen zu lassen, die wir wünschen und brauchen.

Unser Leben auf Eis zu legen, um ein Ereignis, ein Resultat herbeizuführen, ist der falsche Ansatz. Damit machen wir uns lediglich unglücklich, da wir uns vor dem Leben verschließen.

■ *Heute will ich mich, wenn nötig, dazu zwingen, mein Leben zu leben. Ich werde in meinem eigenen Interesse und in einer Weise handeln, die die Liebe zu mir selbst widerspiegelt. Wenn ich mein Leben in die Hände eines anderen Menschen, nicht meiner Höheren Macht gelegt habe, werde ich es mir zurückholen. Ich beginne, für mich selbst einzustehen, selbst wenn mir das unangenehm ist.*

## Gesunde Toleranz entwickeln — 3. Dezember

Viele von uns haben es sich zur Gewohnheit gemacht, das zu verdrängen und zu mißachten, was sie verletzt. Wir ertragen eine bestimmte Situation und reden uns immer wieder ein, sie sei nicht so schlimm; wir dürften keine so hohen Ansprüche stellen; bald werde eine Veränderung eintreten; wir müßten fähig sein, damit zu leben; es störe uns nicht weiter; der andere habe es eigentlich nicht so gemeint; es tue nicht weh; *vielleicht liegt es an uns.*

Wir befinden uns mit uns selbst in Widerspruch, was die Realität und Gültigkeit unseres Schmerzes anbelangt — und unser Recht, ihn zu empfinden und etwas dagegen zu unternehmen.

Oft überfordern wir unsere Duldsamkeit, geraten schließlich in Wut und weigern uns, weiter Geduld aufzubringen.

Wir können lernen, eine gesunde Toleranz zu entwickeln, wenn wir gesunde Grenzen setzen und uns zutrauen, gegenüber anderen

Menschen stark zu sein. Wir können unseren Schmerz und unser Leid verringern, wenn wir uns achten und Aufmerksamkeit schenken. Wir können daran arbeiten, den zeitlichen Abstand zu verkürzen zwischen dem Augenblick, da wir erkennen, daß eine Grenze gezogen werden muß, und jenem, da wir unmißverständlich und unmittelbar handeln.

Wir sind nicht verrückt. Manche Verhaltensweisen gehen uns zu Recht auf die Nerven. Manche Verhaltensweisen sind tatsächlich unangemessen, ärgerlich, verletzend oder beleidigend.

Wir brauchen uns nicht schuldig zu fühlen, wenn wir die Notwendigkeit erkennen, eine Grenze zu ziehen. Betrachten Sie die Erfahrung als Versuch, Ihrer eigenen Stärke gewahr zu werden.

Es ist nicht nötig, daß wir uns schuldig fühlen, uns entschuldigen oder Erklärungen abgeben, weil wir eine Grenze gezogen haben. Wir können lernen, Mißfallensäußerungen anderer im Hinblick darauf zu akzeptieren. Wir können unser Recht auf diese Grenzen beanspruchen. Wir können anderen Raum für ihre Gefühle geben — während wir die eigenen erforschen und unsere Kraft einsetzen, um gute, funktionierende Beziehungen zu formen.

Sobald wir auf unsere Fähigkeit vertrauen, sorgsam mit uns selbst umzugehen, entwickeln wir eine gesunde, vernünftige Toleranz anderen gegenüber.

■ *Hilf mir, Gott, daß ich mich um gesunde Grenzen und eine gesunde Toleranz gegenüber mir selbst und anderen bemühe.*

## Loslassen — 4. Dezember

»Wie viele Dinge müssen wir loslassen?« fragte mich ein Freund einmal.

»Ich weiß nicht genau«, antwortete ich, »vielleicht *alle*.«

Loslassen ist ein spiritueller, emotionaler, mentaler und physischer, mitunter auch ein *geheimnisvoller, metaphysischer Prozeß,* um die Dinge, an die wir uns so sehr klammern, Gott und unserer Bestimmung zu überlassen.

Wir klammern uns nicht mehr an Menschen, Ergebnisse, Gedanken, Gefühle, Wünsche, Bedürfnisse, Sehnsüchte — an nichts mehr. Wir versuchen, unseren inneren Fortschritt nicht mehr zu kontrollieren. Selbstverständlich ist es wichtig, unsere Wünsche zu erkennen und anzunehmen. Genauso wichtig ist es allerdings auch, das Loslassen zu praktizieren.

Loslassen ist die aktive Komponente unseres Glaubens. Mit diesem Verhalten stellen wir es Gott und dem Universum frei, uns das zukommen zu lassen, was uns bestimmt ist.

Loslassen heißt: erkennen, daß wir weder ein Problem lösen noch einen Menschen ändern oder ein gewünschtes Resultat erzielen, wenn wir uns krampfhaft darum bemühen. Das hilft *uns* nicht. Im Gegenteil, wir sehen ein, daß dieses Festhalten uns oft daran hindert, das zu bekommen, was wir wünschen und benötigen.

Wer sind wir, um sagen zu können, daß die Dinge nicht genau so geschehen, wie sie geschehen müssen?

Im Loslassen liegt eine magische Kraft. Manchmal bekommen wir, was wir wollen, kurz nachdem wir losgelassen haben. Manchmal dauert es länger. Manchmal tritt ein von uns erwünschtes Ergebnis nicht ein. Manchmal ist das Ergebnis besser, als wir es erwartet hätten.

Loslassen befreit uns und stellt eine Verbindung zu unserem Ursprung her.

Loslassen schafft das optimale Klima für bestmögliche Ergebnisse und Lösungen.

■ *Heute will ich mich entspannen. Ich werde das loslassen, was mir den größten Ärger bereitet. Ich vertraue darauf, daß durch dieses Loslassen Dinge in Gang kommen, die den bestmöglichen Verlauf nehmen.*

Kaum etwas macht uns verrückter als jene Erwartungshaltung an einem Menschen, der nichts zu geben hat. Kaum etwas enttäuscht uns mehr als das Bemühen, einen Menschen zu einem anderen zu machen, der er nicht ist. Wir schaden uns, wenn wir uns einreden, ein Mensch sei so, wie er gar nicht ist. Vielleicht haben wir Jahre damit zugebracht, die Realität hinsichtlich bestimmter Menschen aus unserer Vergangenheit und unserer Gegenwart zu verfälschen. Oder wir haben Jahre damit zugebracht, jemanden zu zwingen, uns auf eine Weise zu lieben, zu der diese Person nicht bereit oder in der Lage war.

Es ist Zeit, loszulassen. Es ist Zeit, diese Person loszulassen. Das bedeutet nicht, daß wir ihn oder sie nicht länger lieben können. Loslassen heißt, die unendliche Erleichterung spüren, die sich einstellt, wenn wir die Realität annehmen, statt sie zu verleugnen. Wir lassen diesen Menschen so sein, wie er wirklich ist. Wir hören auf, aus diesem Menschen einen anderen machen zu wollen, der er nicht ist. Wir gehen mit unseren Gefühlen um und lösen uns aus destruktiven Beziehungsmustern.

Wir lernen, Liebe und Zuneigung realitätsbezogen zu empfinden.

Wir setzen eine alte Beziehung unter neuen Voraussetzungen fort — indem wir uns und unsere Bedürfnisse mit einbringen. Wenn jemand unter Alkohol- oder Drogensucht leidet, süchtig ist nach Unglück oder anderen Menschen, lösen wir uns aus seiner oder ihrer Abhängigkeit; wir lassen die Hände davon. Wir legen sein Leben wieder in seine Hände und erhalten als Gegenleistung unser Leben und unsere Freiheit zurück.

Wir hören auf, uns von dem beherrschen zu lassen, was uns dieser Mensch nicht gibt. Wir übernehmen Verantwortung für unser Leben. Wir fahren damit fort, liebevoll und sorgsam mit uns selbst umzugehen.

Wir entscheiden, in welcher Form wir — unter Berücksichtigung der Gegebenheiten und unserer eigenen Interessen — mit dieser Person zusammensein wollen. Unsere Wut und unsere Verletzung mündet in Vergebung. Wir geben dem Partner die Freiheit und befreien uns von den Zwängen.

Das ist der Kerngedanke liebevoller Loslösung.

■ *Heute will ich daran arbeiten, mich liebevoll von schwierigen Menschen in meinem Leben zu lösen. Ich bemühe mich, die realen Gegebenheiten in meinen Beziehungen zu akzeptieren. Ich entscheide mich, in meinen Beziehungen Sorge zu tragen für mich selbst — mit dem Ziel emotionaler, körperlicher, geistiger und spiritueller Freiheit für beide.*

## Sich lösen von Scham — 6. Dezember

Viele von uns wurden mehr als einmal zu Opfern gemacht. Wir wurden möglicherweise körperlich oder sexuell mißhandelt oder durch die Suchtkrankheit eines anderen Menschen ausgenutzt.

Wir erkennen, daß der Mißbrauch, den ein anderer begeht, für uns keinen Grund darstellt, uns zu schämen. Die Schuld am Mißbrauch trägt der Täter, nicht das Opfer.

Die Gefahr besteht nach wie vor, daß wir zum Opfer gemacht werden, ohne daß dies aber ein Grund zur Scham wäre.

Wir haben uns vorgenommen zu lernen, wie wir Sorge tragen für uns selbst, die Opferbereitschaft ablegen und uns keine Schuld für vergangene Erfahrungen zuweisen. Unser Ziel besteht darin, uns so zu wappnen, daß wir nicht weiterhin zum Opfer gemacht werden aufgrund von Scham und anderen ungeklärten Gefühlen aus der ursprünglichen Opferhaltung.

Jeder von uns hat seine eigene Arbeit, seine eigenen Aufgaben zu leisten. Eine dieser Aufgaben besteht darin, nicht länger mit dem Finger auf den Täter zu weisen; das würde uns nur ablenken. Obgleich wir jeden Menschen für sein Verhalten verantwortlich machen und zur Rechenschaft ziehen, lernen wir, Mitgefühl zu haben mit dem Täter. Wir begreifen, daß im Leben dieses Menschen viele unterschiedliche Kräfte am Werk sind. Gleichzeitig lösen wir uns aber auch von Scham.

Wir lernen zu verstehen, welche Rolle wir als Opfer gespielt haben, wie wir überhaupt dazu kamen und warum wir unfähig waren, uns selbst zu retten. Diese Information bewahrt uns davor, daß das gleiche noch einmal geschieht.

Lösen Sie sich von der Scham darüber, Opfer gewesen zu sein. Wir haben Probleme und Aufgaben, doch es liegt nicht an uns, uns schuldig und schlecht zu fühlen, weil wir zuließen, daß andere uns Schaden zugefügt haben.

■ *Heute will ich mich nicht mehr schämen, daß ich einmal Opfer gewesen bin.*

## Wenn die Zeit reif ist — 7. Dezember

Es gibt Zeiten, in denen wir nicht wissen, was wir als nächstes tun und wohin wir gehen sollen. Diese Phasen sind manchmal kurz, können sich aber auch hinziehen.

Wir stehen diese Zeiten durch, da wir uns auf die Prinzipien unserer inneren Heilung verlassen können. Wir ertragen sie, wenn wir auf unseren Glauben, andere Menschen und unsere inneren Quellen zurückgreifen.

Akzeptieren Sie die Ungewißheit. Wir *müssen* nicht immer wissen, was wir als nächstes tun oder wohin wir gehen. Wir müssen nicht immer eine klare Linie verfolgen. Wenn wir uns weigern, Untätigkeit oder Ungewißheit hinzunehmen, verschlimmern wir die Dinge.

Es macht nichts, vorübergehend ohne Orientierung zu sein. Gestehen Sie sich ein: »Ich weiß es nicht«, und geben Sie sich damit zufrieden. Wir können Weisheit, Erkenntnis und innere Klarheit nicht erzwingen, wenn sie nicht vorhanden sind.

Während wir auf Zeichen warten, dürfen wir unser Leben nicht auf Eis legen. Lassen Sie Ihre Angst los, und erfreuen Sie sich am Leben. Entspannen Sie sich. Tun Sie etwas Vergnügliches. Erfreuen Sie sich an der Liebe und Schönheit Ihres Lebens. Erledigen Sie kleine Aufgaben, die nichts mit der Lösung des Problems oder der Suche nach dem richtigen Weg zu tun haben müssen, sondern lediglich dazu dienen, die Zwischenzeit zu überbrücken.

Die Klarheit wird sich einstellen. Der nächste Schritt wird sich zeigen. Unschlüssigkeit, Untätigkeit und Orientierungslosigkeit dauern nicht ewig.

■ *Heute will ich meine Lebensumstände annehmen, auch wenn mir die Richtung und der Überblick fehlt. Ich tue Dinge, die mir und anderen in dieser Zeit ein gutes Gefühl geben. Ich vertraue darauf, daß innere Klarheit sich von selbst einstellt.*

## Unsere Bedürfnisse schätzen — 8. Dezember

Wenn wir unsere Wünsche und Bedürfnisse nicht artikulieren, vernachlässigen und mißachten wir uns. Wir haben Besseres verdient.

Vielleicht haben andere uns beigebracht, es sei unschicklich oder unangebracht, für sich selbst einzutreten. Tatsache ist, daß unsere unerfüllten Wünsche und Bedürfnisse letztlich auf uns selbst zurückfallen und unseren Beziehungen schaden. Wir enden in Wut und Verärgerung oder beginnen, andere dafür zu bestrafen, weil sie nicht erraten haben, was wir brauchen. Vielleicht liefert das sogar den Grund, eine Beziehung zu beenden.

Intimität und Nähe sind nur in einer Beziehung möglich, in der beide Partner aussprechen können, was sie wünschen und brauchen. Nur so ist die Intimität von Dauer.

Mitunter müssen wir die Erfüllung unserer Wünsche *fordern.* Auch das nennen wir: eine Grenze setzen. Wir tun es nicht, um andere zu kontrollieren, sondern um unser Leben in den Griff zu bekommen.

Unsere Einstellung gegenüber unseren Bedürfnissen ist ebenfalls von Bedeutung. Wir müssen unsere Bedürfnisse achten und ernst nehmen, wenn wir verlangen, daß andere uns ernst nehmen. Wenn wir beginnen, unsere Bedürfnisse zu schätzen und als wichtig zu erachten, werden wir eine bemerkenswerte Veränderung feststellen. Unsere Wünsche und Bedürfnisse gehen allmählich in Erfüllung.

■ *Heute will ich meine Wünsche und Bedürfnisse genauso achten wie die der anderen. Ich will mir selbst, anderen und meiner Höheren Macht sagen, was ich wünsche und brauche. Ich werde den Wünschen und Bedürfnissen anderer Gehör schenken.*

Es ist in Ordnung, Hilfe zu erbitten.

Es wäre völlig absurd, die Hilfe, die wir brauchen, nicht von einem Freund, einem Familienmitglied, unserer Höheren Macht oder der entsprechenden Stelle zu erbitten.

Wir müssen uns nicht alleine durch Gefühle und Probleme kämpfen. Wir können um die Hilfe unserer Höheren Macht und um Rückhalt und Ermutigung unserer Freunde bitten.

Ob es sich dabei um eine Information handelt, eine Ermunterung, eine helfende Hand, ein Wort, eine zärtliche Geste, einen Zuhörer oder einen Gefallen — wir können darum bitten. Wir können Menschen um das bitten, was wir von ihnen brauchen. Wir können Gott um das bitten, was wir von Gott brauchen.

Wir fügen uns selbst Schaden zu, wenn wir nicht um die Hilfe bitten, die wir brauchen. Damit engen wir uns ein. Wenn wir anhaltend und eindringlich bitten und unser Anliegen an die richtige Adresse richten, erhalten wir die Hilfe, die wir benötigen.

Es ist ein Unterschied, ob wir jemanden bitten, uns zu retten, oder ob wir jemand gezielt um Hilfe bitten. Wir können geradeheraus sein und anderen die Entscheidung überlassen, ob sie uns helfen oder nicht. Fällt die Antwort negativ aus, sind wir stark genug, um sie zu verkraften.

Wir schaden uns selbst, wenn wir Hilfe von anderen durch Andeutungen oder Klagen, Manipulation oder Zwang erreichen wollen. Es ist unangenehm und lästig, sich als Opfer an andere zu wenden und sie als Retter in der Not zu betrachten. Eine gesunde Einstellung besteht darin, um Hilfe zu bitten, wenn wir sie tatsächlich brauchen.

»Mein Problem ist die Scham«, sagte eine Frau. »Ich wollte mir helfen lassen, um mit ihr fertig zu werden, aber ich schämte mich zu sehr, die Bitte auszusprechen. Ist das nicht verrückt?«

Wir, die wir so eifrig darum bemüht sind, anderen zu helfen, können lernen, uns helfen zu lassen. Wir können lernen, eine klare Form zu finden, wie wir um Hilfe bitten und sie erhalten.

■ *Heute will ich um die Hilfe bitten, die ich brauche — von Menschen und meiner Höheren Macht. Ich bin kein Opfer, das hilflos auf*

*Rettung wartet. Ich werde meine Bitte um Hilfe deutlich formulieren und dem anderen die Möglichkeit einräumen, sich zu entscheiden, ob er mir hilft oder nicht. Ich bin kein Märtyrer mehr, indem ich die Hilfe ablehne, die mir zusteht — die Hilfe, die das Leben erleichtert. Hilf mir, Gott, daß ich mich von meinem Bedürfnis löse, alles alleine zu machen. Hilf mir, daß ich mir die zugänglichen Quellen zunutze mache.*

## Bestärkung 10. Dezember

Sie können denken. Sie können Entschlüsse fassen. Sie können Entscheidungen treffen, die für Sie richtig sind.

Es versteht sich von selbst, daß wir alle hin und wieder Fehler machen. Aber *wir* sind keine Fehler.

Wir können aufgrund neuer Informationen neue Entscheidungen treffen.

Wir können unsere Meinung ändern. Auch dazu haben wir das Recht.

Wir müssen keine Intellektuellen sein, um richtige Entscheidungen zu treffen. Wir haben eine Gabe, die uns allen zugänglich ist. Diese Gabe heißt *Weisheit.*

Andere Menschen sind gleichermaßen fähig zu denken. Das bedeutet, daß wir uns nicht mehr für die Entscheidungen anderer verantwortlich fühlen müssen.

*Es bedeutet ferner, daß wir für unsere Entscheidungen selbst verantwortlich sind.*

Wir können uns an andere wenden, um ein Echo, um Bestätigung zu erhalten. Wir können um Information bitten. Wir können Meinungen abwägen. Aber es ist unsere Aufgabe, Entscheidungen selbst zu treffen. Es ist unser Glück und unser Recht, eine eigene Meinung zu haben.

Es steht uns frei, den Schatz unseres Geistes, Intellekts und unserer Weisheit zu nutzen.

■ *Heute will ich meine Geistesgaben nutzen. Ich werde selbständig denken, meine eigenen Entscheidungen treffen und meine Meinung achten. Ich werde offen sein für das, was andere denken, aber ich werde Verantwortung für mich selbst übernehmen. Ich bitte um göttliche Eingebung und vertraue darauf, daß ich durch göttliche Weisheit geleitet werde.*

## Affirmationen — 11. Dezember

Wir können frei über unsere Gedanken bestimmen. Im Verlaufe unserer inneren Heilung setzen wir unsere geistige Energie positiv ein.

Positive geistige Energie, positives Denken hat nichts zu tun mit unrealistischem Denken, bedeutet keinen Rückfall in alte Verdrängungsmechanismen. Wenn uns etwas nicht gefällt, so respektieren wir unsere Meinung. Wenn wir einem Problem begegnen, gehen wir ehrlich damit um. Wenn etwas schiefgeht, akzeptieren wir auch diese Realität. Wir klammern uns aber nicht an die negativen Aspekte unserer Erfahrung.

Unsere Energie bekräftigt das, wofür wir sie einsetzen. Wenn wir das Gute bekräftigen, so liegt in diesem Akt eine magische Kraft, da alles, was wir bekräftigen, sich verstärkt, sich vergrößert. Eine Methode zur Bekräftigung des Guten sind affirmative, klare Aussagen, die wir uns selbst machen: *Ich liebe mich ... Ich bin gut ... Mein Leben ist gut ... Ich freue mich, daß ich lebe ... Alles, was ich wünsche und brauche, kommt auf mich zu ... Ich schaffe es ...*

Wir bekräftigen Gedanken und Überzeugungen, seit wir sprechen können. Jetzt machen wir uns bewußt, *was wir bekräftigen wollen.*

■ *Heute will ich das Gute in mir, in anderen und im Leben bekräftigen. Ich bin bereit, negative Gedankenmuster aufzugeben oder loszulassen und sie durch positive zu ersetzen. Ich werde darüber entscheiden, was ich bekräftigen will, und ich werde mich gut entscheiden.*

## Gottes Wille — 12. Dezember

Wir fragen Gott jeden Tag, was Er uns zu tun aufgibt; dann erbitten wir seine Hilfe. Eine einfache Bitte, die so tief und weitreichend ist, daß sie uns überall hinführt, wo wir sein müssen.

Hören Sie: Alles, was wir wünschen, alles, was wir brauchen, jede Antwort, jede Hilfe, all das Gute, alle Liebe, alle Heilung, alle Weisheit, die Erfüllung aller Wünsche ist in dieser einfachen Bitte enthalten. Wir müssen nur noch *danke* sagen.

Der Plan, der für uns entworfen wurde, hat nichts mit Entbehrung zu tun. Es handelt sich um einen Plan der Fülle, der Freude und des Überflusses. Nehmen Sie ihn an.

Sorgen Sie für sich.

■ *Heute will ich Gott bitten, mir zu zeigen, was ich heute tun soll; dann bitte ich um Seine Hilfe, es auszuführen. Ich vertraue darauf, daß das ausreicht, um ins Licht und zur Freude geführt zu werden.*

## Geben — 13. Dezember

Scheuen Sie sich nicht davor, zu geben.

Im Verlauf unserer inneren Heilung müssen wir uns vielleicht eine Zeitlang vom Geben distanzieren, bis wir den Unterschied erkannt haben zwischen gesundem Geben und übertriebener Fürsorge, die uns zu Opfern macht und andere in Wut versetzt.

Das ist nur eine vorübergehende Schwierigkeit.

Um gesund zu sein, um zu einer spirituellen Lebensweise zu finden, um teilzuhaben am endlosen Kreislauf des Universums, geleitet von unserem Schöpfer, müssen wir geben und empfangen.

Beide Aspekte sind wichtig.

Was ist gesundes Geben?

Es ist ein feinfühliges Verhalten, das jeder für sich selbst herausfinden muß. Es ist ein Geben, das guttut und uns nicht zum Opfer macht.

Es ist ein Geben, das dem Gebenden und dem Nehmenden Achtung erweist.

Es ist ein Geben, das wir uns grundsätzlich wünschen, anstatt aus einem Gefühl von Schuld, Mitleid, Scham oder Verpflichtung zu handeln.

Es ist ein Geben ohne Zwang oder ein Geben auf der Grundlage einer klaren, gezielten Vereinbarung.

Ob wir unsere Zeit, unsere Mühe, Energie, Fürsorge, Pflege, unseren Zuspruch, unser Geld oder unsere eigene Person zur Verfügung stellen — es ist immer ein Geben, das wir gern tun und uns leisten können.

Geben ist das eine Glied in der Kette von Geben und Nehmen. Wir können lernen, auf gesunde Weise zu geben; wir können lernen, liebevoll zu geben. Wir wollen darauf achten, was wir und wie wir geben, um sicherzustellen, daß nicht die Grenze zu übertriebener Fürsorge oder Bevormundung überschritten wird. Wir müssen lernen, in einer Weise zu geben, die für uns und andere richtig ist.

■ *Gott, führe mich heute, wenn ich etwas gebe. Hilf mir, auf gesunde Weise zu geben. Hilf mir, das zu geben, was meiner Meinung nach richtig ist, was mir ein gutes Gefühl beschert und was ich wirklich erübrigen kann.*

## Klares Denken — 14. Dezember

Das Denken vieler Menschen ist dadurch getrübt, daß sie Dinge verleugnen. Manche haben sogar den Glauben an sich selbst verloren, weil sie zu lange schon mit diesen Verdrängungen leben. Damit ist ihnen allerdings keineswegs geholfen. Wir müssen aufhören, an die Verdrängung zu glauben statt an unser Denken.

Wir haben uns nicht deshalb mit unseren eigenen Problemen oder jenen anderer Menschen in die Verdrängung geflüchtet, weil wir unzulänglich sind, sondern um uns zu schützen. Die Verdrängung diente uns gleichsam als Stoßdämpfer für unsere Seele, bis wir stark genug waren, um uns mit der Realität auseinanderzusetzen.

Klares Denken und innere Heilung bedeuten nun nicht, daß wir uns nie wieder in Verdrängung und Verleugnung flüchten. Die Verdrängung ist der erste Schritt in Richtung einer bejahenden Haltung — und einen Großteil unseres Lebens werden wir uns darum bemühen, Dinge in dieser Weise zu akzeptieren.

Klares Denken bedeutet, daß wir uns nicht in Negativität oder unrealistischen Erwartungen verlieren. Wir halten die Verbindung mit Menschen aufrecht, die ebenfalls auf dem Weg der Heilung sind. Wir besuchen unsere Gruppentreffen, wo wir geistigen Frieden und brauchbare Unterstützung erhalten. Wir arbeiten an den Schritten des Al-Anon-Programms, beten und meditieren.

Wir bleiben mit unserem Denken auf dem richtigen Weg, wenn wir unsere Höhere Macht bitten, uns zu klarem Denken zu verhelfen — nicht, indem wir von Ihr oder irgendwem erwarten, das Denken für uns zu übernehmen.

■ *Heute will ich nach ausgeglichenen, klaren Denkweisen in all meinen Lebensbereichen streben.*

---

## Gefühle — 15. Dezember

---

Es ist in Ordnung, unsere Gefühle zuzulassen und zu spüren — alle Gefühle.

Auch nach Jahren unserer inneren Heilung liegen wir, was diesen Punkt angeht, immer noch in Widerstreit mit uns selbst. Von den vielen Verboten, mit denen wir gelebt haben, ist jenes das potentiell schädlichste und langlebigste, das den gesunden Umgang mit unseren Gefühlen zu unterbinden versuchte.

Viele von uns mußten die emotionalen Aspekte ihres Wesens abschotten, um bestimmte Situationen zu überleben. Wir verschließen solche Bereiche, die Wut, Trauer, Furcht, Freude und Liebe auslösen. Wir haben möglicherweise auch unsere sexuellen oder sinnlichen Gefühle abgeschaltet. Viele von uns lebten in bestimmten Beziehungssystemen mit Menschen, die sich weigerten, unsere Emotionen zu tolerieren. Wir mußten uns wegen unserer Gefühle schämen oder wurden gemaßregelt — meist von Menschen, denen ihrerseits beigebracht wurde, die eigenen Gefühle zu unterdrücken.

Doch die Zeiten haben sich geändert. Es ist jetzt gut für uns, die eigenen Emotionen anzuerkennen und zu akzeptieren. Das soll nicht heißen, daß wir unseren Gefühlen die Oberhand geben; ebensowenig wollen wir unsere Gefühle völlig unterdrücken. Unser emotionales Zentrum ist ein wertvoller Bereich unserer Persönlichkeit, der mit unserem körperlichen Wohlbefinden, unserem Denken und unserer Spiritualität in enger Verbindung steht.

Unsere Gefühle sind mit einer weiteren wichtigen Gabe: unserer Intuition, verbunden. Und sie befähigen uns, Liebe zu geben und anzunehmen.

Wir sind weder schwach noch unzulänglich, wenn wir uns Gefühlen hingeben. Wir beweisen damit, daß wir zu gesunden und ganzen Menschen werden.

■ *Heute will ich mir erlauben, alle Gefühle, die mich überkommen, anzuerkennen und anzunehmen. Ohne Scham werde ich mich in Einklang bringen mit dem emotionalen Bereich meines Innern.*

## Sorge tragen für sich selbst im emotionalen Bereich — 16. Dezember

Was bedeutet es, Sorge zu tragen für mich selbst im emotionalen Bereich? Es bedeutet vor allem: Ich erkenne, wenn ich zornig bin, und akzeptiere dieses Gefühl ohne Scham- oder Schuldgefühle.

Ich erkenne, wenn ich mich verletzt fühle, und akzeptiere dieses Gefühl, ohne den Versuch zu machen, den Verursacher meines Schmerzes zu bestrafen. Ich erkenne die Angst, spüre sie, wenn diese Emotion in mir hochsteigt.

Ich lasse zu, Glück, Freude und Liebe zu empfinden, wenn diese Emotionen in mir entstehen. Wenn ich sorgsam mit mir selbst umgehe, bedeutet das: Ich habe mich für meine Gefühle entschieden.

Wenn ich mich um meine Gefühle kümmere, heißt das, ich lasse das Gefühl in mir so lange zu, bis die Zeit reif ist, es loszulassen und mich einem nächsten Gefühl zuzuwenden.

Ich erkenne, daß meine Gefühle mir zuweilen helfen, mich auf die Realität hinzuweisen, manchmal aber können sie auch trügerisch sein. Ich erkenne ihre Bedeutung, ohne mich von ihnen beherrschen zu lassen. Ich kann fühlen und gleichzeitig denken.

Ich spreche mit Menschen über meine Gefühle, wenn ich das für angebracht und gefahrlos halte.

Ich wende mich an andere um Hilfe und Unterweisung, wenn ich in einer bestimmten Emotion gefangen bin.

Ich bin offen für die Lektionen, die meine Emotionen mich lehren wollen. Nachdem ich das Gefühl empfunden, akzeptiert und losgelassen habe, frage ich mich, was ich tun will oder tun muß, um Sorge zu tragen für mich selbst.

Wenn ich sorgsam mit meinen Gefühlen umgehe, heißt das, daß ich den emotionalen Bereich meines Ichs erforsche, schätze, in Ehren halte und pflege.

■ *Heute will ich im emotionalen Bereich für mein Wohlbefinden sorgen. Ich bin für meine eigenen Gefühle wie die der anderen Menschen offen und akzeptiere sie. Ich bemühe mich um Ausgleich, indem ich Emotionen mit Vernunft kombiniere, lasse jedoch nicht zu, daß mein Intellekt den emotionalen Teil meiner Person unterdrückt.*

## Zuwendung für uns selbst — 17. Dezember

Viele von uns haben Zuwendung so lange entbehrt, daß sie denken, sie sei töricht oder verweichliche uns nur. Diese Zuwendung für uns selbst ist jedoch ein Beweis unserer Selbstbejahung. Wir bemühen uns um eine liebevolle, funktionierende Beziehung mit uns selbst, um zu liebevollen, funktionierenden Beziehungen mit anderen fähig zu sein.

Wenn wir Schmerzen haben, fragen wir uns, was wir brauchen, um sie zu lindern. Sind wir einsam, suchen wir Kontakt zu einem vertrauensvollen Menschen. Ohne das Gefühl zu haben, einem anderen zur Last zu fallen, lassen wir diesen Menschen einfach für uns da sein.

Wir ruhen uns aus, wenn wir müde sind; essen, wenn wir Hunger haben; gehen einem Vergnügen nach oder suchen Entspannung, wenn wir unsere Stimmung heben wollen. Zuwendung für uns selbst bedeutet: Wir machen uns ein Geschenk — ein Besuch im Kosmetik- oder Friseursalon, eine Massage, ein Buch, ein neuer Anzug oder ein neues Kleid; vielleicht auch ein langes, heißes Bad, um abzuschalten und für kurze Zeit unsere Probleme und den Alltag zu vergessen.

Wir lernen, sanft mit uns umzugehen und uns für die Zuwendungen zu öffnen, die andere uns anbieten.

Zur Selbstbejahung gehört auch, daß wir Zärtlichkeit schenken und von anderen empfangen — Berührungen, die uns guttun, Berührungen, die vertrauensvoll sind. Wir lehnen Berührungen ab, die uns schaden, uns Mißtrauen einflößen und nicht positiv sind.

Wir lernen, uns selbst in zärtlicher, liebevoller, mitfühlender Form das zu geben, was wir brauchen. Wir tun das im Wissen, daß diese Zuwendung uns nicht faul, ichbezogen oder narzistisch macht und uns nicht verweichlicht. Menschen, die genügend Zuwendung erhalten, sind im Beruf und in ihren Beziehungen erfolgreich.

Wir lernen, uns so sehr von uns selbst geliebt zu fühlen, daß wir andere wirklich lieben und ihre Liebe zu uns zulassen können.

■ *Heute will ich mir Zuwendung schenken. Ich werde mich außerdem der Zuwendung öffnen, die ich anderen geben und von ihnen erhalten kann.*

---

## Für die eigenen Gefühle offen bleiben — 18. Dezember

---

Viele von uns haben das Gebot: »Du sollst nicht fühlen« so gewissenhaft befolgt, daß sie sich bis heute erfolgreich einreden, keine Gefühle zu haben.

»Wenn ich wirklich gut an meinem Programm arbeiten würde, geriete ich nicht in Wut.«

»Ich werde nicht wütend. Ich bin Christ. Ich verzeihe und vergesse.«

»Ich bin nicht wütend. Ich versichere mir, daß ich glücklich bin.«

Dies sind einige recht geschickte Aussagen, die darauf hindeuten, daß wir das Gebot »Du sollst nicht fühlen« wieder oder immer noch befolgen.

Gut am Programm unserer inneren Heilung arbeiten heißt unter anderem: unsere Gefühle anerkennen und damit umgehen. Wir bemühen uns, unseren Zorn zu akzeptieren und damit fertig zu werden, damit er sich nicht in bitteren Groll verwandelt. Wir benutzen unseren Heilungsprozeß nicht als Entschuldigung, um unsere Emotionen auszuschließen.

Natürlich bemühen wir uns um Vergebung, wollen aber dennoch unsere Gefühle empfinden, auf sie hören und sie beibehalten, bis die Zeit reif ist und wir sie in angemessener Form loslassen. Unsere Höhere Macht hat auch unseren emotionalen Teil erschaffen. Gott verlangt nicht von uns, nicht zu fühlen; nur unsere nicht intakten Beziehungssysteme fordern uns dazu auf.

Wir wollen darauf achten, wie wir von positiven Bestätigungen Gebrauch machen können. Wenn wir unseren Gefühlen keine Beachtung schenken, bewirken wir damit keineswegs, daß sie sich in Nichts auflösen. Unsere Wut ist eine naturgegebene Empfindung, die wir zulassen können; das gehört zum Prozeß unserer inneren Heilung.

■ *Heute weigere ich mich, von anderen oder mir selbst deswegen beschämt zu werden, weil ich Gefühle habe.*

## Rollen im Beruf — 19. Dezember

Wie leicht werden wir bei der Arbeit in Rollen gesteckt. Wie leicht stecken wir andere Menschen in Rollen. Das ist manchmal notwendig, angebracht und überdies recht praktisch.

Wir können aber auch unser wahres Ich hinter dieser Rolle erkennbar werden lassen.

Wir bringen unsere Fähigkeiten gern in den Beruf ein, widmen uns intensiv unserem Aufgabenbereich und bauen eine intime Beziehung zu unserer Arbeit auf. Wir freuen uns darüber, wenn wir eine Leistung erbracht haben und sagen können: »Das hast du gut gemacht!«

Wir freuen uns, die eigene Persönlichkeit in die Berufswelt einzubringen und auch unsere Arbeitskollegen als Einzelwesen anzuerkennen.

Selbst die unangenehmste, nüchternste Arbeit kann durchgestanden werden, wenn wir aufhören, uns als Roboter zu sehen, und uns Mensch sein lassen.

Die Menschen unserer Arbeitswelt reagieren auf uns entgegenkommend, wenn wir ihrer individuellen Persönlichkeit gerecht werden und sie nicht nur über die Rolle definieren, die sie beruflich innehaben.

Das heißt nicht, daß wir uns auf unangemessene Weise in die Geschichten anderer hineinziehen lassen müssen. Es heißt, daß Menschen — ob Arbeitgeber oder Arbeitnehmer —, die im Beruf sie selbst sein dürfen und wahre Leistungen erbringen, ausgeglichener und glücklicher sind als bloße Leistungserbringer.

■ *Heute will ich meine Persönlichkeit in meine Berufswelt mit einbringen. Ich bemühe mich, andere als Einzelwesen und Persönlichkeiten zu sehen — statt nur auf ihre Leistungen zu achten. Hilf mir, Gott, daß ich mich bei der Arbeit der gewinnenden Art meiner Person und anderer Menschen öffne. Hilf mir, gesunde Beziehungen mit Berufskollegen aufrechtzuerhalten.*

## Erwartungshaltungen — 20. Dezember

Wir haben die Aufgabe, unsere Bedürfnisse zu erkennen und einen gangbaren Weg zu finden, um diese Bedürfnisse zu befriedigen. Letztlich sehen wir in unserer Höheren Macht — nicht in einer bestimmten Person — unsere hierfür nötige Kraftquelle.

Es wäre unvernünftig, von Menschen zu erwarten, daß sie fähig oder bereit sind, alle unsere Ansprüche zu erfüllen. Es liegt in unserer Verantwortung, um das zu bitten, was wir wollen und brauchen. Es liegt in der Verantwortung anderer, frei zu entscheiden, ob sie auf unsere Wünsche eingehen möchten. Wenn wir versuchen, andere zu nötigen oder zu zwingen, für uns dazusein, so ist das Kontrollverhalten.

Es besteht ein Unterschied zwischen Bitten und Fordern. Wir wollen Liebe, die uns freiwillig gewährt wird.

Es ist unvernünftig und ungesund, von einem Menschen zu erwarten, er möge all unsere Bedürfnisse stillen. Das endet damit, daß wir dem Menschen Wut und Bitterkeit entgegenbringen, ihn vielleicht sogar bestrafen wollen, weil er uns nicht in dem Maße beisteht, wie wir es erwartet haben.

Vernünftig ist es, gewisse und klar definierte Erwartungen an unseren Ehepartner, unsere Kinder und Freunde zu stellen.

Wenn ein Mensch nicht für uns dasein kann oder will, müssen wir im Rahmen dieser Beziehung für uns selbst Verantwortung übernehmen. Vielleicht müssen wir eine Grenze ziehen, unsere Erwartungshaltung oder den Status der Beziehung ändern, um die Tatsache zu begreifen, daß der andere nicht erreichbar ist. Dies geschieht zu unserem Besten.

Es ist vernünftig, unsere Bedürfnisse und Wünsche aufzuteilen und realistische Vorstellungen davon zu haben, wieviel wir von einer bestimmten Person fordern oder erwarten können. Wir können darauf vertrauen, daß wir wissen, was vernünftig ist.

Das Thema Erwartungshaltung geht zurück auf die Erkenntnis, daß wir verantwortlich dafür sind, unsere Bedürfnisse kenntlich zu machen, überzeugt davon sind, daß uns ihre Erfüllung zusteht und wir einen angemessenen, gangbaren Weg finden, das durchzuführen.

■ *Heute bemühe ich mich um vernünftige Erwartungen im Hinblick darauf, wie meine Bedürfnisse in Beziehungen befriedigt werden können.*

Bemühen Sie sich um ausgeglichene Erwartungen an andere. Bemühen Sie sich um gesunde Toleranz.

In der Vergangenheit haben wir entweder zuviel oder zuwenig toleriert. Wir haben zuviel oder zuwenig erwartet.

Wir tolerieren einerseits Mißbrauch, schlechte Behandlung und Betrug und weigern uns andererseits, normales, menschliches, fehlerhaftes Verhalten von Menschen zuzulassen. Natürlich wäre es besser, in keines der beiden Extreme allzu lange zu verfallen, aber dadurch verändern sich Menschen — Menschen, die mit Fehlern kämpfen, um ein besseres Leben zu erlangen, die sich um harmonischere Beziehungen und ein effektiveres Beziehungsverhalten bemühen.

Wenn wir uns für den inneren Genesungsprozeß offenhalten, wird irgendwann eine andere Art der Umwandlung geschehen: Die Zeit ist da, um uns von Extremen abzuwenden und wahre Ausgeglichenheit zu finden.

Wir können uns und dem Genesungsprozeß vertrauen, daß wir gegenüber uns selbst und anderen eine ausgeglichene Haltung einnehmen, was Toleranz, Geben, Verstehen und Erwarten anbelangt.

Jeder von uns kann seinen Weg zu innerer Balance finden: Wir müssen nur unseren Heilungsprozeß beginnen und fortsetzen.

■ *Heute will ich eine bejahende Haltung einüben, akzeptieren, wie ich mich verändere, wie andere sich verändern. Wenn ich in das genaue Gegenteil einer bestimmten Verhaltensweise umschwenken mußte, so will ich das für einen gewissen Zeitraum als angemessen betrachten. Doch ich strebe nach einer Haltung ausgeglichener Toleranz und Erwartung mir selbst und anderen gegenüber.*

Machen Sie sich keine Sorgen darüber, in welcher Form das Gute, das für Sie geplant ist, auf Sie zukommt.

Es kommt.

Hören Sie auf, sich Sorgen zu machen, sich zu quälen, zu glauben, Sie müßten kontrollieren, danach jagen oder sich den Kopf darüber zerbrechen, wie und wann das Gute Sie erreicht.

Es wird Sie erreichen.

Ergeben Sie sich jeden Tag Ihrer Höheren Macht. Vertrauen Sie Ihrer Höheren Macht. Werden Sie ruhig. Vertrauen Sie und hören Sie auf sich selbst. Auf diese Weise wird das Gute, das Sie sich wünschen, zu Ihnen kommen.

Ihre Heilung, Ihre Freude, Ihre Beziehungen, Ihre Lösungen, Ihr Berufswunsch, die erwünschte Veränderung, eine bestimmte Gelegenheit: Alles kommt auf Sie zu — auf natürliche Weise, mühelos und auf vielen Wegen.

Die Antwort wird kommen. Die Richtung wird kommen, das Geld, die Idee, die Kraft, die Kreativität. Der Weg wird sich Ihnen auftun. Vertrauen Sie darauf, weil alles bereits im Großen Plan festgelegt ist.

Es wäre sinnloser Kraftaufwand, sich darüber Gedanken zu machen, *wie* es kommen wird. Es ist bereits da. Sie haben es bereits. Es ist schon an der richtigen Stelle. Sie können es nur noch nicht sehen!

Sie werden zum Guten geführt, und das Gute wird zu Ihnen gelangen.

■ *Heute will ich mich entspannen und darauf vertrauen, daß das Gute, das ich brauche, sich bei mir einstellt. Entweder ich führe mich selbst oder werde durch andere geführt: Alles, was ich wünsche und brauche, wird mir zur rechten Zeit zuteil werden.*

*Als ich ein Kind war, betrank sich mein Vater an einem Weihnachtsfest und wurde gewalttätig. Ich hatte gerade ein Geschenk ausgepackt, eine Handlotion, als er im Rausch seinen Wutausbruch bekam. Das ganze Weihnachtsfest war verdorben. Es war furchtbar. Die ganze Familie hatte Angst. Noch heute, nach fünfunddreißig Jahren, überkommen mich beim Geruch einer Handcreme jene Gefühle, die ich damals an Weihnachten empfand: Angst, Enttäuschung, Besorgnis, Hilflosigkeit und ein instinktives Verlangen nach Kontrolle.*

— Anonym

Es gibt eine Vielzahl positiver »Auslöser«, die uns schöne Weihnachtserinnerungen bescheren: Schneeflocken, Christbaumkugeln, Kinderchöre, Lebkuchen, Geschenkpakete, eine Krippe, Kerzenschimmer. Diese Auslöser rufen warme, sehnsüchtige Gefühle an das Weihnachtsfest in uns hervor.

Es gibt aber auch weniger deutliche Auslöser, die andere Gefühle und Erinnerungen in uns wachrufen.

Unser Verstand ist wie ein Computer. Er verbindet Sehen, Hören, Riechen, Berühren und Schmecken mit Gefühlen, Gedanken und Erinnerungen. Er stellt eine Verbindung zwischen unseren Sinnen her — und wir erinnern uns.

Auch der kleinste, unscheinbarste Vorfall kann Erinnerungen wachrufen. Nicht alle unsere Erinnerungen sind angenehm, zumal dann nicht, wenn wir in einer Umgebung aufgewachsen sind, die von Suchtkrankheiten oder anderen Störungsfaktoren gekennzeichnet war.

Wir begreifen nicht, wieso wir uns plötzlich fürchten, wieso wir deprimiert oder verunsichert sind. Wir erkennen nicht, wodurch unsere coabhängigen Verhaltensweisen ausgelöst wurden, mit denen wir reagieren — das geringe Selbstwertgefühl, der Drang nach Kontrolle, die Neigung, uns zu vernachlässigen. Wenn so etwas geschieht, müssen wir verstehen, daß ein unscheinbarer Vorfall Erinnerungen aufwühlen kann, die tief in unserem Innern gespeichert sind.

Wenn gewisse Dinge — auch solche, die wir nicht verstehen — schmerzhafte Erinnerungen in uns auslösen, können wir uns in die Gegenwart zurückholen, indem wir sorgsam mit uns selbst umgehen: Wir erkennen unsere Gefühle an, nehmen innerlich Abstand, arbeiten an den Schritten und bestätigen uns selbst in positiver Weise. Wir können etwas für unser Wohlbefinden tun. Wir können dazu beitragen, daß wir uns an jedem folgenden Weihnachtsfest ein wenig besser fühlen. Was in der Vergangenheit auch geschehen sein mag: Wir können es in die richtige Perspektive rücken und heute ein harmonisches Fest feiern.

■ *Heute durchforsche ich behutsam mein Gedächtnis nach Erfahrungen, die ich mit Weihnachten gemacht habe. Ich werde meine Gefühle akzeptieren, auch wenn sie sich von jenen unterscheiden, die andere Menschen in bezug auf Weihnachten haben. Hilf mir, Gott, daß ich schmerzhafte Erinnerungen an die Weihnachtsfeiertage loslasse, mich davon heile und befreie. Hilf mir, meine Konflikte aus der Vergangenheit aufzuarbeiten, damit ich das Fest so feiern kann, wie ich es mir wünsche.*

## Weihnachtsfeiertage überstehen 24. Dezember

In manchen von uns erwecken die weihnachtlichen Lichter und Düfte freudige und herzliche Gefühle. Während sich einige froher Stimmung in die Feiertage begeben, geraten andere in innere Konflikte, in Schuld- und Verlustgefühle.

Wir kennen fröhliche und traurige Weihnachtsgeschichten; doch viele von uns wissen immer noch nicht, wie sie die Feiertage überstehen sollen. Sie wissen gar nicht, wie ein frohes Weihnachtsfest aussieht und sich anfühlt.

Viele von uns sind hin und her gerissen zwischen dem, was sie an Weihnachten tun *wollen* und was sie ihrer Meinung nach tun *müssen.* Vielleicht fühlen wir uns schuldig, weil uns nicht danach ist, mit unserer Familie zu feiern. Oder wir empfinden einen Verlust, weil wir die Familie nicht haben, mit der wir gern feiern würden. Viele von uns unterziehen sich Jahr für Jahr dem gleichen Weihnachtsritual und erwarten jedesmal, daß es diesmal anders sein wird. Und Jahr für Jahr fühlen sie sich hinterher im Stich gelassen, enttäuscht und verwirrt.

In vielen von uns werden alte, schmerzhafte Erinnerungen an Weihnachten ausgelöst.

Viele von uns atmen erleichtert auf, wenn das Fest vorbei ist.

Eines der größten Geschenke unseres Heilungsprozesses besteht darin zu wissen, daß wir nicht allein sind. Vermutlich gibt es ebenso viele Menschen, die an Weihnachten Konflikte erleben, wie solche, die diese Tage glücklich verleben. Durch unsere Erfahrung, also indem wir immer wieder andere Möglichkeiten erproben, lernen wir an jedem Weihnachtsfest ein wenig mehr darüber, wie wir sorgsam mit uns selbst umgehen.

Unsere primäre Aufgabe während der Festtage ist die, uns selbst, unsere Situation und unsere Gefühle im Hinblick darauf anzunehmen. Wir akzeptieren unsere Schuld-, unsere Wut- und unsere Verlustgefühle. Es ist alles in Ordnung.

Es gibt keine richtige oder perfekte Form, die Feiertage zu verbringen. Wir können Kraft daraus schöpfen, das Beste zu tun, was wir tun können — ein Jahr nach dem anderen.

■ *An diesen Weihnachtsfeiertagen nehme ich mir die Freiheit, Sorge zu tragen für mich selbst.*

## Festtage — 25. Dezember

Manchmal sind die Festtage erfüllt von dem Frohsinn, den wir mit dieser Zeit des Jahres in Verbindung bringen. Alles ist eitel Freude. Ein Zauber liegt in der Luft.

Die Festtage können aber auch schwierig und einsam sein.

Nachfolgend einige Tips, die ich aufgrund meiner persönlichen Erfahrung niedergeschrieben habe. Sie helfen uns, schwierige Festtage durchzustehen:

Lassen Sie Ihre Gefühle zu, versuchen Sie aber gleichzeitig, sich nicht übermäßig lange damit zu beschäftigen. Sehen Sie die Feiertage als das, was sie sind: Ein Feiertag ist *ein* Tag von 365 Tagen. Wir können jede 24-Stunden-Spanne überbrücken.

Stehen Sie den Tag durch, machen Sie sich aber klar, daß er Nachwirkungen haben kann. Wenn wir unsere Überlebensstrategie einsetzen, um den Tag durchzustehen, holen uns die Gefühle manchmal am nächsten Tag wieder ein. Gehen Sie auch damit um. Versuchen Sie, so schnell wie möglich Ihre Fassung wiederzuerlangen.

Suchen und pflegen Sie die Liebe, die Ihnen zugänglich ist, auch wenn sie nicht genau das ist, was Sie sich wünschen. Gibt es jemanden, dem wir Liebe geben und von dem wir Liebe empfangen können? Gleichgesinnte Freunde? Gibt es eine Familie, die Weihnachten gern mit uns verbringen würde? Seien Sie kein Märtyrer! Gehen Sie hin! Es gibt vielleicht Menschen, die sich über unser Angebot freuen und den Tag gerne mit uns verbringen.

Wir sind nicht die Ausnahme, wenn wir ein nicht rundum gelungenes Weihnachtsfest verbringen. Wie leicht und unaufrichtig ist es, sich einzureden, der Rest der Welt feiere ein wunderschönes Fest, und nur wir müßten Konflikte austragen.

Wir können unser eigenes Festtagsprogramm gestalten. Machen Sie sich selbst ein Geschenk. Suchen Sie sich jemanden, dem Sie etwas schenken können. Zeigen Sie Ihr liebevolles, fürsorgliches Ich, und versetzen Sie sich in Feststimmung.

Möglicherweise waren frühere Weihnachtsfeste nicht die schönsten. Vielleicht war es auch dieses Jahr nicht umwerfend. Doch nächstes Jahr kann es besser werden und im übernächsten noch ein wenig besser. Arbeiten Sie auf ein besseres Leben hin — ein Leben, in dem Ihre Bedürfnisse gestillt werden. Es dauert nicht lang, und Sie haben es.

■ *Hilf mir, Gott, dieses Weihnachtsfest zu genießen und glücklich zu feiern. Wenn meine Situation nicht rosig ist, dann hilf mir, das Gute aufzunehmen und alles andere loszulassen.*

## Inneres Wachstum — 26. Dezember

Genauso, wie Kinder ihren Kleidern und Spielsachen entwachsen, entwachsen wir Erwachsene anderen Menschen, Jobs, Umgebungen. Das kann verwirrend sein. Wir fragen uns, warum Menschen oder Dinge, die uns vor einem Jahr sehr wichtig waren und am Herzen lagen, heute irgendwie nicht mehr in unser Leben passen. Wir fragen uns, warum unsere Gefühle sich geändert haben.

Als Kinder haben wir vielleicht versucht, uns in ein Kleidungsstück, das uns zu klein geworden war, hineinzuzwängen. Heute, als Erwachsene, zwingen wir uns zu Einstellungen, denen wir entwachsen sind. Das müssen wir wohl tun, um uns Zeit zu geben, die Wahrheit zu erkennen. Was letztes Jahr richtig, was für uns in der Vergangenheit von Bedeutung war — es stimmt nicht mehr, eben weil wir uns verändert haben, immerhin gewachsen sind.

Das können wir als wertvollen und wichtigen Teil des Heilungsprozesses akzeptieren. Wenn wir in etwas hineinschlüpfen, das uns nicht mehr paßt, und uns fragen, warum das so ist, machen wir einen wichtigen Prozeß des Experimentierens und auch des Trauerns durch. Wir erforschen unsere Gefühle und Gedanken im Hinblick auf das, was geschehen ist.

Dann legen wir die Spielsachen vom letzten Jahr beiseite und schaffen Platz für neue.

■ *Heute lasse ich die Spielsachen vom letzten Jahr das sein, was sie sind: Spielsachen vom letzten Jahr. Ich behalte sie in freundlicher Erinnerung für die Wegstrecke meines Lebens, die ich mit ihnen zusammen zurückgelegt habe. Dann packe ich sie weg und schaffe Platz für neue.*

## Fast am Ziel — 27. Dezember

Ich weiß, Sie sind müde. Ich weiß, Sie fühlen sich überfordert. Vielleicht haben Sie das Gefühl, daß diese Krise, dieses Problem, diese schwere Zeit ewig dauert.

Das ist nicht der Fall. Sie haben es beinahe geschafft.

Sie *meinen* nicht nur, daß es schwer war; es war tatsächlich schwer. Sie wurden auf die Probe gestellt, examiniert und erneut geprüft über den Stoff, den Sie gelernt haben.

Ihre Überzeugungen und Ihr Glaube haben die Feuerprobe bestanden. Sie haben zunächst geglaubt, dann gezweifelt und sich noch einmal bemüht, Ihren Glauben zu vertiefen. Sie mußten glauben, auch wenn Sie nicht sehen und sich nicht vorstellen konnten, was Sie da glauben sollten. Vielleicht wollten Menschen Ihrer Umgebung Sie davon überzeugen, nicht an das zu glauben, was Sie hofften, glauben zu können.

Sie hatten Widersacher. Sie haben die Stelle, an der Sie jetzt stehen, nicht mit der vollen Unterstützung und Hilfe anderer erreicht. Sie mußten schwer arbeiten, sich gegen Widerstände in Ihrer Umgebung durchsetzen. Manchmal wurden Sie durch Ihren Zorn motiviert; manchmal war es die Angst.

Die Dinge liefen schief — mehr Probleme tauchten auf, als Sie erwartet hatten. Hindernisse, Frustrationen und Ärgernisse begleiteten Sie auf Ihrem Weg. Sie konnten den Gang der Ereignisse nicht beeinflussen. Vieles kam überraschend; manches davon war ganz und gar nicht in Ihrem Sinn.

Und doch war es gut. Ein Teil von Ihnen, Ihr tiefstes Inneres, das die Wahrheit kennt, hat das die ganze Zeit gespürt, auch wenn Ihr Verstand Ihnen einflößte, die Dinge seien nicht in Ordnung, sondern durcheinander, es gebe keinen Plan und keinen Sinn, Gott habe Sie vergessen.

Es ist so viel passiert, und alle Begebenheiten — auch schmerzliche, besorgniserregende und völlig überraschende — stehen in Beziehung zueinander. Sie fangen an, das zu sehen und zu spüren.

Sie haben sich nie erträumt, daß die Dinge sich *so* entwickeln könnten, nicht wahr? Aber es geschah. Nun erfahren Sie das Geheimnis — es war bestimmt, so zu geschehen, und es ist gut so, besser, als Sie erwartet haben.

Sie haben wohl auch nicht geglaubt, daß es so lange dauern würde. Aber es dauerte so lange. Sie haben Geduld gelernt.

Sie dachten nie, daß Sie so viel Geduld aufbringen würden, aber nun wissen Sie, daß Sie Geduld haben.

Sie wurden geführt. Es gab viele Augenblicke, in denen Sie sich vergessen glaubten, in denen Sie überzeugt waren, verlassen zu sein. Heute wissen Sie, daß Sie geleitet wurden.

Nun kommen die Dinge ins Lot. Sie haben diese schwierige Etappe Ihrer Reise fast geschafft. Die Lektion ist beinahe vollendet — die Lektion, gegen die Sie angekämpft, der Sie Widerstand entgegengesetzt haben und von der Sie überzeugt waren, sie nicht lernen zu können. Ja, genau die. Sie haben diese Lektion beinahe gemeistert.

Sie wurden von Grund auf verändert. Sie haben sich auf eine andere Ebene begeben, eine höhere, eine bessere Ebene.

Sie haben einen Berg bestiegen. Es war nicht leicht, doch Bergsteigen ist nie leicht. Jetzt haben Sie den Gipfel beinahe erreicht. Es dauert nicht mehr lang, und der Sieg gehört Ihnen.

Straffen Sie Ihre Schultern. Atmen Sie tief durch. Gehen Sie mit Zuversicht und in Frieden weiter. Die Zeit wird kommen, in der Sie sich an all dem erfreuen können, wofür Sie gekämpft haben. Diese Zeit ist endlich nah.

Ich weiß, Sie haben schon früher gedacht, die Zeit sei nah, und mußten dann erkennen, daß dem nicht so war. Doch jetzt *kommt* die Belohnung. Das wissen auch Sie. Sie können es spüren.

Ihr Kampf war nicht umsonst. Für jeden Kampf auf dieser Reise gibt es einen Höhepunkt, eine Belohnung.

Friede, Freude, überreicher Segen und Lohn warten auf Sie. Freuen Sie sich darüber.

Es werden mehr Berge zu besteigen sein, doch jetzt wissen Sie, was Sie dabei zu tun haben. Und Sie kennen das Geheimnis, das Sie auf dem Gipfel erwartet.

■ *Heute akzeptiere ich den Platz, den ich einnehme, und strebe weiter nach vorn. Wenn ich mitten in einer Lernerfahrung bin, halte ich fest an meinem Glauben, daß der Tag des Sieges und der Belohnung kommen wird. Hilf mir, Gott, daß es trotz meiner redlichen Bemühungen um ein Leben in friedlicher Gelassenheit Zeiten gibt, in denen ich Berge bezwingen muß. Hilf mir, daß ich aufhöre, Chaos und Krisen zu erzeugen; hilf mir, daß ich mich den Herausforderungen stelle, die mich nach oben und nach vorn bringen.*

## Panik — 28. Dezember

Keine Panik!

Wenn Panik uns zu überfallen droht, müssen wir darauf achten, daß sie unser Verhalten nicht beherrscht. Ein von Panik motiviertes Verhalten ist in der Regel schädlich. Welche Situation oder welcher Umstand auch zu bewältigen ist: Panik ist eine schlechte Ausgangsposition. Selbst in einer beklemmenden Lage finden wir einen kurzen Augenblick, in dem wir tief durchatmen und unsere Fassung und Ruhe wiedererlangen können.

Wir brauchen nicht mehr zu tun, als wir uns zumuten können — niemals! Wir brauchen nichts zu tun, was uns überfordert, was wir nicht lernen können!

Die gesunde Lebensweise, die wir suchen, gründet in geistigem Frieden und stiller Zuversicht — wir haben Vertrauen in uns selbst, in unsere Höhere Macht, in den Prozeß unserer inneren Heilung.

Keine Panik. Sie führt uns vom Weg ab. Entspannen Sie sich. Atmen Sie tief durch. Lassen Sie eine friedliche Stimmung durch Ihren Körper und Ihren Geist strömen. Unter dieser Voraussetzung sorgt unsere innerste Quelle für die nötigen Kräfte.

■ *Heute will ich Panik als eigenständigen Faktor behandeln, der meine unmittelbare Aufmerksamkeit erfordert. Ich lehne es ab, mich von panischen Gedanken und Gefühlen motivieren zu lassen. Statt dessen lasse ich meine Gefühle, meine Gedanken, mein Verhalten von Frieden und Vertrauen leiten.*

## Weiterentwicklung — 29. Dezember

*Lernen Sie die Kunst des Akzeptierens. Das bedeutet viel Trauerarbeit.*

— Unabhängig sein

Manchmal ist es zu unserem eigenen Besten, bestimmte Beziehungen zu beenden. Manchmal ist es Zeit, die grundsätzlichen Voraussetzungen einer bestimmten Beziehung zu ändern.

Das trifft in der Liebe, in Freundschaften, in der Familie und im Beruf zu.

Beziehungen zu verändern oder zu beenden ist zwar nicht leicht, häufig aber unumgänglich.

Manchmal halten wir Beziehungen aufrecht, die bereits vorbei sind — aus Angst vor dem Alleinsein oder um die unvermeidliche Trauerarbeit hinauszuzögern, die mit dem Ende verbunden ist. Manchmal müssen wir noch eine Weile ausharren, um uns vorzubereiten, um Kraft zu sammeln, damit wir mit der Veränderung zurechtkommen.

Wenn das der Fall ist, sollten wir Geduld mit uns haben. Es ist ratsam, einen Zeitpunkt abzuwarten, an dem wir uns gefestigt, klar und zu sinnvollem Handeln befähigt fühlen.

Wir werden wissen, wann es soweit ist. Wir können Vertrauen zu uns haben.

Wir befinden uns in einer schwierigen Situation, wenn wir wissen, daß eine Beziehung sich verändert oder am Ende ist — zumal dann, wenn die Zeit noch nicht reif ist, um zu handeln, wir aber bereits wissen, daß der Zeitpunkt nahe ist. Es kann auch unangenehm und lästig sein, wenn eine Lektion sich ihrem Ende zuneigt. Wir verlieren die Geduld und wollen das Ende beschleunigen, fühlen uns aber noch nicht stark genug dazu. Es sind wichtige Dinge im Gange. Wenn die Zeit reif ist, können wir darauf vertrauen, daß das Ende kommt. Wir werden die Kraft und die Fähigkeit besitzen, das zu tun, was wir tun müssen.

Es ist nicht leicht, Beziehungen zu beenden oder die Grenzen einer Beziehung zu verändern; das erfordert Mut und Glauben. Es erfordert die Bereitschaft, Sorge zu tragen für sich selbst, und manchmal auch den Willen, eine gewisse Zeit allein zu sein.

Lassen Sie Ihre Angst los. Begreifen Sie, daß Veränderung ein wichtiger Teil unserer inneren Heilung ist. Ihre Liebe zu sich selbst muß groß genug sein, damit Sie das tun können, was für Ihr eigenes Wohl am besten ist. Sie brauchen außerdem die feste Überzeugung, daß Sie zu gegebener Zeit wieder lieben können und werden.

Wir fangen *nie* ganz von vorne an. Im Heilungsprozeß entwickeln wir uns nach einer genau bemessenen Abfolge von Lektionen. Wir sind dadurch mit ganz bestimmten Menschen zusammen — in der Liebe, in der Familie, in Freundschaften und im Beruf. Wenn die Lektion gemeistert ist, trennen wir uns und gehen weiter. Wir werden uns bald an einem neuen Ort befinden, wo wir neue Lektionen mit neuen Menschen lernen.

Nein, nicht alle Lektionen sind schmerzlich. Wir erreichen eine Stufe, auf der wir nicht durch Schmerz, sondern durch Freude und Liebe lernen.

■ *Heute will ich akzeptieren, wo ich in meinen Beziehungen stehe, auch wenn dieser momentane Zustand mir unangenehm und lästig ist. Wenn ich mich in der Endphase einer Beziehung befinde, werde ich mich meiner Trauer stellen und sie akzeptieren. Hilf mir, Gott, darauf zu vertrauen, daß der Weg, den ich gehe, genau und liebevoll für mich geplant wurde. Hilf mir zu glauben, daß mir meine Beziehungen wichtige Lektionen erteilen. Hilf mir, den Kreislauf von Mitte, Ende und Neuanfang zu akzeptieren und dankbar dafür zu sein.*

## Vorarbeit 30. Dezember

Die Vorarbeiten sind geleistet.

Erkennen Sie das?

Begreifen Sie, daß alles, was Sie durchgemacht haben, aus einem bestimmten Grund geschah?

Es gab Gründe, gute Gründe für das Warten, den Kampf, den Schmerz und schließlich die Befreiung.

Sie wurden darauf vorbereitet. Wie ein Baumeister, der zunächst die alten Relikte abtragen und abreißen muß, um Platz zu schaffen für Neues, so hat Ihre Höhere Macht die Grundstrukturen Ihres Lebens freigelegt und gesäubert.

Haben Sie schon einmal bei einem Hausbau zugesehen? Zu Beginn der Bauarbeiten herrscht völliges Durcheinander. Altes und Verrottetes muß entfernt werden. Was unzureichend oder zu morsch ist, um die neue Konstruktion zu tragen, muß abgerissen, ersetzt oder verstärkt werden. Kein Maurer, der seine Arbeit ernst nimmt, würde eine baufällige Mauer frisch verputzen, nur um ihr ein schönes Aussehen zu geben. Sie würde dennoch einstürzen.

Wenn der fertige Bau den gewünschten Erfordernissen entsprechen soll, muß die Arbeit gewissenhaft und von Grund auf ausgeführt werden. Im Verlauf der Bauarbeiten entstehen ganze Trümmerberge. Das scheint oft keinen Sinn zu ergeben. Zeit und Mühe scheinen vergeudet zu sein, weil das Endstadium noch nicht in Sicht ist.

Es ist jedoch absolut notwendig, daß die Arbeiten am Fundament sauber und streng ausgeführt werden, um den erfreulicheren Tätigkeiten jenen letzten Schliff zu geben, den wir uns wünschen.

Diese lange, schwierige Zeit in unserem Leben war dazu da, das Fundament zu legen. Sie geschah nicht ohne tieferen Sinn, auch wenn dieser uns nicht immer zugänglich war.

Nun sind die Vorarbeiten getan. Die Konstruktion ist stabil. Nun ist die Zeit gekommen, um mit der Arbeit zu beginnen, die wirklich Freude bereitet — und das Werk zu vollenden.

Es ist Zeit, das Haus einzurichten und die Früchte unserer Arbeit zu genießen.

Herzlichen Glückwunsch! Sie haben die Geduld aufgebracht, diese schwierigen Zeiten durchzustehen. Sie haben Vertrauen gehabt, sich ausgeliefert und es Ihrer Höheren Macht und dem Universum überlassen, Sie vorzubereiten und zu heilen.

Nun werden Sie sich an dem Guten erfreuen, das im Plan vorgesehen war.

Nun werden Sie den tieferen Sinn erkennen.

Nun paßt alles zusammen und ergibt Sinn.

Erfreuen Sie sich daran.

■ *Heute werde ich mich ganz der Grundlegung meines Lebens widmen. Wenn die Zeit gekommen ist, am letzten, vollendenden Schliff Freude zu haben, so werde ich mich ihr hingeben. Ich werde nicht vergessen, meiner Höheren Macht zu danken, diesem wundervollen Baumeister, der nur meine besten Interessen für den Aufbau und die Gestaltung meines Lebens im Sinn hat. Ich bin meiner Höheren Macht für die Fürsorge und Aufmerksamkeit dankbar, die sie den einzelnen Teilen des Fundaments entgegengebracht hat — auch wenn ich gelegentlich immer noch die Geduld verliere. Ich werde voller Ehrfurcht sein vor der Schönheit des von Gott geschaffenen Bauwerks.*

*Spaß wird zum Spaß, Liebe zur Liebe. Das Leben wird lebenswert. Und wir werden dankbar.*

— Unabhängig sein

Warten Sie und erwarten Sie Gutes — für sich selbst und für Ihre Lieben.

Wenn Sie sich fragen, was auf Sie zukommt, sagen Sie sich, das Beste kommt auf Sie zu, das Allerbeste, was das Leben und die Liebe zu bieten, das Beste, was Gott und Sein Universum zu geben haben. Dann öffnen Sie Ihre Hände und empfangen es. Nehmen Sie es in Anspruch, es gehört Ihnen.

Sehen Sie vor Ihrem geistigen Auge das Beste; stellen Sie sich vor, wie es aussehen, wie es sich anfühlen wird. Konzentrieren Sie sich darauf, bis Sie es deutlich vor sich sehen. Gehen Sie mit Ihrem ganzen Sein — Körper und Seele — in diese Vorstellung, und halten Sie das Bild einen Augenblick fest.

Dann lassen Sie los. Kehren Sie zurück ins Heute, in die Gegenwart. Quälen Sie sich nicht. Werden Sie nicht ängstlich. Seien Sie neugierig. Verbringen Sie den heutigen Tag auf erfüllte Weise, drükken Sie Ihre Dankbarkeit aus für alles, was Sie gewesen sind, alles, was Sie sind, und alles, was Sie sein werden.

Warten Sie ab und erwarten Sie das Gute.

■ *Heute will ich mich in Gedanken an das vor mir liegende Jahr, auf das Gute konzentrieren, das auf mich zukommt.*

# Die 12 Schritte der AA

1. Wir gaben zu, daß wir dem Alkohol gegenüber machtlos sind — und unser Leben nicht mehr meistern konnten.
2. Wir kamen zu dem Glauben, daß eine Macht, größer als wir selbst, uns unsere geistige Gesundheit wiedergeben kann.
3. Wir faßten den Entschluß, unseren Willen und unser Leben der Sorge Gottes — wie wir Ihn verstanden — anzuvertrauen.
4. Wir machten eine gründliche und furchtlose Inventur in unserem Inneren.
5. Wir gaben Gott, uns selbst und einem anderen Menschen gegenüber unverhüllt unsere Fehler zu.
6. Wir waren völlig bereit, all diese Charakterfehler von Gott beseitigen zu lassen.
7. Demütig baten wir Ihn, unsere Mängel von uns zu nehmen.
8. Wir machten eine Liste aller Personen, denen wir Schaden zugefügt hatten, und wurden willig, ihn bei allen wiedergutzumachen.
9. Wir machten bei diesen Menschen alles wieder gut — wo immer es möglich war —, es sei denn, wir hätten dadurch sie oder andere verletzt.
10. Wir setzten die Inventur bei uns fort, und wenn wir unrecht hatten, gaben wir es sofort zu.
11. Wir suchten, durch Gebet und Besinnung die bewußte Verbindung zu Gott — wie wir Ihn verstanden — zu verbessern. Wir baten ihn nur, uns seinen Willen für uns erkennen zu lassen, und um die Kraft, ihn auszuführen.
12. Nachdem wir durch diese Schritte ein geistiges Erwachen erlebt hatten, versuchten wir, diese Botschaft an Alkoholiker weiterzugeben und unser tägliches Leben nach diesen Grundsätzen auszurichten.

# Register

## A



## B

C



D



E

F

G



H

M



N

T



U



V.

W

## Z

# Weitere Bücher von Melody Beattie

DIE SUCHT
GEBRAUCHT ZU WERDEN
Heyne-Taschenbuch 17/38
ISBN 3-453-03760-X

*

UNABHÄNGIG SEIN
Jenseits der Sucht gebraucht zu werden
Heyne-Taschenbuch 17/48
ISBN 3-453-04613-7

*

MUT ZUR UNABHÄNGIGKEIT
Wege zur Selbstfindung und inneren Heilung
Das Zwölf-Schritte-Programm
ISBN 3-453-05918-2

*

JA ZUM LEBEN
Aus tiefstem Schmerz zu neuer Lebenskraft
ISBN 3-453-08689-9

Wilhelm Heyne Verlag
München